WALDO E.
SWEET

LATIN

A
STRUCTURAL
APPROACH

ANN ARBOR
THE UNIVERSITY OF MICHIGAN PRESS

475
S974L

90507

Lithoprinted in U.S.A.
EDWARDS BROTHERS, INC.
Ann Arbor, Michigan, U.S.A.

FOREWORD

This book attempts to apply the findings of structural linguistics to Latin in the same way that Charles C. Fries has applied them to the teaching and learning of English as a foreign language.

The course is built around 360 Basic Sentences, which not only illustrate all points of structure but serve as the basis for the Pattern Practices, which in turn give massive drill on these points. These Basic Sentences are *sententiae*, gathered from various centuries to give the student some idea of the vast scope of Latin literature. The Narrative Readings in many cases parallel the Basic Sentences in language or thought.

This book was written for teachers without previous training in structural linguistics who are dissatisfied with the traditional approach to Latin teaching and want to try something new. For them the following observations may be useful.

Few, if any, of the grammatical explanations are like those found in traditional textbooks. Some of them you may find hard to understand. This does not necessarily mean that your students will find them difficult. Be chary of giving what may seem to be simpler explanations until you have had experience with the book.

In general keep any talk *about* the language to a minimum. Students will learn Latin by hearing it, speaking it, reading it, and writing it, not by talking about it. Wherever possible, avoid the kind of talking about the language which we call translating. If the student can answer the questions in Latin, he knows the meaning of the passage. The slower student, who cannot at first answer the Latin questions, will gradually comprehend the meaning of the original through the questions and answers. If the questions given in the text are not sufficient, you can supply additional questions which will elucidate the point of difficulty. As your own skill increases you will discover that you can do away almost entirely with translation as a teaching technique.

It is essential to proceed as fast as the ability of the class permits. No single lesson by itself can teach any item of structure; the student will only learn it after he has seen it in contrast with all other structures. To illustrate, in Lesson One the student learns that *virō* is ablative singular. No matter how astute, he cannot understand this *virō* until he sees it in contrast with the homophonous dative singular *virō* in Lesson Sixteen. If, through zeal for thoroughness, one were to spend two years on the first fifteen lessons, would the student ever comprehend that *virō* could be anything but ablative singular?

College freshman classes can proceed at the rate of one lesson per class meeting, high school students at half this speed. For a single assignment the college student could learn ten Basic Sentences, master the Pattern Practice, and do the Self Test. A Basic Sentence is learned when the student, after hearing it given once in Latin, can repeat it or write it without hesitation or error. A Pattern Practice is mastered when a student can give the correct response to the stimulus without pausing to think. This may be tested by a tape recording in class, with the stimuli arranged in an order which is different from that of the book or learning tape. The purpose of the Self Test is to show the student whether he has studied the Pattern Practice well enough to answer the Self Test *without hesitation*.

Only a few minutes of each class period should be spent on checking the assigned work. With a tape recorder to give the Stimulus-Pause-Response of a Pattern Practice, a class of 25 students can be tested and graded in five minutes.

All of the Pattern Practices and Basic Sentences in this book have been recorded on tape by the Audio-Visual Center, University of Michigan, Ann Arbor, Michigan. To obtain copies of these recordings, you should send the Audio-Visual Center blank reels of tape on which the material will be recorded at a charge of $.50 per reel. The master tapes, totalling twenty 7-inch reels, were recorded at 7.5 speed, but slower speed (3.75) or dual track copies may be ordered.

To anticipate the inevitable question, it is *not* necessary to use tape recorders in order to use the book. In fact, most teachers who have used previous experimental editions of this book did not use mechanical equipment. However the economical saving of such mechanical aids should not be overlooked. As a classroom teacher, I would prefer to teach a class of 50 with access to mechanical equipment than a class of 25 without it.

In collecting the *sententiae*, the following works were particularly useful:

William F. H. King, *Classical and Foreign Quotations* (New York, 1888).

L. De-Mauri, *Flores Sententiarum* (Milan, 1949).

A. Otto, *Die Sprichwörter und Sprichwörtlichen Redensarten der Römer* (Leipzig, 1890).

Wilhelm Binder, *Novus Thesaurus Adagiorum Latinorum* (Stuttgart, 1861).

Jakob Werner, *Lateinische Sprichwörter und Sinnsprüche des Mittelalters* (Heidelberg, 1912).

Guiseppe Fumagelli, *L'Ape Latina* (Milan, 1955).

Acknowledgment is made to S. I. Hayakawa and to Harcourt, Brace and Company for permission to use an extensive quotation from *Language in Action*; and to Eugene A. Nida and the University of Michigan Press for permission to use examples from *Morphology: The Descriptive Analysis of Words*.

The Introduction is an expansion of the opening chapter of *Experimental Materials, Book One*, the result of a two-year program under the auspices of the Carnegie Corporation.

The illustrations were drawn by Edith Kovach, Mumford High School, Detroit, Michigan.

The authority for quantities has been Walde-Hoffmann, *Lateinisches etymologisches Wörterbuch* (3rd ed.; Heidelberg, 1938-54).

The prose paraphrases of Phaedrus and Martial are in many cases based on those in the Delphin edition.

The Latin explanations of new words are often adapted from the dictionary of Forcellini.

To many people I owe a profound debt of gratitude. First and foremost is John F. Gummere, classicist, linguist, and headmaster of the William Penn Charter School, where I spent seven happy years learning and teaching. It was he who first introduced me to structural linguistics; without him there would have been no book.

My thanks go also to Ralph L. Ward, who devoted much of the summer of 1951 to a minute scrutiny of the materials which I was then constructing.

The influence of Charles C. Fries is enormous, as anyone familiar with his work can see; and the inspiration of his counsel was of great personal value. I am indebted also to two of his pupils, Betty W. Robinett and Barbara Y. Gordon, who spent many hours helping me work out the application of Pattern Practice to the Latin language.

For my interpretation of Latin grammar, upon which the entire book rests, I owe much to Henry M. Hoenigswald.

Thanks are due to my colleagues in the Department of Classical Studies at the University of Michigan, Frank O. Copley, Ruth S. Craig, and Gerda M. Seligson, who have taught from these materials in preliminary form and have furnished constant help and encouragement. I am under much the same obligation to the members of the Latin Workshop, who in 1952 and 1953 worked out with me the *Experimental Materials* and whose shared experience taught me much: Clara Ashley, Grace Crawford, Sister Mary Donald, Margaret Forbes, Rev. Charles Herkert, Eleanor Huzar, Jane Infield, Eileen Johnson, Frederick Kempner, Edith Kovach, Austin Lashbrook, Joan Madsen, Malcolm McLoud, Stanford Miller, Gerda Seligson, John Shepard, Lawrence Springer, Hilton Turner, Myra Uhlfelder, Laura Voelkel, Richard Walker, Evelyn Way, Elizabeth White.

Finally, affectionate thanks to my wife, who typed and edited all drafts of the manuscript.

With regret I must somewhere bring to a close this list of names. To all the others — classicists, linguists, teachers, administrators, and students — who have assisted in the production of this book I give my grateful thanks.

Waldo E. Sweet

Ann Arbor,
August, 1957

CONTENTS

INTRODUCTION: What Sounds Mean

LANGUAGES ARE DIFFERENT.

Read that sentence again. Like a lot of things in life, it is more complicated than it seems. It is a fair assumption that unless you have studied a foreign language for some time you do not really understand the meaning of that sentence. The purpose of this Introduction is to try to give you some understanding of the problems that face you in learning a new language. At the end of the year you will understand this Introduction fairly well.

Languages are different. For one thing, they have different words for the same objects. Probably everyone knows that there are people in the world who use words like *cheval* or *Pferd* or *cavallo* for what is really just a plain old horse.

But the difference goes far deeper than that. Speakers of other languages just do not view the universe in quite the same way as we. They don't talk about quite the same colors, recognize quite the same sort of family relationships, or think of time exactly as we do.

To give an example, there are two words for *uncle* in Latin; one is *avunculus* and the other is *patruus*. But they are not synonyms. The first is your mother's brother; the second is your father's brother. Your uncle on your mother's side is not the same person as your uncle on your father's side: why do speakers of English give them the same name? The answer is that we classify this relationship in a different way from the Romans. The difference between *patruus* and *avunculus* was important to a Roman boy because if his father died his *patruus* usually became his guardian. In such ways as these, languages reflect differences in cultures.

Although we have taken an example from Latin, the same thing is true in every other language. To give another example of kinship terms, there is no word for *brother* in Japanese; you must always specify whether you are talking about your older brother or your younger brother. This difference has an importance for the Japanese that it does not have for us.

There are languages that don't concern themselves with whether things are singular or plural, some that don't bother to indicate the time when things happen, some that don't have adjectives. In these countries, two and two apples still make four apples, one action still occurs before another, and objects still have size, shape, and color, but in these languages it is not obligatory to comment on these facts the way we do. This is the source of the greatest single difficulty in language learning; it is also what makes the study so fascinating.

You may wonder how a language can get along without adjectives. First, let us define an adjective. An adjective (like any other part of

1

speech) is a member of a form class; that is, it shares certain characteristics of form with certain other words in the language. In English
red works the same way as *big*: we can say "The barn is big" as well
as "The barn is red," and we have *red, redder, reddest* like *big, bigger,
biggest. Blush*, however, although much closer to *red* in meaning than
big is, is not an adjective; it is a verb, since it works like *cease: she
blushes, she blushed; she ceases, she ceased*. A language that lacked
a form class for adjectives would express the idea "The barn is red" by
using other parts of speech, perhaps a verb, as "The barn blushes,"
perhaps a noun, as "The barn has redness."

Other languages differ from English not only in lacking certain features which English has but in possessing others which it does not.
There are languages in which it is obligatory to comment on the shape,
size, or texture of objects; others in which you must note the position
of everything you discuss; and so on through a list that seems to be
endless. In Hupa, a language of the American Southwest, nouns have
tenses; one says *xonta* for a house now in existence, *xontaneen* for a
house that used to exist but has ceased to be, and *xontate* for a house
that will come into existence in the future.

It is compulsory in English to say whether a noun is singular or
plural. One must either say "I am picking up the *book*" or "I am
picking up the *books*," even though you do not care or perhaps do not
even know whether the books are one or more than one. You *must* make
a decision and state it. Not all languages require this distinction between singular and plural.

But they all require similiar ones.

This is a bewildering idea to grasp, one you cannot expect to understand by reading about it, particularly in such a short presentation as
this. You must dig down inside another language and find out by experience how it works. If you approach this in the right way, you will find
it one of the most interesting things you have ever studied. But most of
the difficulties which beginners have with a foreign language can be
traced to their refusal to believe that languages can *really* be different.

THE SOUNDS

Languages are made up of sets of sounds called *phonemes*. Each
language has from two dozen to six dozen sets of these sounds, *and no
two languages have the same combination of sets*. It is a safe assumption for you to make in starting any new language that there will be *no*
sounds in this language exactly like English sounds. In actual practice
there will usually be a few sounds that are much like English, but the
total combination is sure to sound completely different. Most people
approach a foreign language with the feeling that its sounds are essen-
tially like those in English. In the preceding pages we used the foreign
words *cheval, Pferd, cavallo, avunculus, patruus, xonta, xontaneen,
xontate*. No matter how you pronounced these words, you may be

absolutely sure of one thing: unless you already knew the language, you were wrong. Only through long practice could you come even reasonably close to a native's pronunciation.

As a child you started to learn the sounds of your language almost from the day you were born. Long before you could talk you were making English noises rather than French or German noises. It is no wonder that you find it hard to realize that other sets of sounds can have meaning.

When a language has an alphabet that really fits the language, then each phoneme has one symbol, and this one symbol always stands for the same phoneme. English is an example of a language where the alphabet is a wretched fit. Who would ever guess that *pair*, *pear*, and *bare* were pronounced alike, or that the words *cough*, *tough*, *through*, and *though* do not rhyme? Latin, you will be glad to know, is an example of a language whose alphabet is almost (but not quite) a perfect fit.

Now to define more closely what we mean by phoneme. The phoneme /p/[1] occurs in both the word *pot* and the word *spot*. Say these two words aloud. Can you detect any difference in the /p/? The answer may very well be in the negative, for all your life you have been trained to respond to these quite different sounds as members of the same set. Perhaps, however, you can feel a difference which you have trained yourself not to hear. Place the back of your hand a few inches in front of your mouth and try the two words again. You will feel a distinct puff of air with *pot* which is absent in *spot*. This difference is non-significant in English because we automatically omit the puff after /s/.

This difference between /p/ with a puff and /p/ without it is significant in Chinese: the word *pa*[2] with a puff means *eight*, and *pa* without the puff means *white*. French, on the other hand, has a phoneme /p/ which never has the puff. If you want to speak French the way the natives do, you will have to learn to omit the puff on such words as *Paris*. If you want to learn Chinese, you will have to learn to recognize and produce the /p/ with a puff and the /p/ without it.

People who speak Korean as their native language do not have the contrast that we have between /l/ and /r/. To them the words *loot* and *root* sound alike. They must work hard to learn a difference which to you seems so natural that you may find it incredible that there are people who cannot hear it.

One of the problems in learning a modern language is to master this complicated system of contrasting sounds so that you "have a good accent," one that is acceptable to natives of that country. Unless you can come reasonably close to a native pronunciation, you will not be understood. We have all heard foreigners speak what they thought was English but which was largely unintelligible. What they were doing, of

---

[1]The slanted lines mean that we are talking about a phoneme and not about a letter. In the word *philosophy* the letter *p* occurs twice, the phoneme /p/ not at all.

[2]The tones (rising and falling) are omitted here, although they are essential to the Chinese phonemic system. The student should be warned that almost all the examples are simplified in some way.

course, was substituting the sound system of their own language for that of English.

This problem of acquiring the accent of a native does not arise in the study of Latin. You will have a lot of opportunity in your later life to use Latin, but the possibility of talking with a Roman is one we may safely eliminate. You will speak and hear a great deal of Latin both in class and outside (in order to fix it securely in your mind), but in general you may use sounds which are pretty much like English sounds.

Although some points are debatable, we know a lot about the way Latin sounded. If you want to sound as much like a Roman as possible, listen carefully to your teacher and to the records or tapes that accompany this book,[3] and imitate them as closely as possible. Better than imitating, mock them.

For practice, then, mock the pronunciation of the following utterances. Since at this point we are concerned solely with pronunciation, it doesn't matter what they mean. Take it on faith that they are meaningful; you will find out the meaning later on. Learn these well enough so that you can repeat them without the slightest hesitation. A famous authority on language once said that language learning is overlearning and that anything less is of no use.

Do this introductory Pattern Practice either with the teacher or with a tape or record. If you do it by yourself you can be sure that you are doing it wrong.

PATTERN PRACTICE, Part One

Purpose: to learn to repeat whole utterances.
Directions: repeat the utterances.

Vestis virum facit. Erasmus[4]
Fūrem fūr cognōscit et lupum lupus. Anon.
In pulchrā veste sapiēns nōn vīvit honestē. Werner
Fortiter, fidēliter, fēliciter. Motto
Rem, nōn spem, ...quaerit amīcus.[5] Carmen dē figūrīs
Nēmō in amōre videt. Propertius
Prūdēns cum cūrā vīvit, stultus sine cūrā. Werner
Manus manum lavat. Petronius
Injūria solvit amōrem. Anon.
Vēritās numquam perit. Seneca

Once you observe a few facts about the Latin writing system there is

[3]See the Foreword, page vi.

[4]The source of these quotations and all the others in the book may be found in the Teacher's Manual. The identification *Werner* means that the quotation is medieval and is to be found in Jakob Werner's *Lateinische Sprichwörter und Sinnsprüche des Mittelalters* (Heidelberg, 1912).

[5]The dots mean that a word or words have been omitted.

almost no problem in writing down what you hear or in reading what someone else has written.

Observe the following:

1. There are no "silent letters" as in the English writing system. The word *amōre* has three syllables.
2. Each letter always represents the same set of sounds. Both *c*'s in *cognōscit* (in the second sentence) are pronounced hard (like English /k/).
3. The letter *v* has the sound of English /w/.
4. The letter *j* has the sound of the first phoneme in English *young*.
5. Note carefully the difference between the five short vowels and the five long vowels (marked with the macron, as in *ā, ē, ī, ō*, and *ū*). This contrast between long and short will cause some trouble.
6. Note also that double consonants in Latin stand for a doubled sound; double letters in English, on the other hand, show the pronunciation of the preceding vowel, as in *supper/super*, *dinner/diner*.

PATTERN PRACTICE, Part Two

Purpose: to help you recognize and produce the difference between long and short vowels and double and single consonants. In each of these sets, two words will be alike and a third will differ.
Directions: repeat the sets.

fīlia	cūra	ēdō	honeste	summus	ager	hōc	fugīs	virīs
fīliā	cūrā	ēdō	honeste	summus	agger	hoc	fugīs	vīrīs
fīlia	cūrā	edō	honestē	sumus	ager	hōc	fugis	virīs
vestīs	erās	amō	callidus	vultus	regī	spīna	morī	vocēs
vestis	errās	amo	calidus	vultūs	rēgī	spīnā	mōrī	vocēs
vestis	errās	amo	callidus	vultūs	rēgī	spīnā	morī	vōcēs
sōlum	nota	hic	mānibus	stultē	modo	canum	īdem	lēgit
solum	nōta	hic	manibus	stulte	modō	cānum	īdem	legit
solum	nota	hīc	manibus	stultē	modo	cānum	idem	legit
colis	dēdī	ūtī	rēxeris	dūceris	ducī	fugit	lēvis	nōtus
collis	dedī	utī	rēxeris	dūcēris	dūcī	fūgit	levis	nōtus
collis	dedī	utī	rēxerīs	dūceris	ducī	fugit	levis	notus
liber	male	īra	parent	vīlīs	auris	vēnit	manus	suīs
līber	mālle	īra	parent	vīllīs	aurīs	venit	manūs	suis
liber	male	īrā	pārent	vīllīs	auris	vēnit	manūs	suīs

PATTERN PRACTICE, Part Three

Purpose: to contrast some of the short vowels.
Directions: repeat each set.

servum	servem	at	efficiō	oppetō	omnis	ut	anus
servam	servam	et	efficiō	appetō	omnis	at	anus
servam	servam	at	officiō	oppetō	amnis	ut	onus

    Your assignment is to read this lesson several times, making care-
ful note of the parts you do not understand. If you think you understand
it all, this may be a danger signal, particularly if you have studied no
other foreign language. Then with tape, record, or someone who knows
Latin, go over again and again the ten sample sentences and the exer-
cises which contrast the sounds.

INTRODUCTION: How a Language Fits Together

You would probably like to know what the utterances meant which you heard in the last lesson. If we told you what the words meant, do you think you could do it? Let's look at the first one: Vestis virum facit.

Vestis means *clothing*, *virum* means *man*, and *facit* means *make*; what does the entire utterance mean?

Now for another one: Virum facit vestis.

And this one: Vestem facit vir.

And this one: Facit virum vestis.

And this one: Virum vestis facit.

Unless you are a lucky guesser or unless you already know something about Latin, your chances of getting all five of those right were small indeed. You knew the lexical meaning of the individual words, but you didn't know the structural meaning. The following quotation presents the problem well: "When we test PhD candidates for their ability to read German, our main concern is to make sure they can work the machinery of the language. With a dictionary any student of chemistry can discover that a certain paragraph deals with the mixing of sulfuric acid and water; but what he really needs to find out is whether the acid is poured into the water or the water into the acid (the difference between safety and an explosion), and for that he needs to be able to read the structure of the sentence."[1] This lesson will try to explain a little what we mean by *structure*. Only in this way will you have a full understanding of what you need to learn when you turn to Latin.

As a small child, along with learning the sounds of your own language you learned a lot of other things about English too. You found out the difference between *Daddy scared the dog* and *The dog scared Daddy*. You were learning the syntax of your language, although of course at that time you didn't know what syntax was. In case you are still hazy, we will define it for you: syntax is the machinery that makes the individual words operate, the system by which the words are related to one another. When you knew the difference in meaning between the two sentences given above, you knew the difference (in English) between subject and object; you understood this bit of English syntax. You didn't of course know the terms *subject* and *object*, and you couldn't give a good explanation of how you knew the difference. Can you give that explanation now?

Unless you are different from most students, your answer was probably something like, "The subject is the doer of the action." Does this answer the question? Is this a clear explanation of *how* you tell?

Until recently we were satisfied with such answers as that given above. Now however we are not. A new field of study called *structural*

---

[1] From a review by Martin Joos in *Language* 32 (1956), 295-96.

linguistics has changed our way of thinking. Through new techniques we can now give more sensible descriptions of languages than before. Using these descriptions we can make the process of language learning somewhat more efficient. This book attempts to make use of this knowledge. You may find that much of what you learn about language will contradict what you have heard before.

Let us return to your childhood. By the time you were five and a half you had "learned the language." There were still odds and ends lying around; you might, for example, still have said *He breaked it*, but this very error shows that you had learned the system by which the vast majority of English verbs form their past tense.

On the other hand, your vocabulary at the age of five and a half was still incomplete. In fact you are still learning English vocabulary, and you will never learn more than a small part of it. One of the tasks in any field is to learn the complex specialized vocabulary ("jargon") and the concepts for which they stand. This continuing experience with new words is the reason why the learner of a foreign language invariably thinks first of vocabulary: it is the only part of the learning of his own tongue that he remembers.

Just as the sounds of languages are different, so are the shapes of words, phrases, and utterances.[2] Some languages form utterances by stringing together a lot of short words in a fixed order. English is this sort of language, and so is Chinese.

Other languages may express in one word what takes us three or four. This does not mean that these languages are any more or less efficient than English, but it does most decidedly mean that they are different.

Here are some examples from a dialect of Aztec spoken in Veracruz, Mexico.[3] See if you can answer the questions.

First Problem

Aztec Word	English Meaning
ničoka	I cry
ničoka?	I cried
nimayana	I am hungry
nimayana?	I was hungry
nimayanaya	I was hungry (and may still be)
timayana	You (sg) are hungry
nimayanas	I will be hungry
tičoka	You (sg) cry
ničokaya	I was crying (and may still be)
ničokas	I will cry

---

[2]An *utterance* is a segment of speech which begins at the point when a person starts to talk and continues until he stops.

[3]These Aztec examples are from *Morphology* by Eugene A. Nida (Ann Arbor, 1949).

Explanation of symbols: The č stands for a sound something like the *ch* in *chair*. The hook stands for a sound something like the one which some people have when they say *moun'en* instead of *mountain*. The other sounds are something like the sounds in English. If you wanted to pronounce them so that they were intelligible to a native speaker, you would need to have special instruction. You may be sure that as we pronounce these words, no speaker of Aztec would understand them.

1. In this language, what is it that signals simple past time?
2. What signals the first person singular?
3. What signals the second person singular?
4. What signals the stem of the word that means *cry*?
5. What signals the stem of the word that means *be hungry*?
6. What signals future time?

The minimal units of meaning which you have cut out of these words are called *morphemes*. To turn to English, *slowly* is composed of two morphemes, *slow* and *-ly*. *Slow* has meaning and so does *-ly*. It so happens that *slow* can stand by itself, while *-ly* cannot.

If you had trouble in picking out the morphemes in the Aztec example, here is a suggestion. Compare the forms of the words and then compare the meanings. What, for example, is the difference in form between the first two words? It is the sound represented by the little hook. And what is the difference in meaning? Apparently the difference between present and past time. Then what is the answer to the first question?

But let's check. Look back for another pair that have this same contrast in form; do they have the same contrast in meaning? Items three and four answer this. There is your check. Now try this one from the same dialect.

Second Problem

Aztec Word	English Meaning
ikalwewe	big house
ikalsosol	old house
ikalcīn	little house
komitwewe	big cooking pot
komitsosol	old cooking pot
komitcīn	little cooking pot
petatwewe	big mat
petatsosol	old mat
petatcīn	little mat
ikalmeh	houses
komitmeh	cooking pots
petatmeh	mats
kōyamecīn	little pig
kōyamewewe	big pig
kōyamemeh	pigs

The long mark over some of the vowels means that the vowel is held longer than the ones without it. This is important in some languages. Can you name one?

Pick out the morphemes that have the following meanings:

1. cooking pot   5. mat
2. plural   6. house
3. old   7. big
4. little   8. pig

Here is a third set, taken from a different dialect of Aztec. This should go fairly easily now.

Third Problem

Aztec Word	English Meaning
-ita	stem of verb *to see*
nikita	I see it
kita	He sees it
kinita	He sees them
kitas	He will see it
kitak	He saw it
tikinita	You (sg) see them
nikitak	I saw it
nikinitak	I saw them
kitakeh	They saw it
kinitakeh	They saw them
tikitas	You (sg) will see it
kitaya	He was seeing it
tikitaya	You (sg) were seeing it
kitaskia	He would see it
nikitaskia	I would see it

The third person singular subject is signalled by a zero element; that is, when the verb does not contain the morphemes for any of the other persons, it is thereby identified as third person singular.

Identify the morphemes that have the following meanings:

1. past time   5. *I* as subject
2. *you* as subject   6. *they* as subject
3. *it* as object   7. stem of verb *see*
4. *them* as object   8. future time

We will now try the same kind of analysis on Latin. We will first pick out the parts of speech. You must forget the definitions which you have probably learned for noun, verb, adjective, and so on. Each language has definite signals for parts of speech and other grammatical features; these are arbitrary and differ from language to language. To

say that a noun is the name of a person, place, or thing is not really
very helpful. Here are examples from Nahuatl (a language of Mexico);[4]
can you pick out the nouns and the verbs?

chuka piltsīntli	The baby cries
tlākatl nehnemi	The man walks
xutla cuawitl	The wood burns
asiko tunalli	The day arrived

You cannot of course possibly do it. If you identified the first word
as a noun and the second as a verb, you were assuming that the structure of this language was like that of English. If we tell you, however,
that nouns in this language are marked by the morpheme -*tl*, with the
variant forms -*tli*, -*li*, -*tsī*, or -*tū*, can you now identify the nouns?

In Latin the different parts of speech have specific markers. Among
the different endings which verbs may have, the one which shows third
person singular is -*t*. What is therefore the verb in each of the following Latin utterances?

Rem, nŏn spem, quaerit amīcus.

In pulchrā veste sapiēns nŏn vīvit honestē.

If we were to tell you that the morpheme for subject is -*s*, could you
pick out the subjects of these sentences? The morpheme for object is
-*m*. How many objects are there in the first sentence? How many in
the second?

Don't get a false idea of the simplicity of the problem from these
examples. Verbs in Latin have other endings besides -*t*, and sometimes they look confusingly like nouns to the unwary. But through it all
runs a *system*, and your task is to learn this system.

[4]Taken from *A Grammar of Tetelcingo Nahuatl* by Richard S. Pittman (Balti-
more, 1954).

INTRODUCTION: What Words Mean

We have tried to show you that languages differ in the distinctive sounds which signal meaning and in the way the pieces fit together. We now want to impress you with the fact that vocabulary too is different.

Language is a set of symbols which represent certain ideas. In learning a foreign language you do not learn a new set of symbols for the concepts you already hold; you learn a new set of symbols for a new group of concepts. You will find that speakers of other languages group together things which you never considered comparable in any way. The study of language teaches us — and this is one of its most valuable lessons — that different peoples in their several languages divide up the real world in quite different ways. This Introduction cannot possibly teach you this, but it will prepare you so that you can grasp it as the evidence piles up during the course.

One task of the scientist is to analyze and classify the world as it really is and not as we talk about it. We speak in English of heat and cold, but do these things exist in the real world? The physicist tells us that only heat exists; that a "cold" object possesses heat but less of it than the object we call "hot." This belief in "cold" as a reality makes it impossible for some people to understand how a heat pump or a refrigerator works.

A recent book on semantics[1] has this to say about naming objects: "The figure below shows eight objects, let us say animals, four large and four small, a different four with round heads and another four with square heads, and still another four with curly tails and another four with straight tails. These animals, let us say, are scampering about your village, but since at first they are of no importance to you, you ignore them. You do not even give them a name.

"One day, however, you discover that the little ones eat up your grain, while the big ones do not. A differentiation sets itself up, and, abstracting the common characteristics of A, B, C, and D, you decide to call these *gogo*; E, F, G, and H you decide to call *gigi*. You chase away the *gogo*, but leave the *gigi* alone. Your neighbor, however, has had a different experience; he finds that those with square heads bite, while those with round heads do not. Abstracting the common characteristics of B, D, F, and H, he calls them *daba*, and A, C, E, and G he calls *dobo*. Still another neighbor discovers, on the other hand, that those with curly tails kill snakes, while those with straight tails do not. He differentiates them, abstracting still another set of common characteristics: A, B, E, and F are *busa*, while C, D, G, and H are *busana*.

"Now imagine that the three of you are together when E runs by. You

[1]S. I. Hayakawa, *Language in Action* (New York: Harcourt, Brace and Co., 1941), pp. 149-50.

say, 'There goes the *gigi*'; your first neighbor says, 'There goes the *dobo*'; your other neighbor says, 'There goes the *busa*.' Here immediately a great controversy arises. What is it *really*, a *gigi*, a *dobo*, or a *busa*? What is its *right name*? You are quarreling violently when along comes a fourth person from another village who calls it a *muglock*, an edible animal, as opposed to *uglock*, an inedible animal — which doesn't help matters a bit."

The Comanche word for bicycle is *náta?aikĭ?* and that for rocking chair is *návi?aikĭ?*. Is this a chance resemblance, or do a rocking chair and a bicycle actually have something in common in Comanche? The verb stem ná-?aikĭ? means *move in an oscillatory manner by the agency of a human*; the *-ta-* morpheme means *by means of the feet* and *-vi-* means *by means of the buttocks*. The two Comanche words are thus similar in both form and meaning. However bizarre this association may seem to us, we must always remember that it does not seem so to the Comanche, to whom it seems "the natural way" to talk.

Now let us examine an English word which we are accustomed to regard as straightforward and uncomplicated. When we hear the word *cat*, some of us will think of a kitten, others of a battle-scarred old tom. Those who like cats will have a pleasant reaction; some may have an unpleasant one. A man who works in a circus might well think first of a lion or tiger.

But even though we all have a slightly different reaction to the word *cat*, there is a common element in these "meanings" which permits us to operate. If your friend's picture is too different from yours, misunderstandings arise ("I can't for the life of me see why you like cats!").

It is perhaps obvious why *cat* is applied to lions and tigers; it is not at all obvious why it should be applied to a kind of whip, to a double tripod with six legs (a cat with six legs?), to a piece of naval equipment, or to a piece of wood pointed at both ends used in a game called tip-cat.

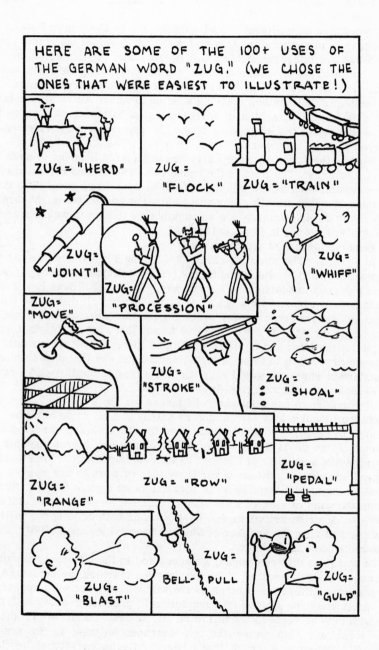

Yet these meanings are all listed in my small desk dictionary, along with others.

Sometimes we will hear, "The word for cat in German is *Katze.*" It is easy to misunderstand this statement. It does not mean that *cat* and *Katze* are interchangeable. It is only a short way of saying that the most common set of meanings of *cat* correspond pretty well with the most common meanings of *Katze.* My German dictionary (again, a small one) tells me that besides meaning a feline creature *Katze* also means a kind of shellfish, a kind of fortification, a battering ram, a money bag, a disease of the lungs, or a hook. No mention of the double tripod or even of lions and tigers.

What is the Latin word for cat? The word *fēlēs* happens to have three meanings. The first is the house cat. The second refers to cat-like animals, such as the weasel, but not to lions and tigers. The third meaning is a man who is a woman-chaser, the person we might term a *wolf.* Why did the Romans see a resemblance to cats in weasels and lady-killers but not in lions and tigers?

Because languages are different.

In French, "The word for cat is *chat.*" The French use this for the domestic cat and for lions and tigers (very intelligent of them!). But when a person is hoarse, the French say, "Il a un chat dans la gorge," which does not mean "He's got a cat in his throat." It describes the same unpleasant sensation for which we use the expression "He has a frog in his throat." It's a little naive to say that *chat* in this last example means *frog,* and no more intelligent to say that it means *cat*; it is more productive to think in larger terms and say that under the circumstances where we would say, "He has a frog in his throat," a speaker of French says, "Il a un chat dans la gorge."

If you were to ask a speaker of Chinese for the word for *carry,* he might well be at a loss for an answer unless you also told him *how* you planned to carry. There is no one word for the action of carrying but, instead, some thirty different words, which are not interchangeable. It would strike a speaker of Chinese as exceedingly comical (or stupid, depending upon his attitude towards you) if you were to use *nye* (carry between thumb and forefinger) in speaking of an article like a suitcase. From the point of view of a speaker of Chinese we use the English word *carry* to describe activities that have little or nothing in common; from our point of view the speaker of Chinese has divided one activity (carrying) into ridiculous subdivisions.

A word has different meanings according to the different environments in which it occurs. Your job, besides learning the structure, is to learn the different meanings as the various environments appear.

After you have studied this chapter well, practice reading with help or with tape or records the following utterances. Do not worry about the meaning. Also review the ten sentences on page 4. Be prepared to repeat any one of these twenty utterances without hesitation and without error.

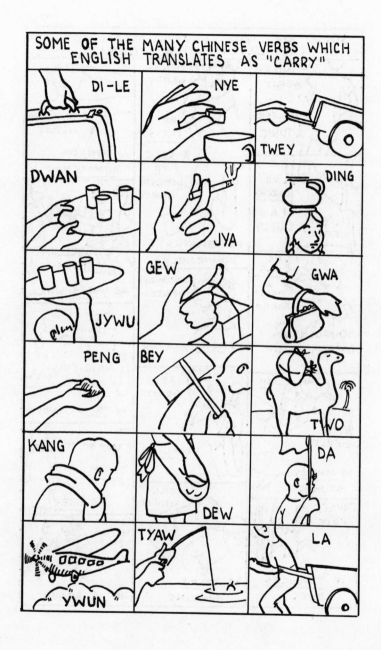

PATTERN PRACTICE

Vulpēs vult fraudem, lupus agnum, fēmina laudem. Werner
Līs lītem generat. Anon.
Virtūte fidēque. Motto
Occāsīo facit fūrem. Binder [2]
Vītam regit fortūna, nōn sapientia. Cicero
Lupus nōn mordet lupum. Anon.
Philosophum nōn facit barba. Plutarch (translation)
Cōnstantiā et virtūte. Motto
Fidē et fortitūdine. Motto
Concordiā, integritāte, industriā. Motto

[2]Dr. Wilhelm Binder gathered over 3,000 of these sayings in a book called *Novus Thesaurus Adagiorum Latinorum* (Stuttgart, 1861). The identification *Binder* means that the saying is not ancient and is found in this collection.

INTRODUCTION: A Quick Look at English

Oddly enough, in the past languages were taught on the assumption that they were fundamentally alike. It was believed that there was a universal grammar which applied to all languages, although it was often noted that language X was deficient in a certain respect or that language Y seemed to have an extra item or two in its inventory.

Now one important thing that languages do share in common is that they contain meaning. It is possible to take this meaning, analyze it, and give names to the divisions that result. You *can* make a classification of persons, places, and things, and if you wish to call these nouns, that is your privilege. The only trouble with it is that it isn't very consistent and it doesn't seem to describe the facts of language as well as the newer approach.

What is a noun in English? Does it have the marker *-tli*, like Nahuatl? What is an English verb? Does it end in *-t*, like Latin verbs?

In English, just as in every other language, there are formal markers for such distinctions. If no such markers can be found, then the language lacks this particular feature. Much of the difficulty which students have had with English grammar has arisen from the fact that they were asked to identify things which exist in Latin but are not present in English, since the "universal grammar" to which we referred above was based on Latin. Here then is a description of English, condensed into a single lesson.

PARTS OF SPEECH

In English we distinguish five major parts of speech: nouns, verbs, adjectives, adverbs, and a class with many subdivisions called function words. Sometimes morphology clearly indicates the part of speech to which a word belongs, as in *breadth, broaden, broad*, and *broadly*. In many cases, however, it is necessary to see the morphology and *distribution* of an English word before we can determine the form class. *Gardens* is a noun in *The gardens are beautiful this spring* but a verb in *He gardens with great pleasure*. The distribution tells us whether it is noun or verb.

A *noun* in English has the following characteristics:
1. Morphologically it has a distinction between singular and plural (*man/men*) and between the common form and the possessive (*man/man's* and *men/men's*). In most nouns, if we disregard the apostrophe (which corresponds to nothing in the spoken language), the contrast is the same in both instances (*boy/boys*).
2. Distributionally it fits into the frame *The _____ is good* or _____ *is good*.

20

There is a small but important subclass of nouns called *pronouns*. In addition to the contrast which nouns have between singular and plural and common case and possessive case, pronouns have a further contrast between subjective and objective case: *I/me, she/her*, etc. Although in general they have the same distribution as nouns they do not take the noun-markers *the* or *a*.

A *verb* in English has the following characteristics:
1. Morphologically it has a distinction between singular and plural of the present tense in the third person *(write/writes)* and between present and past *(write/wrote)*.
2. Distributionally it fits into one or more of the following frames:
   a. *The man _____s the house.*
   b. *The man _____s there.*
   c. *The man _____s wise.*

Verbs that fit into the first frame *(see, build*, etc.) are *transitive;* those that fit into the second *(sit, swim*, etc.) are *intransitive*; those that fit into the third *(look, is, seem*, etc.) are *connecting*. Some verbs fit into more than one frame *(run, sink*, etc.).

An *adjective* in English has the following characteristics:
1. Morphologically it has a distinction between the positive form, the comparative form, and the superlative form *(big, bigger, biggest)*.
2. Distributionally it fits into both of these frames:
   a. *The _____ man arrived.*
   b. *The man is _____.*

An *adverb* in English has the following characteristics:
1. Morphologically it has the morpheme *-ly*.
2. Distributionally it fits into the frame *The man fell _____.*

Words which do not qualify morphologically but have the same distribution as one of these four parts of speech are called by names which have the suffix *-al* or *-ial*, as *adjectival, adverbial*. The word *slow* in *Drive slow* (leaving aside the question of whether it is correct) is an adverbial; it does not have the morpheme marker *-ly*, but it fits into the frame *The man fell slow. Slowly*, in *Drive slowly*, is an adverb: it is morphologically marked by the *-ly* and fits into the frame *The man fell slowly*.

The real complexity of English grammar lies in the residue of words, called *function words*:

the, a, every, no (noun markers)
may, can, must, should (auxiliaries)
not (negator)
very, more, pretty, rather (qualifiers)
and, or, not, but, rather than (connectives)

for, by, in, from, of (prepositions)
when, why, where, how (interrogators)
because, after, when, although (subordinators)
well, oh, now, why (responders)

The criteria for establishing these classes is distribution. In *The dog is barking* we could substitute the other noun markers *(A dog, every dog, no dog)* but not the qualifiers or any other group.

Bear in mind that every language has its own criteria for setting up such classes, whether by form or distribution or by both.

SYNTAX

Syntax (the formal signals that indicate meaning) is shown in English primarily by *word order* and *function words*, only secondarily by morphological change. Subject and object, for example, are indicated by word order:

The *man* sees the bear. (*man* is subject)
The bear sees the *man*. (*man* is object)

Latin does not signal subject and object in this way.

When pronouns replace nouns in the subject or object position, they generally take the subjective or objective forms:

He sees the bear.
The bear sees *him*.

It should be noted that word order is the primary signal, and the change in the pronoun is secondary. If you were to hear *John saw Mary and I downtown today*, the word order would tell you that *I* was object of the sentence in spite of the subjective case.

The situation is different in Latin, where, although there is a favorite order (subject, object, verb), about half the time we find one of the other five permutations (object, verb, subject; verb, subject, object, etc.) without any change in syntactical meaning.

In English there are a few variations of subject, verb, object:

"Stop!" cried the cop: object, verb, subject.
Came the dawn: verb, subject.
Did he see the bear? auxiliary, subject, verb, object.

Modification of nouns is shown in English by word order:

The *big* man sees the bear.
The man sees the *big* bear.

Modification is not signalled in Latin in this way.

In English most adjectives and adjectivals precede the noun they modify. A few petrified phrases, most long phrases, and all prepositional phrases follow:

God Almighty, house beautiful, courts-martial

The man, shaking all over, saw a bear.
The man who was here yesterday saw a bear.
The man with a gun saw a bear.

Verbs in English are modified by adverbs, adverbials, prepositional phrases, and certain function words. There is some freedom in the position of some of them:

We go to the lake in the summer.
We go in the summer to the lake.
In the summer we go to the lake.

Notice that although there is the same general meaning conveyed, there is a different emphasis. This shift in emphasis is meaning on a quite different level from the contrast between *The man saw the bear* and *The bear saw the man.*

The importance of word order in English may be seen in the pair *an awful pretty hat / a pretty awful hat.* Word order tells us that *awful* is a qualifier in the first and an adjective in the second. Notice too that the order of adjectives in series is fixed. In *all those fat little old American tourists over there* we cannot change the order of any of the modifiers. Such facts as these, traditionally ignored in grammars, are part of the machinery of the English language. To teach a foreigner English it is necessary to set up special drills that will teach him to respond *automatically* to these signals.

Nouns may modify nouns in English; the signal is the placing of a noun immediately before the noun it modifies. Notice the difference in the following pairs:

chair arm / arm chair	station bus / bus station
race horse / horse race	leather shoe / shoe leather

The following questions will test your comprehension of this chapter. Forget the old criteria of meaning and try to apply the new ones of form and distribution. For example, the word *home* in *d* of the first set is not a noun but an adverbial; in *e*, however, it is a noun.

1. Identify the parts of speech of the italicized words:
    a. John has an *inclination* to be lazy.
    b. The girl has a *pretty* dress.
    c. The dog was *pretty* ugly.
    d. The man ran *home.*
    e. The woman ran her *home* well.
    f. The catcher hit a *home* run.
    g. The batter knocked the runner *home.*
    h. The player hits *well.*
    i. The driller hit a *well.*

2. If you saw on the menu the item "chicken lobster" what would you get if you ordered it, chicken or lobster? What is the signal?

3. Some English grammars have stated that in English we signal questions by raising the voice at the end. Observation shows,

however, that whereas the voice is raised at the end of some
questions, it must be lowered at the end of others, and it may be
either raised or lowered at the end of still others. Test this by
reading aloud the following sentences:

"Where do you work?" "I work in New Jersey."
"Where?" "In New Jersey, I said; didn't you hear me?"

"Where do you work?" "I work in New Jersey."
"Where?" "In Passaic." "Where?" "On Main Street."
"Where?" "1905 Main."

4. How do we signal commands in English?

LESSON ONE: And Finally Latin!

Here are the ten utterances which you met in the Introduction. We are going to show you how to identify the parts of speech and such items as subject and object *without knowing what the utterance means*. You will then be shown how through this knowledge of the structure you arrive at the total meaning.

Vestis virum facit.
Fūrem fūr cognōscit et lupum lupus.
In pulchrā veste sapiēns nōn vīvit honestē.
Fortiter, fidēliter, fēlīciter.
Rem, nōn spem, ...quaerit amīcus.
Nēmō in amōre videt.
Prūdēns cum cūrā vīvit, stultus sine cūrā.
Manus manum lavat.
Injūria solvit amōrem.
Vēritās numquam perit.

EXPLANATION OF STRUCTURE: MAJOR AND MINOR UTTERANCES

Latin utterances which contain a verb we call *major utterances*. Those with no verb we call *minor utterances*. Which utterances above are major and which are minor?

MORPHOLOGY AND SYNTAX OF NOUNS

Latin nouns signal their function as subject, object, or modifier by *case*, that is, by a change in the shape of the word. There are five cases, but we shall start with just three: *nominative, accusative,* and *ablative*.
The nominative case signals the subject of the verb.
The accusative case signals the direct object of the verb.
The ablative case signals the modifiers of the verb (*in* a place, *by* an instrument, *from* a place, *at* a time, etc.). Some of these uses require prepositions; others do not.
Here are the three cases (in the singular) of all the nouns in the ten utterances. Notice that the first form is nominative; the second, accusative; the third, ablative. This will be the order in which they will always be presented.

Nom	cūra	injūria	lupus	vir
Acc	cūram	injūriam	lupum	virum
Abl	cūrā	injūriā	lupō	virō

25

Nom	vestis	fūr	nēmō	amor	vēritās
Acc	vestem	fūrem	nēminem	amōrem	vēritātem
Abl	veste	fūre	----[1]	amōre	vēritāte

Nom	manus	rēs	spēs
Acc	manum	rem	spem
Abl	manū	rē	spē

What is the one thing which all these accusatives have in common? This element -*m* is the morpheme of the accusative singular. The morpheme for the nominative is a little more complicated; it is -*s*, but on some nouns (*fūr*, for instance) there is a variant (which we call an *allomorph*). The allomorph in this instance is a zero element. Which nouns have -*s* and which have the zero allomorph? The ablative singular always ends in a vowel; you will notice that this vowel is always long unless it is *e*, but that there is both a long and a short *e*.

It is too soon for you to grasp the overall scheme of the Latin noun; be content at present with recognizing that *vestis* is a noun because it has case, that is, it contrasts with *vestem* and *veste*.

Let us now analyze the first utterance:

Vestis is nominative and therefore subject.
Virum is accusative and therefore object.
Facit is the verb.

This is as far as we go at the present; you are not yet supposed to examine the meaning. If you can guess the meaning of any of these, that is fine, but do not use this information to work back to the analysis, for how do you know that your interpretation is right?

MORPHOLOGY AND SYNTAX OF ADJECTIVES

At this point adjectives will look just like nouns; that is, they both have case. Adjectives have other characteristics that nouns do not have, which we will learn about later. For the present, identify adjectives by the fact that a) they have case and b) they are in the list of adjectives and not in the list of nouns. Here are nine adjectives:

Nom	pulchra	sapiēns	honestus	fortis	fidēlis
Acc	pulchram	sapientem	honestum	fortem	fidēlem
Abl	pulchrā	sapientī	honestō	fortī	fidēlī

Nom	fēlīx	amīcus	prūdēns	stultus
Acc	fēlīcem	amīcum	prūdentem	stultum
Abl	fēlīcī	amīcō	prūdentī	stultō

Adjectives modify nouns by being in the same case. In the third utterance, what noun does *pulchrā* modify? Adjectives often have no

---

[1]There is no ablative of *nēmō* in common use.

noun to modify; this is true of the adjective *sapiēns* in the third sentence. When this occurs, it means that the adjective is used as a noun;
that is, the nominative *sapiēns* does not here modify the subject (since
there is no nominative noun present) but is rather itself the subject.
For example, *amīcus vir* is *a friendly man*, while *amīcus* by itself is
a friend.

MORPHOLOGY AND SYNTAX OF ADVERBS

Adverbs are formed from adjectives by the morphemes -*ē* or -*ter*.
The chief function of adverbs is to modify verbs. In a minor utterance
adverbs tell how some action happened that is not actually described.
In mottoes, for example, they tell how the person supposedly acts. Here
are the corresponding adverbs for the nine adjectives listed above:
   pulchrē, sapienter, honestē, fortiter, fidēliter,
   fēlīciter, amīcē, prūdenter, stultē

VERBS

As explained in the Introduction (p. 11) verbs have distinctive
endings; the only ending we have used so far is -*t*.

INDECLINABLES

You will have noticed that we have not accounted for all the words
in these ten utterances. Those which remain are *indeclinables*; they
do not change form as do nouns, verbs, adjectives, and adverbs. There
is no signal to tell you the part of speech; you simply have to learn it.
   nōn: negator   *et*: conjunction   *cum*: preposition
   numquam: adverbial   *in*: preposition   *sine*: preposition

This use of *case* (change in the shape of a noun) rather than word
order or prepositions is typical of Latin and will be your chief difficulty at first because it contrasts so sharply with the English system,
where case is of minor importance.

The early form of the Indo-European language system, which includes almost all of the languages spoken in Europe except Finnish,
Hungarian, and Basque, had eight cases: nominative, accusative, ablative, dative, genitive, vocative, locative, and instrumental. Modern
Lithuanian still has these eight. Ancient Greek had five: nominative,
accusative, dative, genitive, and vocative. Eskimo (not a member of the
Indo-European family) also has eight cases, but they are a different eight:
absolutive, relative, locative, ablative, perlative, allative, similative,
and instrumental. It has been calculated[2] that there are enough func-
tional differences for a language to have as many as twenty-five cases,
but no language appears to have that many. The language with the greatest number of cases seems to be Finnish with about twenty.

[2] Eugene A. Nida, *Linguistic Interludes* (Glendale, Calif., 1947), pp. 78-79.

Now go through the ten utterances on page 25 and identify the part of speech and tell what it does in the sentence. You will use these ten utterances over and over again; read them aloud twenty times to fix them in your mind.

LESSON TWO: What the Utterances Mean

What part of speech are the following words and what do the forms mean?

agnus	oculus	fēmina	amphora	vestītus
agnum	oculum	fēminam	amphoram	vestītum
agnō	oculō	fēminā	amphorā	vestītū

Look at the first series of pictures. What case are the words beneath the pictures? What is the environment of each of these words? Are they in major or minor utterances?

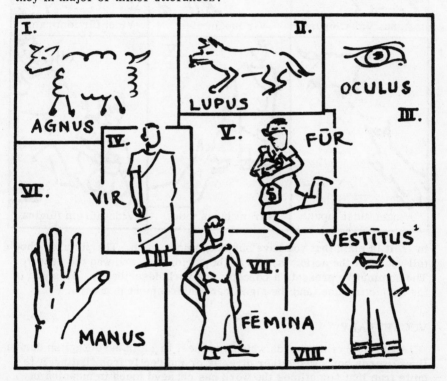

EXPLANATION OF STRUCTURE: TWO USES OF THE NOMINATIVE

If you were able to answer the questions above, you now know about the second use of the nominative, the *presentative* use, which presents the concept that the noun symbolizes and says "Here it is." The significant environment is absence of any verb.

Now examine the utterances beneath the next series of pictures. Observe both lexical and structural meaning. If you have three items in the utterance, of which one ends in -*s*, the second in -*m*, and the third

[i] *Vestis* means clothing in general, while *vestītus* means an article of clothing.

I. Agnus videt lupum.

III. Vir lupum videt.

V. Videt fūr fēminam.

II. Agnum videt lupus.

IV. Virum lupus videt.

VI. Videt fūrem fēmina.

in -*t*, it is plain that you have subject, object, verb. The pictures should tell you what the action is, who is the performer, and who the receiver. The nominative presents a concept; the verb describes it. This use is the *subjective* use, and the significant environment is a verb.

VOCABULARY

About 80% of the words which you meet in Latin have English derivatives, words borrowed either directly or indirectly from Latin. It is quite true that sometimes the word has changed much in meaning in 2000 years. It is also true that you may not know the English word, in which case it won't be much help. But the next time you see that English word in your reading, you will probably recognize it.

Those fortunate people who already possess a large English vocabulary are at a great advantage in studying Latin, and those with a small vocabulary are correspondingly handicapped. But it will cheer you to know that it has been the almost universal opinion of those who have studied Latin that this experience has been of great help in increasing their English vocabulary.

Here are the twelve nouns we met in the last lesson. Observe the English derivatives.

VII. Vir agnum videt.   IX. Virum vestis facit.   XI. Manus amphoram lavat.

VIII. Fēmina lupum videt.   X. Vir vestem facit.   XII. Vir amphoram lavat.

Latin Word	English Derivative	Latin Word	English Derivative
vir	virile	nēmō	Captain Nemo
vestis	vestment, vest	amor	amorous
fūr	furtive	cūra	cure, sinecure
lupus	lupine	manus	manufacture, manual
rēs	real, reality	injūria	injury
spēs	Esperanto	vēritās	verity

Notice that the derivative is not necessarily the same part of speech. *Virile* does not come directly from *vir* but from a Latin adjective *virīlis* meaning *manly*. *Amorous* comes from a Late Latin adjective (i.e., not in use during the classical period, as far as the documents tell us) *amorōsus*, which became in Old French *amorous*, and in this form it was taken into English. Can you guess the meaning of any of these Latin nouns?

Now glance at the adjectives from the last lesson with their deriva-tives. What do you suppose these adjectives mean?

Latin Word	English Derivative	Latin Word	English Derivative
pulchra	pulchritude	fēlīx	felicity
sapiēns	sapient, homo sapiens	amīcus	amicable
honestus	honest	prūdēns	prudent
fortis	fortitude	stultus	stultify
fidēlis	fidelity		

Here are the verbs:

Latin Word	English Derivative	Latin Word	English Derivative
facit	factory, fact	videt	evident, video
cognōscit	recognize	lavat	lavatory
vīvit	vivid, vivisection	solvit	solve, dissolve
quaerit	inquire	perit	perish

Lastly, here are the indeclinables. These are the hardest; they have no marker to indicate the part of speech and often have no English derivative:

Latin Word	Part of Speech	One Meaning	English Derivative
et	conjunction	*and*	et cetera
in	preposition	*in*	inscribe
nōn	negator	*not*	nonexistent
cum	preposition	*with*	cum laude
sine	preposition	*without*	sinecure
numquam	adverbial	*never*	--

A few more observations about the differences between the English word and the Latin original. What does the *-ine* of *lupine* mean? The right procedure is to think of other English words which have this same morpheme, like *equine, feline, feminine, divine, leonine,* and the like. The *-ine* seems to make an adjective meaning *having the quality of such-and-such.* If *agnus* means *lamb,* what does *agnīnus* mean?

The Latin suffix *-tās* shows up in English as *-ty. Vērus* is a Latin adjective meaning *true;* what does *vēritās* mean? Can you now work backwards and make an educated guess on the Latin form of such words as *sanity, simplicity,* and *honesty*?

BASIC SENTENCES

In every lesson there will be ten *Basic Sentences.* It is hard to over-emphasize the importance of these. Every Pattern Practice which you will have in this book will be built around these and similar sentences. Turn for example to the Pattern Practice on page 343; the sentences with numbers are the Basic Sentences which are to be changed in some way. If you have not thoroughly learned the Basic Sentences, you would not be able to do this assignment.

S1   Vestis virum facit.
ERASMUS

S2   Fūrem fūr cognōscit et lupum lupus.
ANON.

S3   In pulchrā veste sapiēns nōn vīvit honestē.
WERNER

S4   Fortiter, fidēliter, fēliciter.
MOTTO

S5   Rem, nōn spem, ... quaerit amīcus.
CARMEN DĒ FIGŪRĪS

S6   Nēmō in amōre videt.
PROPERTIUS

S7 Prūdēns cum cūrā vīvit, stultus sine cūrā.
WERNER

S8 Manus manum lavat.
PETRONIUS

S9 Injūria solvit amōrem.
ANON.

S10 Vēritās numquam perit.
SENECA

ANALYSIS OF BASIC SENTENCES

We will now analyze the utterances word by word, observing *both* the lexical meaning and the structural meaning. For a Latin subject, give an English subject, something that fits into the frame *A _____ does something*; for a Latin object give an English object, something that fits into the frame *Somebody (Something) does something to a _____*. *Vestis* therefore means *Clothing does something*, while *vestem* means *Something* or *Somebody does something to clothing*. First try giving the meaning (both lexical and structural) of these pairs:

vir/virum   lupum/lupus   fēmina/fēminam   amōrem/amor

Now see if you can do these without the help of the contrast:

manum   vēritātem   injūria   fūrem   vestem   nēminem

All the ablatives in these ten Basic Sentences are accompanied by prepositions that will tell you which kind of modification of the verb (*by, with, at,* etc.) is meant. A common meaning of the ablative without any preposition is *by* or *with*. Try these, in which all three cases occur:

nēmō   lupum   vērĭtāte   injūriā   vestem   veste amōre
agnus   cūram   sine amōre   manus   in manū   fūr   manū

Now an observation about the verb. The verbs which you meet in this lesson and for a number of lessons to come all show *present time* and *incomplete action*. This tense has several uses in Latin, of which the two most important are 1) to indicate an action that is generally true: *Vestis virum facit, Clothes make the man,* and 2) to indicate an action that is going on at the moment of speaking: *Fēmina amphoram lavat* (describing a picture in which a woman is washing a jug). The sayings are the first sort; the picture captions are the second. Observe that there is no signal in Latin to tell you which is meant. It is only from the context (in this case, its place under the picture) that tells you that *Fēmina amphoram lavat* is not a general truth to the effect that it is the fate of Woman to wash jugs.

Now go through the Basic Sentences with your teacher by metaphrasing. *Metaphrasing* is the technique of showing both lexical and structural meaning of each item as it occurs.

For outside work, review this metaphrasing. Then commit the ten Basic Sentences to memory. To help you practice metaphrasing at home, here is an analysis of each sentence:

Vestis...
Clothes do something.
Vestis virum...
Clothes _____ *the man*, Clothes do something to *the man*.
Vestis virum facit.
Clothes *make* the man.
Fūrem...
Something happens to *a thief*.
Fūrem fūr...
A thief does something to another thief.
Fūrem fūr cognōscit...
A thief *recognizes* another thief.
Fūrem fūr cognōscit et...
A thief recognizes a thief *and* something else happens.
Fūrem fūr cognōscit et lupum...
A thief recognizes a thief and something happens to *a wolf*.
Fūrem fūr cognōscit et lupum lupus.
A thief recognizes a thief and a *wolf* does something to a wolf.

In a situation like this, where there is no verb, we infer that the verb is so obvious that no information would have been added if we had included it. What is the only verb in the world that would fit into this frame?

In...
Something happens *in* something.
In pulchrā...
Something happens in a *pretty* something.
In pulchrā veste...
Something happens in pretty *clothes*.
In pulchrā veste sapiēns...
A wise man does something in pretty clothes.
In pulchrā veste sapiēns nōn...
A wise man does *not* do something in pretty clothes.
In pulchrā veste sapiēns nōn vīvit...
A wise man doesn't *live* in pretty clothes.
In pulchrā veste sapiēns nōn vīvit honestē.
A wise man doesn't live *honorably* in pretty clothes.

Fortiter...
Somebody does something *bravely*.
Fortiter, fidēliter...
Somebody does something bravely and *faithfully*.
Fortiter, fidēliter, fēlīciter.
Somebody acts bravely, faithfully, and *fortunately*.

Now that we see the entire utterance, we can improve the form of expression. Why not something like "With bravery, fidelity, and fortune"?

Rem...
Something happens to *a material object*.
Rem, nōn spem...
Something happens to material things and not to the *hope for them*.
Rem, nōn spem, quaerit...
Somebody *looks for* material things and not for the hope for them.
Rem, nōn spem, quaerit amīcus.
A friend looks for material assistance and not promises.

The first word here offers something of a problem. The word *rēs* in Latin is a word of broad meaning. It can refer to almost any material object; it can also refer to actions. Contrasted with *spēs*, it means material gain as opposed to hope. *Amīcus* is an adjective and means *friendly*, but since there is no noun for it to modify it is used as a noun; it is the subject and means *a friend*.

Nēmō
Nobody does something.
Nēmō in...
Nobody does something *in* some place. (We know an ablative will follow.)
Nēmō in amōre...
Nobody does something in *love*.
Nēmō in amōre videt.
Nobody *sees* when they are in love.

Prūdēns...
A *prudent* somebody does something.
Prūdēns cum...   (We know an ablative will follow.)
A prudent somebody does something *with* something.
Prūdēns cum cūrā...   (There's the ablative.)
A prudent somebody does something *with care* or *carefully*.
Prūdēns cum cūrā vīvit...
A prudent somebody *lives* carefully.
Prūdēns cum cūrā vīvit, stultus...
A prudent somebody lives carefully, a *stupid* somebody does something else.
Prūdēns cum cūrā vīvit, stultus sine...
A prudent somebody lives carefully, a stupid somebody does something *without* something.
Prūdēns cum cūrā vīvit, stultus sine cūrā.
A prudent somebody lives carefully, a stupid somebody lives *carelessly*.

Since there are no nouns for the adjectives *prūdēns* and *stultus* to modify, they must be used as nouns themselves: The prudent man lives carefully, the stupid one lives carelessly.

Manus...
A hand does something.
Manus manum...
One hand does something to *the other hand*.
Manus manum lavat.
One hand *washes* the other hand.

In this utterance we are not actually talking about *hands* or *washing* at all; we are talking about co-operation. Did you ever try to wash just one hand?

Injūria...
Injury _____s.
Injūria solvit...
Injury *destroys* _____.
Injūria solvit amōrem.
Injury destroys *love*.

Vēritās...
Truth _____s.
Vēritās numquam...
Truth *never* _____s.
Vēritās numquam perit.
Truth never *perishes*.

LESSON THREE: Questions — and Answers

BASIC SENTENCES

S11 Vulpēs vult fraudem, lupus agnum, fēmina laudem.
WERNER

A fox likes deceit, a wolf likes a lamb, and a woman likes praise.

S12 Līs lītem generat.
BURTON

One lawsuit creates another.

S13 Virtūte fidēque.
MOTTO

With virtue and faith, or Virtuously and faithfully.

S14 Occāsiō facit fūrem.
BINDER

Opportunity creates the thief.

S15 Vītam regit fortūna, nōn sapientia.
CICERO

Fortune and not wisdom rules our life.

S16 Lupus nōn mordet lupum.
BINDER

One wolf does not bite another.

S17 Philosophum nōn facit barba.
PLUTARCH (translation)

A beard doesn't make a man a philosopher.

S18 Cōnstantiā et virtūte.
MOTTO

With constancy and virtue.

S19   Fidē et fortitūdine.
MOTTO

With faithfulness and bravery.

S20   Concordiā, integritāte, industriā.
MOTTO

With harmony, integrity, and industry.

These Basic Sentences are chosen largely from ancient sources to give you some insight into the thinking of the Romans. At the same time we have introduced some sayings from medieval, Renaissance, and modern times to help you realize that Latin has been a universal language for several thousand years.

We have purposely limited ourselves to a few themes, repeated over and over. It is important to realize that these sayings represent many different views of life. You are not expected to agree with them all.

NEW	vĭta	fortūna	sapientia	barba	cōnstantia
NOUNS	vĭtam	fortūnam	sapientiam	barbam	cōnstantiam
	vītā	fortūnā	sapientiā	barbā	cōnstantiā

concordia	industria	philosophus	vulpēs	fraus
concordiam	industriam	philosophum	vulpem	fraudem
concordiā	industriā	philosophō	vulpe	fraude

laus	līs	virtūs	occāsiō	fortitūdō
laudem	lītem	virtūtem	occāsiōnem	fortitūdinem
laude	līte	virtūte	occāsiōne	fortitūdine

integritās	fidēs
integritātem	fidem
integritāte	fidē

NEW VERBS	vult	generat	regit	mordet

NEW
INDECLINABLES   -que (conjunction connecting words of same part of speech affixed to last item in series): *and, but*

DERIVATIVES

Vulpine, fraud, laudatory, litigation, virtue, occasion, vital, fortune, barber, philosopher, constancy, concord, integrity, industry, voluntary, generate, regent, mordant. The -*tia* in words like *sapientia* comes over into English as -*ce* or -*cy*. What would the English derivative of *cōn-scientia* be? From what Latin word is *science* derived? *Patience? Providence?*

The -*tion* and -*sion* on the end of such English words as *operation, action, permission,* and the like come from Latin -*tiō* and -*siō*. The Latin morpheme -*iō*, like English -*ion*, forms nouns from verb stems: one who *acts* performs an *action*, one who *operates* performs an *opera-tion*, etc. The English words come from the accusative rather than the nominative form; hence the -*n*. What would be the Latin noun from which we get the English word *generation? Oration? Emendation?* What is the meaning of the Latin word *suspiciō? Possessiō? Expectātiō?*

A number of Latin words end in -*tūdō*, indicating an abstract quality. One who is *fortis* possesses the quality *fortitūdō*. What would be the Latin form of the English words *pulchritude* and *amplitude?* What does the Latin word *multitūdō* mean? *Altitūdō? Lātitūdō? Magnitūdō? Certitūdō?*

EXPLANATION OF STRUCTURE: QUESTIONS

Suppose for a moment that you find yourself in a Roman school. The class is apparently not very bright, for the teacher asks the same ques-tion a good many times, *Quis in amōre videt?* There seem to be three correct answers, *Nēmō, Nēmō videt,* and *Nēmō in amōre videt.* Students who give such answers as *videt* or *agnum* or *numquam* are punished. When your turn comes, you say *Nēmō videt* and receive praise. What, then, does *quis* mean? It means that if you say *Nēmō, Nēmō videt,* or *Nēmō in amōre videt* you will be rewarded but that if you say *in amōre* or *vestis* or *agnum* you will be punished. You further note that the com-mon element in these answers is *nēmō*; the other parts may be there or they may not. What does *quis* mean? It means that you say *nēmō*.

Now the teacher asks *Quis cum cūrā vīvit?* This time the answer is *Prūdēns, Prūdēns vīvit,* or *Prūdēns cum cūrā vīvit.* In the same way, *Quis sine cūrā vīvit?* gets the answer *Stultus, Stultus vīvit,* or *Stultus sine cūrā vīvit.* Now the situation becomes more tense. The teacher looks you in the eye and says *Quis rem, nōn spem, quaerit?*

With the rod hanging over you, what do you answer?

As the questioning continues, you note that *quis* asks only for per-sonal nouns (people and animals), never for things. You now know what *quis* means: it asks for a nominative of a personal noun. This means that at the present time you have only to choose from the following six-teen items: *vir, fūr, lupus, sapiēns, honestus, fortis, fidēlis, fēlīx, amīcus, nēmō, prūdēns, stultus, vulpēs, agnus, fēmina,* and *philosophus.*

Quem asks for the same kind of word (personal noun) in the accusa-tive. For *quem* you would therefore answer *virum* or *fūrem* or any other accusative on the list of personal nouns.

Give, then, possible answers for *quis.* Possible answers for *quem.* Which of these answers would be appropriate if the question were *Quis fraudem vult?* If it were *Quem vestis facit?*

Besides *quis* and *quem* there are five other question words in this lesson.

1. *Quae rēs* asks for the nominative of a nonpersonal noun. Possible answers are: *vestis, spēs, amor, barba, rēs, cūra, manus, injūria, vēritās, fraus, laus, līs, virtūs, fidēs, occāsiō, vīta, fortūna, sapientia, cōnstantia, fortitūdō, concordia, integritās, industria.*

2. *Quam rem* asks for the accusative of a nonpersonal noun. Possible answers are all the nouns above put into the accusative case, like *industriam, manum, fraudem, cūram,* etc.

Quis and *quem* therefore differ by asking for different cases of the same type of noun, while *quis* and *quae rēs* differ by asking for the same case of different types of nouns.

3. *Quō modō* asks for an adverbial expression, either an adverb like *fēlīciter, honestē, pulchrē,* or *sapienter,* or abstract nouns with *cum* or *sine.*[1] Possible answers are: *sine injūriā, cum vēritāte, cum cōnstantiā, cum fortitūdine, cum cūrā, sine industriā, cum laude, sine virtūte, cum concordiā, cum integritāte.*

4. *Quid agit* asks for the verb. Possible answers are: *facit, cognōscit, quaerit.* Important elements that go with the verb, such as object or modifiers, may be included.

5. Finally, the enclitic *-ne*[2] added to the first word (often the verb) asks for a repetition of that word with or without *nōn.* Simple repetition means that the answer to the question is affirmative; repetition with a negator *nōn* means that the answer is negative.

Now try to pick out answers more or less at random. Hearing *Quō modō vīvit philosophus,* what do you do to answer? You turn to the stock of *quō modō* answers, either recalling them from your memory or actually looking in the previous list, and get one that fits. *Cum sapientiā* makes a reasonable answer, although if you hold a low opinion of philosophers you may answer *sine industriā.* Now try *Quam rem fēmina quaerit.* What are possible answers for that?

You should now be ready to give possible answers to the following. In many cases there are several possible answers.

Quis agnum cognōscit?   Quō modō vīvit sapiēns?
Quam rem quaerit vir?   Quō modō vīvit fortis?
Quō modō vīvit stultus?   Quam rem videt fēmina?
Quae rēs virum regit?   Quem quaerit honestus?
Quem videt lupus?   Quis fūrem videt?

---

[1]Certain common expressions omit the *cum*; compare S13, 18, 19, and 20 and the expression *quō modō* itself.

[2]The word enclitic means a "leaner." It is so called because it leans on the preceding word and never stands alone.

Quis lupum generat?   Quem stultus cognōscit?
Quis vulpem cognōscit?   Quam rem injūria generat?
Quae rēs amōrem generat?   Quam rem injūria nōn generat?
Quae rēs fidem generat?   Quis fidēlem cognōscit?
Quem honestus cognōscit?   Quem fortis cognōscit?

Listen to the Pattern Practice for this lesson until you have mastered it. If you do not have facilities for listening, study it from this page.

Learn it so thoroughly that you can answer any question without stopping to think. The purpose of these Pattern Practices is to train you in *automatic* response.

PATTERN PRACTICE

Purpose: to learn to make *automatic* responses to questions.
Directions: answer the questions based on the Basic Sentences.

Quae rēs virum facit? (S1)	*Vestis* virum facit.
Quem vestis facit?	*Virum* vestis facit.
Quid agit vestis?	*Virum facit* vestis.
Facitne vestis virum?	*Facit.*
Facitne vir vestem?	*Nōn facit.*
Quid agit fūr? (S2)	*Fūrem cognōscit* fūr.
Quid agit lupus?	*Lupum cognōscit* lupus.
Quem fūr cognōscit?	*Fūrem* fūr cognōscit.
Quem lupus cognōscit?	*Lupum* lupus cognōscit.
Quis fūrem cognōscit?	*Fūr* fūrem cognōscit.
Quis lupum cognōscit?	*Lupus* lupum cognōscit.
Cognōscitne lupus lupum?	*Cognōscit.*
Cognōscitne fūr lupum?	*Nōn cognōscit.*
Cognōscitne lupus fūrem?	*Nōn cognōscit.*
Cognōscitne fūr fūrem?	*Cognōscit.*
Quis rem quaerit? (S5)	*Amīcus* rem quaerit.
Quis spem nōn quaerit?	*Amīcus* spem nōn quaerit.
Quam rem amīcus nōn quaerit?	*Spem* amīcus nōn quaerit.
Quam rem amīcus quaerit?	*Rem* amīcus quaerit.
Quaeritne amīcus spem?	*Nōn quaerit.*
Quaeritne amīcus rem?	*Quaerit.*
Quis cum cūrā vīvit? (S7)	*Prūdēns* cum cūrā vīvit.
Quō modō vīvit stultus?	*Sine cūrā* vīvit stultus.
Quid agit prūdēns?	*Cum cūrā vīvit* prūdēns.
Quid agit stultus?	*Sine cūrā vīvit* stultus.
Quō modō vīvit prūdēns?	*Cum cūrā* vīvit prūdēns.
Quis sine cūrā vīvit?	*Stultus* sine cūrā vīvit.

Vīvitne stultus cum cūrā?	*Nōn vīvit.*
Vīvitne stultus sine cūrā?	*Vīvit.*
Vīvitne prūdēns sine cūrā?	*Nōn vīvit.*
Vīvitne prūdēns cum cūrā?	*Vīvit.*
Quis laudem vult? (S11)	*Fēmina* laudem vult.
Quam rem vulpēs vult?	*Fraudem* vulpēs vult.
Quis fraudem vult?	*Vulpēs* fraudem vult.
Quis agnum vult?	*Lupus* agnum vult.
Quam rem fēmina vult?	*Laudem* fēmina vult.
Quam rem lupus vult?	*Agnum* lupus vult.
Quid agit lupus?	*Agnum vult* lupus.
Quid agit fēmina?	*Laudem vult* fēmina.
Quid agit vulpēs?	*Fraudem vult* vulpēs.
Vultne lupus laudem?	*Nōn vult.*
Vultne fēmina laudem?	*Vult.*
Vultne agnus lupum?	*Nōn vult.*
Vultne fēmina fraudem?	*Nōn vult.*
Vultne vulpēs fraudem?	*Vult.*
Vultne vulpēs laudem?	*Nōn vult.*
Quam rem fortūna regit? (S15)	*Vītam* fortūna regit.
Regitne vītam sapientia?	*Nōn regit.*
Regitne vītam fortūna?	*Regit.*
Quid agit sapientia?	*Vītam nōn regit* sapientia.
Quid agit fortūna?	*Vītam regit* fortūna.
Quae rēs vītam regit?	*Fortūna* vītam regit.
Quae rēs vītam nōn regit?	*Sapientia* vītam nōn regit.
Quam rem sapientia nōn regit?	*Vītam* sapientia nōn regit.

SELF TEST

After you have thoroughly learned the Pattern Practice in the Language Laboratory or at home, try this Self Test. In much of the work which you will do in this course the answers are given to you; you will learn a lot if you memorize them perfectly. But to gain real mastery, you must produce the same kind of structure by yourself. Therefore in the following exercise the answers are not given. If you have done the Pattern Practice properly, you should be able to answer the nineteen questions in just a few seconds. If you have any trouble, go back to the Pattern Practice and the Basic Sentences.

Quō modō nōn vīvit sapiēns in pulchrā veste? (S3)

Quis in pulchrā veste nōn vīvit honestē?

Vīvitne sapiēns honestē in pulchrā veste?

Quis in amōre videt? (S6)

Quid agit nēmō?

Videtne in amōre vir?

Quam rem manus lavat? (S8)
Quae rēs manum lavat?
Quid agit manus?

Quam rem injūria solvit? (S9)
Quid agit injūria?
Solvitne injūria amōrem?

Quem lupus nōn mordet? (S16)
Quis lupum nōn mordet?
Mordetne lupus agnum?

Quae rēs philosophum nōn facit?
    (S17)
Quem barba nōn facit?
Facitne sapientia philosophum?
Facitne barba philosophum?

LESSON FOUR: A New Verb Form

In the captions to some of the pictures on the next page you will see a new verb form, one in *-tur*. Like the ending *-t*, it shows present time, incomplete action, third person singular. From the pictures and your present knowledge of Latin, can you figure out what additional information is carried by *-tur*?

EXPLANATION OF STRUCTURE: THE ENDING *-TUR*

When the ending is *-t*, we know that the subject performs the act or is in the state that the verb describes. When the ending is *-tur*, we know that the subject endures the action of the verb. This ending *-tur* shows the *passive voice*, while *-t* shows the *active voice*. Verbs which have the passive form as well as the active one are *transitive* verbs.

Examine the following active utterances compared with the corresponding passive construction:

Active	Passive
Fēmina amphoram quaerit.	Amphora quaeritur.
Fēmina amphoram videt.	Amphora vidētur.
Fēmina amphoram lavat.	Amphora lavātur.

Notice that in the passive construction no mention need be made of the woman, former subject of the active verb. If we wish to bring her in, she becomes an adverbial modifier. There is a difference here between personal and nonpersonal nouns. See if you can discover the difference from the pictures. What seems to be the distribution of *ā*? In other words, what kind of noun does it pattern with?

Verbs that do not take direct objects and do not have passive forms are *intransitive* verbs. We may regard transitive verbs as *two-party* verbs; they require two parties to make a sensible statement, a subject and an object. Intransitive verbs, on the other hand, are *one-party* verbs. Thus, *vīvit* makes good sense with just a subject, as in *Fēmina vīvit*, while *Fēmina tenet* requires an object to make a meaningful statement.

If either the subject or the object is missing with a two-party verb, as in *Nēmō in amōre videt*, it means that the missing member is easily predicted and therefore need not be expressed. What is it that no one sees when in love? There would be substantial agreement among us all as to the answer, even though we might not choose the identical words to express it.

When a transitive active verb becomes passive, it shifts from a two-party situation to a one-party situation.

There are a few verbs (and we have had two of them) that take direct objects and may be substituted for *quaerit* in the frame *Fēmina*

45

I. Vir quaerit; fēmina quaeritur.

II. Fēmina puerum videt; puer fēminam nōn videt.

III. Ā virō puer quaeritur.

IV. Ā puerō canis tenētur.

V. Manū canis tenētur.

VI. Ā cane puer tenētur.

VII. Aquā amphora lavātur.

VIII. Manū amphora lavātur.

IX. Ā virō amphora lavātur.

X. Puer tenet.

XI. Puer tenētur.

XII. Manus manum tenet; manus manū tenētur.

amphoram quaerit. These verbs, however, have no passive. They are therefore not morphologically transitive verbs, as we have just defined them, but they resemble transitive verbs in their distribution. Such verbs are *transitivals*. We thus have had the following types of verbs.[1]

Transitive; defined morphologically as having a contrast between active and passive and distributionally as patterning with an accusative. Examples are *cognōscit/cognōscitur, quaerit/quaeritur, videt/ vidētur, lavat/lavātur, solvit/solvitur, generat/generātur, regit/ regitur, mordet/mordētur, tenet/tenētur.*

Intransitive, defined morphologically as lacking a contrast between active and passive and distributionally as not patterning with an accusative. Examples are *vīvit/-----* and *perit/-----.*

Transitival, defined morphologically as lacking a contrast between active and passive and distributionally as patterning with an accusative. Examples are *facit* and *vult.*

BASIC SENTENCES

S21 Ā cane nōn magnō saepe tenētur aper.
  OVID

A boar is sometimes held by a small dog.

S22 Amphora sub veste numquam portātur honestē.
  WERNER

A jug is never carried under one's coat for an honest reason.

S23 Antiquā veste pauper vestītur honestē.
  WERNER

A poor man is honestly clad in old clothes.

S24 Vincit vēritās.
  MOTTO

Truth is victorious.

S25 Virtūte et labōre.
  MOTTO

With virtue and hard work.

[1]There are also *passivals*; see p. 56.

S26 Fidē et amōre.
MOTTO

Faithfully and lovingly.

S27 Amor gignit amōrem.
ANON.

Affection creates affection.

S28 Labōre et honōre.
MOTTO

With hard work and honor; with honorable labor.

S29 Virtūte et operā.
MOTTO

With virtue and service; with virtuous service.

S30 Occāsiō aegrē[2] offertur, facile āmittitur.
PUBLILIUS SYRUS

Opportunity is offered with difficulty but lost with ease.

NEW NOUNS					
amphora	opera	aper	canis	labor	honor
amphoram	operam	aprum	canem	labōrem	honōrem
amphorā	operā	aprō	cane	labōre	honōre

NEW ADJECTIVES			
antīqua	magnus	aeger	pauper
antīquam	magnum	aegrum	pauperem
antīquā	magnō	aegrō	paupere
(adv. antīquē)		(adv. aegrē)	

NEW VERBS		
tenet/tenētur	portat/portātur	vincit/vincitur
gignit/gignitur	vestit/vestītur	offert/offertur
āmittit/āmittitur		

[2]While the adjective *aeger* means *sick*, the adverb *aegrē* usually means *with difficulty*. *Facile* means *easily*; for the time being treat it as if it were an indeclinable. See p. 127 if interested in what it is.

NEW   saepe (adverbial): *often*
INDECLINABLES   sub (preposition): *under*
                        ā (with variant *ab*,[3] preposition): *by, away from.*

DERIVATIVES

Canine, amphora, labor, honor, opera, magnify, antique, pauper, tenacious, transport, victor, vestment, offer, subterranean.

In the following Pattern Practice there are a number of Basic Sentences containing transitive verbs. For each such Basic Sentence there is a transformation from active to passive or vice versa. The questions will be on both the active and the passive versions.

There are four new questions in this exercise. The phrase *Quid patitur?* means *What experience is he undergoing?* and is answered by a passive verb. *Ā quō* asks for a personal noun in the ablative with *ā* or *ab*, while *quō auxiliō* (by what means) asks for an instrument noun in the ablative. Finally, *quotiēns* (how often) gets a time expression; at present the only possible answers are *numquam* (never) and *saepe* (often).

PATTERN PRACTICE

Purpose: to learn the passive voice.
Directions: answer the questions based on the Basic Sentences.

Fūrem fūr cognōscit et lupum lupus. (S2)

(Transformation: Fūr ā fūre cognōscitur et lupus ā lupō.)

Quis fūrem cognōscit?	Fūr.
Ā quō lupus cognōscitur?	Ā lupō.
Quis ā fūre cognōscitur?	Fūr.
Quid agit lupus?	Lupum cognōscit.
Quid agit fūr?	Fūrem cognōscit.
Quis lupum cognōscit?	Lupus.
Cognōscitne lupum fūr?	Nōn cognōscit.
Quid lupus patitur?	Cognōscitur.
Quid fūr agit?	Fūrem cognōscit.
Quid fūr patitur?	Fūr cognōscitur.
Ā quō fūr cognōscitur?	Ā fūre.
Quem lupus cognōscit?	Lupum.
Quem fūr cognōscit?	Fūrem.

[3]*Ab* is used before vowels and before *h*; *ā* is used before consonants. *Ab* is also sometimes found before consonants, particularly *l*, *n*, *r*, and *s*. In your production of Latin, be satisfied with the statement as given in the first sentence.

Cognōsciturne fūr ā lupō?   Nōn cognōscitur.
Cognōsciturne fūr ā fūre?   Cognōscitur.

Rem, nōn spem, quaerit amīcus. (S5)

(Transformation: Rēs, nōn spēs, quaeritur ab amīcō.)

Quis spem nōn quaerit?   Amīcus.
Quae rēs nōn quaeritur?   Spēs.
Quae rēs quaeritur?   Rēs.
Ā quō rēs quaeritur?   Ab amīcō.
Quam rem amīcus quaerit?   Rem.
Ā quō spēs nōn quaeritur?   Ab amīcō.
Quam rem amīcus nōn quaerit?   Spem.
Quaeritne amīcus rem?   Quaerit.
Quaeriturne ab amīcō spēs?   Nōn quaeritur.
Quis rem quaerit?   Amīcus.
Quid agit amīcus?   Rem quaerit.
Quid patitur rēs?   Quaeritur.

Ā cane nōn magnō saepe tenētur aper. (S21)

(Transformation: Canis nōn magnus saepe tenet aprum.)

Quis saepe tenētur?   Aper.
Quis saepe tenet?   Canis nōn magnus.
Quid agit canis nōn magnus?   Tenet.
Quid patitur aper?   Tenētur.
Ā quō aper tenētur?   Ā cane nōn magnō.
Quotiēns canis tenet?   Saepe.
Quem canis nōn magnus tenet?   Aprum.
Quotiēns aper tenētur?   Saepe.
Tenetne canis aprum?   Tenet.
Tenetne aper canem?   Nōn tenet.
Tenēturne aper ā cane?   Tenētur.
Tenēturne canis ab aprō?   Nōn tenētur.

Amphora sub veste numquam portātur honestē. (S22)

(Transformation: Nēmō amphoram sub veste portat honestē.)

Quis amphoram sub veste honestē portat?   Nēmō.
Quam rem nēmō sub veste honestē portat?   Amphoram.
Quō modō nēmō amphoram sub veste portat?   Honestē.
Quotiēns amphora sub veste honestē portātur?   Numquam.

Quō modō amphora sub veste nōn portātur?   Honestē.
Quae rēs sub veste nōn portātur honestē?   Amphora.
Quid patitur amphora?   Nōn portātur honestē.

Occāsiō aegrē offertur, facile āmittitur. (S30)

(Transformation: Fortūna occāsiōnem aegrē offert, homō[4] facile āmittit.)

Quō modō occāsiō offertur?   Aegrē.
Quō modō occāsiō āmittitur?   Facile.
Quis occāsiōnem aegrē offert?   Fortūna.
Quis occāsiōnem facile āmittit?   Homō.
Ā quō occāsiō aegrē offertur?   Ā Fortūnā.
Ā quō occāsiō facile āmittitur?   Ab homine.
Quam rem homō facile āmittit?   Occāsiōnem.
Quam rem Fortūna aegrē offert?   Occāsiōnem.
Quid agit homō?   Facile occāsiōnem āmittit.
Quid agit Fortūna?   Aegrē occāsiōnem offert.

SELF TEST

After you have thoroughly learned the Basic Sentences and the Pattern Practice, try the following Self Test. If you are well prepared it should take you only seconds to run through the exercise.

Here are transformations of Basic Sentences 8, 9, 15, and 23.

> Manus manū lavātur.
> Amor injūriā solvitur.
> Vīta regitur fortūnā, nōn sapientiā.
> Antīqua vestis pauperem honestē vestit.

Using both the original and the transformations, answer the following questions:

1. Quid pauper patitur honestē?
2. Quae rēs vītam regit?
3. Quō auxiliō pauper vestītur honestē?
4. Quem honestē vestit vestis antīqua?
5. Quō auxiliō vīta regitur?
6. Quō auxiliō amor solvitur?
7. Quō auxiliō manus lavātur?
8. Quam rem manus lavat?
9. Quam rem sapientia nōn regit?
10. Solviturne amor injūriā?

[4] *Homō, hominem, homine* means *man* (mankind) as distinguished from gods and animals. *Vir* means *man* as distinguished from woman or child.

LESSON FIVE: How to Talk Like a Roman

BASIC SENTENCES

S31 Ā fonte pūrō pūra dēfluit aqua.
ANON.

From a pure spring flows pure water.

S32 Dē sapientī virō facit īra virum citō[1] stultum.
WERNER

Anger quickly makes a stupid man out of a wise one.

S33 Nūlla ... avāritia sine poenā est.
SENECA

There is no avarice without penalty.

S34 Lēx videt īrātum, īrātus lēgem nōn videt.
PUBLILIUS SYRUS

The law sees the angry man, but the angry man doesn't see the law.

S35 In omnī rē vincit imitātiōnem vēritās.
CICERO

In every circumstance truth conquers imitation.

S36 Deus vult!
BATTLE CRY OF FIRST CRUSADE

God wills it, or It is God's will.

S37 Necessitās nōn habet lēgem.
ST. BERNARD (?)

Necessity has no law, or Necessity knows no law.

---

[1]*Citus* is an adjective meaning *swift*. The expression *citō tempore* (*tempore* is a noun in the ablative case) means *quickly*. The phrase frequently occurs as *citō* alone. In the same way there are the expressions *aeternō tempore* (eternally), *sērō tempore* (late), *perpetuō tempore* (forever), *subitō tempore* (suddenly), and *brevī tempore* (in a short time). These are often shortened to *aeternō, sērō, perpetuō, subitō,* and *brevī.*

52

S38 Spēs mea in Deō.
    MOTTO

My hope is in God.

S39 Lūx et vēritās.
    MOTTO OF YALE

Light and truth.

S40 Numquam ex malō patre bonus filius.
    ANON.

A good son never comes from a bad father.

NEW NOUNS					
aqua	īra	avāritia	poena	deus	fīlius
aquam	īram	avāritiam	poenam	deum	fīlium
aquā	īrā	avāritiā	poenā	deō	fīliō

fōns	lēx	imitātiō	necessitās	lūx	pater
fontem	lēgem	imitātiōnem	necessitātem	lūcem	patrem
fonte	lēge	imitātiōne	necessitāte	lūce	patre

NEW ADJECTIVES			
pūra	mea	pūrus	nūllus
pūram	meam	pūrum	nūllum
pūrā	meā	pūrō	nūllō

citus	īrātus	malus	bonus	omnis
citum	īrātum	malum	bonum	omnem
citō	īrātō	malō	bonō	omnī
	(adv: īrātē)	(adv: male)[2]	(adv: bene)[2]	

NEW VERBS   dēfluit/-----[3]   est/-----   habet/habētur

NEW INDECLINABLES   dē (preposition): *down from, concerning*
                ex, ē (preposition): *out of, from*; *ex* is used before
                vowels and *h*; either *ex* or *ē* is used before
                consonants.

---

[2]Note the short *e* variant in *male* and *bene*.
[3]What does the absence of a passive form show about this verb?

DERIVATIVES

What Latin words do you associate with the following? Nullify, om-
nivorous, malice, avarice, fount, legal, bonus, exit, description, pure,
aquatic, imitation, ire, irate, deity, necessity, translucent, paternity,
filial, fluid, penitentiary, habit.

You have now learned forty Basic Sentences containing about one
hundred Latin words. We will show you how to make up thousands of
Latin sentences by changing the forty Basic Sentences.

There are three ways to change a Latin sentence: by substitution,
expansion, or transformation. At the present the most useful technique
will be *substitution*. As an example, let us take the fifth Basic Sentence,
Rem, nōn spem, quaerit amīcus. For the first word *(rem)* we can substitute any other nonpersonal noun. Another way to put it is that to get
rem we ask the question *Quam rem quaerit amīcus.* Any other word
that can substitute for *quam rem* is a possibility, only of course some
make better sense than others. *Īram, nōn spem, quaerit amīcus* is
one answer, but it doesn't sound very sensible. How do you like these
possibilities?

> Amōrem, nōn spem, quaerit amīcus.
> Laudem, nōn spem, quaerit amīcus.
> Avāritiam, nōn spem, quaerit amīcus.
> Fraudem, nōn spem, quaerit amīcus.

In making substitutions for *spem* (another *quam rem* word) we happen to find a rather larger number of words that make sense:

> Rem, nōn injūriam, quaerit amīcus.
> Rem, nōn lītem, quaerit amīcus.
> Rem, nōn sapientiam, quaerit amīcus.
> Rem, nōn laudem, quaerit amīcus.

In substituting for the verb we must of course choose only from the
list of transitives or transitivals. Why?

> Rem, nōn spem, vult amīcus.
> Rem, nōn spem, generat amīcus.

Finally, we may substitute for *amīcus*. *Amīcus* is an adjective used
as a personal noun; we may therefore substitute any personal noun or
adjective that may be used alone for a personal noun:

> Rem, nōn spem, quaerit fūr.
> Rem, nōn spem, quaerit fēmina.
> Rem, nōn spem, quaerit pater.

We may substitute more than one element at a time:

> Laudem, nōn lītem, quaerit amīcus.

In fact we may change them all, except the negator *nōn*:

> Vestem, nōn amphoram, lavat fēmina.

The second technique is that of *expansion*, the addition or subtraction of items. At this point we can expand with modifiers of the verb: adverbs *(honestē)*, adverbials *(saepe)*, and ablatives *(cum cūrā)*. We can also expand by *leveling*, i.e., by adding a parallel unit accompanied by a conjunction like *et* or *-que* or (in writing) set off by commas. Thus we may expand *Rem, nōn spem, quaerit amīcus* by adding another subject. This must of course be lexically compatible with *amīcus*, as *Rem, nōn spem, quaerit amīcus et pauper.* Expanding by adding another verb, we might get *Rem, nōn spem, quaerit et tenet amīcus.*

We can drop off either modifiers or leveled constructions in the same way: *Rem quaerit amīcus; Vincit imitātiōnem vēritās;* etc.

The last method is *transformation*, the change from one case to another (for nouns) or from one part of speech to another. This is by far the most difficult procedure of all, since it usually involves changing several items. With a transitive verb, we can change from active to passive or the reverse: *Rēs, nōn spēs quaeritur ab amīcō.* Here is a transformation of a Basic Sentence: *Avāritia poenam habet.* What was the original and what was the transformation?

Make original sentences by substituting for the italicized words. Suggested lexical items are given in the parentheses. Change from positive to negative and vice versa where it seems appropriate.

1. Vulpēs vult *fraudem.* (S11) (cūra, fōns, aqua, līs)
2. Fidē et *amōre.* (S26) (industria, spēs, sapientia, laus)
3. Vītam regit *fortūna.* (S15) (labor, īra, vēritās, virtūs)
4. Prūdēns cum *cūrā* vīvit. (S7) (laus, amor, concordia, fidēs)
5. Sapiēns nōn vīvit *honestē.* (S3) (fēlīx, sapiēns, stultus)
6. In omnī rē vincit *imitātiōnem* vēritās. (S35) (fortūna, spēs, fraus)
7. *Amor* gignit *amōrem.* (S27) (līs, injūria, fraus, laus, fidēs)
8. Ā cane nōn magnō saepe *tenētur* aper. (S21) (quaerit, vincit, cognōscit)
9. *Vēritās* numquam perit. (S10) (virtūs, avāritia, fidēs)
10. *Philosophum* nōn facit barba. (S17) (sapiēns, vir, prūdēns)

PATTERN PRACTICE

Purpose: to practice questions on Basic Sentences and their transformations.
Directions: answer the questions.

Quō ā locō[4] dēfluit aqua? (S31)   Ā fonte dēfluit aqua.
Quae rēs ā fonte dēfluit?   Aqua ā fonte dēfluit.
Quam rem fōns habet?   Aquam fōns habet.
Quae rēs aquam habet?   Fōns aquam habet.
Quid agit aqua?   Ā fonte dēfluit aqua.

[4]*Locus, locum, locō* means *place.*

Fluitne aqua?	Fluit.
Habetne fōns aquam?	Habet.
Quō tempore facit īra virum stultum? (S32)	Citō tempore.
Quae rēs facit virum stultum?	Īra.
Dē quō facit īra virum stultum?	Dē sapientī virō.
Quō auxiliō stultus vir fit?[5]	Īrā.
Dē quō stultus vir fit?	Dē sapientī virō.
Quis dē sapientī virō fit?	Stultus vir.
Quō tempore stultus vir fit?	Citō tempore.
Facitne īra sapientem virum?	Nōn facit.
Facitne īra stultum virum?	Facit.
Fitne īrā stultus vir dē sapientī virō?	Fit.
Fitne īrā sapiēns vir dē stultō virō?	Nōn fit.
Quae rēs poenam habet? (S33)	Avāritia.
Quam rem avāritia habet?	Poenam.
Quae rēs sine poenā nōn est?	Avāritia.
Estne avāritia sine poenā?	Nōn est.
Habetne avāritia poenam?	Habet.
Estne nūlla avāritia sine poenā?	Est.
Quis[6] īrātum videt? (S34)	Lēx.
Quis lēgem nōn videt?	Īrātus.
Quem lēx videt?	Īrātum.
Quem īrātus nōn videt?	Lēgem.
Quis ā lēge vidētur?	Īrātus.
Quis ab īrātō nōn vidētur?	Lēx.
Quid agit lēx?	Īrātum videt.
Quid agit īrātus?	Lēgem nōn videt.
Quid patitur īrātus?	Ā lēge vidētur.
Quid patitur lēx?	Ab īrātō nōn vidētur.
Videtne lēx īrātum?	Videt.
Vidēturne īrātus?	Vidētur.
Videtne lēgem īrātus?	Nōn videt.
Vidēturne lēx?	Nōn vidētur.
Ā quō lēx nōn vidētur?	Ab īrātō.
Ā quō īrātus vidētur?	Ā lēge.
Vincitne vēritās? (S35)	Vincit.
Vinciturne vēritās?	Nōn vincitur.

[5]You have learned that *facit* is a transitival verb, that is, it has no passive. There is, however, a substitute for this nonexistent passive, the verb *fit*. *Fit* is of course not passive itself, since it ends in *-t* and not *-tur*, but since it has the same distribution as a passive it is a *passival*. There are very few passival verbs in Latin.

[6]Since the law is described as seeing and is contrasted with an angry person, it is personified and we treat it as a personal noun. The concepts of death, fate, fortune, and law are frequently treated in this way.

Vincitne vēritās imitātiōnem?	Vincit.
Vincitne imitātiō vēritātem?	Nōn vincit.
Quō auxiliō imitātiō vincitur?	Vēritāte.
Quae rēs imitātiōnem vincit?	Vēritās.
Quam rem vēritās vincit?	Imitātiōnem.
Quid agit vēritās?	Vincit.
Quid patitur imitātiō?	Vincitur.
Quae rēs vincitur?	Imitātiō.
Quam rem necessitās nōn habet? (S37)	Lēgem.
Quid agit necessitās?	Nōn habet lēgem.
Quam rem lēx nōn regit?	Necessitātem.
Quae rēs nōn habet lēgem?	Necessitās.
Quae rēs necessitātem nōn regit?	Lēx.
Quō auxiliō necessitās nōn regitur?	Lēge.
Quae rēs lēge nōn regitur?	Necessitās.
Quotiēns ex malō patre gignitur bonus fīlius? (S40)	Numquam.
Ex quō gignitur bonus fīlius?	Ē bonō patre.
Quis bonum fīlium gignit?	Bonus pater.
Quis malum fīlium gignit?	Malus pater.
Quem gignit bonus pater?	Bonum fīlium.
Quem nōn gignit bonus pater?	Malum fīlium.
Quis ex malō patre gignitur?	Malus fīlius.
Quis ex bonō patre gignitur?	Bonus fīlius.
Ex quō gignitur malus fīlius?	Ex malō patre.
Gignitne malus pater malum fīlium?	Gignit.
Gignitne malus pater bonum fīlium?	Nōn gignit.
Gigniturne ex bonō patre bonus fīlius?	Gignitur.
Gigniturne ex malō patre malus fīlius?	Gignitur.
Gigniturne ex malō patre bonus fīlius?	Nōn gignitur.

SELF TEST

Make original sentences by substituting for the italicized words; use the negator *nōn* if it results in better sense:

1. *Lūx* et vēritās. (S39)
2. *Nēmō* in amōre videt. (S6)
3. Rem *quaerit* amīcus. (S5)
4. *Lupus* nōn mordet *lupum*. (S16)
5. Virtūte et *operā*. (S29)

Suggested vocabulary for above:

agnus	cūra	labor	spēs	habet
amor	fēmina	sapiēns	tenet	industria
aper	fidēs	sapientia	vēritās	pauper
canis	fortūna	solvit	vir	videt

LESSON SIX: The Three Classes of Nouns

EXPLANATION OF STRUCTURE: NEUTER NOUNS

You have carefully learned to distinguish nominative from accusative in such pairs as *canis/canem* and *lupus/lupum*. Now look at the following words:

Nom	malum	bonum	vitium	vīnum	cōnsilium
Acc	malum	bonum	vitium	vīnum	cōnsilium
Abl	malō	bonō	vitiō	vīnō	cōnsiliō

Nom	perīculum[1]	auxilium	corpus	mare	opus
Acc	perīculum	auxilium	corpus	mare	opus
Abl	perīculō	auxiliō	corpore	marī	opere

Nouns like these, that always have nominative and accusative alike, are called *neuter nouns*. The question now arises: how do we tell subject from object? Observation of the Basic Sentences should answer this question.

BASIC SENTENCES

S41 Saepe malum petitur, saepe bonum fugitur.
ANON.

Evil is often sought after, good is often shunned.

S42 Mēns sāna in corpore sānō.
JUVENAL

A sound mind in a sound body.

S43 In marī aquam quaerit.
BINDER

He is looking for water in the ocean.

S44 Ex vitiō sapiēns aliēnō ēmendat suum.
PUBLILIUS SYRUS

The wise man corrects his own fault from the fault of another.

[1]There is a variant *perīc'lum, perīc'lum, perīc'lō*.

S45 In vīnō, in īrā, in puerō semper est vēritās.
ANON.

In wine, in anger, or in a child there is always truth.

S46 Fīnis corōnat opus.
BINDER

The end crowns the work; don't judge a work until it is complete.

S47 Gladiātor in harēnā capit cōnsilium.
SENECA (adapted)

The gladiator plans his strategy in the arena.

S48 Vīnō forma perit, vīnō corrumpitur aetās.
ANON.

Through wine beauty perishes, through wine youth is corrupted.

S49 Nēmō sine vitiō est.
SENECA THE ELDER

No one is without fault.

S50 Numquam perīc'lum sine perīc'lō vincitur.
PUBLILIUS SYRUS

Danger is never overcome without further danger.

NEW   (in addition to those given at beginning of lesson):
NOUNS

harēna	forma	puer	mēns
harēnam	formam	puerum	mentem
harēnā	formā	puerō	mente

gladiātor	aetās	fīnis
gladiātōrem	aetātem	fīnem
gladiātōre	aetāte	fīne

NEW
ADJECTIVES

sāna	sānum	aliēnum	suum
sānam	sānum	aliēnum	suum
sānā	sānō	aliēnō	suō
(adv. sānē)			

NEW   petit/petitur   ēmendat/ēmendātur   fugit/fugitur
VERBS   corōnat/corōnātur   corrumpit/corrumpitur   capit/capitur

NEW   sed (conjunction): *but*
INDECLINABLES   semper (adverbial): *always*

DERIVATIVES

Petition, fugitive, mental, sane, corporal, marine, vice, alien, emendation, vinous, vine, puerile, final, coronation, Opus 56, gladiator, arena, counsel, captive, form, corruption, auxiliary, peril.

In the above words we see a number of English adjective morphemes derived from Latin: *-al* (Latin *-ālis*), *-ine* (Latin *-īnus*), *-ile* (Latin *-īlis*), *-ive* (Latin *-īvus*), and *-ous* (Latin *-ōsus*). You will notice that there are some words which have the same form as the Latin nominative. Still others drop off a final *-a* or change it to *-e*. Find examples of each in the list above.

EXPLANATION OF STRUCTURE: GENDER

In several Basic Sentences we have had adjectives. It was explained on page 26 that adjectives modify nouns and that the direction of modification is indicated by the fact that the adjective is in the same case as the noun it modifies. Thus, in *Ā cane nōn magnō saepe tenētur aper*, we know that the dog, not the boar, is large because *magnō* is ablative, patterning with *cane*. You may have noticed, in Basic Sentence 31, that the adjective for *pure* had not only the forms *pūrus, pūrum, pūrō* but also *pūra, pūram, pūrā*. You will now find out why.

Every Latin noun falls into one of three classes, which are represented by *fōns, aqua,* and *vīnum*. If we wish to make these three entities the subjects of sentences and to modify them by the adjective *pūrus*, we find that we can use the form *pūrus* in only one instance: *Fōns PŪRUS quaeritur*. For *aqua* we have to say *Aqua PŪRA quaeritur*, and for *vīnum, Vīnum PŪRUM quaeritur*. This obligatory choice of adjective according to the class of noun is called *gender*. All nouns modified by *pūrus/pūrum/pūrō* are masculine; those modified by *pūra/pūram/pūrā* are feminine; and those modified by *pūrum/pūrum/pūrō* are neuter.

The traditional terminology may be misleading. Inanimate objects without biological sex are masculine, feminine, or neuter gender; that is, they may be modified by *pūrus, pūra,* or *pūrum*. Thus we have *fōns pūrus, aqua pūra,* and *vīnum pūrum*. It is true generally speaking that most persons or animals with male sex characteristics are in the *pūrus* class, but even here there are numerous exceptions. *Vulpēs* (fox) is always feminine *gender* regardless of the biological *sex* of the beast, and *piscis* (fish) is always masculine gender.

English does not really have this kind of classification. A recent book on linguistics[2] explains it this way: "The gender of an English

---

[2]H. A. Gleason, *An Introduction to Descriptive Linguistics* (New York, 1955), p. 148.

noun is defined solely in terms of the pronoun substitute, *he, she*, or *it*, which may be used in its place. Typically, gender involves not only substitution but also concord. Indeed, probably the best definition of gender is as a set of syntactic subclasses of nouns primarily controlling concord." This concord in Latin is the shift from *pūrus* to *pūra* or *pūrum* when one substitutes other subjects in *Fōns pūrus quaeritur*.

Most languages which you are likely to study have either two genders (masculine and feminine) such as French, Italian, and Hebrew, or three (masculine, feminine, and neuter) such as German, Greek, and Russian. In these languages there is a correlation of sorts with biological sex, although there are many "exceptions." In German, for example, three common words for females, *Fräulein, Mädchen*, and *Weib*, meaning *young lady, girl*, and *wife*, are all neuter gender; that is, they pattern with adjectives that are traditionally called neuter.

In some languages (Cree is one) the contrast in gender is between animate and inanimate. "The animate class basically includes all persons, animals, spirits, and large trees. But the following are also arbitrarily animate: tobacco, corn, apple, raspberry (but not strawberry), feather, kettle, snowshoe, smoking pipe, etc."[3] In some of the Bantu languages of Africa are found as many as twenty different categories of nouns. Here is an example from Ilamba, a Bantu language of Tanganyika:[4]

> ānto ākoe akōlu abele   "his two big men"
> men his   big   two
>
> īnto   yākoe ikōlu ibele   "his two big things"
> things his   big   two
>
> mīno   mākoe makōlu mabele   "his two big teeth"
> teeth his   big   two
>
> pizōmba piakoe pikōlu pibele   "his two big huts"
> huts   his   big   two

Can you discover the morphemes that mean *his, big*, and *two*? Now can you find those that indicate the gender? In which word do you find an allomorph (morphemic variant) of one of the gender morphemes?

There are two ways to discover the gender of Latin words. One is to look in a Latin dictionary. Turn to the back of this book to discover the gender of *ratiō, hortus, īnsānia, fūnus*, and *beneficium*. The second and easier way is to remember from a Basic Sentence or a Reading whether the adjective is *pūrus, pūra*, or *pūrum*. Identify the gender of the following nominative nouns: *bona fāma, malus poēta, flūmen pūrum, exemplum bonum, occāsiō nūlla, amor meus*.

Nouns in *-tās (vēritās, necessitās)*, in *-tūdō (fortitūdō)*, in *-ia (concordia, cōnstantia)*, and in *-iō (imitātiō, occāsiō)* are all feminine. You will note that they are abstractions.

[3] *Ibid.*

[4] Taken from E. A. Nida, *Learning a Foreign Language* (New York, 1950), pp. 188-89.

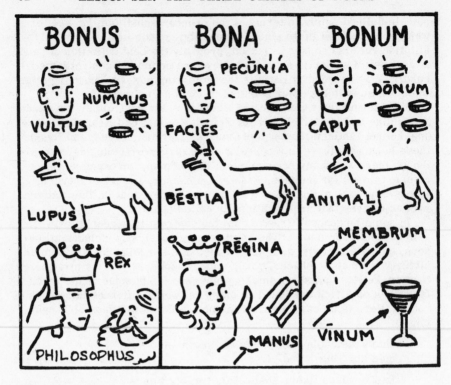

MORPHOLOGY

There are two types of adjectives; *bonus* is typical of the first:

	Masculine	Feminine	Neuter
Nom	bonus	bona	bonum
Acc	bonum	bonam	bonum
Abl	bonō	bonā	bonō

Notice the resemblance between masculine and neuter; they differ *only* in the nominative. This means that in many instances you cannot tell from the modifying adjective whether a noun is masculine or neuter.

The second type is like *omnis* or *prūdēns*:

	Masculine-Feminine	Neuter	Masculine-Feminine	Neuter
Nom	omnis	omne	prūdēns	prūdēns
Acc	omnem	omne	prūdentem	prūdēns
Abl	omnī	omnī	prūdentī	prūdentī

Observe that in this type there is no difference between masculine and feminine, but only between masculine-feminine and neuter. Note further that this difference occurs only in the accusative of *prūdēns* but is found in both the nominative and accusative of *omnis*.

EXPLANATION OF STRUCTURE: MORPHOLOGICAL DIFFERENCE BETWEEN NOUNS AND ADJECTIVES

We now have the formal criterion to distinguish adjectives from nouns which we promised you on page 26. Adjectives have a contrast somewhere between the neuter forms and the other forms, whether masculine and feminine or masculine-feminine. A few nouns have contrast between masculine and feminine, as *lupus/lupa* (male wolf/female wolf), but there is no neuter. What is the meaning and gender of *agnus/agna*, *deus/dea*, and *fīlius/fīlia*?

EXPLANATION OF STRUCTURE: NEUTER ADJECTIVES AS NOUNS

We have seen that certain adjectives may be used as nouns; we have seen examples in Basic Sentences 3, 5, 7, 23, 34, 41. What is the signal that tells you these adjectives do not modify nouns? The masculine form indicates a man, the feminine a woman, and the neuter a quality or thing. Observe the following:

Bonum saepe fugitur. (S41)	Good is often shunned.
Bonus saepe fugitur.	A good man is often shunned.
Bona saepe fugitur.	A good woman is often shunned.

What then do the following mean?

Malus saepe petitur.	Amor omnem vincit.
Malum saepe petitur.	Amor omne vincit.
Mala saepe petitur.	Amōre omnis vincitur.
Malus saepe petit.	Amōre omne vincitur.

The question word that calls for a descriptive adjective is *quālis*, *quāle*, which has forms like *omnis, omne*. *Quantus, quanta, quantum* asks for adjectives of size *(magnus, parvus)*. The first part of the Pattern Practice requires the production of adjectives in answer to *quālis* or *quantus*. The second part asks questions on the Basic Sentences and practices the use of the nominative-accusative neuter form.

PATTERN PRACTICE, Part One

Purpose: to learn about adjectives.
Directions: answer the questions based on the Basic Sentences.

Quālī in veste sapiēns nōn vīvit honestē? (S3)	Pulchrā in veste.
Quālis vestis sapientem honestē nōn vestit?	Pulchra vestis.
Quālem vestem sapiēns honestē nōn habet?	Pulchram vestem.
Quālī in veste sapiēns vīvit honestē?	Vīlī[5] in veste.
Quālis vestis sapientem vestit honestē?	Vīlis vestis.
Quālem vestem sapiēns honestē habet?	Vīlem vestem.

Quantō ā cane saepe tenētur aper? (S21)	Parvō ā cane.
Quantus canis aprum saepe tenet?	Parvus canis.
Quantum canem aper saepe nōn vincit?	Parvum canem.
Quantus aper ā cane saepe tenētur?	Magnus aper.
Quantum aprum canis saepe tenet?	Magnum aprum.
Quantō ab aprō canis saepe nōn vincitur?	Magnō ab aprō.

Quālī veste pauper honestē vestītur? (S23)	Antīquā veste.
Quālī veste pauper honestē nōn vestītur?	Novā[6] veste.
Quālem vestem pauper honestē habet?	Antīquam vestem.
Quālem vestem pauper honestē nōn habet?	Novam vestem.
Quālis vestis pauperem honestē vestit?	Antīqua vestis.
Quālis vestis pauperem honestē nōn vestit?	Nova vestis.

Quālī ā fonte dēfluit aqua pūra? (S31)	Pūrō ā fonte.
Quālem aquam habet fōns turbulentus?[7]	Turbulentam aquam.
Quālis fōns aquam pūram habet?	Pūrus fōns.
Quālis aqua ā fonte pūrō dēfluit?	Pūra aqua.
Quālī ā fonte dēfluit aqua turbulenta?	Turbulentō ā fonte.
Quālem aquam fōns pūrus habet?	Pūram aquam.
Quālis fōns aquam turbulentam habet?	Turbulentus fōns.
Quālis aqua ā fonte turbulentō dēfluit?	Turbulenta aqua.

Quālis pater fīlium bonum gignit? (S40)	Bonus pater.
Quālem fīlium pater malus gignit?	Malum fīlium.
Quālī ex patre gignitur fīlius bonus?	Bonō ex patre.
Quālī ex patre gignitur fīlius malus?	Malō ex patre.
Quālem fīlium pater bonus gignit?	Bonum fīlium.
Quālis pater fīlium malum gignit?	Malus pater.
Quālis fīlius ex bonō patre gignitur?	Bonus fīlius.
Quālis fīlius ex malō patre gignitur?	Malus fīlius.

Quālis mēns in corpore sānō est? (S42)	Sāna mēns.
Quālem mentem corpus sānum habet?	Sānam mentem.
Quāle corpus mentem sānam habet?	Sānum corpus.
Quālī in corpore est mēns sāna?	Sānō in corpore.
Quāle corpus mēns sāna habet?	Sānum corpus.

---

[5]Vīlis-e: *cheap, poor.*
[6]Novus-a-um: *new.*
[7]Turbulentus-a-um: *disturbed, dirty.*

PATTERN PRACTICE, Part Two

Purpose: practice in neuter nouns.
Directions: answer the questions based on the Basic Sentences.

Quae rēs saepe petitur? (S41)	Malum.
Quis malum saepe petit?	Stultus.
Quae rēs saepe fugitur?	Bonum.
Quis bonum saepe fugit?	Stultus.
Quis bonum petit?	Sapiēns.
Quam rem sapiēns petit?	Bonum.
Quam rem sapiēns fugit?	Malum.
Quae rēs ā sapientī petitur?	Bonum.
Quae rēs ā sapientī fugitur?	Malum.
Quam rem stultus saepe fugit?	Bonum.
Quam rem stultus saepe petit?	Malum.
Ā quō malum saepe petitur?	Ā stultō.
Ā quō malum fugitur?	Ā sapientī.
Ā quō bonum fugitur?	Ā stultō.
Ā quō bonum petitur?	Ā sapientī.
Petitne stultus saepe malum?	Petit.
Petitne sapiēns saepe malum?	Nōn petit.
Quālis vir bonum petit?	Sapiēns.
Quālis vir bonum fugit?	Stultus.
Quis aquam in marī quaerit? (S43)	Stultus.
Ā quō aqua in marī quaeritur?	Ā stultō.
Quō in locō stultus aquam quaerit?	In marī.
Quae rēs ā stultō in marī quaeritur?	Aqua.
Quam rem stultus in marī quaerit?	Aquam.
Quī locus aquam habet?	Mare.
Quae rēs opus corōnat? (S46)	Fīnis.
Quō auxiliō opus corōnātur?	Fīne.
Quam rem fīnis corōnat?	Opus.
Quae rēs fīne corōnātur?	Opus.
Quam rem vīnum corrumpit? (S48)	Aetātem.
Quae rēs vīnō perit?	Forma.
Quae rēs vīnō corrumpitur?	Aetās.
Quō auxiliō forma perit?	Vīnō.
Quae rēs aetātem corrumpit?	Vīnum.
Quō auxiliō aetās corrumpitur?	Vīnō.

SELF TEST

Answer the following questions on the Basic Sentences.

1. Quae rēs vēritātem habet?   (S45)
2. Quō in locō est vēritās?   (S45)
3. Quō modō vīvit nēmō?   (S49)
4. Quō modō vīvit omnis?   (S49)
5. Quam rem omnis habet?   (S49)
6. Quae rēs omnem corrumpit?   (S49)
7. Ā quō cōnsilium in harēnā capitur? (S47)
8. Quae rēs ā gladiātōre capitur?   (S47)
9. Quō in locō cōnsilium capitur?   (S47)
10. Quam rem ēmendat sapiēns?   (S44)

REVIEW LESSON ONE

Reviews will occur at intervals. They will not, however, be evenly spaced. Some points are more difficult than others and need review sooner.

MORPHOLOGY: THE FIVE DECLENSIONS

It must have occurred to you that there was a pattern in the nouns we have met; while not all Latin nouns are declined exactly alike, they are not all entirely different, either. You must have observed the resemblance of *lupus, lupum, lupō* to *agnus, agnum, agnō*, and the contrast with *manus, manum, manū*.

There are five classes or *declensions* of nouns, distinguished by their *declension marker* or *characteristic vowel*.

First Declension (-*a*- type)

vīta	injūria	amphora	aqua	īra	fortūna	sapientia
vītam	injūriam	amphoram	aquam	īram	fortūnam	sapientiam
vītā	injūriā	amphorā	aquā	īrā	fortūnā	sapientiā

All first declension nouns (except for a few Greek proper names) are declined in this way. All first declension nouns are feminine gender, except those that refer specifically to men, such as proper names and words like *nauta* (sailor).

Second Declension (-*o*- type)

lupus	agnus	fīlius	vir	puer	aper	vīnum	vitium
lupum	agnum	fīlium	virum	puerum	aprum	vīnum	vitium
lupō	agnō	fīliō	virō	puerō	aprō	vīnō	vitiō

Most nouns of this declension end in -*s*. There are only a few with the zero ending like *vir, puer*, and *aper*; notice that the lexical stem of these latter words ends in -*r*. There are also a number of neuters like *vīnum* and *vitium*. Can you give the others we have had? If not, look at Basic Sentences 41, 47, 50.

Third Declension (-*e*-, -*i*-, or *zero* type)

lēx	vulpēs	vestis	līs	vēritās	virtūs	fōns
lēgem	vulpem	vestem	lītem	vēritātem	virtūtem	fontem
lēge	vulpe	veste	līte	vēritāte	virtūte	fonte

occāsiō	fūr	amor	corpus	mare	opus
occāsiōnem	fūrem	amōrem	corpus	mare	opus
occāsiōne	fūre	amōre	corpore	marī[1]	opere

This is the most complicated declension of all. Notice that some nominatives have -s with the declension marker -e-; others have -s with the declension marker -i-; and still others have -s with the declension marker zero. Find an example of each. Other nouns of this declension have the zero ending. With both the -s morpheme and its zero allomorph there are sometimes minus elements; instead of *līts[2] or *occāsiōn[2] we find līs and occāsiō.

Fourth Declension (-u- type)

manus	exitus	vestītus
manum	exitum	vestītum
manū	exitū	vestītū

The fourth declension is not as common as the first three. Most nouns of this declension are masculine gender, although manus is feminine.

Fifth Declension (-ē-type)

rēs	spēs	fidēs	diēs
rem	spem	fidem	diem
rē	spē	fidē	diē

There are very few nouns in this declension. Except for diēs, which is either masculine or feminine, all fifth declension nouns are feminine gender.

Adjectives of the bonus type are called first-and-second declension adjectives. Adjectives of the omnis type are third declension. There are some minor variations: although -ī is the common ablative ending, -e is also found, as sapientī or sapiente.

The morpheme -s and its zero allomorph signal the nominative. What declension has only the zero allomorph? What declensions have only the -s? What declensions have both? Before final -s, short -o- becomes -u-; hence agnus for *agnos.

The morpheme -m signals the accusative singular. Long vowels shorten before final -m; therefore rem for *rēm. What happens to short -o- before final -m?

The ablative is signaled by length of the characteristic vowel. In third declension nouns, however, there is no length if the characteristic vowel is -e-.

---

[1]Note the form marī. Only a few nouns of the third declension have -ī in the ablative; the -ī is common in adjectives.

[2]An asterisk indicates an imaginary form.

For neuters, observe the following:

1. Nominative and accusative are always alike.

2. There are no neuters in the first or fifth declensions and very few in the fourth. Therefore almost all neuters are second or third declension.

3. Second declension neuters (with two exceptions) have the nominative-accusative morpheme -*m*.

4. Third declension neuters all have the nominative-accusative zero allomorph. The declension marker is usually zero, although *mare* and a few others have -*e*.

Between vowels -*s*- changes to -*r*-, which accounts for *corpus/corpore* in place of **corpos/*corpose*. Can you account for the -*u*- in *corpus?*

When we say that it is a "rule" of Latin that -*o*- becomes -*u*- before final -*s* or -*m* or that -*s*- changes to -*r*-, we do not mean that the Romans sat down in legislation and passed such a rule. It is rather a statement of the facts which helps us comprehend the structure of the language intellectually. When the "rule" does not cover all the data, we must add "exceptions." In giving a rule and its exceptions we say in effect: if we leave out items *x*, *y*, and *z*, we can make a certain statement about the language; *x*, *y*, and *z*, however, work in a different way.

The final cluster -*ts* occurs in English, as in *pits*; the fact that it does not occur in Latin is just one of the many things which make the languages different. In English we have the final cluster -*gd*, as in *hugged*, but initial *gd*- is not permissible, i.e., is not found. In pronouncing such a word as the Polish town of Gdynia, we would probably all say something like *Guhdeenyuh* because of this "rule" of English that "prohibits" the initial cluster *gd*-.

This kind of talking *about* the language is interesting and important in its own right. It is also useful to some people to understand intellectually what they are learning to do automatically. But it can never by itself teach anyone to use the language. So if you do not completely understand the explanations, work on the Basic Sentences and Pattern Practices to learn the signals. Once you have learned them, the explanations will probably be clear.

Remember, there is no answer to *why* these things are so. If someone asks "Why did the Romans use identical forms for the nominative and accusative of neuters?" the only answer is, "The little Romans did it because they heard the big Romans doing it." The facts of language are not logical, but they are *systematic*.

BASIC SENTENCES

S51 Etiam capillus ūnus habet umbram suam.
PUBLILIUS SYRUS

Even a single hair casts its shadow.

S52 Nōbilitat stultum vestis honesta virum.
MEDIEVAL

Good clothes ennoble a stupid man.

S53 Habet suum venēnum blanda ōrātiō.
PUBLILIUS SYRUS

Smooth speech contains its own poison.

S54 Virum bonum nātūra, nōn ōrdō, facit.
PUBLILIUS SYRUS

Nature and not rank makes a man good.

S55 Nōn semper aurem facilem habet fēlīcitās.
PUBLILIUS SYRUS

Prosperity doesn't always have an accessible ear.

S56 Sapientia vīnō obumbrātur.
PLINY THE ELDER (adapted)

Wisdom is overshadowed by wine.

S57 Exitus in dubiō est.
OVID

The outcome is doubtful.

S58 Diēs dolōrem minuit.
BURTON

Time decreases grief.

S59 Nōn in sōlō pāne vīvit homō.
ST. MATTHEW

Man does not live by bread alone.

S60 In vīlī veste nēmō tractātur honestē.
MEDIEVAL

No one is treated decently in poor clothes.

NEW NOUNS		
capillus, capillō, m	umbra, umbrā, f	venēnum, venēnō, n
ōrātiō, ōrātiōne, f	ōrdō, ōrdine, m	auris, aure, f
fēlīcitās, fēlīcitāte, f	exitus, exitū, m	diēs, diē, m&f
dolor, dolōre, m	pānis, pāne, m	homō, homine, m&f
nātūra, nātūrā, f		

NEW	ūnus, ūna, ūnum	blandus, blanda, blandum
ADJECTIVES	dubius, dubia, dubium	(blandē)
	(dubiē)	sōlus, sōla, sōlum
	vīlis, vīle	

NEW   obumbrat/obumbrātur
VERBS   nōbilitat/nōbilitātur   minuit/minuitur   tractat/tractātur

NEW
INDECLINABLES   etiam (an intensifying particle): *even*

Now that you understand about the five classes of nouns, it should not be necessary to give all three forms. If we give you the nominative and ablative, you should be able in all instances to predict the missing accusative. See if you can do this with the new nouns. In the same way, it will be necessary from now on to give only the nominative forms of the adjectives. You should be able to tell from this whether they are declined like *bonus, bona, bonum* or like *omnis, omne*. The adverb (if common) follows in parentheses.

DERIVATIVES

Capillary, unit, umbrella, nobility, venemous, bland, oration, ordinary, aural, facility, felicity, exit, dubious, per diem, dolorous, diminutive, solitary.
The English ending -*ary* (Latin -*ārius*) is an adjectival suffix. Can you explain the origin of -*ty*, -*ous*, -*al*, and -*tion?*

METAPHRASE PRACTICE

This exercise is designed to give you practice on the forms without being distracted by lexical meaning. There are nominatives, accusatives, and ablatives in different combinations, but just the ending of the verb. Metaphrase these by putting in "blank" for the verb or, if you like, by inserting a reasonable verb:

Vir amphoram _____ -t.	Ā virō amphora _____ -tur.
The man _____s the jug.	The jug is being _____ by the man.
Virum amphora _____ -t.	Vir amphorā _____ -tur.
The jug _____s the man.	The man is being _____ by the jug.

Now try these:

Sapientem vitium _____ -t.　　　Ā fūre vīnum _____ -tur.
Sapiēns vitium _____ -t.　　　　Fūrem vīnum _____ -t.
Ā sapiente vitium _____ -tur.　　Fūr vīnum _____ -t.
Sapiēns vitiō _____ -tur.　　　　Fūr vīnō _____ -tur.

PATTERN PRACTICE, Part One

Purpose:　to review the parts of speech.
Directions:　answer with the appropriate part of speech.

Quō modō vīvit vir prūdēns?　　　Prūdenter vīvit vir prūdēns.
Quō modō vīvit vir fortis?　　　　Fortiter vīvit vir fortis.
Quō modō vīvit vir honestus?　　　Honestē vīvit vir honestus.
Quō modō vīvit vir sapiēns?　　　 Sapienter vīvit vir sapiēns.
Quō modō vīvit vir fidēlis?　　　　Fidēliter vīvit vir fidēlis.
Quō modō vīvit vir fēlīx?　　　　　Fēlīciter vīvit vir fēlīx.
Quō modō vīvit vir stultus?　　　　Stultē vīvit vir stultus.
Quō modō vīvit vir bonus?　　　　 Bene vīvit vir bonus.
Quō modō vīvit vir malus?　　　　 Male vīvit vir malus.

Quālem vītam vīvit prūdēns?　　　Prūdentem vītam vīvit prūdēns.
Quālem vītam vīvit fēlīx?　　　　　Fēlīcem vītam vīvit fēlīx.
Quālem vītam vīvit stultus?　　　　Stultam vītam vīvit stultus.
Quālem vītam vīvit malus?　　　　 Malam vītam vīvit malus.
Quālem vītam vīvit fidēlis?　　　　Fidēlem vītam vīvit fidēlis.
Quālem vītam vīvit fortis?　　　　 Fortem vītam vīvit fortis.
Quālem vītam vīvit bonus?　　　　 Bonam vītam vīvit bonus.
Quālem vītam vīvit malus?　　　　 Malam vītam vīvit malus.
Quālem vītam vīvit honestus?　　　Honestam vītam vīvit honestus.
Quālem vītam vīvit sapiēns?　　　 Sapientem vītam vīvit sapiēns.

Quam virtūtem habet fortis?　　　 Fortitūdinem habet fortis.
Quam virtūtem habet prūdēns?　　　Prūdentiam habet prūdēns.
Quam virtūtem habet honestus?　　 Honōrem habet honestus.
Quam virtūtem habet fēlīx?　　　　 Fēlīcitātem habet fēlīx.
Quam virtūtem habet fidēlis?　　　 Fidēlitātem habet fidēlis.
Quam virtūtem habet sapiēns?　　　Sapientiam habet sapiēns.
Quam virtūtem habet bonus?　　　　Bonum habet bonus.
Quod vitium habet stultus?　　　　 Stultitiam habet stultus.
Quod vitium habet malus?　　　　　Malum habet malus.

PATTERN PRACTICE, Part Two

Purpose: to review thoroughly the three cases of nouns and the active and
passive voice of verbs.
Directions: answer these questions based on the Basic Sentences.

Quae rēs habet umbram suam? (S51)	Capillus ūnus.
Quam rem capillus ūnus habet?	Umbram suam.
Habetne capillus ūnus umbram suam?	Habet.

Quae rēs virum stultum nōbilitat? (S52)	Vestis honesta.
Quem vestis honesta nōbilitat?	Virum stultum.
Quō auxiliō vir stultus nōbilitātur?	Veste honestā.
Quis veste honestā nōbilitātur?	Vir stultus.
Quid patitur vir stultus?	Honestā veste nōbilitātur.
Quid agit honesta vestis?	Virum stultum nōbilitat.
Quālis vestis virum stultum nōbilitat?	Honesta.
Quālī veste vir stultus nōbilitātur?	Honestā.
Quālem virum vestis honesta nōbilitat?	Stultum.
Quālis vir veste honestā nōbilitātur?	Stultus.

Quae rēs habet suum venēnum? (S53)	Blanda ōrātiō.
Quālis ōrātiō habet suum venēnum?	Blanda.
Quam rem habet blanda ōrātiō?	Suum venēnum.
Ubi[3] est venēnum?	In blandā ōrātiōne.
Quae rēs in blandā ōrātiōne est?	Venēnum.
Quālī in ōrātiōne est venēnum?	Blandā.

Quae rēs facit virum bonum? (S54)	Nātūra.
Quae rēs nōn facit virum bonum?	Ōrdō.
Quālem virum nātūra facit?	Bonum.
Quō auxiliō fit vir bonus?	Nātūrā.
Quō auxiliō nōn fit vir bonus?	Ōrdine.
Quem nātūra facit?	Virum bonum.
Quem ōrdō nōn facit?	Virum bonum.
Facitne nātūra virum bonum?	Facit.
Facitne ōrdō virum bonum?	Nōn facit.
Fitne vir bonus nātūrā?	Fit.
Fitne vir bonus ōrdine?	Nōn fit.

Quam rem nōn semper habet fēlīcitās? (S55)	Aurem facilem.
Quae rēs nōn semper habet aurem facilem?	Fēlīcitās.
Quis nōn semper habet aurem facilem?	Fēlīx.
Quālem aurem fēlīx nōn semper habet?	Facilem.

[3]*Ubi* is an interrogative adverbial, meaning *quō in locō*. It will be used frequently from now on for expressions of place.

Quae rēs sapientiam obumbrat? (S56)	Vīnum.
Quam rem vīnum obumbrat?	Sapientiam.
Quō auxiliō sapientia obumbrātur?	Vīnō.
Quae rēs vīnō obumbrātur?	Sapientia.

Quae rēs in dubiō est? (S57)	Exitus.
Ubi est exitus?	In dubiō.
Estne exitus certus?[4]	Nōn est.
Estne exitus incertus?[4]	Est.

Quae rēs dolōrem minuit? (S58)	Diēs.
Quō auxiliō dolor minuitur?	Diē.
Quae rēs diē minuitur?	Dolor.
Quam rem diēs minuit?	Dolōrem.
Minuitne diēs dolōrem?	Minuit.
Generatne diēs dolōrem?	Nōn generat.

Ubi homō nōn vīvit? (S59)	In sōlō pāne.
Quis nōn vīvit in sōlō pāne?	Homō.
Quem pānis sōlus nōn alit?[4]	Hominem.
Quō auxiliō homō nōn alitur?	Pāne sōlō.
Quis pāne sōlō nōn alitur?	Homō.

Quālī in veste nēmō tractātur honestē? (S60)	Vīlī.
Quis in vīlī veste tractātur honestē?	Nēmō.
Quid patitur nēmō in vīlī veste?	Honestē tractātur.
Ubi nēmō honestē tractātur?	In vīlī veste.

SELF TEST

If you can answer the following questions without stopping to think, you understand the first six lessons.

1. Vīnum mentem vincit. Quō auxiliō mēns vincitur?
2. Honestus īrā nōn corrumpitur. Quem ira nōn corrumpit?
3. Stultus vitium quaerit. Ā quō vitium quaeritur?
4. Ā stultō stultus cognōscitur: Quem stultus cognōscit?
5. Prūdēns vēritātem petit. Quae rēs petitur?
6. Vīnō corpus corrumpitur. Quam rem vīnum corrumpit?
7. Manū canis tenētur. Quae rēs tenet?
8. Aper canem tenet. Ā quō canis tenētur?
9. Spē malum vincitur. Quae rēs malum vincit?
10. Ā prūdente sapiēns cognōscitur. Quem prūdēns cognōscit?

---

[4]Certus-a-um; incertus-a-um; alit/alitur. From now on many new words will occur like this. You will be given the forms but you should be able to figure out the meaning. Look up the meaning only as a last resort.

LESSON SEVEN: More Than One

A glance at the illustrations should make their purpose clear.

I. II.

Agna cum puellā est.
Puella agnam tenet.
Puella cum agnā est.

Agnae cum puellā sunt.
Puella agnās tenet.
Puella cum agnīs est.

III. IV.

Puer cum cane est.
Canis puerum cognōscit.
Canis cum puerō est.

Puerī cum cane sunt.
Canis puerōs cognōscit.
Canis cum puerīs est.

EXPLANATION OF STRUCTURE: THE CONCEPT OF PLURALITY

It should not surprise you to learn that Latin nouns have a plural. What may be surprising is the fact that many languages in the world (Chinese is one) have no singular/plural contrast. Speakers of such languages may, if they choose, indicate one or more than one, but there is no *obligatory* classification. This is a choice which speakers of English must always make, whether they are interested in the number or not. John says to Betty, "I'll walk home with you after class and carry your books." He would have said "carry your book" if he had known that she had only one book. It is quite unimportant in this situation whether there is one book or two, but as a speaker of English John is forced to choose between *book* and *books*.

Because this obligatory classification is so familiar to us, it is hard for us to imagine doing without it. Other classifications, because they are not found in English, seem impossibly strange to us. In Navaho, for

75

example, the subject or object of verbs is classified according to categories of length and texture, things in bundles, things in heaps; and these classifications are *required* in making statements, just as number is required in English and Latin.

The concept of number is familiar; you will be bothered only by the signal (which of course will not be the English signal) and by the fact that Latin does not always regard the same things as plural that we do. This will cause you less difficulty if you remember that singular/plural is more a distinction in the *linguistic* world than it is a distinction in the real world itself. We say, "Bill wears glass*es* but he has taken *them* off." Why is *glasses* plural? The answer seems obvious, doesn't it? Isn't it because there are two lenses?

We must not assume, however, that the speakers of language X would refer to this piece of optical equipment as a plural. *The thing itself is not by nature either singular or plural*. For example, in the sentence above we substituted for *glasses* (a plural noun) the phrase *piece of optical equipment* (singular). In German the device is *die Brille* (singular); in French it is *les lunettes* (plural; the singular means *a telescope*). The Latin word *vestis* is a singular; we have been representing it in English by the word *clothes*. There is no plural of *vestis* in the prose of the time of Cicero, and there is no singular of *clothes*.

One final point about number in Latin. The verb also has number and agrees with the subject. When the subject is plural, the ending is *-nt* for active and *-ntur* for passive. In other words, Latin tells us *twice* that the subject is plural. In some languages the verb agrees with the object in number. Notice that agreement in English is found only in the present tense in the third person *(he writes/they write)*.

MORPHOLOGY

1st declension	2d declension	2d declension neuter
cūrae	agnī	vitia
cūrās	agnōs	vitia
cūrīs	agnīs	vitiīs

The morpheme for the nominative plural of the first two declensions is *-i*, with *-ai* (first declension) becoming *-ae*, and *-oi* (second declension) becoming *-ī*. The morpheme for accusative plural is *-s* and length of the declension marker. Neuters have the nominative-accusative form in *-a* with disappearance of the declension marker; i.e., *vitia* for *vitioa*. The morpheme for ablative plural is *-is*, with *-ais* and *-ois* both becoming *-īs*.

BASIC SENTENCES

S61 Bēstia quaeque suōs nātōs cum laude corōnat.
WERNER

Each beast crowns her own children with honor.

S62 Magna dī cūrant, parva neglegunt.
CICERO

The gods take care of big things but neglect the small.

S63 Paucī sed bonī.
COMMONPLACE

Few men but good ones.

S64 Ācta deōs numquam mortālia fallunt.
OVID

Mortal acts never deceive the gods.

S65 Verba movent, exempla trahunt.
ANON.

Words move people but examples compel them.

S66 In Venere semper certant dolor et gaudium.
PUBLILIUS SYRUS

In Venus grief and joy are always contesting.

S67 Malō in cōnsiliō fēminae vincunt virōs.
PUBLILIUS SYRUS

Women surpass men in poor planning.

S68 Sub omnī lapide scorpiō dormit.
ANON.

Under every stone sleeps a scorpion.

S69 Crūdēlis lacrimīs pāscitur, nōn frangitur.
PUBLILIUS SYRUS

The cruel person is nourished, not broken, by another's tears.

S70 Religiō deōs colit, superstitiō violat.
SENECA

Religion fosters the gods, superstition dishonors them.

NEW NOUNS		
bēstia, bēstiā, f	verbum, verbō, n	scorpiō, scorpiōne, m
āctum, āctō, n	gaudium, gaudiō, n	exemplum, exemplō, n
Venus, Venere, f	lacrima, lacrimā, f	religiō, religiōne, f
nātus, nātō, m	lapis, lapide, m	superstitiō, superstitiōne, f

NEW   quaeque (fem nom sg; other forms later): *each one*.
ADJECTIVES   *Quaeque* is often found with some form of *suus*
                 as here, "each one does something to her own
                 possession."
                 parvus-a-um   crūdēlis-e (crūdēliter)
                 paucī, paucae, pauca mortālis-e

NEW   cūrat/-ātur   violat/-ātur
VERBS   fallit/-itur   movet/-ētur   neglegit/-itur
              certat/----   dormit/----   trahit/-itur
              colit/-itur   pāscit/-itur   frangit/-itur

DERIVATIVES

In this lesson we shall try to suggest the extent to which the Romance
Languages have derived their vocabulary from Latin. In this discussion
we will limit ourselves to the better-known languages, omitting mention
of such languages as Roumanian, Sardinian, Catalan, Ladin, Provencal,
and the like.

Latin	French	Spanish	Portuguese	Italian
bēstia		bicho	bicha	biscia
nātus	né	nadie	nada	nato
āctum	acte	auto	auto	atto
verbum	verbe	verbo	verbo	verbo
exemplum	exemple	ejemplo	exemplo	esempio
gaudium	joie	joya	joia	gioia
lapis		laude		
scorpiō	scorpion	escorpion	escorpião	scorpione
lacrima	larme	lagrima	lagrima	lagrima
religiō	religion	religion	religião	religione
superstitiō	superstition			superstitizione
quisque ūnus	chacun			ciascuno
corōnat	couronne	corona	coroa	corona
cūrat	cure	cura	cura	cura
neglegit	néglige			neglige
fallit	faut			
movet	meut	mueve	move	muove
trahit	trait	trae	traz	trae
certat	(found in compound words only)			certa
pāscit	pait	pace	pasce	pasce
frangit			frange	frange

Latin	French	Spanish	Portuguese	Italian
colit				
violat	viole	viola	viola	viola
sed				

The Romance Languages, as their name indicates, are descendants of Latin, and their debt to the mother tongue is obvious from the above table. Several words of caution are necessary, however. The fact that the spelling is so similar conceals the fact that their pronunciation is very different. Second, the meaning of the word has sometimes changed considerably through the centuries. The Spanish *bicho*, for example, means a small worm or insect. Also, some of these words are scholarly, and the common speech has another expression for the concept. But even so, it should be apparent why no one can engage in serious study of Romance Languages without a knowledge of Latin.

PATTERN PRACTICE, Part One

Purpose: to become acquainted with the plural of the first two declensions.
Directions: The following utterances are arranged in pairs of singular and plural. Expand each utterance by adding the right form of *ūnus* (one) if the first noun is singular or *multī* (many) if the first noun is plural.

First the nominative (first word):

Amphorae sub veste portantur.   Multae amphorae sub veste portantur.
Amphora sub veste portātur.   Ūna amphora sub veste portātur.

Agna ā lupō capitur.   Ūna agna ā lupō capitur.
Agnae ā lupō capiuntur.   Multae agnae ā lupō capiuntur.

Lupae agnum capiunt.   Multae lupae agnum capiunt.
Lupa agnum capit.   Ūna lupa agnum capit.

Agnus ā lupō capitur.   Ūnus agnus ā lupō capitur.
Agnī ā lupō capiuntur.   Multī agnī ā lupō capiuntur.

Exemplum hominem trahit.   Ūnum exemplum hominem trahit.
Exempla hominem trahunt.   Multa exempla hominem trahunt.

Vitium hominem corrumpit.   Ūnum vitium hominem corrumpit.
Vitia hominem corrumpunt.   Multa vitia hominem corrumpunt.

Capillī umbram habent.   Multī capillī umbram habent.
Capillus umbram habet.   Ūnus capillus umbram habet.

Lupī agnum capiunt.   Multī lupī agnum capiunt.
Lupus agnum capit.   Ūnus lupus agnum capit.

Perīculum cum perīculō vincitur.   Ūnum perīculum cum perīculō vincitur.
Perīcula cum perīculō vincuntur.   Multa perīcula cum perīculō vincuntur.

Verba hominem movent.   Multa verba hominem movent.
Verbum hominem movet.   Ūnum verbum hominem movet.

Now the accusative (first word):

Bonum sapiēns petit.   Ūnum bonum sapiēns petit.
Bona sapiēns petit.   Multa bona sapiēns petit.

Aprōs canis tenet.   Multōs aprōs canis tenet.
Aprum canis tenet.   Ūnum aprum canis tenet.

Virum vestis nōbilitat.   Ūnum virum vestis nōbilitat.
Virōs vestis nōbilitat.   Multōs virōs vestis nōbilitat.

Astra[1] puer videt.   Multa astra puer videt.
Astrum puer videt.   Ūnum astrum puer videt.

Agnās lupus capit.   Multās agnās lupus capit.
Agnam lupus capit.   Ūnam agnam lupus capit.

Malum prūdēns fugit.   Ūnum malum prūdēns fugit.
Mala prūdēns fugit.   Multa mala prūdēns fugit.

Amphorās fēmina portat.   Multās amphorās fēmina portat.
Amphoram fēmina portat.   Ūnam amphoram fēmina portat.

Fīliās pater gignit.   Multās fīliās pater gignit.
Fīliam pater gignit.   Ūnam fīliam pater gignit.

Vitia malus habet.   Multa vitia malus habet.
Vitium malus habet.   Ūnum vitium malus habet.

Deum homō nōn fallit.   Ūnum Deum homō nōn fallit.
Deōs homō nōn fallit.   Multōs deōs homō nōn fallit.

And finally the ablative (first noun):

Sine vitiō nēmō est.   Ūnō sine vitiō nēmō est.
Sine vitiīs nēmō est.   Multīs sine vitiīs nēmō est.

Verbīs homō movētur.   Multīs verbīs homō movētur.
Verbō homō movētur.   Ūnō verbō homō movētur.

Ā fēminā vir vincitur.   Ūnā ā fēminā vir vincitur.
Ā fēminīs vir vincitur.   Multīs ā fēminīs vir vincitur.

Dē amphorīs aqua dēfluit.   Multīs dē amphorīs aqua dēfluit.
Dē amphorā aqua dēfluit.   Ūnā dē amphorā aqua dēfluit.

Ab aprīs canis vincitur.   Multīs ab aprīs canis vincitur.
Ab aprō canis vincitur.   Ūnō ab aprō canis vincitur.

---

[1]Astrum -ō, n: *star*.

Ā stultō malum petitur.   Ūnō ā stultō malum petitur.
Ā stultīs malum petitur.   Multīs ā stultīs malum petitur.

Exemplō homō trahitur.   Ūnō exemplō homō trahitur.
Exemplīs homō trahitur.   Multīs exemplīs homō trahitur.

Ab agnīs lupus fugitur.   Multīs ab agnīs lupus fugitur.
Ab agnā lupus fugitur.   Ūnā ab agnā lupus fugitur.

In puerō est vēritās.   Ūnō in puerō est vēritās.
In puerīs est vēritās.   Multīs in puerīs est vēritās.

Ā lupā agnus capitur.   Ūnā ā lupā agnus capitur.
Ā lupīs agnus capitur.   Multīs ā lupīs agnus capitur.

PATTERN PRACTICE, Part Two

Purpose: to review the singular and learn the new plurals.
Directions: answer the questions based on Basic Sentences.

Quid agit bēstia quaeque? (S61)   Suōs nātōs cum laude corōnat.
Quid patiuntur nātī?   Cum laude corōnantur.
Quōs bēstia corōnat?   Suōs nātōs.
Ā quō nātī corōnantur?   Ā bēstiā quāque.
Quō modō corōnantur?   Cum laude.
Quis corōnat?   Bēstia quaeque.
Quī corōnantur?   Suī nātī.
Laudatne bēstia nātōs suōs?   Laudat.

Quanta dī[2] cūrant? (S62)   Magna.
Quanta dī neglegunt?   Parva.
Ā quibus[3] magna cūrantur?   Ā dīs.
Ā quibus parva negleguntur?   Ā dīs.
Quantās rēs[4] dī neglegunt?   Parvās.
Quantās rēs dī cūrant?   Magnās.
Cūrantne dī magna?   Cūrant.
Cūrantne dī parva?   Nōn cūrant.

Quid dī numquam patiuntur? (S64)   Numquam falluntur.
Quibus auxiliīs nōn falluntur?   Āctīs mortālibus.
Quotiēns dī falluntur?   Numquam.
Quī nōn falluntur?   Dī.
Quī deōs nōn fallunt?   Hominēs.
Quae rēs deōs numquam fallunt?   Ācta mortālia.

---

[2]The plural of *deus, deum, deō* is *deī, deōs, deīs*; but for *deī* there is a common
variant *dī*, and for *deīs* there is a common variant *dīs*.

[3]*Quibus* is the ablative plural of *quō*.

[4]*Rēs* is the plural of both *rēs* (nominative) and *rem* (accusative).

Quōs ācta mortālia nōn fallunt?	Deōs.
Quī vēritātem semper cognōscunt?	Dī.
Quid agunt exempla? (S65)	Trahunt.
Quid agunt verba?	Movent.
Quibus auxiliīs homō movētur?	Verbīs.
Quibus auxiliīs homō trahitur?	Exemplīs.
Quae rēs hominem movent?	Verba.
Quem verba movent?	Hominem.
Quis verbīs movētur?	Homō.
Quae rēs hominem trahunt?	Exempla.
Quem exempla trahunt?	Hominem.
Quis exemplīs trahitur?	Homō.
Ubi certant dolor et gaudium? (S66)	In Venere.
Quis dolōrem et gaudium sentit?	Venus.
Quid agunt dolor et gaudium?	Certant.
Quās rēs Venus semper sentit?	Dolōrem et gaudium.
Quis semper gaudet?	Venus.
Quis semper dolet?	Venus.
Ubi virī ā fēminīs vincuntur? (S67)	Malō in cōnsiliō.
Quid patiuntur virī?	Vincuntur.
Quid agunt fēminae?	Vincunt.
Ā quibus virī vincuntur?	Ā fēminīs.
Sapiuntne fēminae?	Nōn sapiunt.
Quālī in cōnsiliō vincunt fēminae?	Malō in cōnsiliō.
Quālī in cōnsiliō vincunt virī?	Bonō in cōnsiliō.
Quōs fēminae malō in cōnsiliō vincunt?	Virōs.
Ubi dormit scorpiō? (S68)	Omnī sub lapide.
Quis sub omnī lapide dormit?	Scorpiō.
Quae rēs scorpiōnem habet?	Omnis lapis.
Quid agit scorpiō sub lapide?	Dormit.
Quem habet omnis lapis?	Scorpiōnem.
Quibus auxiliīs crūdēlis pāscitur? (S69)	Lacrimīs.
Quid agunt lacrimae?	Crūdēlem pāscunt.
Quid nōn agunt lacrimae?	Crūdēlem nōn frangunt.
Quae rēs crūdēlem pāscunt?	Lacrimae.
Quem lacrimae nōn frangunt?	Crūdēlem.
Franguntne lacrimae crūdēlem?	Nōn frangunt.
Pāscunt lacrimae crūdēlem?	Pāscunt.

SELF TEST

Read off the following rapidly, adding the necessary form of *ūnus* or *multī* to modify the italicized word.

1. *Amphorae* ā virō portantur.
2. Sapiēns *astra* cognōscit.
3. Ā *lupō* agna quaeritur.
4. Cum *vitiīs* malus vīvit.
5. *Exempla* hominēs trahunt.
6. Homō *capillōs* habet.
7. In *amphorā* est aqua.
8. *Verbīs* vir fēminam movet.
9. *Bēstiae* suōs nātōs cum laude corōnant.
10. *Lacrima* dēfluit.

Answer rapidly the following questions on Basic Sentence 70.

1. Quī religiōne coluntur?
2. Quī superstitiōne violantur?
3. Quō auxiliō dī coluntur?
4. Quō auxiliō dī violantur?
5. Quid religiōne dī patiuntur?

LESSON EIGHT: The Other Plurals

The only thing new about this lesson is the forms of the plural of the third, fourth, and fifth declensions.

MORPHOLOGY

3d declension nouns			3d declension adjectives	
			m&f	n
fūrēs	corpora	maria	omnēs	omnia
fūrēs	corpora	maria	omnēs	omnia
fūribus	corporibus	maribus	omnibus	omnibus

4th declension nouns		5th declension nouns	
manūs		rēs	diēs
manūs		rēs	diēs
manibus		rēbus	diēbus

The morpheme for nominative and accusative plural is length of vowel and -s. Neuters have -a for the nominative-accusative form; the declension marker is usually zero, as in *corpora*, but in a few nouns and in almost all adjectives it is -i-, as in *maria* and *omnia*.

The morpheme for ablative plural is -bus. The declension marker in the third is -i-, never -e- or zero; the vowel in the fourth is -i- instead of the expected -u- (although -u- is found in a few words); the vowel in the fifth is -ē-.

BASIC SENTENCES

S71 Fortēs Fortūna adjuvat.
TERENCE

Fortune aids the brave.

S72 Tempore fēlīcī multī numerantur amīcī.
WERNER

At a prosperous time many friends are counted.

S73 Nēmō sine crīmine vīvit.
DIONYSIUS CATO

No one lives a life without some wrongdoing.

S74 Amīcus certus in rē incertā cernitur.
ENNIUS

A sure friend is discovered in an unsure situation.

S75 In marī magnō piscēs capiuntur.
ANON.

Fish are caught in the big ocean.

S76 Vulpēs nōn capitur mūneribus.
MEDIEVAL

A fox is not caught by gifts.

S77 Necessitūdō ... etiam timidōs fortēs facit.[1]
SALLUST

Necessity makes even the timid brave.

S78 Stultī timent fortūnam, sapientēs ferunt.
PUBLILIUS SYRUS

The stupid fear fortune, the wise endure it.

S79 Laus alit artēs.
SENECA

Praise nourishes the arts.

S80 Vincit omnia vēritās.
MOTTO

Truth conquers all.

NEW NOUNS	crīmen -mine, n	tempus -ore, n	mūnus -ere, n
	necessitūdō -dine, f	piscis -e, m	
		ars, arte, f	

NEW ADJECTIVES   timidus -a -um (timidē)

NEW VERBS   timet/-ētur
adjuvat/-ātur   numerat/-ātur   cernit/-itur   fert/fertur

[1] With two accusatives *facit* means to change A into B. The construction is structurally ambiguous. The ambiguity may be removed by changing to accusative and *dē* or *ex* with the ablative, as in S32.

PATTERN PRACTICE, Part One

Purpose: to become acquainted with the plurals of the third, fourth, and
          fifth declensions.
Directions: repeat the utterances, expanding with *ūnus* if the first noun is
             singular, or with *multus* if the first noun is plural. Note that
             ūnus and *multus* are both first-and-second declension adjectives,
             while the nouns are all third, fourth, and fifth declension.

First the nominatives:

Scorpiō sub lapide dormit.   Ūnus scorpiō sub lapide dormit.
Scorpiōnēs sub lapide dormiunt.   Multī scorpiōnēs sub lapide dormiunt.

Canis aprum tenet.   Ūnus canis aprum tenet.
Canēs aprum tenent.   Multī canēs aprum tenent.

Crīmen virum bonum corrumpit.   Ūnum crīmen virum bonum corrumpit.
Crīmina virum bonum corrumpunt.   Multa crīmina virum bonum corrumpunt.

Vestītus ā virō portātur.   Ūnus vestītus ā virō portātur.
Vestītūs ā virō portantur.   Multī vestītūs ā virō portantur.

Pānis puerōs pāscit.   Ūnus pānis puerōs pāscit.
Pānēs puerōs pāscunt.   Multī pānēs puerōs pāscunt.

Gladiātōrēs capiunt cōnsilium.   Multī gladiātōrēs capiunt cōnsilium.
Gladiātor capit cōnsilium.   Ūnus gladiātor capit cōnsilium.

Mūnera vulpem capiunt.   Multa mūnera vulpem capiunt.
Mūnus vulpem capit.   Ūnum mūnus vulpem capit.

Manus vestītum tenet.   Ūna manus vestītum tenet.
Manūs vestītum tenent.   Multae manūs vestītum tenent.

Opus fīne corōnātur.   Ūnum opus fīne corōnātur.
Opera fīne corōnantur.   Multa opera fīne corōnantur.

Occāsiōnēs faciunt fūrem.   Multae occāsiōnēs faciunt fūrem.
Occāsiō facit fūrem.   Ūna occāsiō facit fūrem.

Now the accusatives:

Piscēs ē marī puer capit.   Multōs piscēs ē marī puer capit.
Piscem ē marī puer capit.   Ūnum piscem ē marī puer capit.

Crīmen nōn fugit sapiēns.   Ūnum crīmen nōn fugit sapiēns.
Crīmina nōn fugit sapiēns.   Multa crīmina nōn fugit sapiēns.

Exitum habet vīta.   Ūnum exitum habet vīta.
Exitūs habet vīta.   Multōs exitūs habet vīta.

Canem aper petit.   Ūnum canem aper petit.
Canēs aper petit.   Multōs canēs aper petit.

Vestītūs fēmina fert.   Multōs vestītūs fēmina fert.
Vestītum fēmina fert.   Ūnum vestītum fēmina fert.

Lēgem nōn videt īrātus.   Ūnam lēgem nōn videt īrātus.
Lēgēs nōn videt īrātus.   Multās lēgēs nōn videt īrātus.

Mūnus nōn vult vulpēs.   Ūnum mūnus nōn vult vulpēs.
Mūnera nōn vult vulpēs.   Multa mūnera nōn vult vulpēs.

Rem puer quaerit.   Ūnam rem puer quaerit.
Rēs puer quaerit.   Multās rēs puer quaerit.

Lapidēs puer fert.   Multōs lapidēs puer fert.
Lapidem puer fert.   Ūnum lapidem puer fert.

Fūrēs vir cognōscit.   Multōs fūrēs vir cognōscit.
Fūrem vir cognōscit.   Ūnum fūrem vir cognōscit.

And finally the ablatives:

Sine crīmine vīvit nēmō.   Ūnō sine crīmine vīvit nēmō.
Sine crīminibus vīvit nēmō.   Multīs sine crīminibus vīvit nēmō.

Mūneribus nōn capitur vulpēs.   Multīs mūneribus nōn capitur vulpēs.
Mūnere nōn capitur vulpēs.   Ūnō mūnere nōn capitur vulpēs.

In marī piscēs capiuntur.   Ūnō in marī piscēs capiuntur.
In maribus piscēs capiuntur.   Multīs in maribus piscēs capiuntur.

Ā gladiātōre cōnsilium capitur.   Ūnō ā gladiātōre cōnsilium capitur.
Ā gladiātōribus cōnsilium capitur. Multīs ā gladiātōribus cōnsilium capitur.

In corpore est mēns sāna.   Ūnō in corpore est mēns sāna.
In corporibus est mēns sāna.   Multīs in corporibus est mēns sāna.

Sub lapidibus dormit scorpiō.   Multīs sub lapidibus dormit scorpiō.
Sub lapide dormit scorpiō.   Ūnō sub lapide dormit scorpiō.

Manū canis capitur.   Ūnā manū canis capitur.
Manibus canis capitur.   Multīs manibus canis capitur.

Ā cane aper tenētur.   Ūnō ā cane aper tenētur.
Ā canibus aper tenētur.   Multīs ā canibus aper tenētur.

Pānibus nōn pāscuntur virī.   Multīs pānibus nōn pāscuntur virī.
Pāne nōn pāscuntur virī.   Ūnō pāne nōn pāscuntur virī.

Ā vulpe mūnera nōn quaeruntur.   Ūnā ā vulpe mūnera nōn quaeruntur.
Ā vulpibus mūnera nōn quaeruntur.   Multīs ā vulpibus mūnera nōn quaeruntur.

PATTERN PRACTICE, Part Two

Purpose: to learn the new plurals, practice the old plurals, and review
points previously learned.
Directions: answer the questions based on the Basic Sentences.

Quōs Fortūna adjuvat? (S71)	Fortēs.
Quid fortēs patiuntur?	Adjuvantur.
Ā quō fortēs adjuvantur?	Ā Fortūnā.
Quis adjuvat?	Fortūna.
Quī adjuvantur?	Fortēs.
Quid agit Fortūna?	Adjuvat.
Vīvuntne fortēs fēlīciter?	Fēlīciter vīvunt.

Quālī tempore multī amīcī numerantur? (S72)	Fēlīcī tempore.
Quid patiuntur amīcī tempore fēlīcī?	Numerantur.
Quālis homō multōs amīcōs numerat?	Fēlīx.
Quot² amīcōs habet fēlīx?	Multōs.
Quot amīcī tempore fēlīcī numerantur?	Multī.
Quid agit fēlīx?	Multōs amīcōs numerat.

Quō modō vīvit nēmō? (S73)	Sine crīmine.
Quis sine crīmine vīvit?	Nēmō.
Quis cum crīmine vīvit?	Omnis.
Quās rēs habet omnis?	Crīmina.
Quis crīmina habet?	Omnis.
Quis crīmina nōn habet?	Nēmō.

Quis cernitur in rē incertā? (S74)	Amīcus certus.
Quid patitur amīcus certus in rē incertā?	Cernitur.
Quem homō cernit in rē incertā?	Amīcum certum.
Ubi cernit homō amīcum certum?	In rē incertā.
Quālis amīcus cernitur in rē incertā?	Certus.
Quālī in rē amīcus certus cernitur?	Incertā.
Quid agit homō in rē incertā?	Amīcum certum cernit.

Ubi piscēs capiuntur? (S75)	In marī magnō.
Quantō in marī piscēs capiuntur?	Magnō.
Quās rēs mare magnum habet?	Piscēs.
Quae rēs in magnō marī capiuntur?	Piscēs.
Quae rēs piscēs habet?	Mare.
Quantum mare piscēs habet?	Magnum.
Quid patiuntur piscēs?	Capiuntur.
Ubi capiuntur piscēs?	Magnō in marī.

---

²*Quot* is an adjectival, an indeclinable adjective. At present it gets as an answer such adjectives as *omnis* and *nūllus*. Later it will elicit numerals.

Quid mūnera nōn agunt? (S76)	Vulpem nōn capiunt.
Quid vulpēs nōn patitur?	Mūneribus nōn capitur.
Quibus auxiliīs nōn capitur vulpēs?	Mūneribus.
Sapitne vulpēs?	Sapit.
Quis mūneribus nōn capitur?	Vulpēs.
Quem mūnera nōn capiunt?	Vulpem.
Quae rēs vulpem nōn capiunt?	Mūnera.
Estne vulpēs stulta?	Nōn est.
Quae rēs timidōs fortēs facit? (S77)	Necessitūdō.
Quōs necessitūdō fortēs facit?	Timidōs.
Quōs necessitūdō timidōs facit?	Fortēs.
Ex quibus necessitūdō fortēs facit?	Ex timidīs.
Quī timent Fortūnam? (S78)	Stultī.
Quī ferunt Fortūnam?	Sapientēs.
Ā quibus Fortūna fertur?	Ā sapientibus.
Ā quibus timētur?	Ā stultīs.
Quōs Fortūna terret?	Stultōs.
Ā quō stultī terrentur?	Ā Fortūnā.
Quis ā stultīs timētur?	Fortūna.
Quem sapientēs ferunt?	Fortūnam.
Quem stultī timent?	Fortūnam.
Feruntne stultī Fortūnam?	Nōn ferunt.
Timentne stultī Fortūnam?	Timent.
Feruntne sapientēs Fortūnam?	Ferunt.
Timentne sapientēs Fortūnam?	Nōn timent.
Quae rēs artēs pāscit? (S79)	Laus.
Quō auxiliō artēs pāscuntur?	Laude.
Quid patiuntur artēs?	Aluntur.
Quae rēs laude aluntur?	Artēs.
Quid agit laus?	Artēs alit.
Quās rēs laus pāscit?	Artēs.
Quot rēs vēritās vincit? (S80)	Omnēs.
Quae rēs omnia vincit?	Vēritās.
Quō auxiliō omnia vincuntur?	Vēritāte.
Quot rēs vēritāte vincuntur?	Omnēs.
Quid agit vēritās?	Omnia vincit.

SELF TEST

Repeat the following sentences, making the singular italicized words plural. Remember that when you change the number of the subject you must also change the number of the verb.

1. In *marī* aquam quaerit.
2. *Virum* fēmina videt.
3. *Vitium* homō omnis habet.
4. *Rem* quaerit amīcus.
5. *Exitus* in dubiō est.

6. *Fūrem* canis petit.
7. *Gladiātor* bēstiās vincit.
8. Stultus sine *cūrā* vīvit.
9. Lupus *agnum* mordet.
10. Ā *fonte* aqua fluit.

Repeat the following, making the plural italicized words singular.

1. Fēmina *aprōs* timet.
2. Sine *crīminibus* vīvit nēmō.
3. Ā *piscibus* puer vidētur.
4. *Vulpēs* mūnera nōn quaerunt.
5. *Vitia* sapiēns semper fugit.

6. Malīs in *cōnsiliīs* fēmina vincit.
7. Bēstia *nātōs* corōnat.
8. *Stultī* timent fortūnam.
9. *Injūriīs* solvitur amor.
10. In omnibus *rēbus* vincit amor.

READINGS

In this and in every subsequent lesson and review there will be Readings. These Readings will use only structures with which you are already acquainted. The vocabulary, too, will be familiar, composed largely of words which have occurred in the Basic Sentences. There will be new words for which the meaning will be given you. Finally, there will be new words which you should be able to guess. The procedure of intelligent guessing about the meaning of new words is absolutely essential for rapid reading. *Use the dictionary only to check your conclusions.* Force yourself to come to some decision about the meaning of the word, only if it is "Some sort of animal," "Some sort of instrument," etc.

Here is how to do it.

Let us look at R1, *Omnia tempus revēlat.* The following facts should be at once apparent to you. *Omnia* is nominative-accusative neuter plural; *tempus* is nominative-accusative neuter singular. Since there is no noun for *omnia* to modify, it is used as a noun itself. One of these is the subject, the other the object; either *Everything blanks time* or *Time blanks everything*, with either one equally possible. The verb *revēlat* solves the problem through concord; since it is singular, the subject must be *tempus* and not *omnia*. We therefore have *Time blanks all things*. There are a number of words which would make good sense, as *Time heals all things, Time destroys all things*, etc.

Sometimes this is as far as we can go, and it is then necessary to turn to the dictionary. But before you do this, ask yourself whether there is any English word or any Latin word that may give a clue to the meaning. In this instance, what English word comes to mind?

R1 Omnia tempus revēlat. Tertullian

Quot rēs tempore revēlantur?   revēlat/-ātur
Quid patiuntur omnia?
Quid agit tempus?
Quō auxiliō omnia revēlantur?
Quot rēs tempus revēlat?
Quae rēs omnia revēlat?

R2 In vīnō vēritās. Plutarch (translation)

Quae rēs vīnō revēlātur?   quoque: *also*
Ubi est vēritās?
Quae rēs vēritātem revēlat?
Quam rem vīnum revēlat?
Quō auxiliō vēritās revēlātur?
Quis quoque vēritātem revēlat? (Cf S45)

R3 Diem nox premit, diēs noctem. Seneca

Quae rēs noctem premit?   nox, nocte, f
Quae rēs diem premit?   premit/-itur: *press*
Quō auxiliō diēs premitur?
Quō auxiliō nox premitur?
Quid nox patitur?
Quid nox agit?
Quae rēs nocte premitur?
Quae rēs diē premitur?

R4 Virtūte et armīs. Motto of Mississippi

Make up similar mottoes, substituting   arma, armīs, n
for either *virtūte* or *armīs*.   (no singular)
Suggestions: fortitūdō, prūdentia, cōnstantia, laus, spēs, fidēs,
fortūna, industria, āctum, exemplum, verbum, opus, honor, cūra.
For the last six words, use the plural as well as the singular.

R5 Auctor opus laudat. Ovid

Quis opus suum laudat?   auctor -tōre, m
Quam rem auctor laudat?
Quae rēs ab auctōre laudātur?
Quid agit auctor?
Ā quō opus laudātur?

R6 Honor alit artēs. Cicero

     Quid agit honor?
     Quid patiuntur artēs?
     Quibus auxiliīs artēs pāscuntur?
     Quās rēs honor alit?
     Quae rēs artēs pāscit?
     Pāscitne honor artēs?

R7 Diēs diem docet. Burton

     Quō auxiliō diēs docētur?   docet/-ētur: *teach*
     Quam rem diēs docet?   discit/-itur: *learn*
     Docetne diēs?
     Discitne diēs?
     Quō auxiliō diēs docētur?
     Quid patitur diēs?

R8 In Venere semper dulcis est dēmentia. Publilius Syrus

     Ubi est dulcis dēmentia?   dulcis -e (dulciter):
     Estne dēmentia in amōre dulcis?   *sweet, pleasant*
     Quis semper dēmentiam dulcem habet? dēmentia -ā, f
     Quotiēns dēmentia in amōre dulcis est?
     Quam rem Venus semper habet?
     Quālis dēmentia in amōre est?

R9 Vīna bibunt hominēs, animālia cētera fontēs. Binder

     Quī vīnum bibunt?   cēterī -ae -a (plural adjective): *the other*
     Quī vīnum nōn bibunt?   animal -ālī, n
     Quae rēs ab hominibus bibitur?   bibit/-itur
     Quid agunt hominēs?
     Bibuntne animālia vīnum an[3] aquam?
     Quae rēs ab animālibus bibitur?
     Ā quibus vīnum bibitur?
     Ā quibus aqua bibitur?

R10 Nūlla rēgula sine exceptiōne. Binder

     Habetne omnis rēgula suam exceptiōnem?   rēgula -ā, f
     Quot rēgulae sine exceptiōne sunt?   exceptiō -ōne, f
     Quae rēs exceptiōnem habet?
     Quam rem habet omnis rēgula?

[3]The particle *an* plus *-ne* asks a double question: Is it this *or* is it that?

If you had any trouble producing the answers to the questions, perhaps the following will help. The answer to any question is usually to be found at this time either in the original utterance or one of the questions. Let us look at R5. The first question is simple: *Quis opus laudat* is the original utterance with *quis* for *auctor*, and you are to replace *quis* with *auctor*. But how about the last question on R5, *Ā quō opus laudātur?* Even if you understand what you are being asked for, how can you answer if you have never heard the ablative of *auctor?* There are three ways in which this may be done.

The first and most efficient way is by analogy. You have learned *gladiātor* (S47), *amor* (S9), *labor* (S25), and *dolor* (S58), and in every instance the ablative ended in *-ōre*. By analogy you should be able to predict, at least tentatively, that the ablative of the new word is *auctōre*. The second way is to glance at the other questions; very often the required form occurs in one of them. Finally, you may glance at the margin, where the declension of new nouns is given.

If the word you wish to use is one which has occurred before but which you have forgotten, you may have to turn to the vocabulary at the back of the book. The listing there will not help you much at present, for the second form is the genitive case, which we have not yet had. But you will also find the number of the page on which this word first occurred. If you will turn there, you will find the information you seek.

Proceed this way with all such questions. By *analogy* give the unknown form if you can; otherwise, by *inspection* see if you can find it.

It is only fair to warn you that the vocabulary at the back of the book purposely omits the meaning of the words which you should be able to guess and that the number of words whose meaning is not given will constantly increase. Start now to prepare yourself to read with a minimum of assistance from the dictionary.

REVIEW LESSON TWO

This review is put in at this point to give you a chance to master the plurals. Review Basic Sentences 1-80. Read over Lessons Seven and Eight.

BASIC SENTENCES

S81 Parva levēs capiunt animōs.
OVID

Small things attract light minds.

Quālēs animī parvīs rēbus capiuntur?
Quibus auxiliīs animī levēs capiuntur?
Quantae rēs levēs animōs capiunt?
Quālēs animōs parvae rēs capiunt?
Quās rēs parva capiunt?
Quid faciunt[1] parva?
Quid patiuntur levēs animī?
Quae rēs capiuntur?

S82 Labor omnia vincit.
VERGIL

Labor conquers all.

Quās rēs labor vincit?
Quae rēs labōre vincuntur?
Quō auxiliō omnia vincuntur?
Quae rēs omnia vincit?
Quid facit labor?
Quid patiuntur omnia?

S83 Numquam aliud nātūra, aliud sapientia dīcit.
JUVENAL

Never does nature say one thing and wisdom another.

Quotiēns nātūra aliud, sapientia aliud dīcit?
Dīcuntne nātūra et sapientia similia?   similis -e: *like*

S84 Juppiter in caelīs, Caesar regit omnia terrīs.
ANON.

Jupiter rules everything in heaven, Caesar everything on earth.

[1]*Quid facit* means the same as *quid agit* and will occur frequently from now on.

94

Quōcum Caesar comparātur?   comparat/-ātur
Ā quō omnia in caelō reguntur?
Ā quō omnia in terrīs reguntur?
Quis omnia in caelō regit?
Quis omnia in terrīs regit?
Quid facit Juppiter?
Quid facit Caesar?
Ubi omnia ā Caesare reguntur?
Ubi omnia ā Jove reguntur?
Regitne Juppiter caelum?
Regitne Caesar caelum?
Regitne Caesar terrās?

S85 Fortēs creantur fortibus et bonīs.
         HORACE

Brave men are created by brave and good deeds.

Quālēs rēs fortēs virōs creant?
Quibus auxiliīs virī fortēs creantur?
Quōs creant fortia et bona?
Quālēs virī creantur fortibus et bonīs?

S86 Fāta regunt orbem; certā stant omnia lēge.
         MANILIUS

The Fates rule the world; all things stand under a fixed law.

Ā quibus orbis regitur?
Quae rēs ā Fātīs regitur?
Quālī sub lēge stant omnia?
Quī orbem regunt?
Quam rem regunt Fāta?
Quid ā Fātīs regitur?

S87 Homō locum ōrnat, nōn hominem locus.
         MEDIEVAL

The man gives luster to his position, not vice versa.

Ōrnatne locus hominem?
Ōrnatne locum homō?
Quam rem homō ōrnat?
Quō auxiliō homō nōn ōrnātur?
Ā quō locus ōrnātur?
Quid facit homō?

S88 Virtūs nōbilitat hominēs, sapientia dītat.
    WERNER

Virtue ennobles people and wisdom makes them rich.

Quō auxiliō hominēs nōbilitantur?
Quō auxiliō hominēs dītantur?
Quid virtūte patiuntur hominēs?
Quid patiuntur sapientiā?

S89 Astra regunt hominēs, sed regit astra Deus.
    ANON.

The stars rule mankind, but God rules the stars.

Quid hominēs patiuntur?
Quid astra patiuntur?
Ā quibus hominēs reguntur?
Ā quō astra reguntur?
Quī astrīs reguntur?
Quae rēs ā Deō reguntur?
Quis regit astra?
Quōs regunt astra?

S90 Homō semper aliud, Fortūna aliud cōgitat.
    PUBLILIUS SYRUS

Man always plans one thing and Fortune another.

Quotiēns homō aliud, Fortūna aliud cōgitat?
Quotiēns Fortūna hominēs adjuvat?

NEW NOUNS		
animus -ō, m	caelum -ō, n	terra -ā, f
orbis, orbe, m	Juppiter, Jove, m	Caesar -are, m
fātum-ō, n		

NEW
ADJECTIVES   levis -e (leviter)   alius, alia, aliud (aliter)

NEW VERBS		
dīcit/-itur	creat/-ātur	stat/----
ōrnat/-ātur	dītat/-ātur	cōgitat/-ātur

To what declension does each new noun belong?

PATTERN PRACTICE

Purpose: to learn to produce both singular and plural of nouns.
Directions: Each set starts off with the statement that something exists, as
             Aqua est, Water exists. You are then to answer the questions

that follow by using this noun. Notice that the first question asks for the nominative, the next two for the accusative, and the last two for the ablative. Study the lesson until you can answer the questions in *any* order. To do this, either use the records or tape, or have a friend help you.

Aqua est. (1st decl sg)

Quae rēs puerum lavat?	Aqua puerum lavat.
Quam rem lupus petit?	Aquam lupus petit.
Quam rem agnus quaerit?	Aquam agnus quaerit.
Quō auxiliō amphora lavātur?	Aquā amphora lavātur.
Ubi est lapis?	In aquā est lapis.

Amphorae sunt. (1st decl pl)

Quae rēs in fonte sunt?	Amphorae in fonte sunt.
Quās rēs fēmina fert?	Amphorās fēmina fert.
Quās rēs āmittit puer?	Amphorās āmittit puer.
Quibus auxiliīs vīnum portātur?	Amphorīs vīnum portātur.
Ubi est aqua?	In amphorīs est aqua.

Agnus est. (2d decl sg)

Quis lupum timet?	Agnus lupum timet.
Quem canis cūrat?	Agnum canis cūrat.
Quem puer neglegit?	Agnum puer neglegit.
Quōcum lupus nōn vīvit?	Cum agnō lupus nōn vīvit.
Ā quō aqua quaeritur?	Ab agnō aqua quaeritur.

Lupī sunt. (2d decl pl)

Quī agnōs petunt?	Lupī agnōs petunt.
Quōs canēs fugiunt?	Lupōs canēs fugiunt.
Quōs puer timet?	Lupōs puer timet.
Quibuscum nōn vīvunt agnī?	Cum lupīs nōn vīvunt agnī.
Ā quibus perīculum cernitur?	Ā lupīs perīculum cernitur.

Vīnum est. (2d decl neuter sg)

Quae rēs sapientiam obumbrat?	Vīnum sapientiam obumbrat.
Quam rem petit stultus?	Vīnum petit stultus.
Quam rem fugit sapiēns?	Vīnum fugit sapiēns.
Quō auxiliō stultus capitur?	Vīnō stultus capitur.
Ubi est vēritās?	In vīnō est vēritās.

Vitia sunt. (2d decl neuter pl)

Quae rēs vītam corrumpunt?	Vitia vītam corrumpunt.
Quās rēs sapiēns ēmendat?	Vitia sapiēns ēmendat.
Quās rēs prūdēns vincit?	Vitia prūdēns vincit.
Quibus modīs vīvit omnis?	Cum vitiīs vīvit omnis.
Quibus modīs vīvit nēmō?	Sine vitiīs vīvit nēmō.

Fōns est. (3d decl sg)

Quae rēs aquam habet?	Fōns aquam habet.
Quam rem aper petit?	Fontem aper petit.
Quam rem vir cūrat?	Fontem vir cūrat.
Ubi est lapis?	In fonte est lapis.
Quō ex locō dēfluit aqua?	Ex fonte dēfluit aqua.

Fūrēs sunt. (3d decl pl)

Quī perīculum cernunt?	Fūrēs perīculum cernunt.
Quōs canis capit?	Fūrēs canis capit.
Quōs fēmina videt?	Fūrēs fēmina videt.
Ā quibus pānis capitur?	Ā fūribus pānis capitur.
Quibuscum fūrēs vīvunt?	Cum fūribus fūrēs vīvunt.

Crīmen est. (3d decl neuter sg)

Quae rēs hominem nōn dītat?	Crīmen hominem nōn dītat.
Quam rem honestus fugit?	Crīmen honestus fugit.
Quam rem prūdēns timet?	Crīmen prūdēns timet.
Quō modō vīvit omnis?	Cum crīmine vīvit omnis.
Quō modō vīvit nēmō?	Sine crīmine vīvit nēmō.

Mūnera sunt. (3d decl neuter pl)

Quae rēs virōs capiunt?	Mūnera virōs capiunt.
Quās rēs puer vult?	Mūnera puer vult.
Quās rēs fūr portat?	Mūnera fūr portat.
Quibus auxiliīs prūdēns nōn capitur?	Mūneribus prūdēns nōn capitur.
Quibus auxiliīs fēmina ōrnātur?	Mūneribus fēmina ōrnātur.

Vestītus est. (4th decl sg)

Quae rēs fēminam dītat?	Vestītus fēminam dītat.
Quam rem pater quaerit?	Vestītum pater quaerit.
Quam rem fēmina tenet?	Vestītum fēmina tenet.
Quō auxiliō vir vestītur?	Vestītū vir vestītur.
Quō dē locō aqua fluit?	Dē vestītū aqua fluit.

Manūs sunt. (4th decl pl)

Quae rēs amphoram tenent?	Manūs amphoram tenent.
Quās rēs puer lavat?	Manūs puer lavat.
Quās rēs agnus fugit?	Manūs agnus fugit.
Quibus auxiliīs lapis fertur?	Manibus lapis fertur.
Ubi est piscis?	In manibus est piscis.

Spēs est. (5th decl sg)

90507

Quae rēs semper manet?	Spēs semper manet.
Quam rem stultus semper tenet?	Spem stultus semper tenet.
Quam rem dolor nōn minuit?	Spem dolor nōn minuit.
Quō modō vīvit stultus?	Cum spē vīvit stultus.
Quō modō vīvit sapiēns?	Sine spē vīvit sapiēns.

Diēs sunt. (5th decl pl)

Quae rēs dolōrem minuunt?	Diēs dolōrem minuunt.
Quās rēs vīta habet?	Diēs vīta habet.
Quās rēs stultus numerat?	Diēs stultus numerat.
Quibus temporibus lēx stat?	Omnibus diēbus lēx stat.
Quibus temporibus bonum quaeritur?	Omnibus diēbus bonum quaeritur.

SELF TEST

You should be able to give the answers immediately.

1. Fortūna est. Ā quō homō vincitur?
2. Fidēs est. Quō modō vīvit sapiēns?
3. Aper est. Quem lupus petit?
4. Manūs sunt. Quibus auxiliīs amphora frangitur?
5. Perīcula sunt. Quibus modīs fortis vīvit?
6. Verbum est. Quae rēs puerōs nōn movet?
7. Cūrae sunt. Quibus modīs vīvunt sapientēs?
8. Vitia sunt. Quibus auxiliīs vincitur malus?
9. Hominēs sunt. Quōs Deus regit?
10. Īra est. Quō auxiliō stultus regitur?

Here are sentences that resemble some of the Basic Sentences. See
if you can spot the variations.

1. Ā cane nōn magnus saepe tenētur aper. (S21)
2. Canis nōn magnus saepe tenet aprum.
3. Canis nōn magnum saepe tenet aprum.
4. Canem nōn magnum saepe tenet aper.
5. Canem nōn magnus saepe tenet aper.

6. Injūriam solvit amor. (S9)
7. Amōrem solvit injūria.
8. Solvit amōrem injūria.
9. Injūriā solvitur amor.
10. Injūria solvitur amōre.

11. Vītam regit fortūna, nōn sapientiam. (S15)
12. Vīta regit fortūnam, nōn sapientiam.
13. Vītam regit sapientia, nōn fortūna.

14. Occāsiōnem facit fūr. (S14)
15. Occāsiō fūrem facit.
16. Fūrem facit occāsiō.

17. Vincit vēritātem. (S24)
18. Vincit vēritāte.
19. Vincit vēritās.

20. Saepe malus petitur, saepe bonus fugitur. (S41)
21. Saepe malus petit, saepe bonus fugit.
22. Saepe mala petitur, saepe bona fugitur.
23. Saepe mala petuntur, saepe bona fugiuntur.

24. Magnō in marī piscēs capiuntur. (S75)
25. Magnī in marī piscēs capiuntur.

26. Vulpēs nōn capit mūnera. (S76)
27. Vulpem nōn capiunt mūnera.

28. Malōs in cōnsiliō fēminae vincunt virōs. (S67)
29. Malae in cōnsiliō fēminae vincunt virōs.
30. Male in cōnsiliō fēminae vincunt virōs.
31. Malās in cōnsiliō fēminās vincunt virī.

READINGS

R11   Tempus fugit. Commonplace

    Quid fugit?   sērus -a -um (Cf p. 52)
    Quid agit tempus?
    Fugitne tempus citō an sērō?

R12   Pauca sed bona. Anon.

    Suntne in hāc sententiā paucae rēs
        an paucī hominēs?   sententia -ā, f
    Suntne in hāc sententiā bonae rēs   hāc (abl sg): *this*
        an bonī hominēs?

In illā sententiā "Paucī sed bonī"
(S63), suntne paucae rēs an
paucī hominēs?   illā (abl sg): *the former*

R13   Vānēscit...absēns et novus intrat amor. Ovid

Quid agit amor absēns?
Quid agit amor novus?   vānēscit/----
Peritne amor absēns?
Quālis amor nōn manet?   absēns (adj of one ending);
Estne amor semper fidēlis?   absentī (abl)
Amāturne semper vir absēns?
Quālī amōre fēminae levēs capiuntur?   intrat/----
Quōs virī levēs in memoriā nōn tenent?   memoria -ā, f

R14   Suāviter et fortiter. Motto

Habetne hic homō fortitūdinem?
Estne hic homō timidus?   suāvis -e:(suāviter): *sweet,*
Estne hic homō crūdēlis?   *pleasant* (dulcis)[2]
Quālem vītam vīvit hic homō?
Habetne hic homō suāvitātem?   suāvitās -tāte, f
Quae virtūtēs in hōc homine sunt?
Quō modō vīvit hic homō?

R15   Similia similibus cūrantur. Samuel Hahnemann[3]

Quae rēs similia cūrant?
Quibus auxiliīs similia cūrantur?

R16   Corrumpunt bonōs mōrēs colloquia mala. I Corinthians

Quibus auxiliīs bonī mōrēs corrumpuntur?
Quid patiuntur hominēs bonī?   mōs, mōre, m: *custom, habit*;
Quī corrumpuntur malīs colloquiīs?   in pl, *character, morals*
Corrumpuntne bonī malōs?
Corrumpuntne bonōs malī?   colloquium -ō, n
Quālēs hominēs ā malīs corrumpuntur?

R17   Exeunt omnēs. Common stage direction

Quid agunt omnēs?   vērus -a -um (vērē)
Quot hominēs exeunt?   falsus -a -um (falsē)
Intrant omnēs: vērum an falsum?   exit/----
Nēmō exit: vērum an falsum?

[2]Latin words in parentheses are synonyms of the new word.
[3]Founder of the homeopathic school of medicine, 1810.

R18   Victōria concordiā crēscit. Motto

       Quō auxiliō victōria alitur?   crēscit/----
       Quam rem concordia pāscit?
       Quō auxiliō artēs crēscunt? (Cf S79 and R6)
       Quam rem concordia generat?

R19   Sub pulchrā speciē latitat dēceptiō saepe. Werner

       Quid agit dēceptiō?   speciēs -ē, f: *appearance*
       Quotiēns latitat?   latitat/----: *hide*
       Ubi est saepe dēceptiō?   dēceptiō -ōne, f
       Quae rēs saepe hominem dēcipit?   dēcipit/ -itur
       Quem pulchra speciēs saepe dēcipit?
       Dēcipitne saepe fēmina pulchra virum sapientem?
       Quō auxiliō homō saepe fallitur?
       Quotiēns fallit pulchra speciēs?

R20   Vīnum exhilarat animum. Motto of wine company

       Quid agit vīnum?   exhilarat/-ātur
       Quō auxiliō animus exhilarātur?
       Quae rēs vīnō exhilarātur?
       Quid patitur animus?
       Quae rēs exhilarat?
       Quam rem exhilarat?

     Are you able to figure out the meaning of new words like *crēscit*
or do you have to resort to the back of the book? If there are words
whose meaning you cannot solve even after real effort, follow this
procedure. Write down on a piece of paper what you *think* the word
means. Then--and only then--look it up.

LESSON NINE: A Equals B

EXPLANATION OF STRUCTURE: TWO NOMINATIVES

So far we have had two uses of the nominative case: the presentative use (in a minor utterance) where the meaning of the case is "Here it is"; and the subjective use (in a major utterance) where the meaning also is "Here it is" but the verb then makes some statement about the nominative. In this lesson we have the third and last use of the nominative. When there are two nominatives not in *series* or not in *apposition* the meaning is that these two nominatives are the same.

Nouns are in series when two or more nouns are in the same case, are levelled by correlative connectives like *et* and *-que* or (in writing) by commas, and refer to *different* entities. Examples are *Fidē et amōre, Lūx et vēritās, Concordiā, integritāte, industriā.*

Nouns are in apposition when two or more nouns are in the same case, are (in writing) set off by commas, and refer to the *same* entity. We have had no example in the Basic Sentences or Readings, but some may easily be contrived: *Vēritās, magna virtūs, numquam perit; Deus, mea spēs, vult; Gladiātor, vir prūdēns, cōnsilium capit.* When the conjunctions *et* and *-que* are present the nouns a.. in series; when there are commas, the nouns could be either in series or in apposition, and one must decide whether the situation suggests that the words refer to the same or different entities.

The third use of the nominative is the A Equals B construction, for which the signals are two nominatives not in series or apposition. Only a few verbs (called copulative) appear in this construction, among the most common being *est* (is), *vidētur* (seems), *fit* (becomes), *tenētur* (is considered), and *habētur* (is considered). This construction is often found in a minor utterance, i.e., where there is no verb.

It is important to observe that *Lupus est bēstia* means either *The wild animal is a wolf* or *The wolf is a wild animal*. Because of the English pattern you will tend to put the *the* with the first Latin noun and make it the subject. Test yourself on this one: what is the meaning of *Fōns est aqua?* In spite of what we have said it is highly probable that you interpreted this as *The spring is water*, whereas it might just as well have meant *The water is a spring*. Whenever you see the double nominative construction, try both A=B and B=A to see which one the situation demands. Here are some manufactured examples:

Dī hominēs nōn sunt.   Deus est amor.
Lupus nōn est agnus.   Terra nōn est mare.

When the combination is nominative noun plus nominative adjective, a different complication occurs. If we actually have an A=B construction,

103

then the noun is always A and the adjective is always B, moving from the specific to the less specific. But the verb *est* may also present a nominative, and this nominative may be modified by an adjective: *Lupus malus est* therefore may mean either *The wolf is bad* or *A bad wolf exists*. Try the following Contrast Readings which illustrate these points:

<table>
<tr><td>Fōns pūrus est.</td><td>Crīmen malum est.</td></tr>
<tr><td>Fēmina bona est.</td><td>Fēminae levēs habentur.</td></tr>
<tr><td>Fēmina bonum est.</td><td>Vīta brevis vidētur.</td></tr>
<tr><td>Vir prūdēns fit.</td><td>Sapiēns philosophus est.</td></tr>
<tr><td>Malum est crīmen.</td><td>Lupus malum est.</td></tr>
<tr><td>Vīnum bonum tenētur.</td><td>Philosophus bonus est.</td></tr>
<tr><td>Lupus malus est.</td><td>Malum est crīmen.</td></tr>
</table>

Which of the above utterances are ambiguous? Which are not?

EXPLANATION OF STRUCTURE: SUBORDINATE CLAUSES

A sentence often contains two clauses, one of which is *included* in the other and is thereby presented as less important than the other. The less important clause we call *included* or *subordinate*. The signal for such subordinate clauses in Latin are subordinating conjunctions like *sī, dum, cum, ut,* and *ubi*. For a while they will have these meanings: *sī*, if; *dum*, while; *cum*, when; *ut*, as, when; and *ubi*, where, when. Later on you will discover that some of these have other meanings when used with the subjunctive form of the verb.

BASIC SENTENCES

S91 Mulier, cum sōla cōgitat, male cōgitat.
    PUBLILIUS SYRUS

When a woman plans by herself, she does a poor job of it.

Quāle cōnsilium capit fēmina sōla?
Quandō[1] mulier male cōgitat?
Quis male cōgitat?
Quid agit fēmina sōla?

S92 Aspiciunt oculīs superī mortālia jūstīs.
    OVID

The gods behold mortal acts with just eyes.

Ā quibus ācta mortālia aspiciuntur?

---

[1]*Quandō* is an adverbial asking for the time of an occurrence.

Quibus auxiliīs dī ācta mortālia vident?
Quālēs oculōs habent superī?
Quae rēs ā dīs aspiciuntur?

S93 Hominēs, dum docent, discunt.
     SENECA

While men teach they learn.

Quid agunt hominēs?
Quid patiuntur hominēs?
Quandō hominēs docentur?
Quandō homō discit?
Discuntne doctōrēs?

S94 Litterae nōn dant pānem.
     MEDIEVAL

Literature earns no bread.

Quibus auxiliīs poēta nōn pāscitur?   poēta -ā, m
Estne poēta pauper an dīves?   dīves (adj); dīvite (abl)
Quis artibus nōn alitur?
Quis pāne caret?
Quem litterae nōn pāscunt?

S95 Vīta vīnum est.
     PETRONIUS

Wine is life.

Quō auxiliō hominēs vīvunt?
Quam rem vīnum dat?
Quid[2] est vīnum?
Estne vīnum bonum an malum?[3]

S96 Ibi semper est victōria ubi concordia est.
     PUBLILIUS SYRUS

Where there is co-operation there is always victory.

Ubi victōria crēscit?
Quid victōriam generat?
Quid concordiā crēscit?
Quid concordia generat?

---

[2]*Quid* is the nominative-accusative of *quis*. It will occur frequently in place of *quae rēs* and *quam rem*.

[3]It may be unnecessary to point out that the answer to many of these questions will vary according to the point of view of the individual answering the question.

S97 Oculī sunt in amōre ducēs.
PROPERTIUS

The eyes are the leaders in love.

Quae rēs hominēs in amōre dūcunt?   dūcit/-itur
Ubi dūcunt oculī?
Quōs oculī dūcunt?
Quibus auxiliīs in amōre homō dūcitur?

S98 Ut vēr dat flōrem, studium sīc reddit honōrem.
MEDIEVAL

As spring brings flowers, so study brings honors.

Quid flōrēs dat?
Quae rēs vēre crēscunt?
Quandō flōrēs crēscunt?
Quid honōrēs dat?
Quō auxiliō honōrēs crēscunt?
Quid studiō redditur?

S99 Nōbilitāte caret sī quis⁴ virtūte caret.
WERNER (adapted)

If anyone lacks virtue he lacks nobility.

Quid nōn habet sī quis virtūtem nōn habet?
Quid dēest sī virtūs dēest?   dēest/----:
Estne nōbilis sī quis bonus nōn est?   *be lacking*
Quō modō vīvit sī quis sine virtūte vīvit?

S100 Ars longa, vīta brevis.
HIPPOCRATES (translation)

The science (of medicine) is long, the life (of the patient and
    doctor) is short.

Quid est longum?   scientia -ā, f
Quid est breve?   medicus -a -um
Quantō tempore vīvit scientia?   patiēns (adj. of one ending);
Quantō tempore vīvit medicus?   patientī or patiente (abl)
Quantō tempore vīvit patiēns?
Quid vīvit longō tempore?

NEW	mulier -ere, f	littera -ā, f	dux, duce, m
NOUNS	flōs -ōre, m	studium -ō, n	vēr, vēre, n
	nōbilitās -tāte, f	victōria -ā-, f	

⁴This *quis* is not the interrogative; it is an indefinite pronoun with the same
forms. Its most common environment is directly after *sī*.

NEW   aspicit/-itur   docet/-ētur   discit/-itur
VERBS   dat/datur   reddit/-itur   caret/----

NEW
ADJECTIVES   superus -a -um   longus -a -um   jūstus -a -um (jūstē)

NEW   ibi (adverbial): *there*
INDECLINABLES   sīc (adverbial: *thus, so*   (often with *ut*)

PATTERN PRACTICE

Purpose: to practice compound sentences.
Directions: answer the questions.

Sī fūrem fūr, quem agnus cognōscit?   Agnum agnus cognōscit.
Sī agnum agnus, quem homō cognōscit?   Hominem homō cognōscit.
Sī hominem homō, quem mulier
    cognōscit?   Mulierem mulier cognōscit.
Sī mulierem mulier, quem puer
    cognōscit?   Puerum puer cognōscit.

Sī puerōs puerī, quōs bēstiae
    cognōscunt?   Bēstiās bēstiae cognōscunt.
Sī bēstiās bēstiae, quōs virī
    cognōscunt?   Virōs virī cognōscunt.
Sī virōs virī, quōs fēminae cognōscunt?   Fēminās fēminae cognōscunt.
Sī fēminās fēminae, quōs stultī
    cognōscunt?   Stultōs stultī cognōscunt.

Sī lupus cum lupō, quōcum vīvit agnus?   Cum agnō vīvit agnus.
Sī agnus cum agnō, quōcum vīvit
    vulpēs?   Cum vulpe vīvit vulpēs.
Sī vulpēs cum vulpe, quōcum vīvit lupa?   Cum lupā vīvit lupa.
Sī lupa cum lupā, quōcum vīvit homō?   Cum homine vīvit homō.

Sī hominēs cum hominibus, quibuscum
    vīvunt prūdentēs?   Cum prūdentibus vīvunt prūdentēs.
Sī prūdentēs cum prūdentibus,
    quibuscum vīvunt levēs?   Cum levibus vīvunt levēs.
Sī levēs cum levibus, quibuscum
    vīvunt bonī?   Cum bonīs vīvunt bonī.
Sī bonī cum bonīs, quibuscum vīvunt
    sapientēs?   Cum sapientibus vīvunt sapientēs.

Sī quis pānem capit, quid capitur?   Pānis capitur.
Sī quis lapidem capit, quid capitur?   Lapis capitur.
Sī quis flōrem capit, quid capitur?   Flōs capitur.
Sī quis cōnsilium capit, quid capitur?   Cōnsilium capitur.

Sī quis animōs capit, quae res
    capiuntur?   Animī capiuntur.
Sī quis capillōs capit, quae rēs
    capiuntur?   Capillī capiuntur.
Sī quis mūnera capit, quae rēs
    capiuntur?   Mūnera capiuntur.
Sī quis piscēs capit, quae rēs
    capiuntur?   Piscēs capiuntur.

Sī quis venēnum nōn habet, quō caret?   Venēnō caret.
Sī quis virtūtem nōn habet, quō caret?   Virtūte caret.
Sī quis vestītem nōn habet, quō caret?   Vestītū caret.
Sī quis studium nōn habet, quō caret?   Studiō caret.

Sī quis oculōs nōn habet, quibus caret?   Oculīs caret.
Sī quis vitia nōn habet, quibus caret?   Vitiīs caret.
Sī quis mūnera nōn habet, quibus caret?   Mūneribus caret.
Sī quis artēs nōn habet, quibus caret?   Artibus caret.

Sī timidus cum timidō, quis cum
    fūre vīvit?   Fūr cum fūre vīvit.
Sī fūr cum fūre, quis cum stultō
    vīvit?   Stultus cum stultō vīvit.
Sī stultus cum stultō, quis cum
    prūdentī vīvit?   Prūdēns cum prūdentī vīvit.
Sī prūdēns cum prūdentī, quis cum
    amīcō vīvit?   Amīcus cum amīcō vīvit.

Sī amīcī cum amīcīs, quī cum malīs
    vīvunt?   Malī cum malīs vīvunt.
Sī malī cum malīs, quī cum ducibus
    vīvunt?   Ducēs cum ducibus vīvunt.
Sī ducēs cum ducibus, quī cum
    fortibus vīvunt?   Fortēs cum fortibus vīvunt.
Sī fortēs cum fortibus, quī cum
    timidīs vīvunt?   Timidī cum timidīs vīvunt.

Sī quis fortūnā caret, quam rem nōn
    habet?   Fortūnam nōn habet.
Sī quis cōnsiliō caret, quam rem
    nōn habet?   Cōnsilium nōn habet.

Sī quis exemplō caret, quam rem
    nōn habet?   Exemplum nōn habet.
Sī quis vitiō caret, quam rem nōn
    habet?   Vitium nōn habet.

Sī quis litterīs caret, quās rēs
    nōn habet?   Litterās nōn habet.
Sī quis amīcīs caret, quōs nōn habet?   Amīcōs nōn habet.
Sī quis flōribus caret, quās rēs
    nōn habet?   Flōrēs nōn habet.
Sī quis crīminibus caret, quās rēs
    nōn habet?   Crīmina nōn habet.

SELF TEST

Complete the following with the type of verb which the structure of
the noun requires. There are three choices: a) if the combination is
Vir fūrem..., you must complete with a transitive or transitival, as
Vir fūrem quaerit; b) if the combination is *Vir fūr...*, you must complete with a copulative verb, as *Vir fūr est*; if nominative and ablative
occur, as *Vir in marī*, complete with a passive or an intransitive. For
this exercise, if you have the combination *Vir ā fūre...*, complete with
a passive.

Vir canem...	Vir ā cane...	Vir canis...
Lupus agnum...	Agnus lupus...	Lupus ab aprō...
Puer manū...	Hominēs dī...	Auxilium fēmina...
Nātūra aquam...	Pauper veste...	Philosophus barbam...
Vulpēs agnum...	Sapientia stultum...	Piscis in marī ...
Vīnō mēns...	Auris verbō...	Dux philosophus...

Now complete these.

Vīnum dēfluit...	Mulier tenētur...	Regit homō...
Sapientia numquam...	Lupus vidētur...	Deus homō...
Deus auxilium...	Perit...	Vincitur...
Puer homō...	Virum vestis...	Deus vult...

READINGS

R21   Nūllīs amor est sānābilis herbīs. Ovid

    Estne amor sānābilis?   sānābilis -e
    Quae rēs amōrem nōn cūrant?   herba -ā, f
    Quālis nōn est amor?   medicīna -ā, f
    Quid nōn est sānābile?   remedium -ō, n

Cūratne amōrem medicīna?
Habetne amor remedium suum?

R22   Est certum praesēns, sed sunt incerta futūra. Werner

Quae rēs est certa?   praesēns (adj of one ending);
Quae rēs sunt certae?   praesentī (abl)
Quid est incertum?   futūrus -a -um
Quid est certum?
Suntne in dubiō tempora futūra?

R23   Rēs est forma fugāx. Seneca

Quam rem homō brevī tempore habet? fugāx (adj of one ending);
Quid fugit?   fugācī (abl)
Sī qua rēs fugit, quālis rēs est?
Quō auxiliō forma corrumpitur? (Cf S48)

R24   Forma bonum fragile est. Ovid

Quid est bonum fragile?   fragilis -e
Quid facile frangitur?
Quam rem tempus facile frangit?
Quō modō forma frangitur?
Fugitne citō forma?
Estne sapientia fragilis?

R25   Multae sunt arborēs, sed nōn omnēs faciunt frūctum; multī
         frūctūs, sed nōn omnēs comēstibilēs. Petrus Alphonsus

Quot arborēs sunt?   arbor -ore, f: *tree*
Quid nōn agunt omnēs arborēs?   frūctūs -ū, m
Ex quibus nōn fīunt frūctūs?   comēstibilis -e: *edible*
Quae rēs omnibus ex arboribus nōn fīunt? fertilis -e
Suntne omnēs frūctūs bonī?
Gignuntne omnēs arborēs frūctum?
Suntne paucae arborēs?
Suntne omnēs arborēs fertilēs?

R26   Nēmō malus fēlīx. Juvenal

Gaudetne malus?
Estne malus īnfēlīx?
Quō modō vīvit malus?
Quālem vītam vīvit malus?

R27 Crēdula rēs amor est. Ovid

Quālis rēs est amor?   crēdulus -a -um
Crēditne facile amor?   crēdit/-itur: *trust,*
Quid est crēdula rēs?   *believe in*
Quō modō fallitur amor,   difficilis -e
   facile an difficile?

R28 Homō plantat, homō irrigat, sed Deus dat incrēmentum. Motto

Quid agit homō?   plantat/-ātur
Quid agit Deus?   irrigat/-ātur
Ā quō datur incrēmentum?   incrēmentum -ō, n
Ā quō terra irrigātur?   uter, utra, utrum (pronominal
Quid ab homine irrigātur?   interrogative adj):
Uter frūctūs dat, Deus an homō?   *which of two*

R29 Malum est mulier sed necessārium malum.   Anon.

Quae rēs est fēmina?   necessārius -a -um
Quālis est fēmina?
Estne fēmina bonum?
Quem vir vult et nōn vult?
Estne vir bonum an malum?
Estne vir malum necessārium?

R30 Spēs mea Christus. Motto

Quis est mea spēs?   Christus -ō, m
Quem spērat homō Christiānus?   Christiānus -a -um
Quōcum vīvit homō Christiānus?   spērat/-ātur

   If you are looking up the meaning of very many of these new words,
you are not training yourself properly for the work which is to come.

LESSON TEN: Relative Pronouns

EXPLANATION OF STRUCTURE: THE RELATIVE PRONOUN

The subordinating conjunctions in the last lesson were indeclinable; that is, they never changed form. In this lesson we meet *relative pronouns*, which also introduce subordinate clauses but which *do* change form. Here are some illustrations:

Vir *quī* sōlus cōgitat male cōgitat.
The man who plans by himself does a bad job of it.

Vir *quem* fēmina videt male cōgitat.
The man the woman sees is doing a bad job of planning.

Vir *quō*cum fēmina cōgitat male cōgitat.
The man the woman is planning with is doing a bad job of it.

Mulier *quae* sōla cōgitat male cōgitat.
The woman who plans by herself does a bad job of it.

Mulier *quam* vir videt male cōgitat.
The woman the man sees is doing a bad job of planning.

Mulier *quā*cum vir cōgitat male cōgitat.
The woman the man is planning with is doing a bad job of it.

MORPHOLOGY

	Singular			Plural		
	m	f	n	m	f	n
Nom	quī	quae	quod	quī	quae	quae
Acc	quem	quam	quod	quōs	quās	quae
Abl	quō	quā	quō	quibus	quibus	quibus

Referring back to the sentences above, what seems to determine the *case* of the relative pronoun? What determines the *gender*? If you don't see the answer, look at the following:

Vīnum *quod* dē amphorā dēfluit bonum est.
The wine which is flowing from the jug is good.

Aqua *quae* dē amphorā dēfluit bona est.
The water flowing from the jug is good.

Finally, what determines the *number* of the relative? Look at the following contrasting sentences:

Vir *quem* fēmina videt male cōgitat.
The man the woman sees doesn't plan well.

Virī *quōs* fēmina videt male cōgitant.
The men the woman sees don't plan well.

Vir *quō*cum fēmina cōgitat male cōgitat.
The man the woman plans with does a bad job of planning.

Virī *quibus*cum fēmina cōgitat male cōgitant.
The men the woman plans with are not planning well.

Although the pronoun *quī, quae, quod* is the most common relative pronoun, there are a few others. The morpheme *-cumque*, as in *quīcumque*, makes the relative *whosoever*; the *quī* part is declined, the *-cumque* part is not (*quemcumque*, etc.). *Quālis* (which you have known as a question word) is used as a relative with *tālis*: *Quālis pater, tālis fīlius* means "As the father (is), so (is) the son." Finally there are the adjectivals (undeclined adjectives) *quot* and *tot*. *Quot sunt canēs, tot sunt aprī* means "There are as many boars as there are dogs."

BASIC SENTENCES

S101   Citō fit, quod dī volunt.
PETRONIUS

What the gods want happens quickly.

Quid citō fit?
Fitne sērō quod dī volunt?

S102   Semper inops quīcumque cupit.
CLAUDIAN

Whosoever desires is always poor.

Quis semper caret?
Habetne satis quī semper cupit?
Estne dīves quī semper cupit?
Quō modō vīvit quī semper cupit?

S103   Quī prō innocente dīcit, satis est ēloquēns.
PUBLILIUS SYRUS

He who speaks for the innocent is eloquent enough.

Quis satis dīcit?

Quem dēfendit quī prō innocente dīcit?   dēfendit/-itur
Dēfenditurne bene innocentia?   nocēns (adj); nocente
Estne satis ēloquēns quī prō nocente dīcit?   or nocentī (abl)

S104   Nāvis, quae in flūmine magna est, in marī parvula est.
    SENECA

The ship that is big in the river is pretty small in the ocean.

Ubi nāvis magna vidētur?
Ubi parva vidētur?
Quid in flūmine magnum sed in marī parvum vidētur?
Quae nāvis in marī parva vidētur?

S105   Fēlīx, quem faciunt aliēna perīcula cautum.
    BINDER

Happy is he whom other people's dangers make cautious.

Estne fēlīx quem faciunt sua perīcula cautum?
Quō modō sapit quī ex perīculō aliēnō discit?
Quō modō sapit quī ex perīculō suō sapit?
Estne fēlīx quī aliōs cautōs facit ex suō perīculō?

S106   Quem amat, amat; quem nōn amat, nōn amat.
    PETRONIUS

He likes whom he likes; whom he doesn't like, he doesn't like.

Quem amat hic homō?
Quem nōn amat?

S107   Nēmō ... patriam quia magna est amat, sed quia sua.
    SENECA

No one likes his country because it is big but because it is his.

Cūr omnis patriam amat?   cūr (interrogative adverbial): *why*
Quam regiōnem omnis amat?
Amatne homō patriam quae parva est?

S108   Piscis captīvus vīnum vult; flūmina vīvus.
    WERNER

A live fish needs water; when it is caught, it needs wine.

Quid piscis captīvus vult?
Quid piscis vīvus vult?
Ubi habitant piscēs vīvī?
Quō auxiliō piscis captīvus ōrnātur?

S109   Quī invenit amīcum, invenit thēsaurum.
    ECCLESIASTES (adapted)

Who discovers a friend discovers a treasure.

Quid invenit quī amīcum invenit?
Quōcum amīcus comparātur?
Quid facit ex paupere dīvitem?
Quid est amīcus vērus?

S110 Nōn est vir fortis ac strēnuus quī labōrem fugit.
SENECA

The man who shuns work is not brave and vigorous.

Quālis vir labōrem petit?
Quālis vir labōrem fugit?
Quō modō vīvit vir fortis?
Quō modō vīvit vir strēnuus?

NEW
NOUNS   nāvis, nāve, f   flūmen, flūmine, n   thēsaurus -ō, m

NEW   inops   patrius -a -um[1]
ADJECTIVES   innocēns (innocenter)   captīvus -a -um
                  ēloquēns (ēloquenter)   vīvus -a -um
                  parvulus -a -um   strēnuus -a -um (strēnuē)
                  cautus -a -um (cautē)

NEW
VERBS   cupit/-itur   amat/-ātur   invenit/-ītur

NEW
PRONOUNS   quī, quae, quod   quīcumque, quaecumque, quodcumque:
                                whosoever

NEW   prō (preposition): *in behalf of*
INDECLINABLES   satis (adverbial and adjectival): *enough*
                  quia (conjunction): *because*
                  ac (variant *atque*, conjunction): *and*

In place of a Pattern Practice, study these Contrast Readings.

Ars, quae hominēs alit, longa est. (S100)
Ars, quam hominēs discunt, longa est.
Artem, quae longa est, hominēs discunt.
Ars, quae longa est, hominēs docet.

---

[1]*Belonging to one's father*. The feminine form (with or without *terra*) means *homeland*.

Crūdēlis, quem lacrimae pāscunt, nōn frangitur. (S69)
Crūdēlis, quī lacrimīs pāscitur, nōn frangitur.

Fortūnam, quam stultī timent, sapientēs ferunt. (S78)
Fortūna, quā stultī terrentur, ā sapientibus fertur.

Vestis quae honesta est virum stultum nōbilitat. (S52)
Vestis quā stultus nōbilitātur honesta est.

Dī, quī religiōne coluntur, superstitiōne violantur. (S70)
Deōs, quī religiōne coluntur, superstitiō violat.
Deōs, quōs religiō colit, superstitiō violat.

Hominēs, quī virtūte nōbilitantur, sapientiā dītantur. (S88)
Sapientia hominēs, quōs virtūs nōbilitat, dītat.
Hominēs, quōs virtūs nōbilitat, sapientiā dītantur.

Vīnum quod stultus amat ex sapiente īrātum citō facit. (S32)
Vīnum stultum quī sine cūrā vīvit saepe fallit. (S7)
Vīnum quō forma perit stultum saepe fallit. (S48)

Juppiter, quī in caelō est, omnia regit. (S84)
Juppiter, quem hominēs timent, omnia regit.
Jovem, quem hominēs colunt, omnia timent.

In omnī rē vēritās, quam sapiēns quaerit, imitātiōnem vincit. (S35)
In omnī rē vēritātem, quae numquam vincitur, sapiēns quaerit.
In omnī rē vēritātem, quā sapiēns regitur, stultus fugit.

Ā sapiente bonum quod stultus fugit petitur. (S41)
Ā sapiente bonum quod facile āmittitur petitur.

READINGS

R31   Mēns rēgnum bona possidet. Seneca

Quālis mēns rēgnat?   rēgnum -ō, n
Quid possidet bona mēns?   possidet/- ētur
Quid mēns bona agit?   rēgnat/----

R32   Quī capit, capitur. Anon.

Quid patitur quī capit?   captor-ōre, m
Quis capitur?
Quid patitur captor?
Quis est quī capit?
Make up similar sayings. Suggestions: vincit, quaerit, amat,
    regit, fallit, adjuvat, dītat, docet.

R33   Carmina nōn dant pānem. Anon.

Quibus auxiliīs pānis nōn datur?   carmen -mine, n: *song, poem*
Quid carminibus nōn datur?   scrībit/-itur
Fitne pauper an dīves quī carmina scrībit?
Quid hominēs quī scrībunt nōn dītat?
Quibus auxiliīs hominēs quī scrībunt dīvitēs nōn fīunt?
Quid nōn patitur quī carmina scrībit?

R34   Quālis dominus, tālis et[2] servus. Petronius

Facitne servus quod facit   tālis -e (tāliter): *such a sort*
    dominus?   dominus -ō, m: *master*
Quālem servum possidet   servus -ō, m: *slave*
    dominus bonus?   labōrat/----
Quālem malus?   nāta -ā, f
Sī dominus strēnuē labōrat,   doctor -ōre, m
    quō modō servus?   discipulus -ō, m
Sī dominus male agit, quō   fīlia -ā, f
    modō servus?   māter -tre, f
Sī dominus jūstus, quālis
    est servus?
Make up further sets comparing persons. Here are some personal
    nouns: discipulus, doctor, fīlius, fīlia, māter, nāta, nātus,
    pater, vir, mulier.

R35   Tot sunt doctōrēs quot vernō tempore flōrēs;
      tot sunt errōrēs quot habet nātūra colōrēs. Werner

Quid habet multōs colōrēs?   vernus -a -um: *belonging to spring*
Quandō crēscunt flōrēs?   error -ōre, m
Suntne multī doctōrēs?   color -ōre, m
Suntne vēre multī colōrēs?
Quot doctōrēs sunt?
Docentne doctōrēs vēritātem an errōrēs?
Quid docent doctōrēs?

R36   Nōn omnis quī sapiēns dīcitur sapiēns est, sed quī discit et
      retinet sapientiam. Petrus Alphonsus

Sapitne quī tantum discit?   tantum: *only*
Sapitne quī sapientiam retinet?   retinet/-ētur
Sapitne omnis quī dīcitur sapiēns?
Quālēs sunt multī quī sapientēs dīcuntur?

---

[2]When *et* connects equal parts of speech (as in *lūx et vēritās*) it means *and*.
When it connects different parts of speech, it means *even* or *also*.

R37   Tot hostēs quot servī. Seneca (adapted)

Suntne servī amīcī?   hostis -e, m&f: *enemy*
Suntne servī hostēs?
Amantne servī dominōs suōs?
Quī ā servīs suīs saepe nōn amantur?
Ā quibus servī timentur?
Quōs dominī timent?
Make up similar sayings. Suggested pairs: dominus/hostis;
       doctor/error; lapis/scorpiō; vulpēs/fraus; flōs/color;
       homō/animus; agna/lupus; amor/dolor; verbum/exemplum;
       barba/philosophus.

R38   Experientia docet. Tacitus (adapted)

Quō auxiliō hominēs docentur?   experientia -ā, f
Quae rēs docet?
Quī discunt?
Quōs experientia docet?

R39   Nēmō malus quī nōn stultus. Burton

Estne stultus bonus?
Sapitne bonus?
Sapitne malus?
Quis est malus?
Estne malus fēlīx? (Cf R26)
Quō modō malus agit, stultē an sapienter?
Quō modō agit sapiēns?
Sunte omnēs malī stultī?

R40   Nōn convalēscit planta quae saepe trānsfertur. Seneca

Quid nōn convalēscit?   convalēscit/----
Quā sub condiciōne[3] planta   planta -ā, f
       nōn convalēscit?   trānsfert/-fertur
                                                   condiciō -ōne, f

R41   Vestis virum reddit. Binder

Quō auxiliō vir honestus fit?
Quid virum honestum facit?
Quālem virum vestis honesta facit?
Quis veste fit?

[3]*Quā sub condiciōne* gets a *sī* clause as answer.

R42   Quaerit aquās in aquīs.[4] Ovid

Estne stultus an sapiēns quī aquās in aquīs quaerit?
Quid quaeritur ā stultō?
Ubi quaerit stultus aquās?
Quō modō agit quī aquās in aquīs quaerit?

R43   Amat victōria cūram. Anon.

Ā quō cūra amātur?
Vincitne quī cum cūrā labōrat?
Quid amātur?
Quis amat?
Quid victōriam gignit?
Quō modō victōria crēscit?

R44   Fugit hōra. Persius

Quid fugit?   hōra -ā, f
Quid facit hōra?
Quid est rēs fugāx?
Quae aliae rēs quoque fugiunt? (Cf R3, 11, 23, 24)

R45   Aequat omnēs cinis. Seneca

Quō auxiliō omnēs aequantur?   aequat/-ātur
Quid patiuntur omnēs?   cinis, cinere, m: *ashes, death,*
                                            funeral fire

R46   Crūdēlis est, nōn fortis, quī īnfantem necat. Publilius Syrus

Quam virtūtem nōn habet quī puerum necat?   īnfāns -nte, m&f
Habetne crūdēlitātem quī puerum necat?   necat/-ātur: *kill*
Quō modō agit quī īnfantem necat?   crūdēlitās -tāte, f
Quō modō nōn agit?
Quod vitium habet?

R47   Īra odium generat, concordia nūtrit amōrem. Dionysius Cato

Quō auxiliō odium gignitur?   odium -ō, n: *hatred*
Quid concordiā pāscitur?   nūtrit/-ītur
Quō auxiliō alitur amor?
Quid īrā gignitur?
Quid patitur odium?
Quid patitur amor?

[4]Ovid is describing Tantalus, who was punished by never being able to eat or drink even in the midst of plenty; hence our word *tantalize*. Out of its context, however, the saying is often interpreted as describing one who is stupidly ineffectual.

R48   Cōnsiliō et animīs. Motto

      Quās rēs habet hic homō?
      Quō modō vīvit?
      Quae rēs in hōc homine sunt?

R49   Sōla nōbilitās virtūs. Motto

      Quid sōlum nōbilitat?
      Quō auxiliō homō nōbilitātur?
      Quis virtūte sōlā nōbilitātur?
      Quid sōlum hominem nōbilem facit?
      Quālem hominem facit virtūs?
      Facitne vestis hominem nōbilem?
      Quō auxiliō homō dītātur? (Cf S88)

R50   In oculīs animus habitat. Pliny the Younger (?)

      Ubi habitat animus?   habitat/----
      Quid habitat in oculīs?   gerit/-itur: (See p. 18)
      Quī locus animum continet?
      Quid continent oculī?
      Sī quis honestus est, quālēs oculōs gerit?
      Sī quis stultus, quālēs oculōs gerit?
      Sī quis nōbilis, quālēs oculōs gerit?
      Sī quis crūdēlis, quālēs oculōs gerit?

    How many words did you look up in this lesson? If you had to look
any up, did you follow the procedure suggested on page 102 and write
down what you thought the word must mean, before turning to the back
of the book?

REVIEW LESSON THREE

Review Basic Sentences 1-110. Read over Lessons Nine and Ten.

PATTERN PRACTICE

Purpose: to review the singular and plural of the first three cases.
Directions: change the first noun from singular to plural.

First the subjects:

Injūria solvit amōrem. (S9)	Injūriae solvunt amōrem.
Prūdēns cum cūrā vīvit. (S7)	Prūdentēs cum cūrā vīvunt.
Exitus in dubiō est. (S57)	Exitūs in dubiō sunt.
Diēs dolōrem minuit. (S53)	Diēs dolōrem minuunt.
Mūnus vulpem nōn capit. (S76)	Mūnera vulpem nōn capiunt.

Then the objects:

Laudem fēmina vult. (S11)	Laudēs fēmina vult.
Corpus vīnum corrumpit. (S48)	Corpora vīnum corrumpit.
Exitum Deus cognōscit.	Exitūs Deus cognōscit.
Rem quaerit amīcus. (S5)	Rēs quaerit amīcus.
Agnum lupus vult. (S11)	Agnōs lupus vult.

And now the ablative modifiers:

Sine perīculō nēmō vincit. (S50)	Sine perīculīs nēmō vincit.
Ā fonte dēfluit aqua. (S31)	Ā fontibus dēfluit aqua.
In marī piscēs capiuntur. (S75)	In maribus piscēs capiuntur.
In omnī rē vincit vēritās. (S35)	In omnibus rēbus vincit vēritās.
Cum cūrā prūdēns vīvit. (S7)	Cum cūrīs prūdēns vīvit.

Now for another set of subjects:

Deus vēritātem vult.	Dī vēritātem volunt.
Bēstia nātōs corōnat. (S61)	Bēstiae nātōs corōnant.
Verbum saepe movet. (S65)	Verba saepe movent.
Fūr fūrem cognōscit. (S2)	Fūrēs fūrem cognōscunt.
Scorpiō sub lapide dormit. (S68)	Scorpiōnēs sub lapide dormiunt.

Objects:

Fūrem occāsiō facit. (S14)	Fūrēs occāsiō facit.

121

Tempus sapiēns colit.
Diem timidus timet.
Manum puer lavat.
Aquam in marī quaerit. (S43)

Tempora sapiēns colit.
Diēs timidus timet.
Manūs puer lavat.
Aquās in marī quaerit.

Ablative modifiers of the verb:

Ā vulpe mūnus nōn quaeritur.
In ōrātiōne venēnum est.
Ā sapiente fortūna fertur. (S78)
Sine vitiō nēmō vīvit. (S73)
Omnī diē vēritās vincit. (S24)

Ā vulpibus mūnus nōn quaeritur.
In ōrātiōnibus venēnum est.
Ā sapientibus fortūna fertur.
Sine vitiīs nēmō vīvit.
Omnibus diēbus vēritās vincit.

Subjects:

Fēmina laudem vult. (S11)
Perīculum numquam vincitur. (S50)
Rēs ab amīcō quaeritur. (S5)
Vestītus in manū est.
Tempus semper fugit.

Fēminae laudem volunt.
Perīcula numquam vincuntur.
Rēs ab amīcō quaeruntur.
Vestītūs in manū sunt.
Tempora semper fugiunt.

Objects:

Piscem in marī puer quaerit.
Mūnus vulpēs nōn vult.
Crīmen sapiēns fugit.
Vītam fortūna regit. (S15)
Īrātum lēx videt. (S34)

Piscēs in marī puer quaerit.
Mūnera vulpēs nōn vult.
Crīmina sapiēns fugit.
Vītās fortūna regit.
Īrātōs lēx videt.

Ablative modifiers:

Sub lapide scorpiō dormit. (S68)
Dē corpore aqua dēfluit.
Ā lupō lupus cognōscitur. (S2)
Verbō prūdēns movētur. (S65)
In harēnā cōnsilium capitur. (S47)

Sub lapidibus scorpiō dormit.
Dē corporibus aqua dēfluit.
Ā lupīs lupus cognōscitur.
Verbīs prūdēns movētur.
In harēnīs cōnsilium capitur.

Subjects:

Amphora sub veste portātur. (S22)
Aper ā cane tenētur. (S21)
Exemplum sapientem trahit. (S65)
Piscis in marī capitur. (S75)
Crīmen virum obumbrat.

Amphorae sub veste portantur.
Aprī ā cane tenentur.
Exempla sapientem trahunt.
Piscēs in marī capiuntur.
Crīmina virum obumbrant.

Objects:

Fraudem vulpēs vult. (S11)

Fraudēs vulpēs vult.

Deum religiō colit. (S70)
Aurem fēlīx nōn habet. (S55)
Magnum dī cūrant. (S62)
Vestītum fēmina petit.

Deōs religiō colit.
Aurēs fēlīx nōn habet.
Magna dī cūrant.
Vestītūs fēmina petit.

Ablative modifiers:

Sine crīmine vīvit nēmō. (S73)
Tempore fēlīcī sunt amīcī. (S72)
In puerō semper est vēritās. (S45)
Ā fēminā petitur laus. (S11)
Manū tenētur amphora.

Sine crīminibus vīvit nēmō.
Temporibus fēlīcibus sunt amīcī.
In puerīs semper est vēritās.
Ā fēminīs petitur laus.
Manibus tenētur amphora.

Subjects:

Pauper antīquā veste vestītur. (S23)
Frūctus[1] facile āmittitur.
Gladiātor cōnsilium capit. (S47)
Aqua dē fonte fluit. (S31)
Saepe bonum fugitur. (S41)

Pauperēs antīquā veste vestiuntur.
Frūctūs facile āmittuntur.
Gladiātōrēs cōnsilium capiunt.
Aquae dē fonte fluunt.
Saepe bona fugiuntur.

Objects:

Amphoram nēmō portat.
Virum bonum nātūra facit. (S54)
Parvum dī neglegunt. (S62)
Fortem Fortūna adjuvat. (S71)
Frūctum ex vītā sapiēns capit.

Amphorās nēmō portat.
Virōs bonōs nātūra facit.
Parva dī neglegunt.
Fortēs Fortūna adjuvat.
Frūctūs ex vītā sapiēns capit.

Ablative modifiers:

Dē exitū fluit aqua.
Ā cane tenētur aper. (S21)
In Deō est spēs mea. (S38)
Exemplō trahitur prūdēns. (S65)
Omnī rē adjuvātur fortis.

Dē exitibus fluit aqua.
Ā canibus tenētur aper.
In dīs est spēs mea.
Exemplīs trahitur prūdēns.
Omnibus rēbus adjuvātur fortis.

READINGS

R51 Homō prōpōnit sed Deus dispōnit. Thomas a Kempis (?)

Ā quō prōpōnitur cōnsilium? prōpōnit/-itur
Ā quō dispōnitur cōnsilium? dispōnit/-itur
Quid Deus dispōnit?
Uter rēgnat, homō an Deus?

[1]frūctus -ū, m: *profit, enjoyment* (Cf R25).

R52   Fidēs facit fidem. Binder

      Make up similar utterances.
      Suggestions: gignit, alit, nūtrit; īra, injūria, līs, amor, cūra,
             labor, lacrima, gaudium, dolor, laus.

R53   Studiīs et rēbus honestīs. Motto

      Quō modō vīvit hic homō?
      Quālī ab homine amantur studia ac rēs honestae?
      Quis studia amat?
      Quid amat vir honestus?

R54   Fēlīciter sapit quī aliēnō perīculō sapit. Binder

      Quō modō sapit quem faciunt aliēna perīcula cautum? (Cf S105)
      Quis fēlīciter sapit?
      Fēlīx quī tantum perīculō suō sapit; vērum an falsum?
      Quālis homō est quī aliēnō perīculō sapit?

R55   Mulier malum necessārium. Anon.

      Quis est malum?
      Quāle malum est?
      Quis est malus?

R56   Rēs pūblica virum docet. Plutarch (translation)

      Quem rēs pūblica docet?   pūblicus -a -um (pūblicē)
      Quis rē pūblicā docētur?
      Quid patitur vir?
      Quō auxiliō vir docētur?
      Quis discit?
      Quis est doctor?

R57   Flōs ūnus nōn facit hortum. Binder

      Quot flōrēs hortum nōn faciunt?   hortus -ō, m
      Quot flōrēs hortum faciunt?
      Quibus auxiliīs hortus fit?
      Ubi crēscunt flōrēs?
      Ex quō nōn fit hortus?

R58   Fidē et litterīs. Motto

      Quid hic homō colit?   studiōsus -a -um (studiōsē)
      Quae rēs in vītā sunt magnae?
      Quō modō vīvit hic homō?

Estne hic homō īnfidēlis?
Sī quis fidem facit, quālis est?
Estne hic homō studiōsus?

R59 Semper fidēlis. Motto of U. S. Marine Corps

Quō modō vīvit quī est fidēlis?
Quam rem facit quī fidēlis? (Cf R58)

R60 Nēmō est amātor quisquis nōn semper amat. Aristotle (translation)

Quotiēns amat vērus amātor?   quisquis: *whosoever*
Quid facit amātor?   amātor -ōre, m
Estne *amor* āctus an homō?   āctus -ū, m
Estne *amātor* rēs an homō?

R61 Suāviter in modō, firmiter in rē. Motto

Quō modō agit suāvis homō?   firmus -a -um (firmē, firmiter)
Quō modō agit firmus homō?
Quālis vir est quī firmiter agit?
Quālis quī suāviter?
In quō est hic homō firmus?
In quō est hic homō suāvis?

R62 Virtūte, nōn verbīs. Motto

Quid hic homō colit?
Quid nōn colit?

R63 Ubi amor, ibi oculus. Anon.

Quem amātor semper quaerit?
Ubi est oculus?

R64 Vir bonus est animal rārum. Binder

Suntne multī an paucī virī bonī?   rārus -a -um (rārē)
Quāle animal est vir bonus?

R65 Līs lītem parit. Binder

Make up other utterances by   parit/-itur
      substituting different words.
Suggestions: alit, gignit, nūtrit, generat, pāscit; injūria, amor,
      cūra, lupus, spēs, laus, fidēs, scorpiō.

R66 Īnsānus mediō flūmine quaerit aquam. Propertius (adapted)

Ubi stultus aquam nōn invenit?   īnsānus -a -um (īnsānē,
Quid quaerit?   īnsāniter)
Quālis est quī in flūmine   medius -a -um: *middle of*
       aquam nōn invenit?
Quid agit stultus?
Quid ā stultō quaeritur?
Ā quō aqua mediā in aquā quaeritur?

R67 Litterae sine mōribus vānae. Anon.

Quibuscum valent litterae?   valet/----: *be strong,*
Sine quibus nōn valent litterae?   *flourish*
Quae rēs litterās validās faciunt?   validus -a -um (validē,
Quae rēs vānae sunt sī mōrēs   valdē): *strong*
       dēficiunt?   dēficit/----: *fail*
Unde veniunt litterae bonae?   unde (interrogative
Sī doctor est malus, quālis   adverbial equivalent
       est discipulus?   to *quō ex locō*)
                                             vānus -a -um

R68 Dant animōs vīna. Ovid (adapted)

Quid datur?
Quibus auxiliīs datur?
Quid fortēs virōs ex timidīs facit?
Unde fīunt animī fortēs?

R69 Lēgēs sine mōribus vānae. Horace

Quae rēs nōn valent sī mōrēs dēficiunt?
Quid lēgēs validās facit?
Quās rēs validās faciunt bonī mōrēs?
Unde veniunt bonae lēgēs?

R70 Labōrēs pariunt honōrēs. Binder

Ē quibus gignuntur honōrēs?
Quae rēs ē labōribus gignuntur?
Quae rēs honōrem generant?
Quae rēs ē labōribus generantur?
Unde fīunt honōrēs?
Quibus auxiliīs homō nōbilitātur?

LESSON ELEVEN: The Adverbial Accusative

EXPLANATION OF STRUCTURE: THE ACCUSATIVE WITH INTRANSITIVE VERBS

So far, all the accusatives have patterned with transitive (or transitival) verbs; the meaning of the accusative in this environment is "receiver of the action." A few verbs (*facit* is one) can take two accusatives, as in S77.

Now we find that there is one more use for the accusative: the *adverbial*. It may pattern with an intransitive verb (or a passive or a transitive verb that already has an object); its meaning in this environment is that it modifies the verb. For the present we shall deal with the type of adverbial accusative which is accompanied by a preposition.[1] Typical prepositions which pattern with the accusative are the following:

ad plus acc:	*to, towards* (with verbs of motion); *at* (with verbs of rest)
ante plus acc:	*in front of* (with nouns of place); *before* (with nouns of time)
contrā plus acc:	*against*
extrā plus acc:	*outside of*
in plus acc:[2]	*into, in* (with verbs of motion)
inter plus acc:	*between, among*
intrā plus acc:	*within*
per plus acc:	*through*
post plus acc:	*behind* (with nouns of place); *after* (with nouns of time)
praeter plus acc:	*in addition to*
prope plus acc:	*near*
propter plus acc:	*because of*
sub plus acc:	*to a position under*
super plus acc:	*above*
suprā plus acc:	*above*
trāns plus acc:	*across*

---

[1] A few words are used in the accusative adverbially *without* prepositions; we have had *facile* (S30), *difficile* (R27), and *tantum* (R36); in R80 of this lesson you will add *quantum, nihil,* and *multum.*

[2] The preposition *in* with the ablative patterns with verbs of rest and answers the question *ubi* (in what place?). *In* with the accusative patterns with verbs of motion and answers the question *quem ad locum* (towards what place?). The only other common preposition with this variation is *sub.* Most other prepositions take *either* the accusative *or* the ablative, but not both.

Contrast Readings

Lupus mentem vertit.	The wolf turns his attention.
Lupus agnum vertit.	The wolf turns the lamb.
Lupus mentem ad agnum vertit.	The wolf turns his attention toward the lamb.

BASIC SENTENCES

S111   Nōn lupus ad studium sed mentem vertit ad agnum.
WERNER

The wolf turns his attention not to study but to the lamb.

Quam ad rem lupus mentem vertit?
Quam ad rem lupus nōn mentem vertit?
Quid ā lupō ad agnum vertitur?
Ā quō mēns ad studium nōn vertitur?
Vultne lupus studium?
Quid lupus vult?

S112   Post cinerēs est vērus honor, est glōria vēra.
MEDIEVAL

After ashes (death) comes true honor and true glory.

Post quās rēs cernitur vērus honor?
Quid habet homō post cinerēs?
Quid venit post cinerēs?
Quālem glōriam habet homō post cinerēs?

S113   Cōgitur ad lacrimās oculus, dum cor dolet intus.
WERNER

The eye is driven to tears when the heart grieves within.

Quandō oculus lacrimat?   lacrimat/----
Quid patitur oculus dum cor dolet?
Quās ad rēs cōgitur oculus?
Ubi dolet cor?
Unde fluunt lacrimae?
Sī lacrimae fluunt, ubi est dolor?

S114   Caelum, nōn animum, mūtant quī trāns mare currunt.
HORACE

Those who cross the sea change their environment, not
    themselves.

Quid mūtant quī trāns mare currunt?
Quid nōn mūtant?

Quī caelum mūtant?
Fīuntne fēlīcēs dē īnfēlīcibus quī trāns mare currunt?

S115   Post trēs saepe diēs vīlēscit piscis et hospes.
WERNER

After three days a fish and a guest start to deteriorate.

Quae rēs vīlis fit post trēs diēs?
Quis vīlis fit?
Quandō piscis vīlēscit?
Quid vīle fit?

S116   Longum iter est per praecepta, breve et efficāx per exempla.
SENECA

Long is the journey through advice, short and efficient through
    example.

Quantum iter est per praecepta?
Quantum per exempla?
Per quās rēs est iter breve?
Per quās longum?
Estne iter per exempla longum?
Quanta est via per verba?

S117   Nōn est ad astra mollis ē terrīs via.
SENECA

The journey from the earth to the stars is not easy.

Quāle iter ē terrīs ad caelum est?
Estne iter ad caelum facile an difficile?
Unde est iter ad caelum difficile?
Fitne deus ex virō facile an difficile?

S118   Post tenebrās lūx.
ANON.

After the darkness comes light.

Quandō fit diēs?
Ante quid sunt tenebrae?
Post quid venit nox?

S119   Extrā Ecclēsiam nūlla salūs.
ST. CYPRIAN (?)

There is no salvation outside the Church.

Quid est extrā Ecclēsiam?
Ubi est salūs?
Estne salūs intrā Ecclēsiam?

S120   Inter caecōs rēgnat luscus.
ANON.

> Among the blind the one-eyed is king.

> Inter quōs rēgnat quī ūnum oculum habet?
> Quot oculōs gerit luscus?
> Quot oculōs gerit caecus?
> Quis inter caecōs est rēx?   rēx, rēge, m

NEW NOUNS		
glōria -ā, f	cor, corde, n	hospes, hospite, m&f
iter, itinere, n	praeceptum -ō, n	via -ā, f
tenebrae -īs, f	ecclēsia -ā, f	salūs -ūte, f

NEW VERBS		
vertit/-itur	cōgit/-itur	mūtat/-ātur
currit/----	vīlēscit/----	

NEW ADJECTIVES	
efficāx	mollis -e (molliter)
luscus -a -um	caecus -a -um

NEW INDECLINABLES   intus (adverbial): *within*

To what declension does each new noun and adjective belong?

READINGS

R71   Crīmine nēmō caret. Anon.

> Quid omnis habet?
> Vitiō omnis caret: vērum an falsum?
> Quot in hominibus latitat vitium?
> Quis vitium nōn habet?

R72   Ubi bene, ibi patria. Anon.

Make up similar statements with suitable pairs of nouns:

Ubi vestis, ibi ____.	Ubi labor, ibi ____.
Ubi ____, ibi fūr.	Ubi avāritia, ibi ____.
Ubi ____, ibi vēritās.	Ubi ____, ibi dolor.
Ubi vulpēs, ibi ____.	Ubi ____, ibi piscis.
Ubi amor, ibi ____.	Ubi vīnum, ibi ____.

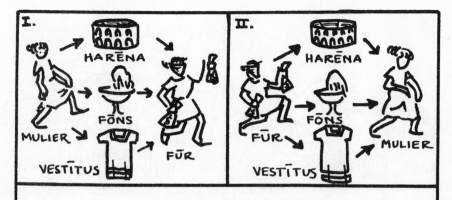

Quotā in pictūrā fūr ad fontem currit?
Quotā in pictūrā mulier ā vestītū currit?
Quotā in pictūrā mulier ab harēnā currit?
Quotā in pictūrā fūr ā fonte currit?

Prīmā in pictūrā quis ad harēnam currit?
Secundā in pictūrā quis ā fonte currit?
Prīmā in pictūrā quō ex locō currit fūr?
Secundā in pictūrā quem ad locum currit fūr?

Quotā in pictūrā fūr ad harēnās currit?
Quotā in pictūrā mulier ad vestītūs currit?
Quotā in pictūrā mulier ā fontibus currit?
Quotā in pictūrā fūr ab harēnīs currit?

Tertiā in pictūrā quis ab harēnīs currit?
Quārtā in pictūrā quis ā vestītibus currit?
Tertiā in pictūrā quem ad locum currit mulier?
Quārtā in pictūrā quem ad locum currit fūr?

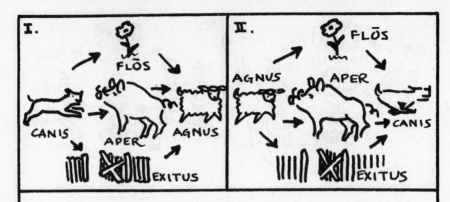

Quotā in pictūrā canis ab aprō currit?
Quotā in pictūrā agnus ad aprum currit?
Quotā in pictūrā agnus ad flōrem currit?
Quotā in pictūrā canis ad exitum currit?

Prīmā in pictūrā quis ab exitū currit?
Prīmā in pictūrā quis ad exitum currit?
Prīmā in pictūrā quem ad locum currit canis?
Prīmā in pictūrā quō ex locō currit agnus?

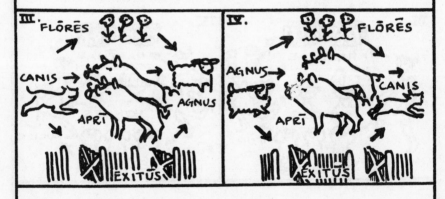

Quotā in pictūrā agnus ad exitūs currit?
Quotā in pictūrā canis ā flōribus currit?
Quotā in pictūrā canis ad aprōs currit?
Quotā in pictūrā canis ab aprīs currit?

Quārtā in pictūrā quis ad flōrēs currit?
Tertiā in pictūrā quis ab exitibus currit?
Tertiā in pictūrā quem ad locum currit canis?
Quārtā in pictūrā quō ex locō currit canis?

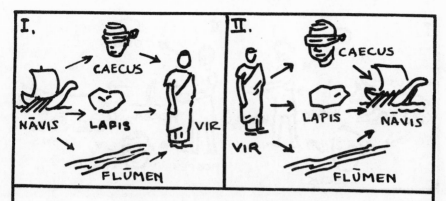

Quotā in pictūrā vir ad lapidem it?
Quotā in pictūrā vir ad lapidēs it?
Quotā in pictūrā nāvis ā caecīs it?
Quotā in pictūrā nāvis ā flūmine it?

Quotā in pictūrā nāvis ad flūmen it?
Quotā in pictūrā vir ad flūmina it?
Quotā in pictūrā nāvis ad lapidēs it?
Quotā in pictūrā vir ā lapide it?

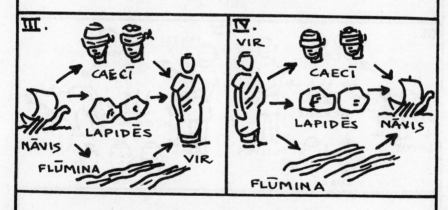

Prīmā in pictūrā quid ad lapidem it?
Secundā in pictūrā quis ad caecum it?
Tertiā in pictūrā quis ā lapidibus it?
Quārtā in pictūrā quis ad flūmina it?

Prīmā in pictūrā quem ad locum nāvis it?
Secundā in pictūrā quem ad locum vir it?
Tertiā in pictūrā quō ex locō vir it?
Quārtā in pictūrā quem ad locum vir it?

it: *go*

Quotā in pictūrā hospes ad luscōs it?
Quotā in pictūrā hospes ad herbam it?
Quotā in pictūrā hospes ab orbibus it?
Quotā in pictūrā hospes ab herbīs it?

Quotā in pictūrā lupus ā luscō it?
Quotā in pictūrā lupus ab orbe it?
Quotā in pictūrā lupus ad orbem it?
Quotā in pictūrā lupus ad herbās it?

Prīmā in pictūrā quis ad herbam it?
Secundā in pictūrā quis ad herbam it?
Tertiā in pictūrā quis ab orbibus it?
Quārtā in pictūrā quis ad luscōs it?

Prīmā in pictūrā quem ad locum it lupus?
Secundā in pictūrā quō ex locō it lupus?
Tertiā in pictūrā quō ex locō it hospes?
Quārtā in pictūrā quem ad locum it hospes?

R73 Vīvit post fūnera virtūs. Motto

Quandō virtūs vīvit?   fūnus -ere, n
Quid post mortem vīvit?   mors, morte, f
Quid facit virtūs post cinerēs?
Quid nōn perit?

R74 Longē fugit quisquis suōs fugit. Petronius

Make up similar utterances substituting for *suōs*.

Suggestions: vēritās, deus,   *suus* used as a neuter noun
hominēs, dī, Christus,   means *one's own property*;
sapientia, studium, litterae,   in masculine plural it means
virtūs, labor, mors, fāta,   *one's own family*.
crīmina, religiō, lūx, amor,
pater, māter, amātor, vitia.

R75 In sōlō Deō salūs. Motto

Quis est quī sōlus salūtem dat?
Quid Deus sōlus dat?

R76 Salūs pūblica suprēma lēx. Legal

Quid est suprēma lēx?   suprēmus -a -um
Prō quō labōrat lēx?

R77 Ut pānis ventrem, sīc pāscit lēctiō mentem. Werner

Quid ventrem alit?   venter -tre, m: *stomach*
Quid mentem alit?   lēctiō -ōne, f
Quid pāne pāscitur?   satiat/-ātur
Quid lēctiōne pāscitur?
Quō auxiliō venter satiātur?
Quō auxiliō mēns satiātur?
Per quid crēscit corpus?
Per quid crēscit mēns?

R78 Prō bonō pūblicō. Commonplace

Labōratne fūr prō bonō pūblicō?
Labōratne stultus prō bonō pūblicō?
Labōratne prō bonō pūblicō quī bonus ac sapiēns est?
Labōratne prō salūte pūblicā quī patriam amat?

R79   Saepe creat mollēs aspera spīna rosās. Werner

    Quid rosās generat?
    Quotiēns rosae ē spīnā asperā generantur?
    Unde gignuntur rosae mollēs?   asper -era -erum (asperē):
    Quālis spīna rosās creat?   *rough, harsh, sharp; difficult*
    Quālī ē spīnā creantur mollēs rosae?   spīna -ā, f
    Suntne rosae mollēs an asperae?   rosa -ā, f
    Suntne spīnae mollēs an asperae?
    Quālī ā patre saepe gignitur puella mollis?

R80   Ūnus vir nūllus vir.   Binder

    Sī vir sōlus est, estne validus?   nihil, n: *nothing*
    Quis nihil valet?
    Quantum valet vir sōlus?
    Quot virī multum valent?

    If in spite of all that has been said you have still been making heavy
use of the vocabulary in the back of the book, you must have noticed
that with increasing frequency the meaning of the word is not given.
The time will come, in the section called Narrative Readings, when
the meaning of almost none of the new words will be given, either in
the text or in the back of the book.

LESSON TWELVE: The Predictable Adjective

Ā fonte aqua dēfluit.   Quālis aqua est?   Aqua dēfluēns est.
Water flows from a spring. What kind of water is it? It's running water.

Tempus fugit.   Quāle tempus est?   Tempus fugiēns est.
Time flies.   What kind of time is it?   It's fleeting time.

EXPLANATION OF STRUCTURE:
THE IMPERFECTIVE PARTICIPLE

Practically all Latin verbs have a predictable adjective called a *participle*, corresponding rather well to the English *-ing* adjective formed from verbs, like *living* from *live*, *carrying* from *carry* and so forth. This form in Latin has the morpheme *-nt-*, as in the accusative *vīventem* and *portantem*. As you can see from these two forms, these are third declension adjectives. The morpheme for the nominative singular is *-s*. Latin does not permit the final cluster *-nts* (although English does), and the nominative becomes *vīvēns* and *portāns* for **vīvents* and **portants*. We have already met some of these predictable adjectives, like *sapiēns* from *sapit*. The *vīventem* form is called *imperfective* because the action is not regarded as perfected or completed but is regarded as still going on.

Both participles and relative clauses modify nouns:

Sapiēns nōn regitur ā Fortūnā *quae aliōs vincit*.
Sapiēns nōn regitur ā Fortūnā *aliōs regentī*.
The wise man is not ruled by Fortune which overcomes others.

Rēs virum *quī honestē vīvit* nōn fallit.
Rēs virum *honestē vīventem* nōn fallit.
Money doesn't fool the man who lives honestly.

Mulier *cum sōla cōgitat* male cōgitat.
Mulier *sōla cōgitāns* male cōgitat.
A woman who thinks by herself does a poor job of it.

Which modifier to use — participle or relative clause — in a given situation is a matter of style.

137

	Singular		Plural	
	m&f	n	m&f	n
Nom	fugiēns	fugiēns	fugientēs	fugientia
Acc	fugientem	fugiēns	fugientēs	fugientia
Abl	fugientī[1]	fugientī	fugientibus	fugientibus

EXPLANATION OF STRUCTURE: ABLATIVE ABSOLUTE

A common use of the participle is in the *ablative absolute*.   The
signals are plain and the meaning is easy to grasp.   Here are some
examples:

Fonte fluente, flūmen crēscit.

With the spring flowing, the river is increasing (i.e., because the spring
is flowing, since the spring is flowing, when the spring is flowing).

Fonte fluente, flūmen nōn crēscit.

With the spring flowing, the river isn't increasing (i.e., although the
spring is flowing).

Paupere honestē vīvente, fūr dītātur.

While the poor man lives honestly, the thief gets rich.

The signals for an ablative absolute are a noun in the ablative modified by a participle and not answering the questions *ā quō, quō auxiliō,*
etc.   The meaning of an ablative absolute is to tell the conditions under
which the situation described by the verb occurs.   It may be meta-
phrased by "with," but a better English equivalent can almost always be
found.   It may be transformed into a *sī, cum, quod,* or *dum* clause.
Notice that in Latin the nature of the connection is vague; in English we
are usually compelled to make clear the relationship and say *when,*
because, since, although, while, etc.
    At this point personal nouns may be used in the ablative only with
prepositions, with *caret*, or in the ablative absolute construction.

METAPHRASE PRACTICE
Which of the following phrases might be an ablative absolute?   Which
must be?   Which are major utterances?

---

[1]The ablative, when used as an adjective, usually has the form *fugientī*. When
the particle is used as a noun, however, it usually has the form *fugiente*. There is
a great deal of free variation (change in form without corresponding syntactical
significance); be prepared for -*e* or -*ī* in either place.

Fortūnā adjuvante   Flūmen crēscēns   Ā virō currentī
Fortūnam adjuvantem   Flūmine crēscente   Virō currente
Fortūna adjuvāns   Ā flūmine crēscentī   Virum currentem

Virōs fugientēs   Fēminā cōgitante   Mēns dolēns
Virīs fugientibus   Fēminam cōgitantem   Mente dolente
Ā virīs fugientibus   Fēmina cōgitāns   Mentem dolentem

Scorpiōnēs dormientēs   Labor omnia vincēns   Dī cūrant
Scorpiōnibus dormientibus   Labōre omnia vincente   Deōs cūrantēs
Scorpiōnēs dormiunt   Labōrem omnia vincentem   Dīs cūrantibus

BASIC SENTENCES

S121 Saepe tacēns vōcem verbaque vultus habet.
OVID

Often a silent face has voice and words.

Quid saepe habet vultus quī tacet?
Estne saepe vultus quī tacet satis ēloquēns?
Complete: Saepe vultus quī t---t vōcem verbaque h---t.

S122 Deō volente.
COMMONPLACE

If God is willing.

Quis vult?
Per quem opus omne fit?
Complete: Sī Deus v--t, omnia fīunt.

S123 Lātrante ūnō, lātrat statim et alter canis.
ANON.

When one dog barks, immediately another one barks too.

Quā sub condiciōne lātrat alter canis?
Complete: Sī ūnus c---s l----t, statim et lātrat a---r c---s.

S124 Nōn redit unda fluēns; nōn redit hōra ruēns.
WERNER

The flowing wave returns not, nor does the passing hour.

Quid fluit?
Quid ruit?
Quid nōn redit?
Complete: Nōn redit unda quae f---t; nōn redit hōra quae r--t.

S125   Perpetuō lignīs crēscit crēscentibus ignis.
WERNER

A fire keeps increasing as the fuel increases.

Quibus auxiliīs alitur semper ignis?
Per quās rēs ignis crēscit?

S126   Saepe, premente deō, fert deus alter opem.
OVID

Often, when one god afflicts you, another god brings aid.

Quā sub condiciōne fert deus alter auxilium?
Ā quō, deō premente, auxilium saepe fertur?
Quis premit?
Quis auxilium fert?
Complete: Saepe, sī deus p----t, fert deus alter opem.

S127   Omnēs ūna manet² nox.
HORACE

One night (of death) waits for all.

Quot hominēs pereunt?
Quōs mors manet?
Suntne hominēs immortālēs?
Quot hominēs mortālēs sunt?

S128   Mulier rēctē olet ubi nihil olet.
PLAUTUS

A woman smells right when she doesn't smell at all.

Quantum olet fēmina quae rēctē olet?
Quantum olet fēmina bona?
Quālis mulier est quae multum olet?
Complete: Mulier nihil o---s rēctē olet.

S129   Quis ... bene cēlat amōrem?
OVID

Who can successfully conceal love?

Quid nōn bene cēlātur?
Latitatne bene amor?

S130   In magnō grandēs capiuntur flūmine piscēs.
WERNER

Big fish are caught in a large river.

Quantō in flūmine capiuntur magnī piscēs?   piscātor -ōre, m

---

²*Manet* does not have passive forms and is therefore not transitive. It usually does not take an object and is intransitive. In this Basic Sentence it is transitival.

Quantī piscēs capiuntur in flūmine magnō?
Ubi capiuntur piscēs parvulī?
Quantōs piscēs piscātor magnō in flūmine capit?
Ā quō piscēs capiuntur?

NEW NOUNS	vōx, vōce, f	vultus -ū, m	hōra -ā, f
	lignum -ō, n	ignis -e, m	*ops, ope, f
	unda -ā, f		

NEW VERBS	tacet/----	lātrat/----	redit/----
	ruit/----	cēlat/-ātur	manet/----
	olet/----		

NEW ADJECTIVES	alter -era -erum	rēctus -a -um (rēctē)
	grandis -e (granditer)	perpetuus -a -um

NEW INDECLINABLES	statim (adverb): *at once* (*-im* is an adverb morpheme of limited distribution)

To what declension does each new noun belong?
Which of the Basic Sentences contain the imperfective participle?
What is the morpheme?
In which Basic Sentence does the morpheme *-nt-* show up with the
   -t- missing?
Which of the Basic Sentences contain an ablative absolute? What are
   the signals?

PATTERN PRACTICE, Part One

Purpose: to learn the imperfective participle.
Directions: answer the questions, using the imperfective participle.

First, the nominative:

Sī cor dolet, quāle cor est?	Cor dolēns est.
Sī fēmina cōgitat, quālis fēmina est?	Fēmina cōgitāns est.
Sī vultus tacet, quālis vultus est?	Vultus tacēns est.
Sī canis lātrat, quālis canis est?	Canis lātrāns est.
Sī unda fluit, quālis unda est?	Unda fluēns est.

Sī hōra ruit, quālis hōra est?   Hōra ruēns est.
Sī fūr fugit, quālis fūr est?   Fūr fugiēns est.
Sī vir sapit, quālis vir est?   Vir sapiēns est.
Sī scorpiō dormit, quālis scorpiō est?   Scorpiō dormiēns est.
Sī aetās volat, quālis aetās est?   Aetās volāns est.

Sī corda dolent, quālia corda sunt?   Corda dolentia sunt.
Sī fēminae cōgitant, quālēs fēminae
      sunt?   Fēminae cōgitantēs sunt.
Sī vultūs tacent, quālēs vultūs sunt?   Vultūs tacentēs sunt.
Sī canēs lātrant, quālēs canēs sunt?   Canēs lātrantēs sunt.
Sī undae fluunt, quālēs undae sunt?   Undae fluentēs sunt.

Sī hōrae ruunt, quālēs hōrae sunt?   Hōrae ruentēs sunt.
Sī fūrēs fugiunt, quālēs fūrēs sunt?   Fūrēs fugientēs sunt.
Sī virī sapiunt, quālēs virī sunt?   Virī sapientēs sunt.
Sī scorpiōnēs dormiunt, quālēs
      scorpiōnēs sunt?   Scorpiōnēs dormientēs sunt.
Sī aetātēs volant, quālēs aetātēs sunt?   Aetātēs volantēs sunt.

Next, the accusative:

Puer, sī cognōscit cor quod dolet,
      quāle cor cognōscit?   Puer cor dolēns cognōscit.
Puer, sī cognōscit corda quae dolent,
      quālia corda cognōscit?   Puer corda dolentia cognōscit.

Vir, sī videt fēminam quae cōgitat,
      quālem fēminam videt?   Vir fēminam cōgitantem videt.
Vir, sī videt fēminās quae cōgitant,
      quālēs fēminās videt?   Vir fēminās cōgitantēs videt.

Deus, sī amat vultum quī tacet,
      quālem vultum amat?   Deus vultum tacentem amat.
Deus, sī amat vultūs quī tacent,
      quālēs vultūs amat?   Deus vultūs tacentēs amat.

Puer, sī tenet canem quī lātrat,
      quālem canem tenet?   Puer canem lātrantem tenet.
Puer, sī tenet canēs quī lātrant,
      quālēs canēs tenet?   Puer canēs lātrantēs tenet.

Homō, sī nōn tenet undam quae fluit,
      quālem undam nōn tenet?   Homō undam fluentem nōn tenet.
Homō, sī nōn tenet undās quae fluunt,
      quālēs undās nōn tenet?   Homō undās fluentēs nōn tenet.

Homō, sī nōn tenet hōram quae ruit,
      quālem hōram nōn tenet?   Homō hōram ruentem nōn tenet.

Homō, sī nōn tenet hōrās quae ruunt,
    quālēs hōrās nōn tenet?   Homō hōrās ruentēs nōn tenet.

Hospes, sī capit fūrem quī fugit,
    quālem fūrem capit?   Hospes fūrem fugientem capit.
Hospes, sī capit fūrēs quī fugiunt,
    quālēs fūrēs capit?   Hospes fūrēs fugientēs capit.

Juppiter, sī cognōscit virum quī
    sapit, quālem virum cognōscit?   Juppiter virum sapientem cognōscit.
Juppiter, sī cognōscit virōs quī
    sapiunt, quālēs virōs cognōscit?   Juppiter virōs sapientēs cognōscit.

Puer, sī invenit scorpiōnem quī dormit,
    quālem scorpiōnem invenit?   Puer dormientem scorpiōnem invenit.
Puer, sī invenit scorpiōnēs quī
    dormiunt, quālēs scorpiōnēs   Puer dormientēs scorpiōnēs
    invenit?   invenit.

Homō, sī nōn tenet aetātem quae volat,   Homō aetātem volantem nōn
    quālem aetātem nōn tenet?   tenet.
Homō, sī nōn tenet aetātēs quae
    volant, quālēs aetātēs nōn   Homō aetātēs volantēs nōn tenet.
    tenet?

PATTERN PRACTICE, Part Two

Purpose: to learn the ablative absolute.
Directions: change the subordinate clauses with *sī, cum, dum, quod,* or *ubi*
        to the new construction of ablative absolute.

Sī Deus vult...   Deō volente...
Sī dī volunt...   Dīs volentibus...
Sī Juppiter vult...   Jove volente...
Sī Fortūna adjuvat...   Fortūnā adjuvante...

Cum fēmina cōgitat...   Fēminā cōgitante...
Cum fēminae cōgitant...   Fēminīs cōgitantibus...
Cum aqua dēfluit...   Aquā dēfluente...
Cum deus premit...   Deō premente...

Dum dī premunt...   Dīs prementibus...
Dum aetās volat...   Aetāte volante...
Dum dī magna cūrant...   Dīs magna cūrantibus...
Dum dī parva neglegunt...   Dīs parva neglegentibus...

Quod Deus magna cūrat...   Deō magna cūrante...

Quod Deus parva neglegit...	Deō parva neglegente...
Quod stultī fortūnam timent...	Stultīs fortūnam timentibus...
Quod stultus fortūnam timet...	Stultō fortūnam timente...
Ubi vir labōrem fugit...	Virō labōrem fugiente...
Ubi virī labōrem fugiunt...	Virīs labōrem fugientibus...
Ubi luscus inter caecōs rēgnat...	Luscō inter caecōs rēgnante...
Ubi luscī inter caecōs rēgnant...	Luscīs inter caecōs rēgnantibus...

SELF TEST

1. Substitute a participle for the relative clause:

   Fēmina flūmen quod currit videt.
   Aper ā cane quī lātrat nōn tenētur.

2. Substitute a relative clause for the participle:

   Sapiēns Fortūnam adjuvantem quaerit.
   Stultus canēs lātrantēs timet.
   Homō hōram fugientem amat.

3. Change these ablative absolutes into subordinate clauses with *sī*,
   cum, or *dum*:

   Vēre flōrēs dante, ...
   Labōre omnia vincente, ...
   Hōrā fugiente, ...

4. Change these subordinate clauses into ablative absolutes:

   Ubi canēs lātrant, ...
   Sī canis tacet, ...
   Quia tempus fugit, ...

READINGS

R81   Deī facientēs adjuvant. Varro

   Quōs dī juvant?
   Fertne deus opem sī quis nihil agit?

R82   Deō dūcente. Commonplace

   Quid facit Deus?
   Estne Deus noster dux?   noster -tra -trum: *our*

Ā quō homō dūcitur?
Quis hominem dūcit?
Change to: Sī D--s d---t.

R83   Ubi opēs, ibi amīcī. Anon.

Quot amīcōs habet pauper?
Quot amīcōs habet quī opēs habet?
Quot amīcī sunt sī opēs dēficiunt?
Quibus caret quī opibus caret?

R84   Pendente līte. Legal

Quid pendet?   pendet/----: *hang*
Change to: Dum l-s p----t.

R85   Quālis vir, tālis ōrātiō. Anon.

Quālia verba dīcit stultus?
Ā quō honesta verba dīcuntur?
Quālia verba dīcit innocēns?
Quālia verba dīcit nocēns?
Quālia verba dīcit nōbilis?
On the model of *bonus vir, bona ōrātiō*, construct sentences from
      the following: vērus, fortis, strēnuus, levis, stultus, fēlīx,
      jūstus, crūdēlis, malus, sapiēns, facilis.

R86   Dat bene, dat multum, quī dat cum mūnere vultum. Werner

Quantum dat quī dat cum gaudiō?
Quantum dat quī dat cum dolōre?

R87   Amor tussisque nōn cēlātur. Binder

Quid amātor nōn cēlat?   tussis, tussim, tussī, f: *cough*
Quid aeger nōn cēlat?   (note that the declension
Quid ab amātōre nōn cēlātur?   marker is -*i*- throughout)
Quid ab aegrō nōn cēlātur?
Ā quō tussis nōn cēlātur?
Ā quō amor?

R88   Magnās inter opēs inops. Horace

Ubi est avārus pauper?   avārus -a -um (avārē)
Quod vitium habet sī quis inops inter magnās opēs est?

R89   Audentēs Fortūna juvat. Vergil

Ā quō audentēs juvantur?   audet/----: *dare*
Quī juvantur?
Substitute for *audentēs* the necessary form of the following words:
     facīt, labōrat, rēctus, tacet, dolet, strēnuus ac fortis, bonus.

R90   Lātrantem cūratne alta Diāna canem? Anon.

Estne Diāna lūna an sōl?   altus -a -um (altē): *high*
Ubi est lūna?   Diāna -ā, f: *goddess of*
Cūratne Diāna canem quī lātrat?   *the moon*
Quid canis lātrāns videt?   sōl, sōle, m
Quam rem canis lātrat?   lūna -ā, f
Cūr canis lātrat?

LESSON THIRTEEN: The Perfective Passive Participle

EXPLANATION OF STRUCTURE: THE PERFECTIVE PARTICIPLE

In addition to the participle which you learned in the last lesson, there is another common one.[1] It corresponds roughly to the English form in *-ed*. Below are representative verbs from the Basic Sentences with their two participles.

Present Tense	Imperfective Participle	Perfective Participle	Present Tense	Imperfective Participle	Perfective Participle
agit	agēns	āctus	lavat	lavāns	lōtus
amat	amāns	amātus	laedit	laedēns	laesus
āmittit	āmittēns	āmissus	movet	movēns	mōtus
aspicit	aspiciēns	aspectus	mūtat	mūtāns	mūtātus
audit	audiēns	audītus	neglegit	neglegēns	neglēctus
capit	capiēns	captus	ōrnat	ōrnāns	ōrnātus
cēlat	cēlāns	cēlātus	parat	parāns	parātus
cernit	cernēns	crētus	perficit	perficiēns	perfectus
cōgit	cōgēns	coāctus	pōnit	pōnēns	positus
cognōscit	cognōscēns	cognitus	portat	portāns	portātus
colit	colēns	cultus	premit	premēns	pressus
corōnat	corōnāns	corōnātus	quaerit	quaerēns	quaesītus
corrumpit	corrumpēns	corruptus	regit	regēns	rēctus
dīcit	dīcēns	dictus	scrībit	scrībēns	scrīptus
docet	docēns	doctus	solvit	solvēns	solūtus
ēmendat	ēmendāns	ēmendātus	trahit	trahēns	tractus
facit	faciēns	factus	vertit	vertēns	versus
fallit	fallēns	falsus	vestit	vestiēns	vestītus
indicat	indicāns	indicātus	videt	vidēns	vīsus
invenit	inveniēns	inventus	vincit	vincēns	victus

Observe these points. The imperfective participle may be predicted from the present tense, if you know how to do it (and have you figured out the system?). The perfective participle is a separate stem of the verb and must be learned. Every perfective participle has either *-t-* or *-s-* plus the same endings as *bonus, bona, bonum*. Whereas *capiēns* means "capturing now," *captus* means "already captured." The action in the first is incomplete (imperfective), the action in the second is complete (perfective).

There is an important reason for introducing this form at this time: the perfective passive stem is productive in forming nouns. The Latin

[1]There are two more participles (future active and future passive) but they are not common and we shall not need them for a while.

147

nouns *cognitiō, solūtiō, vīsus, victor, mōtus, agrīcultūra, dictiō,*
versus, scrīptor, positiō, āctus and many, many more are formed on
this stem in *-s-* or *-t-*. Furthermore, English derivatives based on
this form are common. In order that you may understand word forma-
tion in Latin and the historical process of borrowing Latin words into
English, it seems desirable to learn this form now, even though you will
not use it much for a while. It will occur frequently in the latter part
of the book.

The perfective participle is common in narratives in the ablative
absolute: *lupō vīsō* means "with the wolf seen" or "when the wolf has
been seen."

Note that the imperfective participle (*-nt-*) is *active*, while the
perfective participle (*-t-* or *-s-*) is *passive*.

BASIC SENTENCES

In which of the following utterances do you see the new participle?
What is the morpheme?

S131 Vōx audīta perit, littera scrīpta manet.
ANON.

The spoken word vanishes but the written letter remains.

Quālis vōx nōn manet?
Quālis littera nōn perit?
Utra rēs manet?
Utra rēs nōn manet?

S132 Simul et dictum et factum.
ANON.

At once said and done, or No sooner said than done.

Sī quid dictum est, quid est?

S133 In virtūte posita est vēra fēlīcitās.
SENECA

True happiness is placed (lies) in virtue.

Ubi est fēlīcitās?
Quis est fēlīx?

S134 Parātae lacrimae īnsidiās, nōn flētum, indicant.
PUBLILIUS SYRUS

Contrived tears indicate treachery, not grief.

Quibus auxiliīs īnsidiae indicantur?
Quālis homō est quī lacrimās parat, vērus an falsus?
Doletne semper quī lacrimat?

S135   Nihil est ... simul et inventum et perfectum.
CICERO

Nothing is at once discovered and perfected.

Sī quid est inventum, estne perfectum?
Quantō tempore rēs inventa perfecta est?

S136   Jūcundī āctī labōrēs.
CICERO

Pleasant are past labors.

Quālēs labōrēs omnis amat?
Quālēs labōrēs dulcēs sunt?

S137   Absentem laedit, cum ēbriō quī lītigat.
PUBLILIUS SYRUS

Who argues with a drunken man harms one who isn't really there.

Quis est extrā corpus suum?
Quōcum lītigat quī cum ēbriō lītigat?

S138   Īra furor brevis est.
HORACE

Anger is a temporary madness.

Quantō tempore furit īra?   furit/----
Quantus furor est īra?

S139   Nihil rēctē sine exemplō docētur aut discitur.
COLUMELLA

Nothing is taught or learned correctly without an example.

Quō auxiliō omnia rēctē docentur?
Quō auxiliō discipulus bene discit?

S140   Inter dominum et servum nūlla amīcitia est.
CURTIUS

There is no friendship between master and slave.

Amatne servus dominum?
Amatne dominus servum?
Quotiēns servus dominum amat?
Quotiēns dominus servum amat?

NEW NOUNS	īnsidiae -īs, f	flētus -ū, m
	furor -ōre, m	amīcitia -ā, f

NEW	audit/-ītur	pōnit/-itur	parat/-ātur
VERBS	indicat/-ātur	perficit/-itur	
	laedit/-itur	lītigat/----	

NEW
ADJECTIVES   jūcundus -a -um (jūcundē)   ēbrius -a -um

NEW
INDECLINABLES   simul (adverbial): *at the same time*
aut (conjunction): *or*
aut . . . aut (conjunction): *either . . . or*

To what declension does each noun belong?

There is no Pattern Practice for this lesson. Instead, do the following metaphrasing exercise. Note that participles can occur in all cases. Also note that while *-nt-* (medial position) is the signal for the imperfective participle, *-nt* (final position) is the signal for third person plural active. What do *-t-* and *-t* signal respectively?

1. piscēs captī
2. ā virō victō
3. īnsidiās parātās
4. fēmina laudem quaerēns
5. virum victum
6. fēminā lacrimante
7. virum sapientem
8. luscī rēgnant
9. hostēs īnsidiās parant
10. vir sapit
11. vīnō corruptus
12. opus perficiēns
13. deus premēns
14. lupus vertēns mentem
15. hoste īnsidiās parante
16. dī premunt
17. lupus mentem versam
18. amphorā portātā
19. vir nocet
20. amphora cēlat
21. lupus mentem vertit
22. luscō rēgnante
23. fēminam laudem quaerentem
24. īnsidiae parātae
25. piscibus captīs

26. fēminae lacrimant
27. virō victō
28. amphoram cēlat
29. labōrēs aguntur
30. vir nocēns
31. deō premente
32. vir victus
33. vir sapiēns
34. piscēs captōs
35. amphoram cēlātam
36. deum prementem
37. īnsidiīs parātīs
38. Deus magna neglegēns
39. Deus magna neglēcta
40. virum nocentem
41. fēmina laudem quaerit
42. vir nocentem
43. labōrēs āctī
44. virīs victīs
45. mulierēs rēctē olent
46. opere perfectō
47. mulierem rēctē olentem
48. fēminā laudem quaerente
49. amphora latitat
50. fortūnā fortēs adjuvante

1) Which of the above are major utterances?

2) Which of the above could be ablative absolutes?
3) Make sensible major utterances out of minor ones by adding an appropriate verb. For example, *īnsidiās parātās* is accusative; we could make it direct object by adding a transitive (or transitival) verb with subject: *Īnsidiās parātās fūr cognōscit.* The other possibility would be an intransitive verb (or a transitive verb with an object or a passive); we would then need a preposition: *Per īnsidiās parātās vir fortis saepe vincitur.*

READINGS

R91   Vīna parant animōs. Ovid

Post vīnum fīunt hominēs fortēs an timidī?
Quandō hominēs audent?
Quae rēs parantur vīnō?
Quō auxiliō hominēs fortēs fīunt?
Per quid animī crēscunt?
Unde generātur fortitūdō?

R92   Facta, nōn verba. Commonplace

Quid hic homō vult?
Quibus auxiliīs agit vir strēnuus ac fortis?
Per quās rēs agit vir strēnuus?
Quālis vir vult verba, nōn facta?

R93   Homō sōlitārius aut deus aut bēstia. Aristotle (translation)

Sī homō sōlus habitat, quid est?   sōlitārius -a -um

R94   Ignis nōn extinguitur igne. Binder

Quae rēs ignem nōn extinguit?   extinguit/-itur
Quō auxiliō ignis rē vērā extinguitur?
Quid ignem extinguit?
Quotiēns ignis ignem extinguit?
Per quid ignis extinguitur?
Per quid ignis nōn extinguitur?
Per quid amor nōn extinguitur?
Per quid amor extinguitur? (Cf S9)

R95   Deō juvante. Motto

Quā sub condiciōne homō vincit?
Quem Deus juvat? Suggestions: fortis, facit, audet, nōn timidus,
      prūdēns. Use both singular and plural.

R96   Ubi lībertās, ibi patria. Anon.

    Quid invenit quī lībertātem invenit?   lībertās -tāte, f
    Make up similar sayings with matching pairs. Suggestions: amor,
        avāritia, ēloquentia, flūmen, fraus, fūr, īnsidiae, lacrimae,
        malum cōnsilium, mulier, oculus, piscis, poena, thēsaurus,
        vulpēs.

R97   Canis sine dentibus lātrat. Ennius

    Quibus membrīs saepe caret canis lātrāns?   dēns, dente, m
    Quae membra canis lātrāns saepe nōn habet? membrum -ō, n
    Quae membra dēsunt?   perīculōsus -a -um
    Estne canis lātrāns semper perīculōsus?   (perīculōsē)

R98   Invictum ... virum vincit dolor. Ovid

    Quō auxiliō fortis vir saepe vincitur?   invictus -a -um
    Quālis vir dolōre vincitur?
    Quid saepe patitur vir dolēns?
    Per quid vir invictus saepe vincitur?

R99   Ūna hirundō nōn facit vēr. Anon.

    Quō auxiliō vēr nōn fit?   hirundō -ine, f: *swallow*
    Quot hirundinēs vēr faciunt?
    Quid hirundine ūnā nōn fit?
    Per quid vēr nōn fit?
    Per quot hirundinēs vēr fit?
    Quot hirundinibus vēr fit?

R100 Ab honestō virum bonum nihil dēterret. Seneca (?)

    Quis ab honestō nōn dēterrētur?   dēterret/-ētur
    Quid virum honestum ab honestō dēterret?
    Petitne vir bonus malum?
    Unde vir bonus nōn dēterrētur?

LESSON FOURTEEN: More and Most

EXPLANATION OF STRUCTURE AND MORPHOLOGY:
COMPARISON OF ADJECTIVES

Many Latin adjectives may be *compared*.

Prīmus vir est *stultus*;	The first man is stupid;
secundus vir est *stultior*;	the second is stupider;
tertius est *stultissimus*.	the third is the stupidest.

Prīmum flūmen *pūrum* est;	The first river is clean;
secundum, *pūrius*;	the second, cleaner;
tertium, *pūrissimum*.	the third, cleanest.

The *-ior* form is called the comparative; here is the comparative declension:

	Singular		Plural	
	m&f	n	m&f	n
Nom	pūrior	pūrius	pūriōrēs	pūriōra
Acc	pūriōrem	pūrius	pūriōrēs	pūriōra
Abl	pūriōre	pūriōre	pūriōribus	pūriōribus

The *-issimus* form is called the *superlative*. The *-issimus* form is declined like *bonus, bona, bonum*. The comparative and superlative adjectives have corresponding adverbs:

Prīmus sapiēns *honestē* vīvit;	The first wise man lives decently;
secundus *honestius* vīvit;	the second, more decently;
tertius *honestissimē* vīvit.	the third, most decently.

The adverb forms should seem familiar. The *honestissimē* contains the adverb morpheme *-ē*. *Honestius* is the accusative singular of the neuter used as a noun and used adverbially; this is one more accusative with an intransitive verb which we told you about in the footnote on page 127.

When the comparative isn't compared with anything, it shows moderate intensification:

Fōns pūrior est.	The spring is pretty clean.
	The spring is kind of clean.
	The spring is rather clean.

And the superlative may show great intensification:

Fōns pūrissimus est.   The spring is awful[1] clean.
                                        The spring is good and clean.
                                        The spring is very clean.

When the comparison is expressed, it may be done in two ways:

Flūmen pūrius quam fōns est.
Flūmen pūrius fonte est.   The river is cleaner than the spring.
The order of items is significant when you use *quam*.

There are now *four* environments in which we find personal nouns in the ablative:

1. With prepositions like *ā/ab*, *dē*, etc.
2. In an ablative absolute.
3. With *caret*.

And now:

4. With a comparative (*-ior-*).

Adjectives (and adverbs) may also be qualified by *magis* (more) and *minus* (less). *Magis prūdēns* means approximately the same as *prūdentior*, and *maximē prūdēns* or *prūdēns super omnēs* means approximately the same as *prūdentissimus*.

To show you understand comparison, transform the following into familiar constructions. For *timidior* use *magis timidus*. For *timidissimus* use *timidus super omnēs*. For the ablative of comparison use *quam*. You need make only one transformation in each utterance.

Canis timidior aprō est.   Lupus fortior cane est.
Cane timidior aper est.   Lupīs timidiōrēs canēs sunt.
Canis timidius aprō vīvit.   Lupīs fortius canēs vīvunt.
Aper timidissimus est.   Lupō timidior est.
Aprō timidior est.   Lupus fortior est.
Aper timidius vīvit.   Lupī fortissimī sunt.
Aper timidior vīvit.   Lupī fortissimē canēs petunt.

Virō stultior fēmina est.   Fōns pūrior flūmine est.
Vir stultior fēminā est.   Fonte pūrius flūmen est.
Virō stultior est.   Fōns pūrius flūmine fluit.
Fēminā vir stultior est.   Flūmine pūrior fōns est.

Puer sapientior philosophō est.   Mātre pulchrior fīlia est.
Philosophō sapientior puer est.   Māter pulchrior fīliā est.
Puerō sapientior philosophus est.   Māter pulchrior fīlia est.

[1]Some speakers of English say *awfully* here. In formal written English we avoid both forms; good style, in fact, does not employ qualifiers very much (sic!).

Fēminae leviōrēs virīs sunt.   Ars vītā longior est.
Fēminae virīs leviōrēs sunt.   Arte brevior vīta est.
Fēminīs virī leviōrēs sunt.   Vīta brevissima est.
Fēminae virīs levius vīvunt.   Vīta brevior est.

A few adjectives have irregular comparisons. Here are those which have occurred in the Basic Sentences.

magnus, magna, magnum	major, majus	maximus -a -um
malus, mala, malum	pejor, pejus	pessimus -a -um
bonus, bona, bonum	melior, melius	optimus -a -um
multus, multa, multum	plūs[2]	plūrimus -a -um
parvus, parva, parvum	minor, minus	minimus -a -um

In addition, adjectives which end in -er are compared *pulcher, pulchrior, pulcherrimus*. Six adjectives in -lis (facilis, difficilis, similis, dissimilis, gracilis, humilis) are compared *facilis, facilior, facillimus*. All the other adjectives in -lis, e.g., *crūdēlis, nōbilis*, etc., have the -issimus superlative.

BASIC SENTENCES

S141 Melior est canis vīvus leōne mortuō.
ECCLESIASTES

A live dog is better than a dead lion.

Uter est īnferior?   superat/-ātur: *surpass*
Uter est superior?   īnferior -ius
Quem superat canis vīvus?   superior -ius
Quō est leō mortuus īnferior?

S142 Fontibus ex modicīs concrēscit maximus amnis.
WERNER

From small springs grows the largest river.

Quae rēs generant maximum flūmen?
Quantum amnem fontēs modicī creant?
Unde fluit maximum flūmen?
Quantī piscēs capiuntur maximō in amne?

S143 Perdit majōra quī spernit dōna minōra.
WERNER

Who scorns the smaller gifts loses the bigger ones.

Quis majōra dōna nōn capit?

[2]*Plūs* is a noun, not an adjective.

Quanta mūnera āmittit quī minōra contemnit?   contemnit/-itur:
Sapitne quī mūnera minōra nōn laudat?   *despise*
Quanta dōna capit quī minōra laudat?

S144   Rēs mala vir malus est; mala fēmina pessima rēs est.
WERNER

A bad man is a bad thing; a bad woman is the worst possible
thing.

Uter est pejor, vir malus an mulier mala?[3]
Uter est melior, vir malus an mulier mala?
Uter superior est?
Uter īnferior?

S145   Mōbilior ventīs ... fēmina.
CALPURNIUS

Woman is more changeable than the winds.

Uter facilius movētur, mulier an ventus?
Quid fēmina levitāte superat?   levitās -tāte, f
Quō homine sunt ventī minus levēs?

S146   Nihil aliud est ēbrietās quam voluntāria īnsānia.
SENECA (adapted)

Drunkenness is nothing else than voluntary insanity.

Quālem mentem nōn habet ēbrius?
Ubi latitat furor?
Estne ēbrius extrā corpus suum?
Quem laedit quī cum ēbriō lītigat? (Cf S137)

S147   Famēs est optimus coquus.
ANON.

Hunger is the best cook.

Quis optimum pānem parat?
Quālis coquus est famēs?

S148   Intolerābilius nihil est quam fēmina dīves.
JUVENAL

Nothing is more unbearable than a rich female.

Quālis domina est fēmina dīves?   domina -ā, f
Quālis rēs est fēmina dīves?
Quis fēminam dīvitem facile fert?
Quem omnis aegrē fert?

---

[3]Don't forget, you are entitled to your own opinion if you can express it in Latin.

S149 Quī multum habet, plūs cupit.
SENECA

He who has much wants more.

Quantum cupit dīves?
Estne avārus quī semper plūs cupit?
Quantum vult quī multum possidet?

S150 Dē minimīs nōn cūrat[4] lēx.
LEGAL

The law does not concern itself with trifles.

Cūratne lēx rēs magnās?
Quantae rēs lēgem movent?
Quantae rēs lēgem nōn movent?
Quantās rēs lēx nōn cūrat?
Cūratne lēx rēs parvās?
Quid lēx neglegit?

NEW NOUNS		
leō -ōne, m	amnis -e, m	dōnum -ō, n
ventus -ō, m	ēbrietās -tāte, f	īnsānia -ā, f
famēs -ē, f (third declension in spite of -ē in ablative)		
coquus -ō, m		

NEW VERBS		
concrēscit/----	perdit/-itur	spernit/-itur

NEW ADJECTIVES	
mortuus -a -um	modicus -a -um (modicē)
mōbilis -e (mōbiliter)	voluntārius -a -um
intolerābilis -e	

PATTERN PRACTICE, Part One

Purpose: to learn the comparative form of the adjective.
Directions: answer the questions.

Vulpēs lupō sapientior est.

Quis est lupō sapientior?	Vulpēs est lupō sapientior.
Quis est vulpe stultior?	Lupus est vulpe stultior.
Quō est vulpēs sapientior?	Lupō est vulpēs sapientior.
Quō est lupus stultior?	Vulpe est lupus stultior.

[4]Although *cūrat* usually takes the accusative, as in S62, it is sometimes intransitive, as here.

Quis sapientiā lupum superat?   Vulpēs sapientiā lupum superat.
Quis stultitiā vulpem superat?   Lupus stultitiā vulpem superat.
Quem lupus stultitiā superat?   Vulpem lupus stultitiā superat.
Quem vulpēs sapientiā superat?   Lupum vulpēs sapientiā superat.

Uter sapientiā īnferior est?   Lupus sapientiā īnferior est.
Uter sapientiā superior est?   Vulpēs sapientiā superior est.
Uter est magis sapiēns?   Vulpēs est magis sapiēns.
Uter est minus sapiēns?   Lupus est minus sapiēns.

Uter est magis stultus?   Lupus est magis stultus.
Uter est minus stultus?   Vulpēs est minus stulta.
Quō sapientiā est vulpēs superior?   Lupō sapientiā est vulpēs superior.
Quō est lupus magis stultus?   Vulpe est lupus magis stultus.

Dī hominibus jūstiōrēs sunt.

Quibus jūstiōrēs dī sunt?   Hominibus jūstiōrēs dī sunt.
Quōs dī jūstitiā superant?   Hominēs dī jūstitiā superant.
Quā virtūte dī hominēs superant?   Jūstitiā dī hominēs superant.
Quī jūstitiā īnferiōrēs sunt?   Hominēs jūstitiā īnferiōrēs sunt.

Quī jūstitiā superiōrēs sunt?   Dī jūstitiā superiōrēs sunt.
Quōs hominēs jūstitiā nōn superant?   Deōs hominēs jūstitiā nōn superant.
Quō modō vīvunt dī?   Jūstē vīvunt dī.
Quibus jūstius vīvunt dī?   Hominibus jūstius vīvunt dī.

Quō modō vīvunt hominēs?   Injūstē vīvunt hominēs.
Quibus injūstius vīvunt hominēs?   Dīs injūstius vīvunt hominēs.
Ā quibus hominēs jūstitiā superantur?   Ā dīs hominēs jūstitiā superantur.
Ā quibus dī jūstitiā nōn superantur?   Ab hominibus dī jūstitiā nōn superantur.

Quī magis jūstī sunt?   Dī magis jūstī sunt.
Quī minus jūstī sunt?   Hominēs minus jūstī sunt.
Quibus hominēs injūstiōrēs sunt?   Dīs hominēs injūstiōrēs sunt.
Quī hominibus jūstiōrēs sunt?   Dī hominibus jūstiōrēs sunt.

Leō agnō fortior est.

Uter timidior est?   Agnus timidior est.
Uter fortior est?   Leō fortior est.
Quō est agnus timidior?   Leōne est agnus timidior.
Quō est leō fortior?   Agnō est leō fortior.

Quem leō fortitūdine superat?   Agnum leō fortitūdine superat.
Quem agnus timiditāte superat?   Leōnem agnus timiditāte superat.
Quā virtūte leō superior est?   Fortitūdine leō superior est.
Quō vitiō agnus superior est?   Timiditāte agnus superior est.

Quō modō vīvit leō?	Fortiter vīvit leō.
Quō fortius vīvit leō?	Agnō fortius vīvit leō.
Quō modō vīvit agnus?	Timidē vīvit agnus.
Quō timidius vīvit agnus?	Leōne timidius vīvit agnus.

Uter timidē vīvit?	Agnus timidē vīvit.
Uter fortiter vīvit?	Leō fortiter vīvit.
Ā quō agnus fortitūdine superātur?	Ā leōne agnus fortitūdine superātur.
Ā quō leō fortitūdine nōn superātur?	Ab agnō leō fortitūdine nōn superātur.

PATTERN PRACTICE, Part Two

Purpose: to learn the superlative form of the adjective.
Directions: transform the adjective in the left-hand column into a superlative.

Hic leō super omnēs fortis est.	Hic leō fortissimus est.
Hae mulierēs super omnēs pulchrae sunt.	Hae mulierēs pulcherrimae sunt.
Hic homō super omnēs stultus est.	Hic homō stultissimus est.
Haec via super omnēs difficilis est.	Haec via difficillima est.
Hī fīliī super omnēs bonī sunt.	Hī fīliī optimī sunt.

Hī virī super omnēs malī sunt.	Hī virī pessimī sunt.
Haec ōrātiō super omnēs blanda est.	Haec ōrātiō blandissima est.
Hae aurēs super omnēs facilēs sunt.	Hae aurēs facillimae sunt.
Hoc opus super omnia magnum est.	Hoc opus maximum est.
Hoc crīmen super omnia malum est.	Hoc crīmen pessimum est.

Hic flētus super omnēs crūdēlis est.	Hic flētus crūdēlissimus est.
Hic amīcus super omnēs certus est.	Hic amīcus certissimus est.
Haec vīta super omnēs brevis est.	Haec vīta brevissima est.
Hae artēs super omnēs longae sunt.	Hae artēs longissimae sunt.
Hoc cōnsilium super omnia malum est.	Hoc cōnsilium pessimum est.

Hic honor super omnēs vērus est.	Hic honor vērissimus est.
Hoc iter super omnia longum est.	Hoc iter longissimum est.
Hī piscēs super omnēs grandēs sunt.	Hī piscēs grandissimī sunt.
Hī labōrēs super omnēs jūcundī sunt.	Hī labōrēs jūcundissimī sunt.
Haec fēmina super omnēs mōbilis est.	Haec fēmina mōbilissima est.

PATTERN PRACTICE, Part Three

Purpose: to learn the use of the ablative with comparatives.
Directions: transform the left-hand column from *quam* comparison to ablative comparison.

Canis melior quam leō mortuus est.   Canis melior leōne mortuō est.
Fēmina mōbilior quam ventus est.   Fēmina mōbilior ventō est.
Virī stultiōrēs quam fēminae sunt.   Virī stultiōrēs fēminīs sunt.
Canis timidior quam aper est.   Canis timidior aprō est.

Lupī fortiōrēs quam agnī sunt.   Lupī fortiōrēs agnīs sunt.
Juppiter major quam Caesar est.   Juppiter major Caesare est.
Bonī fēlīciōrēs quam malī sunt.   Bonī fēlīciōrēs malīs sunt.
Amnis major quam fōns est.   Amnis major fonte est.

Leō mortuus pejor quam canis est.   Leō mortuus pejor cane est.
Ventī minus mōbilēs quam fēmina sunt.   Ventī minus mōbilēs fēminā sunt.
Fēminae sapientiōrēs quam virī sunt.   Fēminae sapientiōrēs virīs sunt.
Aper fortior quam canis est.   Aper fortior cane est.

Agnus timidior quam lupus est.   Agnus timidior lupō est.
Ars longior quam vīta est.   Ars longior vītā est.
Caesar minor quam Juppiter est.   Caesar minor Jove est.
Malī īnfēlīciōrēs quam bonī sunt.   Malī īnfēlīciōrēs bonīs sunt.

SELF TEST

Show comparison without using *quam*.

1. Nihil intolerābilius quam fēmina dīves.
2. Servus amīcior quam dominus est.
3. Vōx audīta brevior quam verbum scrīptum est.
4. Canis timidus altius quam fortis lātrat.
5. Piscis captīvus melior quam vīvus est.

Transform to the superlative.

1. Haec lēx super omnēs valida est.
2. Haec via super omnēs mollis est.
3. Hic fīlius super omnēs malus est.
4. Hic fōns super omnēs pūrus est.
5. Hic lupus super omnēs crūdēlis est.

READINGS

R101 Fidēliōrēs sunt oculī auribus. Binder

Quae membra fidē superant?
Quae membra fidē īnferiōrēs sunt?
Quibus membrīs sunt aurēs minus fidēlēs?
Quibus membrīs sunt oculī superiōrēs?

R102 Dē siccīs lignīs compōnitur optimus ignis. Werner

Quālis ignis dē lignīs in aquā submersīs
   compōnitur?
Quālia ligna ignem optimum faciunt?   siccus -a -um: *dry*
Sī quis ignem vult, quālia ligna bene petit? compōnit/-itur
Quālia ligna pessimum ignem faciunt?   submergit/-itur

R103 Quī cum Fortūnā convenit, dīves est. Anon.

Quālis est quem Fortūna adjuvat?
Quantās opēs possidet fēlīx?
Quantās īnfēlīx?   convenit/----: *agree*
Quem adjuvat Fortūna?

R104 Littera scrīpta manet, verbum at ināne perit. Anon.

Quid nōn manet?   at (conjunction show-
Quid nōn perit?   ing strong con-
Quālis vōx perit? (Cf S131)   trast): *but*
Quālis littera manet?   inānis -e: *empty*

R105 Maximum mīrāculum homō sapiēns. Hermes Trismegistus (?)

Quid est homō quī sapit?
Estne homō quī sapit rēs vīlis?   mīrāculum -ō, n
Est homō sapiēns animal rārum?   mīrābilis -e
Quotiēns fit homō sapiēns, rārō an saepe?

R106 Caecī vident, claudī ambulant, leprōsī mundantur, surdī audiunt,
mortuī resurgunt, pauperēs ēvangelizantur. St. Matthew

Quibus membrīs sānīs carent caecī?   claudus -a -um
Quibus membrīs sānīs carent surdī?   leprōsus -a -um
Quālēs sunt quī male ambulant?   surdus -a -um
Quālēs sunt quī male vident?   ambulat/----
Quālēs sunt quī nōn vīvunt?   mundat/-ātur
Suntne leprōsī sānī?   resurgit/-itur
Quantās rēs habet pauper?   ēvangelizat/-ātur

R107 Nūlla certior custōdia innocentiā. Anon.

Quid certissima custōdia est?   custōdia -ā, f: *guardianship*
Quālis custōs est innocēns?   custōs -ōde, m&f: *guard*
                            innocentia -ā, f

R108 Quid levius flammā? Flūmen. Quid flūmine? Ventus.
Quid ventō? Mulier. Quid muliere? Nihil. Werner

Quid est levissimum?   flamma -ā, f
Quid amnem levitāte superat?
Quō est ventus mōbilior?
Quis est ventō mōbilior?

R109 Rem nōn spem, factum nōn dictum, quaerit amīcus. Anon.

Quid praeter rem quaerit amīcus?   For *praeter*, see
Ā quō factum quaeritur?   page 127.
Quid amīcus quaerit?
Quid amīcus nōn quaerit?

R110 Nōmen amīcitia est, nōmen ināne fidēs. Ovid

Estne amīcitia vāna?   nōmen -ine, n: *name*
Suntne hominēs fidēlēs?   utrum (acc. of *uter*
Quid est amīcitia?   used adverbially):
Quid est fidēs?   *whether*
Utrum rēs an spēs est amīcitia?
Utrum rēs an spēs est fidēs?

LESSON FIFTEEN: Numbers Please!

EXPLANATION OF STRUCTURE: THE NUMBER SYSTEM

This lesson describes the Latin number system. You do not have to memorize all the numbers shown here, but you should learn the ones assigned, understand the system, and use this lesson for reference later.

In the pictures you have already seen one set of numerals, called the *ordinals*. As the name suggests, they show order.

Prīma pictūra est.	It is the first picture or It is picture one.
Secunda pictūra est.	It is the second picture or It is picture two.

A second set of numbers are the *cardinals*.

Ūna pictūra est.	There is one picture.
Duae pictūrae sunt.	There are two pictures.
Trēs pictūrae sunt.	There are three pictures.
Quattuor pictūrae sunt.	There are four pictures.
Quīnque pictūrae sunt.	There are five pictures.

Two points to notice. The first three cardinal numbers are *adjectives*:

ūnus	ūna	ūnum	duo	duae	duo	trēs	tria
ūnum	ūnam	ūnum	duōs	duās	duo	trēs	tria
ūnō	ūnā	ūnō	duōbus	duābus	duōbus	tribus	tribus

Quattuor through *centum (four* through *one hundred)* are *adjectivals*; that is, they are undeclined.

Finally, Latin has an interesting third set of numerals. If we say in English "John and Henry have two sons," this statement can mean either that J and H have two sons between them or that they have two sons apiece; we don't know whether there is a total of two or four. We can keep it straight, if we choose, by adding the words *between them* or *apiece*. Latin has a compulsory distinction:

Mārcus et Quīntus duōs fīliōs habet.	M and Q have two sons between them.
Mārcus et Quīntus bīnōs fīliōs habet.	M and Q have two sons apiece.

This set is called the *distributive* and means "in sets of one," "in sets of two," etc.

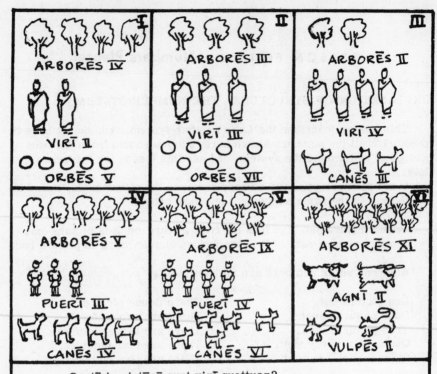

Quotā in pictūrā sunt virī quattuor?
Quotā in pictūrā sunt canēs sex?
Quotā in pictūrā sunt piscātōrēs duo?
Quotā in pictūrā sunt arborēs septem?
Quotā in pictūrā sunt agnī trēs?
Quotā in pictūrā sunt agnī quattuor?
Quotā in pictūrā sunt agnī et vulpēs parēs numerō?
Quotā in pictūrā sunt plūrimī arborēs?
Quotā in pictūrā sunt piscēs quīnque?
Quotā in pictūrā sunt arborēs ūndecim?

Prīmā in pictūrā quot arborēs sunt?
Secundā in pictūrā quot orbēs sunt?
Tertiā in pictūrā quot canēs sunt?
Quartā in pictūrā quot arborēs sunt?
Quīntā in pictūrā quot puerī sunt?
Sextā in pictūrā quot agnī sunt?
Septimā in pictūrā quot agnī sunt?
Octāvā in pictūrā quot arborēs sunt?
Nōnā in pictūrā quot piscēs sunt?
Decimā in pictūrā quot piscātōrēs sunt?
Ūndecimā in pictūrā quot fēminae sunt?
Duodecimā in pictūrā quot flōrēs sunt?

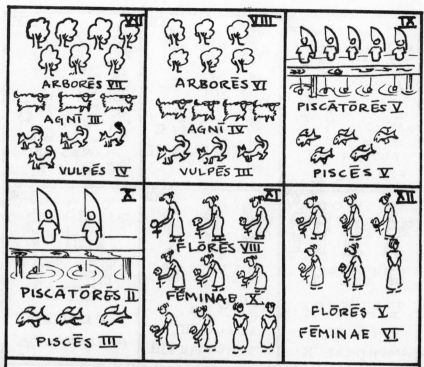

In pictūrīs prīmā et secundā quot arborēs sunt?
In pictūrīs secundā et tertiā quot virī sunt?
In pictūrīs tertiā et quārtā quot hominēs sunt?
In pictūrīs quārtā et quīntā quot canēs sunt?
In pictūrīs quīntā et sextā quot animālia sunt?
In pictūrīs sextā et septimā quot arborēs sunt?
In pictūrīs septimā et octāvā quot vulpēs sunt?
In pictūrīs octāvā et nōnā quot animālia sunt?
In pictūrīs nōnā et decimā quot piscēs sunt?
In pictūrīs decimā et ūndecimā quot virī sunt?

In pictūrīs decimā et ūndecimā quot hominēs sunt?
In pictūrīs ūndecimā et duodecimā quot flōrēs sunt?
In pictūrā duodecimā quot fēminae flōrēs tenent?
In pictūrā duodecimā quot fēminae flōrēs nōn tenent?
In pictūrā ūndecimā quot mulierēs flōrēs tenent?
In pictūrā ūndecimā quot mulierēs flōrēs nōn tenent?
Quot agnōs habet pictūra sexta?
Quot agnōs habet pictūra septima?
Quot fēminās habet pictūra duodecima?
Quot fēminās flōrēs tenentēs habet pictūra ūndecima?
In pictūrā ūndecimā quid tenent mulierēs nōna et decima?

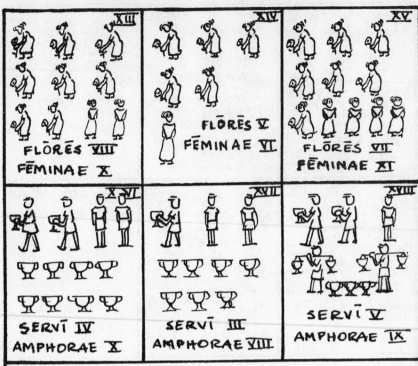

In tertiā decimā pictūrā, quot mulierēs flōrēs habent?
In tertiā decimā pictūrā quot mulierēs flōribus carent?
In tertiā decimā pictūrā quot flōrēs sunt?
In tertiā decimā pictūrā quot mulierēs sunt?
In quārtā decimā pictūrā quot fēminae sunt?
In quārtā decimā pictūrā quot flōrēs sunt?
In quārtā decimā pictūrā quot mulierēs flōrēs habent?
In quārtā decimā pictūrā quot mulierēs flōribus carent?
In quīntā decimā pictūrā quot mulierēs flōrēs habent?
In quīntā decimā pictūrā quot mulierēs flōribus carent?

In sextā decimā pictūrā ā quot servīs amphorae nōn portantur?
In sextā decimā pictūrā quot amphorae sunt?
In septimā decimā pictūrā quot amphorās servī portant?
In septimā decimā pictūrā quot servī amphorīs carent?
In duodēvīcēsimā pictūrā quot servī bīnās amphorās portant?
In duodēvīcēsimā pictūrā quot servī singulās amphorās portant?
In duodēvīcēsimā pictūrā quot servī nūllās amphorās portant?
In duodēvīcēsimā pictūrā quot amphorae ā quattuor servīs portantur?
Quotā in pictūrā sunt plūrimae mulierēs?
Quotā in pictūrā sunt plūrimī flōrēs?
Quotā in pictūrā sunt plūrimī servī?
Quotā in pictūrā sunt plūrimae amphorae?

In the following table of numerals, the *adjectivals* are italicized.

	Cardinal	Ordinal	Distributive
I	ūnus -a -um	prīmus -a -um	singulī -ae -a
II	duo, duae, duo	secundus -a -um	bīnī -ae -a
III	trēs, tria	tertius -a -um	ternī -ae -a
IV	*quattuor*	quārtus -a -um	quaternī -ae -a
V	*quīnque*	quīntus -a -um	quīnī -ae -a
VI	*sex*	sextus -a -um	sēnī -ae -a
VII	*septem*	septimus -a -um	septēnī -ae -a
VIII	*octō*	octāvus -a -um	octōnī -ae -a
IX	*novem*	nōnus -a -um	novēnī -ae -a
X	*decem*	decimus -a -um	dēnī -ae -a
XI	*ūndecim*	ūndecimus -a -um	(Higher numbers
XII	*duodecim*	duodecimus -a -um	are not common
XIII	*tredecim*	tertius decimus -a -um	but may be rec-
XIV	*quattuordecim*	quārtus decimus -a -um	ognized by endings
			-ēnī, -ēnae, ēna.)

	Cardinal	Ordinal
XV	*quīndecim*	quīntus -a -um decimus -a -um
XVI	*sēdecim*	sextus -a -um decimus -a -um
XVII	*septendecim*	septimus -a -um decimus -a -um
XVIII	*duodēvīgintī*	duodēvīcēsimus -a -um
XIX	*ūndēvīgintī*	ūndēvīcēsimus -a -um
XX	*vīgintī*	vīcēsimus -a -um
XXI	*vīgintī* ūnus	After twenty the ordinals may be
XXX	*trīgintā*	recognized by the ending -ēsimus.
XL	*quadrāgintā*	
L	*quīnquāgintā*	
LX	*sexāgintā*	
LXX	*septuāgintā*	
LXXX	*octōgintā*	
XC	*nōnāgintā*	
C	*centum*	
CC	ducentī -ae -a	
CCC	trecentī -ae -a	
CCCC	quadringentī -ae -a	
D	quīngentī -ae -a	
M	*mīlle*	
MM	duo mīlia (neuter noun)	

Notice that the cardinals thirty through ninety all end in -*gintā* and are all adjectivals (that is, not declined, have no gender). The cardinals in the hundreds end in -*centī* or -*gentī* and are all adjectives (that is, they are declined, do have gender). The cardinal *mīlle* is an adjectival, while the plural is a neuter noun.

BASIC SENTENCES

S151   Qui majōra cupit saepe minōra capit.
WERNER

Who wants the larger things often gets the smaller.

Quanta saepe capit quī majōra vult?
Quantae rēs saepe capiuntur?

S152   Quod vult quī dīcit, quod nōn vult saepius audit.
WERNER

He who says what he wants very often hears what he doesn't want.

Quid audit quī mala verba dīcit?
Quotiēns hic homō mala verba audit?

S153   Exemplō melius quam verbō quidque docētur.
WERNER

Everything is taught better by example than by words.

Quid est melius verbō?
Quō auxiliō quidque melius docētur?
Quō auxiliō quidque pejus docētur?
Utrum exemplum an verbum plūs movet?

S154   In mundō melius nōn est quam fidus amīcus.
WERNER

There is nothing in the world better than a faithful friend.

Quis est super omnēs bonus?
Quis est melior fīdō amīcō?
Quō est nihil melius?
Quālis homō est fīdus amīcus?

S155   Longius aut propius mors sua quemque manet.
PROPERTIUS

Death waits for each one sooner or later.

Quō tempore mors omnēs manet?   exemplar -ārī, n
Quandō pereunt omnēs?   cōnfer (imperative mood):
Quid omnēs inveniunt?   *compare*
Quōs nox ūna manet?   (Cōnfer Exemplar centēsimum
Suntne hominēs mortālēs?   vīcēsimum septimum)

S156   Canis timidus vehementius lātrat quam mordet.
CURTIUS (adapted)

The timid dog barks more than he bites.

Estne canis lātrāns semper perīculōsus?

Lātratne canis timidus?
Mordetne semper canis timidus?
Quis multum lātrat?
Quantum mordet canis timidus?
Quantum lātrat canis timidus?

S157   Optimus est post malum prīncipem diēs prīmus.
TACITUS

The first day after an evil leader is the best.

Quotus diēs est post malum prīncipem optimus?
Quālis est prīmus diēs post prīncipem bonum?
Sī rēx crūdēlis perit, gaudetne populus an dolet?
Sī prīnceps perit malus, quid agit populus?

S158   Firmissima est inter parēs amīcitia.
CURTIUS

Friendship among equals is the strongest.

Ubi est amīcitia firmissima?
Sī quis pauper, quālem amīcum bene quaerit?
Sī quis dīves, quālem amīcum bene quaerit?
Sī quis parvus, quōcum bene vīvit?
Sī quis magnus, quōcum bene vīvit?
Sī quis strēnuus ac fortis, quōcum bene vīvit?

S159   Multō . . . grātius venit quod facilī quam quod plēnā manū datur.
SENECA

Whatever is given with a ready hand is much more welcome
than that given with a full one.

Utra manus grātior est, facilis an plēna?
Sī quis citō parvum dat, quāle dōnum est?
Sī quis sērō multum dat, quāle dōnum est?
Uter homō grātior est, facilis an dīves?

S160   Tantō brevius omne quantō fēlīcius tempus.
PLINY THE YOUNGER (?)

The happier a time is the shorter it seems.

Sī tempus fēlīx est, quantum vidētur?   īnfēlīx (adj)
Sī tempus īnfēlīx est, quantum vidētur?   (īnfēlīciter)

NEW   mundus -ō, m
NOUNS

NEW   venit/----
VERBS

NEW   fīdus -a -um   pār (pariter)
ADJECTIVES vehemēns (vehementer) grātus -a -um (grātē)
           prīnceps   plēnus -a -um (plēnē)

NEW   prope (adverbial or preposition with the accusative):
INDECLINABLES   see Lesson Eleven.

Adverbials sometimes have comparatives and superlatives which
are morphologically marked as adverbs, like *saepe/saepius, prope/
propius*.

Prīnceps as an adjective means *first in time or order*; as a noun it
means *head man*.

SELF TEST

A. Be able to read aloud the following sentences at normal reading
speed, putting in the cardinal numerals. For *virī X* you are to say *virī
decem*. For *ā virīs III*, say *ā virīs tribus*.

X agnī in silvā sunt.   Cum XIX bēstiīs gladiātor pūgnat.
Ante fontem sunt III fēminae.   VII artēs puer discit.
In flūmine IV nāvēs sunt.   Piscibus XVII captīs...
Deōs XII homō colit.   X virī lēgēs dant.
VII crīmina sapiēns cognōscit.   XVIII mulierēs flent.
Scorpiōnēs XV sub lapide dormiunt.   Post V diēs piscis vīlēscit.
Bēstiae XIII in harēnā sunt.   XII labōrēs facit Herculēs.
Sub VII lapidibus sunt scorpiōnēs.   XV leōnēs necat gladiātor.

B. Do the same thing with the ordinal numbers. Some of the sentences are ambiguous as they stand; give either version.

Diē XIX vir perit.   Piscem XI puer nōn capit.
Sub lēge XII stant omnēs.   Cōnsiliō II dux vincit.
Diē XVIII trāns mare currit vir. Bēstia XV perit.
Vir fēminam XIII videt.   Leō gladiātōrem XX vincit.
Diē XVI venit dux.   Canis lupum XVII petit.
Diē XIV Caesar redit.   Cum fīliō II ambulat pater.

Littera XIII manet.   Gladiātor leōnem XII necat.
Lupus IV currit.   Fūr III nōn capitur.

If you are unsure of the gender of any noun, refer to this list:

Masculine: diēs,[1] fīlius, fūr, homō,[1] gladiātor, leō, lupus, piscis.

Feminine: bēstia, fēmina, lēx, littera, via.

Neuter: cōnsilium.

READINGS

R111 Ubi peccat aetās major, male discit minor. Publilius Syrus

> Sī pater malus est, quālēs mōrēs discit fīlius?
> Quō modō discit fīlius sī pater peccat?
> Unde fīlius mōrēs discit?   peccat/----: *sin, err*
> Unde aetās minor discit?

R112 Quod contemnitur saepe ūtilissimum est. Anon.

> Sī quid vīle est, estne semper inūtile?
> Sī quid pulchrum est, estne semper ūtile? ūtilis -e: *useful*

R113 Nōn quī parvum habet sed quī plūs cupit pauper est. Seneca

> Estne pauper quī parvum habet?
> Estne pauper quī plūs cupit?
> Uter est pauperior, quī nōn habet an quī plūs quaerit?
> Datne avārus poenam? (Cōnfer Exemplar trīcēsimum tertium)

R114 Dōnum forma breve est. Nemesianus

> Quid est dōnum fugāx?
> Estne sapientia breve dōnum?
> Quantō tempore perit forma?
> Quantō tempore manet sapientia?
> Quō auxiliō forma perit? (Cōnfer Exemplar quadrāgēsimum
> octāvum)

R115 Magis movent exempla quam verba. St. Gregory (?)

> Quid minus movet?
> Quibus exempla magis movent?
> Quid magis valet?

[1]May also be feminine.

Quibus auxiliīs hominēs magis moventur?
Utrum est ūtilius, verbum an exemplum?
Quō auxiliō quidque melius docētur?   (Cōnfer Exemplar centēsimum quīnquā-
gēsimum tertium)

R116 Quam est fēlīx vīta quae sine odiīs trānsit! Publilius Syrus

Quibus caret homō fēlīx?
Quālem vītam vīvit quem nēmō amat?
Quō modō vīvit quem omnis amat?
Quālem vītam vīvit quī odiīs caret?

R117 Nūlla terra exilium est sed altera patria est. Seneca

Estne sapiēns etiam in exiliō contentus?   exilium -ō, n
Ubi est quī in exiliō est?   contentus -a -um

R118 Plūs dat quī tempore dat. Anon.

Quantum dat quī citō dat?
Quantum dat quī sērō dat?

R119 Amīcus est magis necessārius quam ignis et aqua. Anon.

Quibus est amīcus magis necessārius?
Quid homō plūs cupit quam ignem?
Suntne ignis atque aqua rēs necessāriae?
Suntne ignis atque aqua super omnēs rēs necessāriae?

R120 Grātius ē dulcī fonte bibuntur aquae. Werner

Unde grātius bibuntur aquae?
Quālis fōns grātissimam aquam habet?
Quālis aqua fluit dulcī dē fonte?
Quō modō aqua ē fonte dulcī bibitur?

REVIEW LESSON FOUR

This review will attempt to drive home the nominative, accusative, and ablative, singular and plural. First read over Lessons Eleven through Fifteen. Secondly, review Basic Sentences 81-160.

PATTERN PRACTICE, Part One

Purpose: to review nouns in the six forms learned so far.
Directions: transform the active verb in the left-hand column to a passive.
This involves three changes; do you know what they are?

In the first series, all the subjects are personal nouns and therefore take ā/ab and the ablative when the verb is changed to the passive.

Fūr fūrem cognōscit. (S2)	Ā fūre fūr cognōscitur.
Lupus lupum cognōscit. (S2)	Ā lupō lupus cognōscitur.
Amīcus rem quaerit. (S5)	Ab amīcō rēs quaeritur.
Amīcus spem nōn quaerit. (S5)	Ab amīcō spēs nōn quaeritur.
Canis aprum tenet. (S21)	Ā cane aper tenētur.
Īrātus lēgem nōn videt. (S34)	Ab īrātō lēx nōn vidētur.
Lēx īrātum nōn videt. (S34)	Ā lēge īrātus nōn vidētur.
Stultus malum petit. (S41)	Ā stultō malum petitur.
Stultus bonum fugit. (S41)	Ā stultō bonum fugitur.
Stultus aquam in marī quaerit. (S43)	Ā stultō aqua in marī quaeritur.
Sapiēns vitium ēmendat. (S44)	Ā sapiente vitium ēmendātur.
Bēstia nātum corōnat. (S61)	Ā bēstiā nātus corōnātur.
Deus magnum cūrat. (S62)	Ā Deō magnum cūrātur.
Deus parvum neglegit. (S62)	Ā Deō parvum neglegitur.
Gladiātor cōnsilium capit. (S47)	Ā gladiātōre cōnsilium capitur.
Sapiēns amīcum cernit. (S74)	Ā sapiente amīcus cernitur.
Stultus fortūnam timet. (S78)	Ā stultō fortūna timētur.
Sapiēns fortūnam fert. (S78)	Ā sapiente fortūna fertur.
Juppiter omne regit. (S84)	Ā Jove omne regitur.
Caesar omne regit. (S84)	Ā Caesare omne regitur.
Fēmina virum vincit. (S67)	Ā fēminā vir vincitur.
Homō locum ōrnat. (S87)	Ab homine locus ōrnātur.
Fēlīx amīcum invenit. (S109)	Ā fēlīcī amīcus invenītur.
Fēlīx thēsaurum invenit. (S109)	Ā fēlīcī thēsaurus invenītur.
Fortis labōrem nōn fugit. (S110)	Ā fortī labor nōn fugitur.

173

Now we will try these same sentences with the subjects in the plural.

Fūrēs fūrem cognōscunt	Ā fūribus fūr cognōscitur.
Lupī lupum cognōscunt.	Ā lupīs lupus cognōscitur.
Amīcī rem quaerunt.	Ab amīcīs rēs quaeritur.
Amīcī spem nōn quaerunt.	Ab amīcīs spēs nōn quaeritur.
Canēs aprum tenent.	Ā canibus aper tenētur.
Īrātī lēgem nōn vident.	Ab īrātīs lēx nōn vidētur.
Stultī malum petunt.	Ā stultīs malum petitur.
Stultī bonum fugiunt.	Ā stultīs bonum fugitur.
Sapientēs vitium ēmendant.	Ā sapientibus vitium ēmendātur.
Bēstiae nātum corōnant.	Ā bēstiīs nātus corōnātur.
Dī magnum cūrant.	Ā dīs magnum cūrātur.
Dī parvum neglegunt.	Ā dīs parvum neglegitur.
Gladiātōrēs cōnsilium capiunt.	Ā gladiātōribus cōnsilium capitur.
Sapientēs amīcum cernunt.	Ā sapientibus amīcus cernitur.
Stultī fortūnam timent.	Ā stultīs fortūna timētur.
Sapientēs fortūnam ferunt.	Ā sapientibus fortūna fertur.
Fēminae virum vincunt.	Ā fēminīs vir vincitur.
Hominēs locum ōrnant.	Ab hominibus locus ōrnātur.
Fēlīcēs amīcum inveniunt.	Ā fēlīcibus amīcus invenītur.
Fortēs labōrem nōn fugiunt.	Ā fortibus labor nōn fugitur.

Finally, the subjects are all singular, the objects all plural:

Fūr fūrēs cognōscit.	Ā fūre fūrēs cognōscuntur.
Lupus lupōs cognōscit.	Ā lupō lupī cognōscuntur.
Īrātus lēgēs nōn videt.	Ab īrātō lēgēs nōn videntur.
Lēx īrātōs videt.	Ā lēge īrātī videntur.
Stultus mala petit.	Ā stultō mala petuntur.
Prūdēns bona petit.	Ā prūdente bona petuntur.
Sapiēns vitia ēmendat.	Ā sapiente vitia ēmendantur.
Bēstia nātōs corōnat.	Ā bēstiā nātī corōnantur.
Deus magna cūrat.	Ā Deō magna cūrantur.
Deus parva neglegit.	Ā Deō parva negleguntur.
Sapiēns amīcōs cernit.	Ā sapiente amīcī cernuntur.
Juppiter omnia regit.	Ā Jove omnia reguntur.
Caesar omnia regit.	Ā Caesare omnia reguntur.
Fēmina virōs vincit.	Ā fēminā virī vincuntur.
Fēlīx amīcōs invenit.	Ā fēlīcī amīcī inveniuntur.
Fortis labōrēs nōn fugit.	Ā fortī labōrēs nōn fugiuntur.

READINGS

R121 Vōx ēmissa volat, littera scrīpta manet. Anon.

Quid perit?
Quid nōn perit?   ēmittit/-itur
Quid agit verbum ināne?   volat/----: *fly*
Quālis vōx perit?

R122 Nihil est majus, in rēbus hūmānīs, philosophiā. Plato (Translation)

Estne *philosophia* homō an rēs?
Estne *philosophus* homō an rēs?   philosophia -ā, f
Quantum valet philosophia?
Quid magis valet philosophiā?

R123 In tālī tālēs capiuntur flūmine piscēs. Binder

Quantī piscēs in parvō amne capiuntur?
Quantōs piscēs piscātor magnō in amne capit?
Quantō in amne parvī piscēs capiuntur?
Quantō in flūmine magnī capiuntur piscēs?

R124 Multī morbī cūrantur abstinentiā. Celsus (?)

Quid multōs morbōs cūrat?
Quot morbōs abstinentia cūrat?   morbus -ō, m: *disease*
Quālis vir in morbō est, aeger an sānus?   abstinentia -ā, f
Estne saepe temperantia bona medicīna?   temperantia -ā, f

R125 Praecepta dūcunt, exempla trahunt. Anon.

Quibus auxiliīs quisque dūcitur?
Quibus trahitur?
Per quid homō optimē docētur?
Quibus sunt exempla meliōra?

R126 Multa verba, modica fidēs. Anon.

Quantam fidem multa verba gignunt?
Quot verbīs generātur parva fidēs?
Sī verba multa, quanta fidēs?
Sī pauca verba, quanta fidēs?

R127 Verba volant, scrīpta manent. Anon.

Quālia verba volant?
Quid nōn volat?
Quid nōn manet?
Quid perit?

R128 Pūrās Deus, nōn plēnās, aspicit manūs. Anon.

Hāc in sententiā, utrum *Deus* an *manus* est pūrus?
Quālēs manūs Deus magis amat?
Quālēs minus amat?
Ā quō manūs pūrae amantur?
Uter grātior, quī dat plēnā an quī dat pūrā manū?
Quibus sunt pūrae manūs grātiōrēs?

R129 Nōn est in silvā pejor fera quam mala lingua;
dē linguā stultā veniunt incommoda multa. Werner

Quid multa incommoda generat?   silva -ā, f: *woods*
Estne lingua mala rēs perīculōsa?   ferus -a -um: *wild*; as
Estne perīculōsus quī mala verba dīcit?   1st decl noun: *wild*
Ubi latitant pericula magna?   *beast* (bēstia)
                                         incommodus -a -um:
                                              inconvenient

R130 Nīl dictum quod nōn dictum prius. Anon.

Quod verbum est novum?   prior, prius: *earlier*

R131 Ignis, mare, mulier: tria mala. Binder

Quid est prīmum malum? Secundum? Tertium?
Sunt omnia tria mala?
Quae rēs sunt tria perīcula?
Quae rēs est pessima?

R132 Omnia mors aequat. Claudian

Quō auxiliō omnia aequālia fīunt?   aequālis -e (aequāliter)
Suntne omnēs hominēs post mortem parēs?
Suntne mortālēs ante mortem parēs?
Ubi sunt hominēs parēs?
Ubi sunt hominēs imparēs?

R133 Immodica īra gignit īnsāniam. Seneca

Per quid gignitur īnsānia?   immodicus -a -um
Quanta īra gignit īnsāniam?
Quō auxiliō fit īnsānus dē sānō?
Quantō tempore dē sapiente īnsānus īrā fit?   (Cōnfer Exemplar
                                                  trīcēsimum
                                                  secundum)

R134 In mundō tria sunt, quae sunt dīgnissima laude:
fēmina casta, bonus socius, famulusque fidēlis. Werner

Quae tria omnis laudat?   famulus -ō, m: *servant* (servus)
Quālis mulier laudātur?   socius -a -um: *allied* (amīcus)
Quālem amīcum omnis laudat?   castus -a -um (castē): *pure*,
Quālem servum omnis laudat?   *chaste*
Quō modō corōnātur amīcus   dīgnus -a -um (dīgnē): *worthy*
   bonus?   (patterns with the ablative)

R135 Quī tōtum vult, tōtum perdit. Anon.

Quantum cupit quī avārus est?   tōtus -a -um: *the whole, entire*
Quantum perdit quī avārus est?
Quālis homō est quī omnia vult, avārus an honestus?
Ā quō omnia āmittuntur?

R136 Ācta exteriōra indicant interiōra sēcrēta. Legal

Quibus auxiliīs sēcrēta indicantur?   sēcrētus -a -um
Per quās rēs sēcrēta cognōscuntur?   exterior -ius
                                      interior -ius

R137 Optima medicīna temperantia est. Anon.

Quot morbōs temperantia cūrat?   temperat/----
Quō auxiliō morbī optimē cūrantur?
Per quid morbī optimē cūrantur?
Sī quis temperāns est, fitne saepe aeger?

R138 Audentem Sorsque Venusque juvat. Ovid

Ā quibus fortis adjuvātur?   sors, sorte, f: *fortune*
Sī quis audet, estne fēlīx?   (fortūna)

R139 Prīma...crātēra ad sitim pertinet, secunda ad hilaritātem,
tertia ad voluptātem, quārta ad īnsāniam. Apuleius

Quota crātēra hominēs īnsānōs facit?   crātēra -ā, f: *mixing*
Quot crātērae hominēs īnsānōs faciunt?   *bowl* (for wine)
Per quot crātērās fīunt hominēs jūcundī?
Quot crātērās bibunt quī tantum sitiunt? sitis, sitim, sitī, f:
Quotā in crātērā latitat furor?   *thirst*
                                        hilaritās -tāte, f
                                        voluptās -tāte, f:
                                            pleasure
                                        pertinet/----
                                        sitit/----

R140 Magis valet longa via ad Paradīsum quam brevis ad īnfernum.

Petrus Alphonsus

Quem ad locum dūcit iter longum?
Quem ad locum dūcit iter breve?   Paradīsus -ō, m
Quāle est iter quae dūcit ad caelum?   īnfernus -a -um
Quāle ad perditiōnem?   perditiō -ōne, f

R141 Deō adjuvante. Motto

Quālem hominem Deus juvat?

R142 Quālis pater, tālis fīlius. Anon.

Quālem fīlium pater bonus gignit?
Sī pater est bonus, quālis fīlius?
Sī malus, quālis?
Ex quālī patre venit fīlius bonus?

R143 Quī quod vult dīcit, quod nōn vult saepius audit;
et mala verba malum prōvocat alloquium. Werner

Quō auxiliō prōvocantur mala verba?   alloquium -ō, n:
Quālia verba prōvocantur per lītem?   *address, speech*
Tāle alloquium tālia verba prōvocat:
verum an falsum?
Quid audit quī dīcit quod vult?   prōvocat/-ātur

R144 Varium et mūtābile semper fēmina. Vergil

Quālis rēs est mulier?   varius -a -um
Quālis homō est mulier?   mūtābilis -e (mōbilis)
Utrum facile an difficile fēmina mūtātur?

R145 Graviōra quaedam sunt remedia perīculīs. Anon.

Utra sunt saepe graviōra, perīcula
an remedia?   quīdam, quaedam, quod-
Quantō tempore cūrantur quaedam   dam (indefinite pro-
mala, citō an sērō?   noun and adjective):
Quāle remedium habent quaedam   *a certain, somebody*
perīcula?
Quālibus remediīs cūrantur quaedam   gravis -e
perīcula?

R146 Lēgēs...bonae ex malīs mōribus prōcreantur. Macrobius

Quālēs mōrēs lēgēs bonās generant?   prōcreat/-ātur
Quid lēgēs bonās generat?

R147 Ūna domus nōn alit duōs canēs. Binder

> Quot canēs bene alit ūna domus?
> Quot canēs in domū ūnā nōn bene
>   aluntur?

domus -ō & -ū, f: *house,*
   home (has forms in
   both 2d and 4th
   declension)

R148 Ventō quid levius? Fulmen. Quid fulmine? Fāma.
     Fāmā quid? Mulier. Quid muliere? Nihil.   Medieval

> Quae rēs est levissima?
> Quid est prīma rēs levis?
> Secunda? Tertia? Quārta?
>   Quīnta?
> Quō vitiō superat fēmina?

fulmen -mine, n: *lightning*
fāma -ā, f: *fame, rumor*

R149 Commūne perīculum concordiam parit. Anon.

> Unde fit concordia?
> Quid ex perīculō commūnī gignitur?

commūnis -e

R150 Quantō altior est ascēnsus, tantō dūrior dēscēnsus. St. Jerome(?)

> Sī ascēnsus est altus, quālis dēscēnsus?
> Sī quis altē ascendit, quō modō
>   dēscendit, facile an difficile?
> Suntne ascēnsus et dēscēnsus parēs?

ascēnsus -ū, m
dēscēnsus -ū, m
dūrus -a -um
   (dūriter, dūrē)
ascendit/----
dēscendit/----

LESSON SIXTEEN: The Third Party

EXPLANATION OF STRUCTURE: SUMMARY
OF THE THREE CASES

Nominative:

1) in environment of verb with which it agrees in number: presents an entity about which the verb makes a statement.

2) in environment of another nominative and copulative verb (*est, fit,* etc.): presents two entities as being equal (A=B).

3) in environment zero: presents an entity.

Accusative:

1) in environment of transitive verb (one with passive forms) or transitival (*vult, facit, manet*): indicates the receiver of the action of the verb.

2) in environment of a) intransitive verb, b) transitive verb which already has a direct object, or c) passive verb: indicates an adverbial modifier of the verb. For most accusatives used in this way there will also be present a preposition (*ad, ante, post, inter,* etc.). There are a few special words used in the accusative adverbially *without* a preposition; so far we have had *facile, difficile, nihil, multum, plūs, quantum, tantum, utrum,* and comparative adjectives (*melius,* accusative singular of *melior*).

Ablative:

1) in environment of comparative adjective or adverb: of certain special words (*multō, parvō, tantō,* etc.) shows measure, by how much greater, smaller, etc. Of all other words shows the point of comparison.

2) Otherwise shows adverbial modification of the verb: a preposition is also often present.

In *minor utterances,* the nominative presents an entity; the ablative shows how, when, or where some action takes place which is unstated but presumed to be known to both speaker and listener. We have as yet had no use of the accusative in a minor utterance.

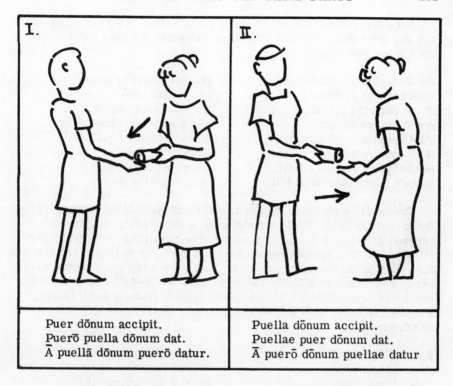

I.	II.
Puer dōnum accipit.	Puella dōnum accipit.
Puerō puella dōnum dat.	Puellae puer dōnum dat.
Ā puellā dōnum puerō datur.	Ā puerō dōnum puellae datur

EXPLANATION OF STRUCTURE: THE DATIVE CASE

We now meet a fourth case, the *dative*. It is used most commonly with personal nouns, to show the *third party* in an Actor-Action-Goal situation.

Some situations require not only a subject and a direct object (doer and receiver of the action) but also a third party for whom this activity is being performed. This third party is signalled in Latin by the dative case. A typical action of this sort is *giving*, and the name *dative* is a good one, since it comes from the Latin verb *dat* meaning *give* (perfective passive stem *dat-* plus adjective ending *-īvus* results in Latin *datīvus* and English *dative*).

MORPHOLOGY

The signal for the dative case is *-i* (with *-ai becoming -ae); in the second declension, however, the dative is always like the ablative:

I	II	III	IV	V
fēminae	lupō	canī	manuī	diēī

Here are some examples of three-party verbs. Two typical verbs are *dat* and *reddit*. Be able to answer the questions *Quis capit* or *Quis dat* for the following:

Fortūna glōriam hominī dat.
Puerō piscis redditur.
Stultō ēbrietās īnsāniam dat.
Ā deō vīta redditur.
Fūrī amphoram fēmina dat.
Nātō aqua redditur.
Hospitī puer piscem reddit.
Hospes puerō piscem reddit.

Hospitī piscis redditur.
Pater nātō aquam dat.
Mortuō vīta redditur.
Fūr amphoram fēminae dat.
Ā puerō piscis redditur.
Deus mortuō vītam reddit.
Ā nātō aqua redditur.
Hominī glōria datur.

The favorite sentence type in Latin (as in many other languages) is Actor-Action-Goal. While the majority of these sentences are expressed in Latin by nominative-accusative-transitive verb, there are other ways. The special verbs *caret* and *eget*, for example, pattern with the ablative. In much the same way, there are a few *special intransitive* verbs which pattern with the dative to show Actor-Action-Goal. Such verbs are *servit* (serve), *placet* (please), *favet* (favor), *nocet* (harm), and *nūbit* (marry, used only of the woman). Observe these Contrast Readings:

Pater fīliō favet.
Pater fīlium amat.
Pater fīliīs favet.
Puer canī nocet.
Puerō canis nocet.

Virō mulier nūbit.
Servus dominum cūrat.
Servus dominō servit.
Dux caecō servit.
Flōs mulierī placet.

Puerum canis laedit.
Puer canem laedit.
Ā puerō canis laeditur.
Fortūna fortibus favet.
Vir mulierem dūcit.

Flōrem mulier amat.
Puer fūrem adjuvat.
Puer fūrī servit.
Ā puerō fūr adjuvātur.
Mulierī vir servit.

Read aloud the preceding utterances which contain transitive verbs, then those with the special intransitives. The fact that an *intransitive* Latin verb may be translated by a *transitive* English verb is simply another manifestation of the fact that languages are different.

The dative of a personal noun may be added as an *expansion* of any major utterance not already containing a dative, to show the person about whom the statement is true or for whose advantage (or disadvantage) an action is done:

Hominī līs lītem generat.   It is true for mankind that strife
                                   creates strife.

When used as an expansion of nominative plus *est*, the dative shows that this nominative exists for the person in the dative, i.e., the person owns it.

Vestis est.	Clothes exist.
Vestis fēminae est.	Clothes exist for the woman; the woman owns clothes.

Certain compound verbs pattern with the dative to show whom the prefix concerns:

Puer stat.	The boy is standing.
Puer canī īnstat.	The boy is standing over the dog; i.e., the boy is threatening the dog.
Puer sistit.	The boy is standing.
Puer canī resistit.	The boy is standing against the dog; i.e., the boy is resisting the dog.
Puer cum patre cēdit.	The boy goes away with his father.
Puer cum patre accēdit.	The boy approaches with his father.
Puer patrī succēdit.	The boy succeeds his father.
Fēmina lignum pōnit.	The woman puts down the wood.
Fēmina lignum ignī impōnit.	The woman puts the wood on the fire.

Special adjectives pattern with a dative to show the person or thing with reference to which the adjective's quality is true. Among these adjectives are *amīcus* (friendly), *inimīcus* (unfriendly), *cārus* (dear), *similis* (like), *proximus* (near), and *grātus* (pleasing). This is the most common use of nonpersonal nouns in the dative.

Fīlius patrī similis est.	Hospitī rēx inimīcus est.
Fīliō pater similis est.	Hospes rēgī inimīcus est.
Mulierī vir cārus est.	Fēlīcitās dolōrī similis est.
Mulier virō cāra est.	Fēlīcitātī dolor similis est.

Ignis aquae proximus est.	Capillus capillō similis est.
Ignī aqua proxima est.	Amnis flūminī similis est.
Canis puerō amīcus est.	Amnī flūmen simile est.
Canī puer amīcus est.	Litterae sapientī grātae sunt.

Finally, the dative occurs alone, as in inscriptions, indicating the person or deity to whom the tomb, altar, or temple is dedicated:

Mārcō Tulliō Cicerōnī (at beginning of a letter)	This letter is addressed to Cicero.

Fortūnae (on an altar)   This altar is sacred to Fortune.

Pulcherrimae (on the apple   For the fairest.
    that started the Trojan
    War)

To summarize: the dative is used in both major and minor utter-ances as follows:

1. with *three party verbs* to show the indirect object. What are two verbs that show three-party situations?

2. with *special intransitive verbs* to show Actor-Action-Goal. What are some of these verbs?

3. with *special compounds*. What are some of these compounds?

4. with *special adjectives*. What are some of these adjectives?

5. as an *expansion* of any major utterance. What does it show as an expansion of *est*?

BASIC SENTENCES

S161   Inopī beneficium bis dat quī dat celeriter.
        PUBLILIUS SYRUS

Who confers a benefit quickly on a poor man confers it twice.

Sī quis citō dat, estne dōnum grātum?
Sī quis sērō dat, estne dōnum grātum?
Quis gaudet sī dōnum celeriter datur?
Quotiēns dat quī citō dat?

S162   Nēmō līber est quī corporī servit.
        SENECA

No one is free who is slave to his body.

Estne līber quī patriae servit?
Estne līber quī philosophiae servit?
Estne līber quī famī servit?
Estne līber quī sitī servit?
Estne līber quī voluptātī servit?
Estne līber quī Deō servit?

S163   Suum cuique¹ placet.
        PLINY THE ELDER

One's own possessions please one (said of wine).

¹The dative singular of *quis, quid* and *quī, quae, quod*, is *cui*. The dative singu-lar of *quisque* is *cuique*.

Quid quisque maximē amat?
Amatne virum suum quaeque mulier?
Amatne mulierem suam quisque vir?
Placetne mulier sua cuique virō?
Quod vīnum cārissimum cuique est?

S164   Cui Fortūna favet multōs amīcōs habet.
ANON.

He whom fortune favors has many friends.

Quot amīcōs habet cui Fortūna nocet?   nocet/----
Quot amīcōs habet quem Fortūna amat?
Quot amīcōs habet quī Fortūnae cārus est?
Cui cārus est quī multōs numerat amīcōs?

S165   Deō, Rēgī, Patriae.
MOTTO

For God, for King, and for Country.

Cui terrae servit hic homō?
Cui praeter Deum servit hic homō?
Cui praeter rēgem servit hic homō?
Prō quibus pūgnat hic homō?   pūgnat/----
Quam regiōnem custōdit?   custōdit/ -ītur
Quōs custōdit?

S166   Lupus est homō hominī, nōn homō.
PLAUTUS

To his fellow man, man is a wolf, not a man.   inimīcus -a -um
                                                       (inimīcē)

Utrum amīcus an inimīcus est homō hominī?
Quō modō homō agit?
Quem lupus mordet?
Quem homō mordet?
Cui similis est homō?

S167   Suum cuique pulchrum est.
CICERO

To each one his own is fair.

Quālis est sua cuique mulier?
Quālēs sunt nātī suī cuique bēstiae?

S168   Gaudēns gaudentī, flēns flentī, pauper egentī,
S169   prūdēns prūdentī, stultus placet īnsipientī.
WERNER

Like pleases like, no matter whether happy or sad, poor, wise or
foolish.

Sī quis gaudet, quem amat?
Sī quis dolet, quem amat?
Cui sapiēns placet?
Quis inopī placet?
Quem amat pauper?
Cui similis placet?
Quem stultus amat?
Sī quis sapit, cui placet?

Make up sentences on the model of *Gaudēns gaudentī placet*.

Suggestions: inops, canis, amīcus, ēbrius, dīves, leō, dominus,
    piscis, luscus, fēlīx, fūr, lupa, gladiātor, agnus, timidus.

S170   Quis... amīcior quam frāter frātri?
     SALLUST

Who is friendlier than brother to brother?

Quantum amat frāter frātrem?
Cui est frāter cārus?
Estne frāter frātrī lupus?

Make up parallel sentences.

Suggestions: lupus, homō, stultus, sapiēns, prīnceps, coquus,
    fēmina, agna, leō, puella, fortis, fīlia, vir, servus, hospes.

NEW NOUNS	beneficium -ō, n		frāter -tre, m

NEW VERBS   servit/---- placet/---- favet/---- flet/---- eget/----

NEW
ADJECTIVES   celer -eris -e (celeriter)
                līber -era -erum (līberē)
                īnsipiēns (īnsipienter)

NEW
INDECLINABLES   bis (adverbial)

PATTERN PRACTICE, Part One

Purpose: to learn the special intransitives which pattern with the dative.
Directions: In this first set transform the sentence in the left column to
             one which contains an intransitive verb of approximately the
             same meaning.

Vestis fēminam dēlectat.[2]   Vestis fēminae placet.
Ignis virum dēlectat.   Ignis virō placet.
Mūnus mulierem dēlectat.   Mūnus mulierī placet.

Juppiter Rōmam adjuvat.   Juppiter Rōmae favet.
Pater fīlium adjuvat.   Pater fīliō favet.
Fortūna fortem adjuvat.   Fortūna fortī favet.

Leō agnum laedit.   Leō agnō nocet.
Lupus lupum laedit.   Lupus lupō nocet.
Mala fidēs dominum laedit.   Mala fidēs dominō nocet.

Canis cum bēstiā pūgnat.   Canis bēstiae resistit.
Captivus cum leōne pūgnat.   Captīvus leōnī resistit.
Puer cum aprō pūgnat.   Puer aprō resistit.

Servus dominum cūrat.   Servus dominō servit.
Canis caecum cūrat.   Canis caecō servit.
Philosophus sapientiam cūrat.   Philosophus sapientiae servit.

PATTERN PRACTICE, Part Two

Purpose: to learn the forms of the dative.
Directions: In this next series you are asked "What is like a hand?" and the
answer is "A hand is like a hand," or "One hand is like another."

Cui lacrima similis est?   Lacrimae lacrima similis est.
Cui perīculum simile est?   Perīculō perīculum simile est.
Cui līs similis est?   Lītī līs similis est.
Cui manus similis est?   Manuī manus similis est.
Cui diēs similis est?   Diēī diēs similis est.

Cui unda similis est?   Undae unda similis est.
Cui capillus similis est?   Capillō capillus similis est.
Cui cinis similis est?   Cinerī cinis similis est.
Cui vultus similis est?   Vultuī vultus similis est.
Cui spēs similis est?   Speī spēs similis est.

PATTERN PRACTIVE, Part Three

Directions: transform from the preposition *prope* (plus accusative) to the
adjective *proximus* (plus dative).

Scorpiō prope lapidem est.   Scorpiō proximus lapidī est.
Amīcus prope amīcum est.   Amīcus proximus amīcō est.

[2]Dēlectat/-ātur: *please, delight.*

Mulier prope amphoram est.   Mulier proxima amphorae est.
Canis prope aprum est.   Canis proximus aprō est.
Leō prope fontem est.   Leō proximus fontī est.

Coquus prope ignem est.   Coquus proximus ignī est.
Caesar prope flūmen est.   Caesar proximus flūminī est.
Piscātor prope mare est.   Piscātor proximus marī est.
Gladiātor prope bēstiam est. Gladiātor proximus bēstiae est.
Nēmō prope harēnam est.   Nēmō proximus harēnae est.

PATTERN PRACTICE, Part Four

Directions: transform the *habet* sentences to *est* with the nominative and dative.

Fēmina flōrem habet.   Fēminae flōs est.
Puer flōrem habet.   Puerō flōs est.
Fūr flōrem habet.   Fūrī flōs est.
Mulier flōrem habet.   Mulierī flōs est.
Hospes flōrem habet.   Hospitī flōs est.

Prīnceps nāvem habet.   Prīncipī nāvis est.
Dominus nāvem habet.   Dominō nāvis est.
Vir nāvem habet.   Virō nāvis est.
Dux nāvem habet.   Ducī nāvis est.
Inops nāvem habet.   Inopī nāvis est.

Bēstia nātum habet.   Bēstiae nātus est.
Pater nātum habet.   Patrī nātus est.
Vulpēs nātum habet.   Vulpī nātus est.
Lupus nātum habet.   Lupō nātus est.
Lupa nātum habet.   Lupae nātus est.

PATTERN PRACTICE, Part Five

Purpose: to learn the dative in contrast with the other cases.
Directions: answer the questions.

Sapiēns thēsaurum in caelō habet.

Quid in caelō est?   Thēsaurus in caelō est.
Ubi thēsaurus est?   In caelō thēsaurus est.
Cui est thēsaurus?   Sapientī est thēsaurus.
Quid habet sapiēns?   Thēsaurum habet sapiēns.
Quis habet thēsaurum?   Sapiēns habet thēsaurum.

Dominus ignem in tenebrīs habet.

Cui est ignis?	Dominō est ignis.
Ubi est ignis?	In tenebrīs est ignis.
Quis ignem habet?	Dominus ignem habet.
Quid dominō est?	Ignis dominō est.
Quid dominus habet?	Ignem dominus habet.

Mulier flōrēs in hortō habet.

Ubi sunt flōrēs?	In hortō sunt flōrēs.
Cui sunt flōrēs?	Mulierī sunt flōrēs.
Quae rēs mulierī sunt?	Flōrēs mulierī sunt.
Quās rēs mulier habet?	Flōrēs mulier habet.
Quis flōrēs habet?	Mulier flōrēs habet.

Prīnceps virtūtem in corde habet.

Ubi prīncipī est virtūs?	In corde prīncipī est virtūs.
Cui est virtūs?	Prīncipī est virtūs.
Quid prīnceps habet?	Virtūtem prīnceps habet.
Quis virtūtem habet?	Prīnceps virtūtem habet.
Ubi est virtūs?	In corde est virtūs.

Puella vestītum pulchrum habet.

Quis vestītum pulchrum habet?	Puella vestītum pulchrum habet.
Cui vestītus pulcher est?	Puellae vestītus pulcher est.
Quid puellae est?	Vestītus pulcher puellae est.
Quid puella habet?	Vestītum pulchrum puella habet.
Quālis vestītus puellae est?	Pulcher vestītus puellae est.

SELF TEST

Expand the following by adding the dative of the word which follows in parentheses:

Labor omnia vincit. (homō)
In marī magnō piscēs capiuntur. (puer)
Mēns sāna in corpore sānō. (sapiēns)
Numquam perīculum sine perīculō vincitur. (fortis)

Answer the following questions, using the words *vulpēs, lupus, prūdēns, fēmina, via*:

Cui Deus glōriam dat?	Cui est laus cāra?
Cui proxima est arbor?	Cui est canis similis?
Cui est fraus cāra?	

READINGS

Run your eye rapidly over the following readings to see if you can instantly spot the datives. The hardest ones will be the second declension nouns and adjectives, like *amīcō*. If you see a personal noun in this ambiguous form it will be dative unless

1) it is with a preposition like *ab*, *dē*, *ex*, etc.

2) it is in an ablative absolute.

3) it is in a comparison with an *-ior* form.

4) it patterns with a special verb like *caret* or *eget*.

R151 Īra perit subitō quam gignit amīcus amīcō. Werner

Make up other sentences using substitutions for *amīcus amīcō*. If you think   subitus -a -um (citus) it makes better sense, substitute *sērō* (slowly) for *subitō*.

Suggestions: vir, fūr, sapiēns, honestus, fēmina, puer, rēx, homō, puella, doctor, frāter, prīnceps, dux, dīves, pauper, mulier, agnus, leō, ēbrius, hospes, fortis, crūdēlis, stultus, gladiātor, avārus, philosophus, fēlīx.

R152 Claudus eget[3] baculō, caecus duce, pauper amīcō. Werner

Cui baculus necessārius est?   baculus -ō, m: *staff,*
Cui dux? Cui amīcus?   *cane*
Quid claudus vult? Quid caecus?
Quō homine caret quī nōn videt?
Quō membrō caret quī male ambulat?
Quō homine caret quī parvās opēs habet?

R153 Nēmō suā sorte contentus. Anon.

Hāc in sententiā, placetne suum cuique?
Estne omnis homō avārus?

R154 Deō favente. Commonplace

Cui Deus favet? (Use fortis, agit, amat, audet.)
Make up other ablative absolutes (use Fortūna, sors, Juppiter, dūcit, vult, adjuvat).

---

[3]Eget/----, a synonym for *caret*, here means *need*.

R155 Verbum sapientī sat est. Anon.

Quot verba sapientī satis sunt?   sat (adjectival, variant
Discitne sapiēns citō an sērō?   of *satis*): *enough*
Quantō tempore discit stultus?
Cui plūrima verba nōn satis sunt?

R156 Cinerī glōria sēra venit. Martial

Quantum valet glōria post mortem?   accidit/----: *happens*
Quantum valet glōria ante mortem?   (patterns with the
Quālis glōria venit post mortem?   dative)
Quantō tempore venit glōria post mortem?
Cui accidit glōria sēra?
Quālem glōriam habet mortuus?

R157 Fortī et fidēlī nihil difficile. Motto

Quantum valet fortis?
Quantum valet timidus?
Per quās virtūtēs nihil difficile est?
Cui omnia facilia videntur?
Cui omnia dūra videntur?

R158 Nihil... semper flōret: aetās succēdit aetātī. Cicero

Quid semper in flōre est?   flōret/----
Quid post alteram aetātem venit?   annus -ō, m
Cui diēs succēdit?
Cui hōra succēdit?
Cui annus succēdit?
Quid semper manet?
Cui mors accidit?
Quot rēs pereunt?

R159 Crūdēlem medicum intemperāns aeger facit. Publilius Syrus

Quālis fit medicus per aegrum intemperantem?
Quis crūdēlis fit?
Ā quō medicus crūdēlis fit?   intemperāns (one ending
Quid agit aeger intemperāns?   adj)
Per quem medicus crūdēlis fit?
Quod vitium medicus habet sī aeger intemperāns est?

R160 Nōn ōvum tam simile ōvō. Quintilian

"As like as peas in a pod."
Restate using unda, lacrima, astrum,   ōvum-ō, n: *egg*
    lapis, capillus, manus, cinis,   tam (adverbial): *so, as*
    pānis, aqua, hirundō.

MORPHOLOGY

I		II		III (neuter)	
hŏra	hŏrae	servus	servī	exemplum	exempla
hŏram	hŏrās	servum	servōs	exemplum	exempla
hŏrā	hŏrīs	servō	servīs	exemplō	exemplīs
hŏrae	hŏrīs	servō	servīs	exemplō	exemplīs

III		III (neuter)		IV		V	
dux	ducēs	crīmen	crīmina	manus	manūs	diēs	diēs
ducem	ducēs	crīmen	crīmina	manum	manūs	diem	diēs
duce	ducibus	crīmine	crīminibus	manū	manibus	diē	diēbus
ducī	ducibus	crīminī	crīminibus	manuī	manibus	diēī	diēbus

In each set the left-hand column stands for singular, the right-hand for plural; the order of cases (reading down) is nominative, accusative, ablative, and dative.

Notice that the dative plural is *always* (no exceptions) like the ablative plural. This poses a problem. What is the problem? What is the solution?

In the first place, the dative occurs in the environment of certain special words: dat, reddit, placet, favet, nocet, nūbit, servit, succēdit, resistit, impōnit, īnstat, cārus, amīcus, inimīcus, similis, proximus, grātus, etc.

Secondly, the dative used as expansion has so far been confined to personal nouns. You may remember from Lesson Fourteen that personal nouns have occurred in the ablative only 1)with prepositions like *dē*, *ē/ex*, *ā/ab*, *prō*, 2) in the environment of a comparative, 3) in an ablative absolute (and what are the signals for that?), and 4) with the two verbs *caret* and *eget*.

THEREFORE, the dative-ablative plurals are distinguished only by *environment*. To show you how this works, here is some metaphrasing practice. The combination *persīs* or *persibus* indicates a personal noun in the dative-ablative; the combination *nonpersīs* or *nonpersibus*, a nonpersonal noun in this same ambiguous form. The environment alone will tell you which is which. Read the exercise, replacing the italics by lexical items which are compatible with the rest of the utterance.

Omnis *nonpers*ibus aspicitur.	*Nonpers*īs puer amphoram portat.
Omnis ā *pers*īs aspicitur.	*Pers*īs captīs, canis lātrat.
Puer *pers*ibus vīnum reddit.	*Nonpers*ibus captīs, canis lātrat.

Puer *nonpersīs* vīnum hospitī reddit.

Persīs vir aprum tenet.

Nonpersīs vir aprum tenet.

Cum *persibus* hospes redit.

Persīs hospes dōnum reddit.

Nonpersīs vēritās perit.

Persibus vēritās perit.

Persibus hominēs similēs sunt.

Persīs hōra ruēns numquam redit.

Nonpersibus littera scrībitur.

Nonpersīs stultus amphoram portat.

Nonpersibus hōra numquam ruit.

Persibus puer amphoram portat.

Persīs littera scrībitur.

Remember: there is nothing in the form to tell you how to distinguish dative plural from ablative plural.

BASIC SENTENCES

S171 Deus superbīs resistit; humilibus autem dat grātiam.
I PETER

God resists the haughty; but he gives grace to the humble.

Quōs Deus amat?
Quibus Deus nōn favet?
Cui humilēs cārī sunt?
Quī Deō nōn cārī sunt?

S172 Ingrātus ūnus omnibus miserīs nocet.
PUBLILIUS SYRUS

One ungrateful person hurts the cause of all those who need help.

Quōs laedit ingrātus ūnus?
Sī ūnus ingrātus est, quid patiuntur omnēs miserī?

S173 Mulier quae multīs nūbit multis nōn placet.
PUBLILIUS SYRUS

A woman who marries many men is displeasing to many men.

Quantum amātur quae saepe nūbit?
Quot placet quae multīs nūbit?

S174 Immodicīs brevis est aetās et rāra senectūs.
MARTIAL

For the intemperate, youth is short and old age is unusual.

Utrum citō an sērō pereunt intemperantēs?
Per quid perit aetās? (Cōnfer Exemplar quadrāgēsimum octāvum)
Quid est optima medicīna? (Cōnfer Lēctiōnem centēsimam
Quālibus est aetās longa?   trīcēsimam septimam)

Quālēs hominēs senēs fīunt?   senex (adj); sene (abl):
Quālēs hominēs brevī vīvunt?   *old*

S175   Sōlitūdō placet Mūsīs, urbs est inimīca poētīs.
PETRARCH (?)

Solitude pleases the Muses; the city is unfriendly to poets.

Quid Mūsae amant?
Quid poētae nōn amant?
Quōs sōlitūdō dēlectat?
Quid poētīs grātum est?

S176   Bonus vir nēmō est nisi quī bonus est omnibus.
PUBLILIUS SYRUS

No one is a good man unless one who is good to all.

Estne vir bonus quī paucōs adjuvat?
Estne vir bonus quī omnēs adjuvat?
Quibus favet vir bonus?
Quālis est quī tantum paucīs favet?

S177   Impōnit fīnem sapiēns et¹ rēbus honestīs.
JUVENAL

The wise man puts a limit on even honorable undertakings.

Estne sapiēns intemperāns?
Habetne sapiēns temperantiam etiam in rēbus bonīs?

S178   Hominēs amplius oculīs quam auribus crēdunt.
SENECA

Men trust their eyes more than their ears.

Utrum oculī an aurēs sunt fidēliōrēs?
Quibus membrīs sunt oculī fidēliōrēs?
Quae membra oculī fidē superant?
Quae membra fidē īnferiōra sunt?
Quā virtūte superant oculī?
Quibus membrīs sunt aurēs minus fidēliōrēs?
Quibus membrīs hominēs magis crēdunt?
Quibus membrīs hominēs minus crēdunt?

S179   Sōl omnibus lūcet.
PETRONIUS

The sun shines upon all.

Quid sōl omnibus dat?

¹For the meaning of *et* when it does not connect equal things see p. 117, cf. R34.

Utrum sōl an lūna plūs lūcet?
Lūcetne sōl pariter bonīs et malīs?
Quibus sōl favet?

S180   Mors omnibus īnstat.
          COMMON GRAVE INSCRIPTION

Death threatens everyone.

Quōs mors manet?
Quot hominēs pereunt?
Quot hominēs mortālēs sunt?
Quid vītae semper succēdit?

NEW   grātia -ā, f   senectūs -tūte, f   sōlitūdō -dine, f
NOUNS   Mūsa -ā, f   urbs, urbe, f

NEW   resistit/----   nocet/----   nūbit/----
VERBS   impōnit/-itur   lūcet/----   īnstat/----

NEW   superbus -a -um (superbē)   humilis -e (humiliter)
ADJECTIVES   ingrātus -a -um (ingrātē)   miser -era -erum (miserē)
             amplus -a -um (amplē, ampliter)

NEW   autem (conjunction); *however, moreover, and, but*
INDECLINABLES   (shows a connection but does not show whether
                  the connection is one you expect).
                  nisi, nisī (conjunction): *if not, unless*

PATTERN PRACTICE

Purpose: to learn to recognize the dative plural by the environment.
Directions: You will be given a sentence which contains the ambiguous dative-
              ablative plural. You are to transform this plural to the singular.
              The exercise will give you practice a) in *recognizing* by the en-
              vironment whether a noun is dative or ablative plural and b) in
              producing the dative or ablative singular.

Inopibus beneficium dat. (S161)   Inopī beneficium dat.
Hominēs corporibus serviunt. (S162)   Hominēs corporī serviunt.
In vīnīs semper est vēritās. (S45)   In vīnō semper est vēritās.
In harēnīs cōnsilium capitur. (S47)   In harēnā cōnsilium capitur.

Deus superbīs resistit. (S171)   Deus superbō resistit.
In īrīs semper est vēritās. (S45)   In īrā semper est vēritās.

Nēmō sine perīculīs vincit. (S50)   Nēmō sine perīculō vincit.
Gaudēns gaudentibus placet. (S168)   Gaudēns gaudentī placet.

Deus humilibus dat grātiam. (S171)   Deus humilī dat grātiam.
Crīminibus nēmō caret.   Crīmine nēmō caret.
In puerīs semper est vēritās. (S45)   In puerō semper est vēritās.
Ingrātus omnibus miserīs nocet. (S172)   Ingrātus omnī miserō nocet.

Flēns flentibus placet. (S168)   Flēns flentī placet.
Immodicīs brevis est aetās. (S174)   Immodicō brevis est aetās.
Stultus īnsipientibus placet. (S169)   Stultus īnsipientī placet.
Mors omnibus īnstat. (S180)   Mors omnī īnstat.

Sōlitūdō placet Mūsīs. (S175)   Sōlitūdō placet Mūsae.
Frāter frātribus amīcus est. (S170)   Frāter frātrī amīcus est.
Sub lapidibus dormit scorpiō. (S68)   Sub lapide dormit scorpiō.
Urbs est inimīca poētīs. (S175)   Urbs est inimīca poētae.

Mulier virīs nūbit. (S173)   Mulier virō nūbit.
Amīcus in rēbus incertīs cernitur. (S74) Amīcus in rē incertā cernitur.
Prūdēns prūdentibus placet. (S169)   Prūdēns prūdentī placet.
Canis bēstiīs resistit.   Canis bēstiae resistit.

Nēmō sine vitiīs est. (S49)   Nēmō sine vitiō est.
Canis agnīs servit.   Canis agnō servit.
Ā fontibus dēfluit aqua. (S31)   Ā fonte dēfluit aqua.
Spēs mea in dīs. (S38)   Spēs mea in Deō.

Canibus lātrantibus... (S123)   Cane lātrante...
Pauper egentibus placet. (S168)   Pauper egentī placet.
Vestis fēminīs placet.   Vestis fēminae placet.
Mūnus mulieribus placet.   Mūnus mulierī placet.

Captīvus leōnibus resistit.   Captīvus leōnī resistit.
Ā canibus tenētur aper. (S21)   Ā cane tenētur aper.
Fortūna fortibus favet.   Fortūna fortī favet.
Puer aprīs resistit.   Puer aprō resistit.

Ā dīs magna cūrantur. (S62)   Ā Deō magna cūrantur.
Unda undīs similis est.   Unda undae similis est.
Vulpēs nōn capitur mūneribus. (S76)   Vulpēs nōn capitur mūnere.
Bonus prō innocentibus dīcit. (S103)   Bonus prō innocente dīcit.

Vulpēs fraudibus caret.   Vulpēs fraude caret.
Capillus capillīs similis est.   Capillus capillō similis est.
Fēmina mōbilior ventīs. (S145)   Fēmina mōbilior ventō.
Ignis virīs placet.   Ignis virō placet.

Lacrima lacrimīs similis est.   Lacrima lacrimae similis est.
Pater fīliīs favet.   Pater fīliō favet.
Leō agnīs nocet.   Leō agnō nocet.
Exemplīs quidque melius docētur. (S153) Exemplō quidque melius docētur.

In flūminibus capiuntur piscēs. (S130) In flūmine capiuntur piscēs.
Servus dominīs servit.   Servus dominō servit.
Mala fidēs dominīs nocet.   Mala fidēs dominō nocet.
Dīs volentibus... (S122)   Deō volente...

Vestis puellīs placet.   Vestis puellae placet.
Prūdēns cum curīs vīvit. (S7)   Prūdēns cum cūrā vīvit.
Immodicīs est rāra senectūs. (S174)   Immodicō est rāra senectūs.
Flēns flentibus placet. (S168)   Flēns flentī placet.

In omnibus rēbus vincit vēritās. (S35) In omnī rē vincit vēritās.
Ex vitiīs sapiēns suum ēmendat. (S44) Ex vitiō sapiēns suum ēmendat.
Nēmō est omnibus bonus. (S176)   Nēmō est omnī bonus.
Leō proximus fontibus est.   Leō proximus fontī est.

SELF TEST

Change the dative-ablative form to the singular, just as you did in
the Pattern Practice.

1. Impōnit fīnem rēbus honestīs.   5. Certīs stant omnia lēgibus.
2. Nāvēs in flūminibus sunt.   6. Hominēs auribus nōn crēdunt.
3. Hominēs amplius oculīs crēdunt.   7. Vīnīs forma corrumpitur.
4. Nēmō sine crīminibus vīvit.   8. Sōl omnibus lūcet.

READINGS

In every reading there is a form which could be dative or ablative.
Locate the form, explain which case it is, and show what part of the
environment tells you this.

R161 Nihil est perīculōsius virō quam mulier, et mulierī quam vir.
                                                        St. Jerome

Quis virō maximē nocet?
Quis fēminae maximē nocet?
Cui fēmina maximē nocet?
Cui vir?
Quem vir maximē laedit?
Quem fēmina?

R162 Fortūna favet fatuīs. Anon.

Quōs sors adjuvat?
SĪ quis stultus est, estne fēlīx?   fatuus -a -um (fatuē): stultus

R163 Deō, patriae, amīcīs. Motto

Quem hic homō colit?
Quam terram colit?
Quōs hominēs colit?
Estne hic homō semper fidēlis?

R164 Duōbus lītigantibus, tertius gaudet. Binder

Quā condiciōne gaudet tertius?
SĪ tertius gaudet, quid faciunt duō lītigantēs?
SĪ inter duōs gignitur līs, quis frūctum capit?
Capiuntne lītigantēs frūctum?
Quantum capiunt quī lītigant?
Tribus lītigantibus, quis gaudet?
Quattuor lītigantibus, quis gaudet?
SĪ quīnque lītigant, quis gaudet?

R165 Quid clārius astrīs? Motto

Make up similar sayings.

Suggestions: sōl, lūna, Caesar, dux,
     prīnceps, philosophia, stēllae,·   stēlla -ā, f: *star*
     amīcitia, mulier, āctī labōrēs,   clārus -a -um: *clear,*
     ignis, glōria, ars, litterae, Juppiter,   *bright, famous*
     vēritās, Venus, lūx, fidēs, lēgēs

R166 Nīl similius īnsānō quam ēbrius. Anon.

Sapitne ēbrius?
Quōcum comparātur ēbrius?
Cui nocet quī ēbriō nocet?   (Cōnfer Exemplar centēsimum
                                   trīcēsimum septimum)
Cui reī similis est ēbrietās? (Cōnfer Exemplar centēsimum
                                   quadrāgēsimum sextum)

R167 Maximō perīc'lō custōdītur quod multīs placet. Publilius Syrus

Quō modō custōdītur rēs grātissima?
Quid magnā difficultāte custōdītur?   difficultās -tāte, f
Quid est optima custōdia?   (Cōnfer Lēctiōnem centēsimum
                                   septimum)

R168 Paucīs cārior fidēs quam pecūnia. Sallust (adapted)

Quot hominēs fidem pecūniae
    praeferunt?
Quot hominēs opēs fideī praeferunt?
Quid multī fideī praeferunt?
Cui praeferunt multī pecūniam?
Quid paucī amant?
Quid multī amant?

pecūnia -ā, f: *money*
praefert/praefertur:
    prefer (with acc
    & dat)

R169 Rēbus in hūmānīs tria sunt pejōra venēnīs:
uxor amāra, malus socius, malefīdus amīcus. Werner

Quis amat socium malum?
Quālis uxor laude dīgnissima est?
Quō dīgnus est bonus socius?
Quālis socius semper laudātur?
Quālis uxor rēs pessima est?
Cui reī similis est uxor amāra?
Quō pejor est amīcus malefīdus?

(Cōnfer Lēctiōnem cen-
    tēsimam trīcēsimam
    quārtam)
uxor -ōre, f: *wife* (mulier)
amārus -a -um: *bitter*
malefīdus -a -um

R170 Flūmen cōnfūsum reddit piscantibus ūsum. Werner

Quibus ūtile est flūmen turbulentum?
Quālī ē flūmine capiunt piscātōrēs
    piscēs?
Quibus cārus amnis turbulentus?
Quibus flūmen cōnfūsum nōn ūtile
    est?
Sī flūmen cōnfūsum est, quis gaudet?
In flūmine turbulentō quid piscēs
    patiuntur?

cōnfundit/-itur: *throw into
    confusion*

----/piscātur: *fish* (this
    verb, like *patitur*, has
    no form in -*t* or -*nt*)
ūsus, ūsū, m

LESSON EIGHTEEN: The Last Case

We call this the last case, for although there are a few words which
have special forms (*Rōmae*, for example, means "at Rome") this is the
last case for most nouns.

MORPHOLOGY

The signal for this case in the singular is -*i* in the first, second, and
fifth declensions, and -*s* in the third and fourth. Notice that the characteristic vowel is always -*i* in the third. Notice also length of the vowel
in the fourth.

I	II	III	IV	V
aquae*	lupī	vēritātis	manūs	diēī
		canis		

(*-ai = -ae)

Aquae is identified in isolation as dative singular, nominative plural,
or (after this lesson) as genitive singular. How can you tell which case
it is? What cases can *lupī* be? *Canis? Manūs? Diēī? Vēritātis?*

EXPLANATION OF STRUCTURE: THE GENITIVE

The most common function of the genitive is to make the noun in the
genitive modify another noun. This raises two questions. What do we
mean by *modify* and how can you tell which noun in the sentence is modified by the genitive? Let's take the first question first. Perhaps these
diagrams will help to make the relationship clear.

The left-hand column asserts that certain entities are not other entities: an hour is not a day, a finger is not a hand, etc. The right-hand
column asserts that one entity (the nominative) is part of a larger entity
(the genitive). In the last example, the gift is not a boy, but part of the
great complex which constitutes the boy, along with his body, his mind,
his relatives, his thoughts, his experiences, and his friends. Of this
complex, *mūnus* is a part, but only a part.

Now for our second question: *which* noun does the genitive modify?
If there is more than one other noun in the sentence, the construction is
ambiguous, for *there is no structural signal* to tell which noun the genitive goes with. You assume that it goes with the nearest noun with

200

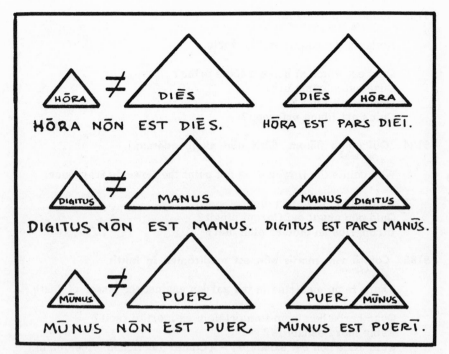

HŌRA NŌN EST DIĒS.   HŌRA EST PARS DIĒĪ.

DIGITUS NŌN EST MANUS. DIGITUS EST PARS MANŪS.

MŪNUS NŌN EST PUER.   MŪNUS EST PUERĪ.

which it makes a sensible combination. In practice this doesn't very often cause trouble.

BASIC SENTENCES

S181 Religiō vēra est firmāmentum reī pūblicae.
PLATO (translation)

Real religion is the foundation of the state.

Quō auxiliō rēs pūblica flōret?
Cujus[1] est religiō magna pars?
Per quid rēs pūblica valet?
Quid est religiō sī nōn est tōta rēs pūblica?

S182 Timor Dominī fōns vītae.
MOTTO

The fear of God is the fountain of life.

Quid est timor Deī sī nōn est tōta vīta?
Quem bonī timent?
Unde vīta fluit?
Cujus vīta dē Dominō fluit?

[1]*Cujus* is the genitive of *quis, quid* and of *quī, quae, quod.*

S183   Rōma caput mundi.
LUCAN (adapted)

Rome is the capital of the world.

Quid est Rōma sī nōn est tōtus orbis?
Quae est maxima urbs?
Quid regit Rōma?
Cujus est Rōma prīnceps?

S184   Quī pingit flōrem, flōris nōn pingit odōrem.
WERNER

Who paints the flower does not paint the flower's fragrance.

Quid olet?   Quid nōn olet?
Quid nōn pingit quī flōrem pingit?
Utrum flōs an pictūra plūs olet?

S185   Contrā vim mortis nōn est medicāmen in hortīs.
WERNER

There is no medicine in the garden against the power of death.

Quae herba hominem immortālem ex mortālī facit?
Estne mors sānābilis?
Quid aliud nōn est sānābile?   (Cōnfer Lēctiōnem vīcēsimam
                                        prīmam)
Quem morbum nūlla medicīna cūrat?

S186   Calamitās virtūtis occāsiō est.
SENECA

Disaster is an opportunity for bravery.

Quid est calamitās sī nōn est virtūs?
Post quid virtūs crēscit?
Quid calamitās generat?
Unde crēscit virtūs?

S187   Nihil est ... vēritātis lūce dulcius.
CICERO

Nothing is more pleasant than the light of truth.

Estne vēritās super omnēs amāra?
Quid maximum lūcet?
Cujus lūx super omnēs lūcet?
Quantum vēritās lūcet?

S188   Imāgō animī vultus; indicēs oculī.
CICERO

The face is a reflection of the spirit; the eyes are a clue.

Quid est vultus sī nōn est tōtus animus?
Per quae membra cognōscitur animus?
Sī faciēs honesta, quālis animus?
Quid oculī indicant?

S189 **Hominis tōta vīta nihil aliud quam ad mortem iter est.**
      SENECA (adapted)

The whole life of man is nothing else than a journey to death.

Quem ad fīnem homō per tōtam vītam iter facit?
Quid est vīta hominis?

S190 **Crūdēlitātis māter est avāritia.**
      QUINTILIAN

Greed is the mother of cruelty.

Quid avāritia generat?
Unde generātur crūdēlitās?
Quālis homō per avāritiam fit?

NEW   firmāmentum -ī, n   timor -ōris, m   odor -ōris, m
NOUNS   medicāmen -minis, n   vīs², f   calamitās -tātis, f
         imāgō -inis, f   index - dicis, m&f   Rōma -ae, f

NEW   pingit/-itur
VERBS

NEW
INDECLINABLES contrā (preposition with the accusative): see page 127.

     Latin dictionaries traditionally list nouns by nominative and genitive
singular, as we have done above. From now on we will list all nouns this
way. To what declension do the nouns above belong?

PATTERN PRACTICE, Part One

Purpose: to learn the genitive singular through transformation.
Directions: You will be told that something is not the thing itself but only a
            picture of that thing. The word *ipse, ipsa, ipsum* is an intensifying
            adjective, which you will study in Lesson Twenty.

²The word *vīs* is irregular, and in the singular has only the forms *vīs, vim, vī.*
The plural is *vīrēs, vīrium,* etc.

Sī nōn est fēmina ipsa, quid est?   Est tantum imāgō fēminae.
Sī nōn est Mūsa ipsa, quid est?   Est tantum imāgō Mūsae.
Sī nōn est agnus ipse, quid est?   Est tantum imāgō agnī.
Sī nōn est lupus ipse, quid est?   Est tantum imāgō lupī.
Sī nōn est hospes ipse, quid est?   Est tantum imāgō hospitis.

Sī nōn est ignis ipse, quid est?   Est tantum imāgō ignis.
Sī nōn est urbs ipsa, quid est?   Est tantum imāgō urbis.
Sī nōn est vultus ipse, quid est?   Est tantum imāgō vultūs.
Sī nōn est manus ipsa, quid est?   Est tantum imāgō manūs.
Sī nōn est faciēs ipsa, quid est?   Est tantum imāgō faciēī.

PATTERN PRACTICE, Part Two

Directions: In this series something gives off an odor (olet is used of either good or bad smells). Whose odor is it?

Sī vulpēs olet, cujus odor est?   Vulpis odor est.
Sī fōns olet, cujus odor est?   Fontis odor est.
Sī aqua olet, cujus odor est?   Aquae odor est.
Sī lacus[3] olet, cujus odor est?   Lacūs odor est.
Sī mare olet, cujus odor est?   Maris odor est.

Sī vīnum olet, cujus odor est?   Vīnī odor est.
Sī flōs olet, cujus odor est?   Flōris odor est.
Sī amnis olet, cujus odor est?   Amnis odor est.
Sī amphora olet, cujus odor est?   Amphorae odor est.
Sī piscis olet, cujus odor est?   Piscis odor est.

PATTERN PRACTICE, Part Three

Directions: In this series, someone cries; whose tears are they?

Sī vir lacrimat,[4] cujus lacrimae sunt?   Virī lacrimae sunt.
Sī puer lacrimat, cujus lacrimae sunt?   Puerī lacrimae sunt.
Sī dux lacrimat, cujus lacrimae sunt?   Ducis lacrimae sunt.
Sī mulier lacrimat, cujus lacrimae sunt?   Mulieris lacrimae sunt.
Sī homō lacrimat, cujus lacrimae sunt?   Hominis lacrimae sunt.

Sī rēx lacrimat, cujus lacrimae sunt?   Rēgis lacrimae sunt.
Sī Mūsa lacrimat, cujus lacrimae sunt?   Mūsae lacrimae sunt.
Sī poēta lacrimat, cujus lacrimae sunt?   Poētae lacrimae sunt.
Sī fīlius lacrimat, cujus lacrimae sunt?   Fīliī lacrimae sunt.
Sī dominus lacrimat, cujus lacrimae sunt?   Dominī lacrimae sunt.

[3]Lacus -ūs, m: *tub, wine vat, lake.*
[4]Among the Greeks and Romans weeping was not considered unmanly.

PATTERN PRACTICE, Part Four

Directions: In this series, different people and animals have feet; whose feet
are they?

Sī fūr pedēs habet, cujus pedēs sunt?   Fūris pedēs sunt.
Sī aper pedēs habet, cujus pedēs sunt?   Aprī pedēs sunt.
Sī bēstia pedēs habet, cujus pedēs sunt?   Bēstiae pedēs sunt.
Sī puer pedēs habet, cujus pedēs sunt?   Puerī pedēs sunt.
Sī homō pedēs habet, cujus pedēs sunt?   Hominis pedēs sunt.

Sī leō pedēs habet, cujus pedēs sunt?   Leōnis pedēs sunt.
Sī Caesar pedēs habet, cujus pedēs sunt?   Caesaris pedēs sunt.
Sī fēmina pedēs habet, cujus pedēs sunt?   Fēminae pedēs sunt.
Sī vir pedēs habet, cujus pedēs sunt?   Virī pedēs sunt.
Sī agnus pedēs habet, cujus pedēs sunt?   Agnī pedēs sunt.

PATTERN PRACTICE, Part Five

Directions: In this series it's not the whole thing, but part of it.

Sī oculus nōn est tōta faciēs, quid est?   Oculus est pars faciēī.
Sī capillus nōn est tōta barba, quid est?   Capillus est pars barbae.
Sī hōra nōn est tōta diēs, quid est?   Hōra est pars diēī.
Sī frōns nōn est tōtus vultus, quid est?   Frōns est pars vultūs.
Sī digitus nōn est tōta manus, quid est?   Digitus est pars manūs.

Sī terra nōn est tōtus mundus, quid est?   Terra est pars mundī.
Sī auris nōn est tōtum caput, quid est?   Auris est pars capitis.
Sī rēx nōn est tōta rēs pūblica, quid est?   Rēx est pars reī pūblicae.
Sī hortus nōn est tōta urbs, quid est?   Hortus est pars urbis.
Sī cinis nōn est tōtus ignis, quid est?   Cinis est pars ignis.

PATTERN PRACTICE, Part Six

Directions: answer the following questions on Basic Sentences by using the new
genitive form.

Sī gladiātor cōnsilium capit, cujus cōnsilium est?   Gladiātōris cōnsilium est.
Sī vestis virum nōbilitat, cujus vestis est?   Virī vestis est.
Sī ōrātiō venēnum habet, cujus venēnum est?   Ōrātiōnis venēnum est.
Sī Juppiter in caelō regit, cujus caelum est?   Jovis caelum est.
Sī capillus umbram habet, cujus umbra est?   Capillī umbra est.

Sī Caesar in terrīs regit, cujus terrae sunt?   Caesaris terrae sunt.
Sī lupus mentem vertit, cujus mēns est?   Lupī mēns est.

Sī vultus vōcem habet, cujus vōx est?   Vultūs vōx est.
Sī deus dat operam, cujus opera est?   Deī opera est.
Sī sōl omnibus lūcet, cujus lūx est?   Sōlis lūx est.

PATTERN PRACTICE, Part Seven

Directions: If somebody lives, whose life is it?

Sī servus vīvit, cujus vīta est?   Servī vīta est.
Sī homō vīvit, cujus vīta est?   Hominis vīta est.
Sī poēta vīvit, cujus vīta est?   Poētae vīta est.
Sī dominus vīvit, cujus vīta est?   Dominī vīta est.
Sī animal vīvit, cujus vīta est?   Animālis vīta est.

Sī inops vīvit, cujus vīta est?   Inopis vīta est.
Sī canis vīvit, cujus vīta est?   Canis vīta est.
Sī coquus vīvit, cujus vīta est?   Coquī vīta est.
Sī fēmina vīvit, cujus vīta est?   Fēminae vīta est.
Sī puella vīvit, cujus vīta est?   Puellae vīta est.

PATTERN PRACTICE, Part Eight

Directions: If somebody dies, whose death is it?

Sī bēstia perit, cujus mors est?   Bēstiae mors est.
Sī avārus perit, cujus mors est?   Avārī mors est.
Sī sapiēns perit, cujus mors est?   Sapientis mors est.
Sī vulpēs perit, cujus mors est?   Vulpis mors est.
Sī agna perit, cujus mors est?   Agnae mors est.

Sī leō perit, cujus mors est?   Leōnis mors est.
Sī servus perit, cujus mors est?   Servī mors est.
Sī lupa perit, cujus mors est?   Lupae mors est.
Sī piscis perit, cujus mors est?   Piscis mors est.
Sī fūr perit, cujus mors est?   Fūris mors est.

SELF TEST

Sī vēritās vincit, cujus victōria est?   Sī canis labōrat, cujus labor est?
Sī Caesar vincit, cujus victōria est?   Sī homō labōrat, cujus labor est?
Sī spēs vincit, cujus victōria est?   Sī puella labōrat, cujus labor est?
Sī concordia vincit, cujus victōria   Sī domina labōrat, cujus labor
    est?   est?
Sī integritās vincit, cujus victōria   Sī dux labōrat, cujus labor est?
    est?

READINGS

Which of the genitives in these Readings are unmistakable from their morphological markings? (There are seven.) Which could be some other case? (There are eight.)

R171 Dolor animī morbus gravior est quam corporis. Publilius Syrus

Utrum animus an corpus magis dolet?
Quālī in corpore est mēns sāna?   (Cōnfer Exemplar quadrā-
Cujus mēns aegra est?   gēsimum secundum)
Quālī in corpore latitat īnsānia?

R172 Salūs populī suprēma lēx. Legal

Cujus salūs est suprēma lēx?   populus -ī, m
Quālis salūs est suprēma lēx?   (Cōnfer Lēctiōnem sep-
Cui servit lēx?   tuāgēsimam sextam)
Quantum valet salūs reī pūblicae?

R173 Amīcus animae dīmidium. Anon.

Estne amīcus tōta anima?   anima -ae, f: *soul*
Quantus est amīcus?   dīmidium -ī, n: *half*

R174 Vōx populī vōx Deī. Commonplace

Sī populus vocat, quis quoque vocat?   vocat/-ātur
Cui similis est vōx populī?
Sī quis populō servit, cui quoque servit?
Sī quis populum laedit, quem quoque laedit?

R175 Nōn scrībit, cujus carmina nēmo legit. Martial

Quālis poēta est quem nēmō legit?
Quot hominēs carmina bona legunt?   legit/-itur: *read* (also,
Quot hominēs carmina mala legunt?   *choose*)
Quālem poētam multī legunt?

R176 Timor mortis morte pejor. Anon.

Quantum dolet quī mortem timet?
Quid est pejus quam mors ipsa?
Uter plūs dolet, quī rē vērā perit an quī mortem timet?

R177 Bonae mentis soror est paupertās. Petronius

Sī quis honestus, utrum dīves an inops
    est?

Quōcum vīvit bona mēns?   soror -ōris, f: *sister*
Quālem mentem habet pauper?   paupertās -tātis, f
Quālem mentem habet dīves?
Cujus soror est bona mēns?

R178 Melior est inimīcitia sapientis quam amīcitia īnsipientis.
                                              Petrus Alphonsus

Quid melius amīcitiā stultī est?
Quantum valet amīcus sapiēns?   inīmicitia -ae, f
Quantum valet amīcus stultus?
Utrum hostis sapiēns an socius stultus magis perīculōsus est?

R179 Vīta hominis brevis est. Pseudo-Seneca

Quantō tempore vīvit homō?
Quis brevī vīvit?
Quid est longum?   (Cōnfer Exemplar centēsimum)
Quid longō tempore manet?
Quantam vītam dat Deus hominī?

R180 Lingua malī pars pessima servī. Juvenal

Estne bonus servus loquāx?
Quod membrum malum malus
    servus possidet?
Quālia verba dīcit malus servus?   loquāx (adj); loquācis
Cui nocet lingua malī servī?   (gen)
Quō modō servus loquāx suō dominō
    servit?
Quid agit optimus servus?

LESSON NINETEEN: The Genitive Plural

MORPHOLOGY: COMPLETE DECLENSION OF NOUNS

The purpose of this lesson is to learn the signal for genitive plural, which is *-rum* for the first, second, and fifth declensions and *-um* for the third and fourth:

I	II	III	IV	V
aquārum	lupōrum	lēgum	manuum	diērum
		urbium		
		crīminum		
		tacentum/tacentium		

The only complication is the declension marker in the third declension, which is zero for most nouns and a few adjectives, but *-i-* for most adjectives and a few nouns. In some nouns and adjectives there is free variation, as in the present imperfective participle. Since your ultimate purpose in learning Latin is to read it and not to produce it, we need not worry whether there is zero or *-i-* before the *-um*. Some rough-and-ready rules (to which there are many "exceptions") have been drawn up to try to make it easier to learn this point; your teacher will give them to you if you want them.

Of far more importance is the ability to recognize the genitive plural. The form with which you will most easily confuse it is the accusative singular. These two forms never (or almost never) look exactly alike, but they both have the final letter *-m*. Remember, however, that the accusative singular ending is *-m* and the genitive plural is *-um* or *-rum*. Here is some metaphrasing practice to help you on this point.

First we will pair accusatives and genitives so you may see them in contrast:

Pars fēminārum	Īra hominem	Causa diem
Pars fēminam	Īra hominum	Causa diērum
Mors flōrum	Cūrā manuum	Rēgīna virtūtum
Mors flōrem	Cūrā manum	Rēgīna virtūtem
Tempus diērum	Pessimus omnem	Exemplō innocentium
Tempus diem	Pessimus omnium	Exemplō innocentem
Stultissimus coquum	Optimus hospitum	Perīculum vītam
Stultissimus coquōrum	Optimus hospitem	Perīculum vītārum

Now try these without the benefit of contrast:

Exemplō coquum	Īra fēminārum	Causa servum
Mors hospitum	Optimus flōrem	Tempus vītam
Pars omnium	Pessimus coquōrum	Perīculum manum

Here are the five cases of typical nouns:

First Declension

Nom	hōra	hōrae	unda	undae	umbra	umbrae
Acc	hōram	hōrās	undam	undās	umbram	umbrās
Abl	hōrā	hōrīs	undā	undīs	umbrā	umbrīs
Dat	hōrae	hōrīs	undae	undīs	umbrae	umbrīs
Gen	hōrae	hōrārum	undae	undārum	umbrae	umbrārum

Second Declension

vir	virī	puer	puerī	servus	servī
virum	virōs	puerum	puerōs	servum	servōs
virō	virīs	puerō	puerīs	servō	servīs
virō	virīs	puerō	puerīs	servō	servīs
virī	virōrum	puerī	puerōrum	servī	servōrum

dominus	dominī	exemplum	exempla	vīnum	vīna
dominum	dominōs	exemplum	exempla	vīnum	vīna
dominō	dominīs	exemplō	exemplīs	vīnō	vīnīs
dominō	dominīs	exemplō	exemplīs	vīnō	vīnīs
dominī	dominōrum	exemplī	exemplōrum	vīnī	vīnōrum

Third Declension

fōns	fontēs	dux	ducēs	homō	hominēs	nāvis	nāvēs
fontem	fontēs	ducem	ducēs	hominem	hominēs	nāvem	nāvēs
fonte	fontibus	duce	ducibus	homine	hominibus	nāve	nāvibus
fontī	fontibus	ducī	ducibus	hominī	hominibus	nāvī	nāvibus
fontis	fontium	ducis	ducum	hominis	hominum	nāvis	nāvium

hostis	hostēs	occāsiō	occāsiōnēs	frāter	frātrēs
hostem	hostēs	occāsiōnem	occāsiōnēs	frātrem	frātrēs
hoste	hostibus	occāsiōne	occāsiōnibus	frātre	frātribus
hostī	hostibus	occāsiōnī	occāsiōnibus	frātrī	frātribus
hostis	hostium	occāsiōnis	occāsiōnum	frātris	frātrum

fēlīcitās	fēlīcitātēs	corpus	corpora	crīmen	crīmina
fēlīcitātem	fēlīcitātēs	corpus	corpora	crīmen	crīmina
fēlīcitāte	fēlīcitātibus	corpore	corporibus	crīmine	crīminibus
fēlīcitātī	fēlīcitātibus	corporī	corporibus	crīminī	crīminibus
fēlīcitātis	fēlīcitātum	corporis	corporum	crīminis	crīminum

Fourth Declension

manus	manūs	lacus	lacūs	vultus	vultūs
manum	manūs	lacum	lacūs	vultum	vultūs
manū	manibus	lacū	lacibus	vultū	vultibus
manuī	manibus	lacuī	lacibus	vultuī	vultibus
manūs	manuum	lacūs	lacuum	vultūs	vultuum

Fifth Declension

diēs	diēs	rēs	rēs	fidēs (no plural)	spēs (no plural)
diem	diēs	rem	rēs	fidem (no plural)	spem (no plural)
diē	diēbus	rē	rēbus	fidē (no plural)	spē (no plural)
diēī	diēbus	reī	rēbus	fideī (no plural)	speī (no plural)
diēī	diērum	reī	rērum	fideī (no plural)	speī (no plural)

The only fifth declension nouns with common plural forms are *diēs* and *rēs*.

You should be warned that the preceding tables contain the most common and/or the most regular forms of nouns. When you start reading long connected passages from literature you will find variations. Among the most important we might mention the following. *Vir* and *deus* have a variant *virum* and *deum* for the genitive plural. *Nāvis* has a variant *nāvī* for the ablative singular. *Nāvis* and *hostis* have a variant *nāvīs* and *hostīs* for the accusative plural. *Lacibus* is less frequent than *lacubus*. You will learn these items as you read more Latin.

MORPHOLOGY: ADJECTIVES

The majority of adjectives are declined like *bonus*:

	M	F	N	M	F	N
Nom	bonus	bona	bonum	bonī	bonae	bona
Acc	bonum	bonam	bonum	bonōs	bonās	bona
Abl	bonō	bonā	bonō	bonīs	bonīs	bonīs
Dat	bonō	bonae	bonō	bonīs	bonīs	bonīs
Gen	bonī	bonae	bonī	bonōrum	bonārum	bonōrum

All adjectives listed *-us -a -um* are declined like *bonus*. There is a very small subclass which has a slight difference in the nominative: *miser, misera, miserum*; *pulcher, pulchra, pulchrum*; and *līber, lībera, līberum*. Certain pronominal adjectives (*ūnus, nūllus, alius, alter*, and others) show differences from *bonus* in the dative and genitive singular and are discussed in Lesson Twenty.

There is a third declension adjective, with a few subtypes. This is *omnis, omne*:

	M/F	N	M/F	N
Nom	*omnis*	*omne*	*omnēs*	*omnia*
Acc	*omnem*	*omne*	*omnēs (omnīs)*	*omnia*
Abl	omnī	omnī	omnibus	omnibus
Dat	omnī	omnī	omnibus	omnibus
Gen	omnis	omnis	omnium	omnium

Observe: there is no difference anywhere between masculine and feminine, and the neuters differ from the masculine-feminine only in the italicized forms. A common variation is *omnīs* for the M/F accusative plural.

Like *omnis* are declined *fortis, fidēlis, mōbilis, humilis, facilis, mortālis, levis, brevis*, etc.

There are subclasses which have only one form in the nominative for all three genders. The most common of these is the present imperfective participle:

M/F	N	M/F	N
tacēns	tacēns	*tacentēs*	*tacentia*
tacentem	*tacēns*	*tacentēs(-īs)*	*tacentia*
tacentī (-e)	tacentī (-e)	tacentibus	tacentibus
tacentī	tacentī	tacentibus	tacentibus
tacentis	tacentis	tacentium -um	tacentium -um

Notice that only the italicized forms have any distinction in gender. The forms in parentheses are common variants.

The remaining third declension adjectives we have met are *pauper, inops, fēlīx*, and comparatives like *melior*. These show further variation in the three trouble spots: the ablative singular, the accusative plural, and the genitive plural. You will have no trouble recognizing these forms; if in your Latin studies you become interested in producing Latin, you will have to learn them.

BASIC SENTENCES

Pick out all the genitive plurals in the ten Basic Sentences below.

S191 Jūstitia omnium est domina et rēgīna virtūtum.
      CICERO (adapted)

Justice is the mistress and queen of all the virtues.

Quālis virtūs est jūstitia?
Quot virtūtēs jūstitia regit?

Estne jūstitia optima omnium virtūtum?
Cujus sub rēgnō sunt omnēs virtūtēs?

S192   Bona opīniō hominum tūtior pecūniā est.
PUBLILIUS SYRUS

A good reputation among men is safer than money.

Quae rēs vīlior bonā opīniōne est?
Utrum opīniō an pecūnia magis valet?
Utrum opīniō an pecūnia minus valet?
Estne pecūniā tūtior bona opīniō?

S193   Tōtus mundus deōrum est immortālium templum.
SENECA (adapted)

The whole universe is a temple of the immortal gods.

Ubi dī sua templa habent?
Suntne silvae templa deōrum?
Quot in locīs dī bene coluntur?
Quibus est mundus templum?

S194   Sēcūrus jūdicat orbis terrārum.
ST. AUGUSTINE (?)

The world makes its judgment free from care, or The world
    cannot be stampeded into making a snap judgment.

Sine quō jūdicat mundus?   jūdex -icis, m&f
Quālis jūdex est orbis terrārum?

S195   Crux stat dum volvitur orbis.
MOTTO OF CARTHUSIANS

The cross stands still while the world turns.

Quid semper manet?
Quid mūtātur?

S196   Vīta ... mortuōrum in memoriā vīvōrum est posita.
CICERO

The life of the dead lies in the memory of the living.

Quī mortuōs in memoriā tenent?
Quōs vīvī in memoriā tenent?

S197   Gravis īra rēgum est semper.
SENECA

The anger of kings is always serious.

Suntne rēgēs perīculōsī?
Quibus rēx īrātus īnstat?

S198   Bonus animus in malā rē dīmidium est malī.
PLAUTUS

A good heart in a bad situation is half the solution of the problem.

In rē incertā estne bonus animus efficāx?
Quantum valet bonus animus in malā rē?

S199   Rērum hūmānārum domina Fortūna.
CICERO

Fortune is the mistress of human affairs.

Quantās rēs fortūna regit?
Quōs fortūna regit?
Cujus sub rēgnō sunt hominēs?
Cui serviunt rēs hūmānae?

S200   Jūcunda memoria est praeteritōrum malōrum.
CICERO

Pleasant is the memory of past troubles.

Quālēs labōrēs jūcundī sunt?   (Cōnfer Exemplar centēsimum
Quālēs amārī?   trīcēnsimum sextum)
Quālēs rēs, sī praeteritae, jūcundae sunt?

NEW NOUNS	jūstitia -ae, f	opīniō -ōnis, f	crux, crucis, f
	rēgīna -ae, f	templum -ī, n	

NEW VERBS	jūdicat/-ātur	volvit/-itur	praeterit/-itur

NEW ADJECTIVES	tūtus -a -um (tūtē)	sēcūrus -a -um (sēcūrē)

To what declension do the nouns above belong?

PATTERN PRACTICE, Part One

Purpose: to learn the genitive plural.
Directions: Change from genitive singular to genitive plural. You are told that
            the faults of a _____ are serious; change this to the faults of _____s
            are serious.

Vitia stultī gravia sunt.   Vitia stultōrum gravia sunt.
Vitia hominis gravia sunt.   Vitia hominum gravia sunt.

Vitia rēgis gravia sunt.   Vitia rēgum gravia sunt.
Vitia patris gravia sunt.   Vitia patrum gravia sunt.
Vitia fēminae gravia sunt.   Vitia fēminārum gravia sunt.

Vitia dominī gravia sunt.   Vitia dominōrum gravia sunt.
Vitia hospitis gravia sunt.   Vitia hospitum gravia sunt.
Vitia poētae gravia sunt.   Vitia poētārum gravia sunt.
Vitia fīliae gravia sunt.   Vitia fīliārum gravia sunt.
Vitia fīliī gravia sunt.   Vitia fīliōrum gravia sunt.

PATTERN PRACTICE, Part Two

Directions: This set is similar to the preceding one. You are told that the
appearance of _____ is strange; change this to the appearance
of _____ s is strange.

Speciēs diēī nova est.   Speciēs diērum nova est.
Speciēs manūs nova est.   Speciēs manuum nova est.
Speciēs urbis nova est.   Speciēs urbium nova est.
Speciēs nāvis nova est.   Speciēs nāvium nova est.
Speciēs capitis nova est.   Speciēs capitum nova est.

Speciēs lignī nova est.   Speciēs lignōrum nova est.
Speciēs ignis nova est.   Speciēs ignium nova est.
Speciēs undae nova est.   Speciēs undārum nova est.
Speciēs reī nova est.   Speciēs rērum nova est.
Speciēs flōris nova est.   Speciēs flōrum nova est.

PATTERN PRACTICE, Part Three

Directions: In this set you are asked if this person or thing is attractive. You
reply enthusiastically that he, she, or it is the handsomest of all.

Estne haec puella pulchra?   Est pulcherrima omnium puellārum!
Estne haec diēs pulchra?   Est pulcherrima omnium diērum!
Estne haec rēs pulchra?   Est pulcherrima omnium rērum!
Estne hic agnus pulcher?   Est pulcherrimus omnium agnōrum!
Estne haec agna pulchra?   Est pulcherrima omnium agnārum!

Estne haec serva pulchra?   Est pulcherrima omnium servārum!
Estne hic servus pulcher?   Est pulcherrimus omnium servōrum!
Estne hic canis pulcher?   Est pulcherrimus omnium canum!
Estne hic vultus pulcher?   Est pulcherrimus omnium vultuum!
Estne hic flōs pulcher?   Est pulcherrimus omnium flōrum!

PATTERN PRACTICE, Part Four

Directions: Is that one good? It's the best of all!

Estne illa victōria clāra?	Est clārissima omnium victōriārum!
Estne ille fōns pūrus?	Est pūrissimus omnium fontium!
Estne ille fīlius bonus?	Est optimus omnium fīliōrum!
Estne ille vir honestus?	Est honestissimus omnium virōrum!
Estne ille exitus malus?	Est pessimus omnium exituum!
Est ille diēs fēlīx?	Est fēlīcissimus omnium diērum!
Estne illa fēmina blanda?	Est blandissima omnium fēminārum!
Estne ille prīnceps nōbilis?	Est nōbilissimus omnium prīncipum!
Estne ille canis timidus?	Est timidissimus omnium canum!
Estne illud exemplum bonum?	Est optimum omnium exemplōrum!
Estne illud cōnsilium malum?	Est pessimum omnium cōnsiliōrum!
Estne ille frāter amīcus?	Est amīcissimus omnium frātrum!
Estne illa puella ingrāta?	Est ingrātissima omnium puellārum!
Estne ille coquus bonus?	Est optimus omnium coquōrum!
Estne illud tempus breve?	Est brevissimum omnium temporum!
Estne illa urbs inimīca?	Est inimīcissima omnium urbium!
Estne illa manus facilis?	Est facillima omnium manuum!
Estne illa rēs certa?	Est certissima omnium rērum!
Estne illud astrum clārum?	Est clārissimum omnium astrōrum!
Estne illa via longa?	Est longissima omnium viārum!

PATTERN PRACTICE, Part Five

Directions: Finally, here is the familiar exercise of being told that something
exists and then being asked a question about it.

Manūs sunt.

Quae membra puer aspicit?	Manūs puer aspicit.
Quibus membrīs coquus aquam fert?	Manibus coquus aquam fert.
Quōrum membrōrum sunt digitī partēs?	Manuum sunt digitī partēs.
Quibus membrīs mēns servit?	Manibus mēns servit.
Quae membra amphoram tenent?	Manūs amphoram tenent.

Mulierēs sunt.

Quī vestem amant?	Mulierēs vestem amant.
Quibus avāritia dēest?	Mulieribus avāritia dēest.
Quōrum industriā orbis volvitur?	Mulierum industriā orbis volvitur.
Quōs virī amant?	Mulierēs virī amant.
Ā quibus mūnera spernuntur?	Ā mulieribus mūnera spernuntur.

Poētae sunt.

Quibus sōlitūdō placet?	Poētīs sōlitūdō placet.
Ā quibus urbs nōn amātur?	Ā poētīs urbs nōn amātur.
Quōrum memoria semper vīvit?	Poētārum memoria semper vīvit.
Quōs Mūsa cum laude corōnat?	Poētās Mūsa cum laude corōnat.
Quī mundum nōn cūrant?	Poētae mundum nōn cūrant.

Dominī sunt.

Quī vitia servōrum cūrant?	Dominī vitia servōrum cūrant.
Quibus servī fidēliter serviunt?	Dominīs servī fidēliter serviunt.
Ā quibus servī negleguntur?	Ā dominīs servī negleguntur.
Quōs servī saepe fallunt?	Dominōs servī saepe fallunt.
Quōrum īrae gravēs sunt?	Dominōrum īrae gravēs sunt.

SELF TEST

Change the italicized words (not all necessarily genitive) from singular to plural.

1) Amor *Deī* semper hominem adjuvat.
2) *Patrī* fīliī cārī sunt.
3) *Fēminae* proximus puer est.
4) *Virī* corpus grave est.
5) Īra *rēgis* est semper gravis.
6) Odor *flōris* bonus est.
7) Vīta *canis* brevis est.
8) *Inopī* beneficium dīves dat.
9) Fēmina mōbilior *ventō*.
10) Sōlitūdō placet *poētae*.

READINGS

In each of the following Readings there is at least one word whose last two letters are *-um*. Which are genitive plurals? Which are accusative singulars? Which are neuters? In each case how do you know?

R181 Beātī monoculī in regiōne caecōrum. Anon.

Rēgnatne inter luscōs caecus?	monoculus -ī, m: luscus
Quis est rēx inter caecōs?	beātus -a -um: *happy*
Inter quōs rēgnat luscus?	regiō -ōnis, f
Quī habitant in regiōne ubi luscus rēgnat?	
Quibus serviunt caecī?	
Quōrum servī sunt caecī?	

R182 Ex ōre parvulōrum vēritās. Anon.

    Dīcitne puer verba falsa an vēra?
    Quī vēritātem dīcunt?
    Ubi latitat vēritās?

R183 Mulierem ōrnat silentium. Sophocles (translation)

    Quae rēs ōrnat?   silentium -ī, n
    Quem ōrnat?
    Quis ōrnātur?
    Quō auxiliō fēmina pulchrior fit?
    Estne fēmina loquāx rēs bona an mala?

R184 Māter artium necessitās. Anon.

    Quōs parit necessitās?
    Ex quā gignuntur artēs?
    Cujus fīliae sunt artēs?

R185 Omne sub rēgnō graviōre rēgnum. Burton

    Estne omnis rēx suprēmus?
    Quis omnia regit?
    Cui servit omnis?
    Cujus servus est omnis prīnceps?

R186 Patria... commūnis est omnium... parēns. Cicero

    Quis omnēs gignit?   parēns -entis, m&f:
    Unde creantur omnēs hominēs?   māter, pater

R187 Discordia ōrdinum venēnum est urbis. Q. Capitolinus (?)

    Quid urbem laedit?   ōrdō-inis, m: *political*
    Cui nocet discordia ōrdinum?   *class*
    Estne perīculōsum sī ōrdinēs in   discordia -ae, f
      concordiā nōn sunt?
    Quō auxiliō crēscit rēs pūblica?

R188 Nēmō mortālium omnibus hōrīs sapit. Pliny the Elder

    Quis semper sapit?
    Quandō omnis sapit?

R189 Fundāmentum est omnium virtūtum pietās in parentēs.

Ecclesiastes

Quid est prīma virtūs?

Sī quis parentēs suōs colit,
   quō modō vīvit?

Sī quis parentibus suīs nocet,
   quō modō vīvit?

Quid est fundāmentum reī pūblicae?

fundāmentum -ī, n

pietās -tātis, f: *respect*
   (see Vocabulary)

(Cōnfer Exemplar cen-
   tēsimum octōgēsi-
   mum prīmum)

R190 Nōn quaerit aeger medicum ēloquentem. Seneca

Quantum dīcit medicus ēloquēns?
Estne medicus ēloquēns cārus aegrō?
Quid accidit medicō ēloquentī?
Quālem medicum vult aeger?

REVIEW LESSON FIVE

READINGS

R191 Ōrātiō cultus animī est. Seneca

    Quō auxiliō mēns colitur?   cultus -ūs, m
    Quid ōrātiō colit?
    Quid mentem colit?

R192 Silent... lēgēs inter arma. Cicero

    Ubi tacent lēgēs?   bellum -ī, n: *war*
    Dīcuntne lēgēs aliquid tempore bellī? silet/----: tacet
    Quō tempore tacent lēgēs?   pāx, pācis, f
    Tacentne lēgēs tempore pācis?   aliquis, aliquid:
    Quandō lēgēs silentium nōn agunt?   *something, somebody*
    Tempore bellī suntne lēgēs mortuae?

R193 Nec rejicit quemquam philosophia nec ēligit: omnibus lūcet.

                                             Seneca

    Quot hominibus philosophia   ēligit/-itur: *choose*
       lūcem dat?   rejicit/-itur
    Unde accipiunt omnēs lūcem?   quisquam, quaequam,
    Quōs philosophia docet?   quicquam (or quid-
    Cujus lūce reguntur hominēs?   quam): *anybody*
    Quōrum vītam regit philosophia?   neque, nec (conjunction
                                   showing negative con-
                                   nection): *and .... not*

R194 Concordia rēs est in rēbus maximē adversīs ūtilis. Anon.

    Estne concordia in bellō ūtile?   adversus -a -um
    Quālibus in rēbus dat concordia
       maximum ūsum?

R195 Audentēs saepe Sorsque Venusque juvant. Werner

    Quibus favet Fortūna?
    Quī ā Venere saepe adjuvantur?
    Quibus sunt fortēs cārī?
    Quōrum amīcitiā fortēs adjuvantur?
    Quibus Venus auxilium fert?

R196 Glōria umbra virtūtis est. Seneca

    Quaeritne glōria hominem bonum an malum?
    Cui proximus est honor?

R197 Homō hominī deus est. Caecilius

    Quō modō homō hominem tractat, utrum bene an male?
    Nocetne homō hominī?
    Cui similis est homō?

R198 Sānīs sunt omnia sāna. Binder

    Make up similar sayings.

    Suggestions: honestus, gravis, pūrus, vīlis, castus, fidēlis,
        dulcis, fatuus, levis, nōbilis.

R199 Jam frāter frātrem, jam fallit fīlia mātrem,
    jamque pater nātum, jam fallit amīcus amīcum. Werner

Quis nātum fallit?	jam (adverbial): *now* in
Quis amīcum?	contrast with a former
Quis ā fīliā fallitur?	situation
Quis ā patre fallitur?	
Ā quō frāter fallitur?	
Ā quō nātus fallitur?	
Quid patitur māter?	
Quid patitur nātus?	
Fallitne fīliam māter?	
Fallitne fīlia mātrem?	
Quid māter patitur?	
Quid accidit nātō?	

R200 Concordiā...parvae rēs crēscunt. St. Jerome (?)

    Dēcrēscuntne rēs parvae discordiā?   dēcrēscit/----
    Quantās rēs concordia juvat?
    Quibus nocet discordia?
    Per quid crēscunt parvae rēs?
    Quid agunt parvae rēs tempore pācis?
    Quid agunt parvae rēs tempore bellī?
    Quibus favet concordia?
    Crēscuntne rēs tempore bellī?

R201 Fāmā nihil est celerius. Livy (?)

    Quam rem nihil celeritāte superat?   celeritās -tātis, f
    Quō modō fāma currit?

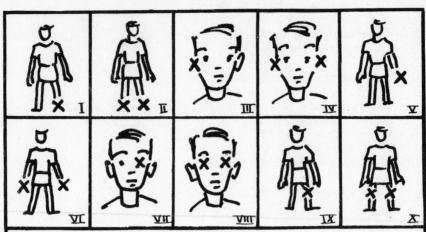

Quotā in pictūrā puer auribus caret?
Quotā in pictūrā puer crūs nōn habet?
Quotā in pictūrā puer dīmidium oculōrum nōn habet?
Quotā in pictūrā pedem puer nōn habet?
Quotā in pictūrā puer jactūram manuum puer patitur?
Quotā in pictūrā oculī puerō dēsunt?
Quotā in pictūrā puer nūlla crūra habet?

Prīmā in pictūrā quō membrō puer caret?
Secundā in pictūrā quam jactūram patitur puer?
Tertiā in pictūrā cui dēest auris?
Quārtā in pictūrā quae membra puer nōn habet?
Quīntā in pictūrā quō membrō puer eget?
Sextā in pictūrā quibus membrīs puer caret?
Septimā in pictūrā quod membrum puer nōn habet?
Octāvā in pictūrā quae membra puerō dēsunt?
Nōnā in pictūrā quam jactūram patitur puer?
Decimā in pictūrā quibus membrīs puer eget?

Prīmā in pictūrā cui dēest pēs?
Secundā in pictūrā quae membra puer nōn habet?
Tertiā in pictūrā quam jactūram puer patitur?
Quārtā in pictūrā quae membra puerō desunt?
Quīntā in pictūrā quōrum membrōrum puer dīmidium nōn habet?
Sextā in pictūrā quae membra puer nōn habet?
Septimā in pictūrā quō membrō puer eget?
Octāvā in pictūrā quōrum membrōrum puer jactūram patitur?
Nōnā in pictūrā quō membrō puer caret?
Decimā in pictūrā quōrum membrōrum puer jactūram patitur?

Quotā in pictūrā juvenī tōtum corpus dēest?
Quotā in pictūrā senex nāsum nōn habet?
Quotā in pictūrā senī tōta faciēs dēest?
Quotā in pictūrā juvenis corde caret?
Quotā in pictūrā senex comam nōn habet?
Quotā in pictūrā juvenis dentibus caret?
Quotā in pictūrā juvenis dente eget?
Quotā in pictūrā senex jactūram ōris patitur?

Ūndecimā in pictūrā quod membrum juvenis nōn habet?
Duodecimā in pictūrā quae membra juvenis nōn habet?
Tertiā decimā in pictūrā quō membrō juvenis caret?
Quārtā decimā in pictūrā quō membrō juvenis eget?
Quīntā decimā in pictūrā quod membrum senex nōn habet?
Sextā decimā in pictūrā quō membrō senex eget?
Septimā decimā in pictūrā quam jactūram patitur juvenis?
Duodēvīcēsimā in pictūrā quod membrum senex nōn habet?
Ūndēvīcēsimā in pictūrā quod membrum senex nōn habet?
Vīcēsimā in pictūrā cui dēest nāsus?

Ūndecimā in pictūrā quam jactūram patitur juvenis?
Duodecimā in pictūrā quam jactūram patitur juvenis?
Tertiā decimā in pictūrā quod membrum juvenis nōn habet?
Quārtā decimā in pictūrā cui dēest tōtum corpus?
Quīntā decimā in pictūrā quō membrō senex caret?
Sextā decimā in pictūrā quam jactūram patitur senex?
Septimā decimā in pictūrā quod membrum juvenis nōn habet?
Duodēvīcēsimā in pictūrā quō membrō eget senex?
Ūndēvīcēsimā in pictūrā quō membrō eget senex?
Vīcēsimā in pictūrā quam jactūram patitur senex?

R202 Mēns et animus et cōnsilium et sententia cīvitātis posita est
in lēgibus. Cicero

Quās rēs lēgēs continent?   cīvitās -tātis, f: *state*
Quid mentem possidet?
Quid animum possidet?
Cujus animus in lēgibus positus est?

R203 Fortibus est fortūna virīs data. Ennius

Quī bonam fortūnam habent?
Quōs fortūna adjuvat?
Quibus fortūna nocet?
Quibus fortūna favet?
Quōrum hostis est sors?
Quōrum amīca est sors?

R204 Difficile custōdītur quod plūrēs amant. Anon.

Quō modō custōdītur quod multīs placet?
Quid facile custōdītur?

R205 Est puerīs cārus quī nōn est doctor amārus. Werner

Quālem doctōrem puerī amant?
Quis doctōrem amārum amat?
Quī doctōrem dulcem amant?
Quō modō doctor dulcis puerōs docet?
Quālis doctor est puerīs cārus?
Quālem doctōrem puerī nōn amant?

R206 Īra initium īnsāniae. Ennius (adapted)

Cui īnsānia succēdit?
Cui similis est īrātus?
Quid īra generat?
Unde venit īnsānia?
Quālis vir citō fit ex īrātō?

R207 Saepe est etiam sub palliolō sordidō sapientia. Caecilius Statius

Quālem vestītum saepe gerit   palliolum -ī, n: Greek
  philosophus?   *mantle*, typical of
Estne semper stultus quī antīquā   philosophers.
  veste vestītur?   sordidus -a -um: *dirty*

R208 Multae rēgum aurēs atque oculī. Anon.

Quot aurēs habet rēx?
Quot oculōs?
Quis multās aurēs habet?
Quot hominēs rēgem adjuvant?
Quibus sunt multī oculī?
Quot sunt oculī rēgum?

R209 Mūsica est mentis medicīna maestae. Anon.

Quālem mentem mūsica cūrat? mūsica -ae, f
Cui reī mūsica placet? maestus -a -um: *sad*
Quō auxiliō mēns maesta laeta fit? (miser)

R210 Alia aliīs placent. Anon.

Placentne omnia omnibus?
Quās rēs aliī amant?

R211 Audācēs Fortūna juvat timidōsque repellit. Anon.

Ā quō timidī repelluntur?
Quibus Fortūna opem nōn fert? audāx (one ending adj)
Quibus fert? repellit/-itur
Quis fert?
Quid Sors fert?

R212 Vultus index animī. Anon.

Quid vultus indicat?
Quō auxiliō mēns indicātur?

R213 Dux vītae ratiō. Latin equivalent of Phi Beta Kappa

Quō auxiliō vīta regitur? ratiō -ōnis, f: *reason,*
Quid vītam regit? *logical thinking*
Per quam rem vīta regitur?
Quid philosophia regit?

R214 Magna vīs est cōnscientiae. Cicero

Quid multum valet? cōnscientia -ae, f
Quantum valet cōnscientia?

R215 Jūs summum saepe summa est malitia. Terence

Est jūs summum semper bonum? jūs, jūris, n: *law*

Quotiēns est jūs malum?
Quāle jūs est saepe pessimum?
Quantum innocentī saepe nocet
   summum jūs?
Cui summum jūs saepe nocet?
Cui summum jūs saepe favet?

summus -a -um: *highest*
malitia -ae, f: *evil*

R216 Sōla pecūnia rēgnat. Petronius

Quae est sōla rēgīna?
Quantum valet pecūnia?
Rēgnatne pecūnia cum aliīs?
Utrum inopibus an dīvitibus favet pecūnia?

R217 Senectūs...īnsānābilis morbus est. Seneca

Per quam medicīnam cūrātur senectūs?
Cujus contrā vim nōn valet medicīna?   īnsānābilis -e

R218 Dē mortuīs nīl nisī bonum. Anon.

Utrum malum an bonum bene dīcitur post mortem?
Quandō bonum dīcitur?

R219 Deus jūdex jūstus, fortis, et patiēns. Psalms

Quālis jūdex est Deus?
Quō modō jūdicat Deus?
Quem Deus jūdicat?
Quālī ab jūdice jūdicātur homō?
Ā quō jūdicātur homō?
Cujus sub rēgnō est homō?

R220 Nihil est tam mōbile quam fēminārum voluntās, nihil tam vagum.
                                                        Seneca

Quālis est voluntās mulierum?
Estne voluntās mulierum stabilis et
   cōnstāns?
Cōgitantne mulierēs sapienter?
Quōs incōnstantiā fēminae vincunt?
Quī facile moventur?
Quibus rēbus est mulier similis?

voluntās -tātis, f: *wish*
vagus -a -um: *wandering*

Suggestions: ventus, flūmen, ignis,
   fulmen

stabilis -e
cōnstāns

R221 Post calamitātem memoria alia est calamitās. Publilius Syrus

Quid est memoria post calamitātem?

Sī quis post calamitātem dolet,
  quot calamitātēs sunt?
Cujus occāsiō calamitās est?   (Cōnfer Exemplar centēsimum
                                       octōgēsimum sextum)

R222 Magna cīvitās magna sōlitūdō. Anon.

Sī quis magnā in urbe habitat, quot amīcōs habet?
Quot hominēs magnā in urbe sunt?
Quot amīcī magnā in urbe sunt?
Quot amīcī parvā in urbe sunt?

R223 Cum caput aegrōtat, corpus simul omne labōrat. Othlonus

Sī caput aegrum est, estne tōtum
  corpus aegrum?
Quālis mēns in corpore   (Cōnfer Exemplar quadrā-
  aegrō est?   gēsimum secundum)
                               aegrōtat/----:aeger est

R224 Quot hominēs, tot sententiae; suus cuique mōs. Terence

Utrum aliter an similiter cōgitant hominēs?
Utrum suō an aliēnō mōre agunt hominēs?

R225 Nihil amantibus dūrum est. St. Jerome

Quis omnia facile agit?
Quō modō amātor omnia perficit?
Quantum valet amātor?
Quibus est omne facile?

R226 Deō fidēlis et Rēgī. Motto

Quibus servit hic vir?
Quibus operam suam dat?

R227 Amor magister est optimus. Pliny (adapted)

Quō modō amor omnēs docet?   magister -trī, m
Quōs amor docet?
Ā quō hominēs optimē docentur?
Cujus auxiliō hominēs optimē discunt?

R228 Vīnum animī speculum. Anon.

Ubi animus suam imāginem spectat?   speculum -ī, n: *mirror*
Quae rēs speculum animō dat?

Cui vīnum speculum dat?
Quid in vīnō est?   (Cōnfer Exemplar quadrāgēsimum
                                  quīntum)

R229 Domina omnium et rēgīna ratiō. Cicero

Quās rēs ratiō regit?
Cui serviunt omnia?
Ā quō reguntur lēgēs?
Cujus sub rēgnō sunt omnēs?

R230 Bonum vīnum laetificat cor hominis. Bible (adapted)

Unde gaudet homo?   laetificat/-ātur: *make*
Sī quis bonum vīnum bibit,   *glad*
    utrum gaudet an dolet?
Quāle cor habet quī vīnum bonum bibit?
Cujus cor per vīnum laetum fit?   laetus -a -um (laetē)

R231 Duce tempus eget. Lucan

Quem tempus praesēns nōn habet?
Quis dēficit?
Cūr est hoc tempus perīculōsum?
Quot ducēs hoc tempus habet?

R232 Discordiā fit cārior concordia. Publilius Syrus

Quid facit concordiam cāriōrem?
Quō auxiliō est concordia cārior?
Cujus auxiliō concordia cārior fit?
Post quid est concordia grāta?

R233 Index est animī sermō. Binder

Quam rem verbum indicat?   sermō -ōnis, m: *speech*
Quō auxiliō animus indicātur?
Quod membrum animum hominis
    indicat? Pēs? Digitus? Crūs? Lingua? Manus?
Quālia verba dīcit stultus? Prūdēns? Fatuus? Bonus? Malus?

R234 Silentium est sīgnum sapientiae et loquācitās est sīgnum
        stultitiae. Petrus Alphonsus

Quālis est quī multum dīcit?   loquācitās -tātis, f
Quālis est quī tempore tacet?   sīgnum -ī, n: *sign*
Quam virtūtem ostendit tacēns?   ostendit/-itur: *show*
Quod vitium ostendit loquāx?

Per quod vitium stultus indicātur?
Per quam virtūtem sapiēns indicātur?

R235 Nihil difficile amantī. Cicero

Quī omnia facile agunt?
Quō modō amantēs omnia perficiunt?
Quantum valet amātor?
Quid amantibus facile est?

R236 In fugā foeda mors est; in victōriā, glōriōsa. Cicero

Cui reī oppōnitur mors glōriōsa?   glōriōsus -a -um
Cui reī oppōnitur mors foeda?   (glōriōsē)
Ubi homō foedē perit?   oppōnit/-itur: *place in*
Ubi glōriōsē?   *opposition*
Quō modō perit victor?   inhonestus -a -um
Quō modō perit fugitīvus?   foedus -a -um (foedē)
Quis honestē perit?   fugitīvus -a -um
Quis inhonestē perit?

R237 Exemplum... Deī quisque est in imāgine parvā. Manilius

Cui similis est homō?
Estne homō Deō major?
Estne homine Deus major?

R238 Caecus nōn jūdicat dē colōre. Anon.

Est caecus sapiēns quī dē colōre jūdicat?
Quot colōrēs videt caecus?
Quō modō jūdicat caecus dē colōre?
Quālis jūdex colōris est caecus?
Cujus est caecus jūdex malus?
Uter est melior jūdex colōris, caecus an luscus?

R239 Pūrīs omnia pūra. Anon.

Quī mala nōn vident?
Quālēs hominēs bona vident?
Quibus sunt omnia blanda?
Quibus sunt omnia fatua?

R240 Scrīptōrum chorus omnis amat nemus et fugit urbēs. Horace

Quem locum petunt poētae?   scrīptor -ōris, m
Quem locum fugiunt?   nemus, nemoris, n: *grove*
                                              (silva)

Utrō in locō est sōlitūdō?   chorus -ī, m
Cui placet sōlitūdō?
Cui urbs nōn placet?
Quid facit poēta in nemore?
Ubi poēta carmina nōn scrībit?
Ubi scrībit?

R241 Fēmina nātūrā varium et mūtābile semper. Latin Anthology

Quam virtūtem mulier nōn habet?
Utrum virtūs an vitium est incōnstantia?
Quod vitium fēminae ostendunt?
Quī fēminās cōnstantiā vincunt?   incōnstantia -ae, f
Quī semper mentem mūtant?
Utrum virtūs an vitium est cōnstantia?

R242 Etiam īnstantī laesa repūgnat ovis. Propertius

Sī quis ovī īnstat, quid facit ovis?   repūgnat/----
Quālis ovis resistit?   ovis, ovis, f: *sheep*
Cui ovis laesa resistit?
Estne ovis semper timida?
Quā condiciōne fit ovis fortis?

R243 Semper avārus eget. Horace

Habetne avārus magnam pecūniam?
Habetne satis?
Egetne philosophus?
Quantum semper cupit avārus?

R244 Crūdēlitātis māter est avāritia; pater furor. Anon.

Quem avāritia gignit?
Quem furor?
Quī sunt parentēs crūdēlitātis?
Estne avārus crūdēlis?
Estne īrātus crūdēlis?
Ex quibus generātur crūdēlitās?

R245 Quī ēbrium lūdificat, laedit absentem. Anon.

Sī quis ēbrium fallit, cui nocet?   lūdificat/-ātur: *make*
Quōcum lītigat quī cum ēbriō lītigat?   *fun of*
Cui similis est ēbrietās?   (Cōnfer Exemplar centēsi-
                                              mum quadrāgēsimum
                                              sextum)

R246 Imāgō animī sermō est: quālis vīta, tālis ōrātiō. Pseudo-Seneca

Quid est index animī?
Sī vir est bonus, quālia verba dīcit?
Cujus ex ōre venit sermō fatuus?
Quid verba indicant?

R247 In terrā caecōrum monoculus rēx. Medieval

Cui serviunt caecī?
Quōs regit luscus?

R248 Inopiae dēsunt multa; avāritiae omnia. Publilius Syrus

Estne *inopia* homō an rēs?
Utrum *avāritia* homō an rēs?   inopia -ae, f: *lack, poverty*
Quid est *avārus*, utrum homō an rēs?
Quid est *inops*, utrum homō an rēs?
Quantās rēs habet inops?
Quantās rēs avārus?
Cui hominī dēsunt multa?
Cui hominī dēsunt omnia?
Cui vitiō dēsunt omnia?
Cui reī dēsunt multa?

R249 Ō quam citō trānsit glōria mundī! St. Thomas a Kempis (?)

Quantō tempore perit fāma?
Quantō tempore perit rēs?   quam (adverbial): *how*
Quotiēns perit grātia Deī?
Manetne glōria mundī?

R250 Crīmina quī cernunt aliōrum, nōn sua cernunt. Anon.

Quid stultus videt?
Quid nōn videt?
Cernitne stultus vitia sua?
Cernitne vitia aliēna?
Cujus vitia sapiēns videt?
Cujus virtūtēs stultus cernit?

MORPHOLOGY

In this lesson you will meet six words which are so common that you will find one or two of them in every paragraph of connected Latin you read. They are *hic*, *ille*, *ipse*, *is*, *īdem*, and *iste*. They are a subclass of adjective distinguished from ordinary adjectives by having *-ī* in the dative singular and *-īus* (or *-jus*) in the genitive singular. Not only do they modify nouns, but they are frequently found without nouns and are therefore used as nouns themselves. Here are the forms of *hic*; the italicized forms are irregular.

	Singular				Plural	
hic	*haec*	*hoc*		hī	hae	*haec*
hunc	hanc	*hoc*		hōs	hās	*haec*
hōc	hāc	hōc		hīs	hīs	hīs
huic	huic	huic		hīs	hīs	hīs
hujus	hujus	hujus		hōrum	hārum	hōrum

Observe that almost half the forms have the morpheme *-c*; also notice that **-mc* becomes *-nc* (in the accusative). Some of the above forms without *-c* have a variant with *-ce*; *hujusce*, *hīsce*, *hōsce*, *hāsce*.

The following special adjective has the same forms as *bonus, bona, bonum* except for the genitive and dative singular and the irregular italicized forms:

ille	illa	*illud*		illī	illae	illa
illum	illam	*illud*		illōs	illās	illa
illō	illā	illō		illīs	illīs	illa
illī	illī	illī		illīs	illīs	illīs
illīus	illīus	illīus		illōrum	illārum	illōrum

Hic indicates that which is near the speaker, either in place or in thought; *ille* indicates that which is distant from the speaker, either in place or in thought.

Fēmina hunc virum videt.	The woman sees this man (near me).
Fēmina illum virum videt.	The woman sees that man (over there).
Fēmina hunc videt.	The woman sees him (over here).
Fēmina illum videt.	The woman sees him (over there).

The adjective *iste*, on the other hand, indicates that which is near the person spoken to:

Fēmina istum virum videt.   The woman sees that man (near you).
Fēmina istum videt.   The woman sees him (near you).

iste	ista	*istud*	istī	istae	ista
istum	istam	*istud*	istōs	istās	ista
istō	istā	istō	istīs	istīs	istīs
istī	istī	istī	istīs	istīs	istīs
istīus	istīus	istīus	istōrum	istārum	istōrum

The adjective *is* is harder to explain, having the least one-to-one correspondence with any English element. It does not point out, as *hic*, *ille*, and *iste* do:

Fēmina hunc videt.   The woman sees him (who is near me).
Fēmina illum videt.   The woman sees him (who is over there).
Fēmina istum videt.   The woman sees him (who is near you).
Fēmina eum videt.   The woman sees him (location unexpressed).

When used as an adjective, it shows that the noun modified has either just been mentioned or will be soon. It frequently foreshadows a relative.

Fēmina virum videt. Is vir   The woman sees the man. This
  hospes est.   man is the host.

Fēmina eum virum quī hospes est videt.		The woman sees the man who is the host.

Here are the forms of *is*:

is	ea	*id*	eī	eae	ea
eum	eam	*id*	eōs	eās	ea
eō	eā	eō	eīs	eīs	eīs
eī	eī	eī	eīs	eīs	eīs
ejus	ejus	ejus	eōrum	eārum	eōrum

The form *eī* has the variant *ī* and *eīs* has the variant *īs*.

Īdem is easy; it is *is, ea, id* with *-dem* added and regular morphophonemic changes. The meaning of *īdem*: "the same."

Fēmina eundem virum videt.		The woman sees the same man.
Fēmina eundem videt.		The woman sees the same one.

īdem	eadem	*idem*	eīdem[1]	eaedem	eadem
eundem	eandem	*idem*	eōsdem	eāsdem	eadem
eōdem	eādem	eōdem	eīsdem[1]	eīsdem[1]	eīsdem[1]
eīdem	eīdem	eīdem	eīsdem[1]	eīsdem[1]	eīsdem[1]
ejusdem	ejusdem	ejusdem	eōrundem	eārundem	eōrundem

The last is *ipse, ipsa, ipsum*. Except for the form *ipse* and the dative and genitive singular, it is declined like *bonus-a-um*. *Ipse* is an intensifier; there are several ways of doing this in English:

Fēmina virum ipsum videt.	The woman sees the *man*. (high pitch, heavy stress)
	The woman sees the man himself.
	The woman sees the very man.
Fēmina ipsa virum videt.	The *woman* sees the man.
	The very woman sees the man.
	The woman herself sees the man.
Fēmina ipsum videt.	The woman sees *him*.
	The woman sees *that one*.
	The woman sees the *famous* man.

The following also have the dative singular in *-ī* and the genitive singular in *-īus*, but except for some nominative singulars are otherwise exactly like *bonus, bona, bonum*:

---

[1]Same variants as *is*.

alter, altera, alterum (one of two, the other one)
alius, alia, aliud (other, another)
neuter, neutra, neutrum (neither)
nūllus, nūlla, nūllum (none)
sōlus, sōla, sōlum (alone, the only)
tōtus, tōta, tōtum (whole)
ūllus, ūlla, ūllum (any, in questions, negations, conditions)
uter, utra, utrum (which, of two)
ūnus, ūna, ūnum (one)

BASIC SENTENCES

S201 Hoc faciunt vīna quod nōn facit unda marīna.
WERNER

Wine destroys what the ocean waves do not.

Utrum mare an vīnum est magis perīculōsum?
Per quid pereunt multī?
Per quid pereunt plūrēs?
Quō est vīnum magis perīculōsum?

S202 Dīs proximus ille est quem ratiō, nōn īra, movet.
CLAUDIAN

Next to the gods is the person influenced by reason and not anger.

Quōrum imāgō est is quī sapit?
Quibuscum comparātur sapiēns?
Quō auxiliō philosophus movētur?
Quō auxiliō stultus movētur?

S203 Brevis ipsa vīta est, sed malīs fit longior.
PUBLILIUS SYRUS

Short as life is, evils make it seem long.

Quantō tempore vīvit homō?
Per quid vīta minus brevis vidētur?
Quid vītam longiōrem facit?

S204 Quī terret, plūs ipse timet.
CLAUDIAN

He who frightens people is himself more afraid than they are.

Quantum timet quī multōs hostēs habet?
Quot hostēs habet quī multōs terret?
Estne crūdēlis sēcūrus?
Quōrum hostis est dominus crūdēlis?

S205 Vĕrus amīcus ... est ... is quī est tamquam alter īdem.
CICERO

A real friend is he who is like another self.

Quālis amīcus est quī similis alterī eīdem est?
Utrum similis an dissimilis est vērus amīcus?

S206 Hominēs, quō plūra habent, eō ampliōra cupiunt.
JUSTINIAN (?)

The more men have the more they want.

Quantum volunt hominēs quī multum habent?
Pecūniā crēscente, quid aliud crēscit?
Quō auxiliō avārus nōn satiātur?
Quid semper vult quī multum habet?

S207 In hōc sīgnō spēs mea.
MOTTO

In this sign (the cross) is my hope.

In cujus sīgnō est spēs?
Quam rem spērat homō Christiānus?
Cui reī crēdit?
Quis salūtem ex cruce quaerit?

S208 Post hoc, propter hoc.
COMMONPLACE

After this, therefore because of this.

Make up similar sayings on this model.
Suggestions: vīnum, ops, beneficium, lēgēs, famēs, ventus,
īnsidiae, flētus, ignis, tenebrae, vōx, lacrimae, studium,
labor, litterae, pānis, victōria, mūnera, crīmen, concordia,
cōnsilium, ācta, opus, industria, perīcula, occāsiō, fidēs,
injūria.

**S209 Quī timet Deum, omnia timent eum; quī vērō nōn timet Deum,
timet omnia.**
PETRUS ALPHONSUS

Everything is afraid of him who fears God; but who does not fear
God is afraid of everything.

Quantum timet quī Deum nōn timet?
Cujus reverentia salūtem habet?   reverentia -ae, f

S210 Cui dĕest pecūnia, huic dēsunt omnia.
ANON.

To whom money is lacking, to him is lacking everything.

Quid habet is quī pecūniam nōn habet?
Estne pecūnia omnium rērum domina?
Sī quis pecuniā caret, quantīs rēbus quoque caret?
Quantum valet pecūnia?

NEW   marīnus -a -um
ADJECTIVES

NEW   tamquam (*tam* and *quam*, conjunction): *as if*
INDECLINABLES

Vērō is the neuter ablative of *vērus* and means *but*. It does not
come first in its clause.

PATTERN PRACTICE, Part One

Purpose: to learn the special adjectives by introducing them into old
            Pattern Practices.
Directions: transform from active to passive; cf. page 173.

Hic gladiātor cōnsilium capit.	Ab hōc gladiātōre cōnsilium capitur.
Canis hunc aprum tenet.	Ā cane hic aper tenētur.
Haec bēstia nātōs corōnat.	Ab hāc bēstiā nātī corōnantur.
Sapiēns hoc vitium ēmendat.	Ā sapiente hoc vitium ēmendātur.
Hic stultus bonum fugit.	Ab hōc stultō bonum fugitur.
Ille fūr fūrem cognōscit.	Ab illō fūre fūr cognōscitur.
Stultus illam aquam quaerit.	Ab stultō illa aqua quaeritur.
Ille īrātus lēgem nōn videt.	Ab illō īrātō lēx nōn vidētur.
Illa fēmina virum vincit.	Ab illā fēminā vir vincitur.
Caesar illud regit.	Ā Caesare illud regitur.
Amīcus eandem spem nōn quaerit.	Ab amīcō eadem spēs nōn quaeritur.
Gladiātor idem cōnsilium capit.	Ā gladiātōre idem cōnsilium capitur.
Sapiēns eandem fortūnam fert.	Ā sapiente eadem fortūna fertur.
Canis aprum eundem tenet.	Ā cane aper īdem tenētur.

PATTERN PRACTICE, Part Two

Purpose: to learn the special dative singular forms.
Directions: change from a transitive verb with the accusative to a special in-
            transitive verb with the dative; cf. page 187.

Vestis hanc fēminam dēlectat.
Leō hunc agnum laedit.
Canis cum hāc bēstiā pūgnat.
Fortūna hunc fortem adjuvat.
Mūnus hanc mulierem dēlectat.

Vestis huic fēminae placet.
Leō huic agnō nocet.
Canis huic bēstiae resistit.
Fortūna huic fortī favet.
Mūnus huic mulierī placet.

Canis illum caecum cūrat.
Mala fidēs illum dominum laedit.
Ignis illum virum dēlectat.
Captīvus cum illō leōne pūgnat.
Servus illum dominum cūrat.

Canis illī caecō servit.
Mala fidēs illī dominō nocet.
Ignis illī virō placet.
Captīvus illī leōnī resistit.
Servus illī dominō servit.

Mūnus eandem fēminam dēlectat.
Leō eundem agnum laedit.
Puer cum eōdem aprō pūgnat.
Pater eundem fīlium adjuvat.
Ignis virum eundem dēlectat.

Mūnus eīdem fēminae placet.
Leō eīdem agnō nocet.
Puer eīdem aprō resistit.
Pater eīdem fīliō favet.
Ignis virō eīdem placet.

PATTERN PRACTICE, Part Three

Purpose: to learn the special genitive singular forms.
Directions: change from the nominative to the genitive (from the subject of a
verb to a modifier of a new subject); cf. page 204.

Sī nōn est haec fēmina, quid est?
Sī nōn est haec Mūsa, quid est?
Sī nōn est hic agnus, quid est?
Sī nōn est hic lupus, quid est?
Sī nōn est hic hospes, quid est?

Est tantum imāgō hujus fēminae.
Est tantum imāgō hujus Mūsae.
Est tantum imāgō hujus agnī.
Est tantum imāgō hujus lupī.
Est tantum imāgō hujus hospitis.

Sī nōn est ille ignis, quid est?
Sī nōn est illa urbs, quid est?
Sī nōn est ille vultus, quid est?
Sī nōn est illa manus, quid est?
Sī nōn est illa faciēs, quid est?

Est tantum imāgō illīus ignis.
Est tantum imāgō illīus urbis.
Est tantum imāgō illīus vultūs.
Est tantum imāgō illīus manūs.
Est tantum imāgō illīus faciēī.

Sī is fūr pedēs habet, cujus pedēs sunt?
Sī ea bēstia pedēs habet, cujus pedēs sunt?
Sī is agnus pedēs habet, cujus pedēs sunt?
Sī is leō pedēs habet, cujus pedēs sunt?
Sī ea fēmina pedēs habet, cujus pedēs sunt?

Ejus fūris pedēs sunt.
Ejus bēstiae pedēs sunt.
Ejus agnī pedēs sunt.
Ejus leōnis pedēs sunt.
Ejus fēminae pedēs sunt.

Sī ille aper pedēs habet, cujus pedēs sunt?
Sī ille homō pedēs habet, cujus pedēs sunt?
Sī ista fēmina pedēs habet, cujus pedēs sunt?
Sī iste puer pedēs habet, cujus pedēs sunt?
Sī iste Caesar pedēs habet, cujus pedēs sunt?

Illīus aprī pedēs sunt.
Illīus hominis pedēs sunt.
Istīus fēminae pedēs sunt.
Istīus puerī pedēs sunt.
Istīus Caesaris pedēs sunt.

Sī ille servus vīvit, cujus vīta est?   Illīus servī vīta est.
Sī ille homō vīvit, cujus vīta est?   Illīus hominis vīta est.
Sī hic poēta vīvit, cujus vīta est?   Hujus poētae vīta est.
Sī hic dominus vīvit, cujus vīta est?   Hujus dominī vīta est.
Sī id animal vīvit, cujus vīta est?   Ejus animālis vīta est.

Sī iste canis vīvit, cujus vīta est?   Istīus canis vīta est.
Sī iste coquus vīvit, cujus vīta est?   Istīus coquī vīta est.
Sī ipsa fēmina vīvit, cujus vīta est?   Ipsīus fēminae vīta est.
Sī is inops vīvit, cujus vīta est?   Ejus inopis vīta est.
Sī ipsa puella vīvit, cujus vīta est?   Ipsīus puellae vīta est.

Sī illa bēstia perit, cujus mors est?   Illīus bēstiae mors est.
Sī ille avārus perit, cujus mors est?   Illīus avārī mors est.
Sī hic sapiēns perit, cujus mors est?   Hujus sapientis mors est.
Sī haec vulpēs perit, cujus mors est?   Hujus vulpis mors est.
Sī ea agna perit, cujus mors est?   Ejus agnae mors est.

Sī is leō perit, cujus mors est?   Ejus leōnis mors est.
Sī iste servus perit, cujus mors est?   Istīus servī mors est.
Sī ista lupa perit, cujus mors est?   Istīus lupae mors est.
Sī ipse piscis perit, cujus mors est?   Ipsīus piscis mors est.
Sī ipse fūr perit, cujus mors est?   Ipsīus fūris mors est.

SELF TEST

A.   Change from active to passive:

      Astra regunt hōs hominēs.
      Haec laus alit artēs.

B.   Change from transitive to intransitive synonym with the dative:

      Aper illum canem laedit.
      Vīnum illum virum dēlectat.

C.   Change from nominative to genitive:

      Sī nōn est iste amīcus, quid est?   (Est tantum imāgō...)
      Sī nōn est iste vestītus, quid est?   (Est tantum imāgō...)

D.   Sī is dominus servum habet, cujus servus est?
      Sī ea domina hortum habet, cujus hortus est?

E.   Sī ipsa agna vīvit, cujus vīta est?
      Sī ipsum animal vīvit, cujus vīta est?

READINGS

R251 Caelum ipsum petitur stultitiā. Burton

Quālis est is quī caelum ipsum petit?
Per quod vitium petitur caelum ipsum?

R252 Interdum audācēs efficit ipse timor. Werner

Quotiēns ex timidīs ipsō timōre   interdum (adverbial):
  audācēs fīunt?   *sometimes* (nōn
Quō auxiliō timidī magis nōn   numquam)
  numquam audent?   efficit/----
Per quid ex timidīs audācēs fīunt?
Quō auxiliō perīculum numquam   (Cōnfer Exemplar quīn-
  vincitur?   quāgēsimum)
Quī per timōrem ipsum nōn numquam
  audāciōrēs fīunt?
Quid interdum timor agit?

R253 Crēscit amor nummī quantum ipsa pecūnia crēscit. Juvenal

Quis pecūniam amat?   nummus -ī, m: general
Sī pecūnia crēscit, quid eōdem   term for *piece of*
  tempore crēscit?   *money* (pecūnia
Quō tempore avārus satiātur?   sīgnāta)
Quantā pecūniā satiātur avārus?

R254 Quisquis in vītā suā parentēs colit, hic et vīvus et dēfūnctus deīs
     est cārus. Stobaeus (translation)

Quid patitur is quī parentēs suōs colit?
Estne hic post mortem fēlīx?
Estne hic fēlīx dum vīvit?   dēfūnctus -a -um:
Ā quibus colitur is quī parentēs   mortuus
  suōs colit?

R255 Fortēs adjuvat ipsa Venus. Tibullus

Ā quō fortēs adjuvantur?
Per quem fortēs vincunt?
Quis audentēs juvat?
Quibus Venus favet?

R256 Malitia ipsa maximam partem venēnī suī bibit. Seneca

Cujus venēnum malus bibit?
Quantam partem venēnī bibit malus?

Quod vitium habet malus?
Quālis homō cum malitiā agit?

R257 Senectūs ipsa est morbus. Terence

Estne senex aeger an sānus?
Per quid est omnis senex aeger?
Estne senectūs herbīs sānābilis?
Quibus est senectūs rāra?   (Cōnfer Exemplar centēsimum
                                   septuāgēsimum quārtum)

R258 Parva domus magna quiēs. Commonplace

Quantā in domū est magna quiēs?   quiēs, quiētis, f: pāx
Ubi invenītur parva quiēs?   quiēscit/----
Quanta domus quiēscit?
An rēx quiētem patitur?

R259 Quī sua dat lārgē, laudātur ab omnibus ille. Werner

Quī laudant eum quī lārgē dat?   lārgus -a -um (lārgē):
Utrum magna an parva dōna dat quī   *generous*
  lārgē dat?
Quō modō dat quem omnēs laudant?
Quibus cārus est homō lārgus?

R260 Nūllī est hominī perpetuum bonum. Plautus

Quis bonum semper habet?
Quem Fortūna semper adjuvat?
Cui Fortūna semper favet?
Quō modō nēmō semper vīvit?

LESSON TWENTY-ONE: Deponents

You have worked hard to learn that *-tur* and *-ntur* show the passive voice; in this lesson you will find certain verbs which have these endings but are obviously different from the passives you have seen. Just how do they differ?

Puer lupum petit.	The boy attacks the wolf.
Ā puerō lupus petitur.	The wolf is attacked by the boy.
Puer lupum sequitur.	The boy follows the wolf.
Puerum lupus sequitur.	The wolf follows the boy.
Hospes dōnum amat.	The guest likes the gift.
Hospes dōnum mīrātur.	The guest admires the gift.
Mulier verbum servō dīcit.	The woman speaks a word to the slave.
Mulier cum servō loquitur.	The woman talks with the slave.
Mulier servum alloquitur.	The woman addresses the slave.
Puer perit.	The boy dies.
Puer moritur.	The boy dies.
Puer nāscitur.	A child is being born.
Puer gignitur.	A child is being born.
Vir īrāscitur.	The husband becomes angry.
Puerī īrāscuntur.	The children become angry.

EXPLANATION OF STRUCTURE: DEPONENTS

These new verbs are called *deponents* because they have put aside (*dē-* and *pōnit*) the active forms: these verbs do not have the endings *-t* and *-nt*. There is thus no contrast between active and passive. Some of these verbs are intransitive (take no direct object) like *īrāscitur*; others are transitival (take direct object) but like *facit* and *vult* do not have a contrast between active and passive. What deponent verb have we been using for many lessons, a verb which has the endings *-tur* and *-ntur* but not *-t* and *-nt*?

You must learn which verbs are deponents. In this lesson you will meet nine of the most common: sequitur, nāscitur, mīrātur, loquitur, moritur, verētur, imitātur, mentītur, īrāscitur. *Patitur* makes a tenth.

BASIC SENTENCES

S211   Glōria ... virtūtem tamquam umbra sequitur.
CICERO

Glory follows virtue as a shadow does.

Cui similis est glōria?
Quem petit honor?
Cui succēdit glōria?
Cujus umbra est glōria?

S212   Poēta nāscitur, ōrātor fit.
ANON.

A poet is born but an orator is manufactured.

Utrīus ars superior est?
Cujus auxiliō ōrātor fit?
Quis poētās creat?

S213   Nōn omnēs eadem mīrantur amantque.
HORACE

People do not all love and admire the same things.

Quid cuique maximē placet?   (Cōnfer Exemplar centēsimum
Quās rēs omnēs nōn mīrantur?   sexāgēsimum tertium)
Mīrantur omnēs carmina Hōrātiī?
Amatne omnis virtūtem?
Placetne omnibus gaudēns?
Quibus gaudēns placet?   (Cōnfer Exemplar centēsimum
Quis fatua verba amat?   sexāgēsimum octāvum)

S214   Vir sapit quī pauca loquitur.
ANON.

The man is wise who talks but little.

Cujus verba pauca sunt?
Quanta dīcit fatuus?

S215   Homō totiēns moritur quotiēns āmittit suōs.
PUBLILIUS SYRUS

A person dies as often as he loses his loved ones.

Quid accidit eī quī suam mātrem āmittit?
Quantum dolet pater quī nātum āmittit?

S216   Multī fāmam, cōnscientiam paucī verentur.
PLINY

Many fear rumor but few fear their own conscience.

Quot opīniōnem hominum timent?
Quot cōnscientiam suam timent?
Utrum fāma an cōnscientia plūs valet?
Cujus timōre plūrēs reguntur?

S217   Quī dat beneficia deōs imitātur.
SENECA

He who confers benefits imitates the gods.

Quibus similis est vir lārgus?
Quibuscum comparātur ille?
Quōrum parva imāgō est?

S218   Frōns, oculī, vultus persaepe mentiuntur; ōrātiō . . . saepissimē.
CICERO

The face, the eyes, and the expression frequently lie, but the
tongue lies the most.

Ubi dēceptiō saepe latitat?   lingua -ae, f
Quō membrō homō hominem fallit maximē?

S219   Homō extrā corpus est suum cum īrāscitur.
PUBLILIUS SYRUS

A man is outside his body when he is angry.

Quem laedit quī īrātum laedit?   (Cōnfer Exemplar centēsimum
Cujus mēns īnsāna est?   trīcēsimum septimum)
Quālis mēns est īrātō?
Quanta īnsānia est furor?   (Cōnfer Exemplar centēsimum
                                trīcēsimum octāvum)

S220   Fortiter malum quī patitur īdem post patitur bonum.
PLAUTUS

The same person who experiences misfortune bravely will
afterwards experience good fortune.

Cujus vīta fēlīx fit?
Quid invenit quī patitur fortiter?

NEW   ōrātor -tōris, m
NOUNS

NEW	----/sequitur	----/loquitur	----/imitātur
VERBS	----/nāscitur	----/moritur	----/mentītur
	----/mīrātur	----/verētur	----/īrāscitur

NEW
INDECLINABLES
totiēns (adverbial): *as often*
persaepe (adverbial): *very often*
extrā (preposition with accusative,
 also used as adverbial)[1]
post (preposition with accusative,
 also used as adverbial)[1]

Explain the differences between the following types of verbs:

vult/----	quaerit/quaeritur
vīvit/----	----/sequitur

PATTERN PRACTICE, Part One

Purpose: to learn deponent lexical items.
Directions: give a deponent synonym for each verb in the left-hand column.

Rēx numquam perit.	Rēx numquam moritur.
Aetās aetātī succēdit.	Aetās aetātem sequitur.
Vir mulierem suam amat.	Vir mulierem suam mīrātur.
Māter citō īram sentit.	Māter citō īrāscitur.
Mulier servō verbum dīcit.	Mulier cum servō loquitur.
Puer in vītam tempore fēlīcī venit.	Puer tempore fēlīcī nāscitur.
Malus bonum simulat.	Malus bonum imitātur.
Homō fortūnam fert.	Homō fortūnam patitur.
Sapiēns Deum colit.	Sapiēns Deum verētur.
Fūr vēritātem nōn dīcit.	Fūr mentītur.
Puerī saepe vēritātem nōn dīcunt.	Puerī saepe mentiuntur.
Hōrae hōrīs succēdunt.	Hōrae hōrās sequuntur.
Omnēs eadem nōn amant.	Omnēs eadem nōn mīrantur.
Dominī saepe īram sentiunt.	Dominī saepe īrāscuntur.
Stultī prūdentēs simulant.	Stultī prūdentēs imitantur.
Nātī patrem suum colunt.	Nātī patrem suum verentur.
Servī dominō verba dīcunt.	Servī cum dominō loquuntur.
Dī numquam pereunt.	Dī numquam moriuntur.
Hominēs nūdī in vītam veniunt.	Hominēs nūdī nāscuntur.
Sapientēs fortūnam ferunt.	Sapientēs fortūnam patiuntur.

[1]If an accusative patterns with this word it is a preposition. If there is no accusative, it is an adverbial.

PATTERN PRACTICE, Part Two

Purpose: to contrast the *-tur* of deponents with the *-tur* of transitive verbs.
Directions: answer these questions.

Aetās aetātī succēdit.

Cui aetās succēdit?	Aetātī aetās succēdit.
Quid aetātī succēdit?	Aetās aetātī succēdit.
Quid aetātem sequitur?	Aetās aetātem sequitur.
Quid aetās sequitur?	Aetātem aetās sequitur.

Vir mulierem suam amat.

Quis ā virō amātur?	Mulier ā virō amātur.
Quis mulierem suam mīrātur?	Vir mulierem suam mīrātur.
Quem vir mīrātur?	Mulierem suam vir mīrātur.
Ā quō mulier amātur?	Ā virō mulier amātur.

Māter īram sentit.

Quid māter sentit?	Īram māter sentit.
Ā quō īra sentītur?	Ā mātre īra sentītur.
Quis īrāscitur?	Māter īrāscitur.
Quid ā mātre sentītur?	Īra ā mātre sentītur.

Mulier servō verbum dīcit.

Quid ā muliere dīcitur?	Verbum ā muliere dīcitur.
Cui verbum dīcitur?	Servō verbum dīcitur.
Quōcum mulier loquitur?	Cum servō mulier loquitur.
Quis cum servō loquitur?	Mulier cum servō loquitur.

Puer in vītam tempore fēlīcī venit.

Quis tempore fēlīcī nāscitur?	Puer tempore fēlīcī nāscitur.
Quō[2] venit puer?	In vītam venit puer.
Quandō puer nāscitur?	Tempore fēlīcī puer nāscitur.
Quis in vītam venit?	Puer in vītam venit.

Malus bonum simulat.

Quis bonum simulat?	Malus bonum simulat.
Quis ā malō simulātur?	Bonus ā malō simulātur.
Quis bonum imitātur?	Malus bonum imitātur.
Quem malus imitātur?	Bonum malus imitātur.

[2]*Quō* is equivalent to *quem ad locum* and from now on will occur frequently.

Fūr vēritātem nōn dīcit.

Quid ā fūre nōn dīcitur?	Vēritās ā fūre nōn dīcitur.
Quis mentītur?	Fūr mentītur.
Quid fūr nōn dīcit?	Vēritātem fūr nōn dīcit.
Ā quō vēritās nōn dīcitur?	Ā fūre vēritās nōn dīcitur.

Sapiēns Deum colit.

Quis Deum colit?	Sapiēns Deum colit.
Quis ā sapiente colitur?	Deus ā sapiente colitur.
Quis Deum verētur?	Sapiēns Deum verētur.
Quem sapiēns verētur?	Deum sapiēns verētur.

Homō fortūnam fert.

Quis fortūnam fert?	Homō fortūnam fert.
Quid ab homine fertur?	Fortūna ab homine fertur.
Quam rem homō patitur?	Fortūnam homō patitur.
Quis fortūnam patitur?	Homō fortūnam patitur.

Puerī saepe vēritātem nōn dīcunt.

Quī saepe mentiuntur?	Puerī saepe mentiuntur.
Quī vēritātem nōn dīcunt?	Puerī vēritātem nōn dīcunt.
Ā quibus vēritās nōn dīcitur?	Ā puerīs vēritās nōn dīcitur.
Quid ā puerīs nōn dīcitur?	Vēritās ā puerīs nōn dīcitur.

Hōrae hōrīs succēdunt.

Quae tempora hōrīs succēdunt?	Hōrae hōrīs succēdunt.
Quae tempora hōrae sequuntur?	Hōrās hōrae sequuntur.
Quibus temporibus hōrae succēdunt?	Hōrīs hōrae succēdunt.
Quae tempora hōrās sequuntur?	Hōrae hōrās sequuntur.

Omnēs eadem nōn amant.

Quī eadem nōn mīrantur?	Omnēs eadem nōn mīrantur.
Quās rēs omnēs nōn mīrantur?	Eāsdem rēs omnēs nōn mīrantur.
Quās rēs omnēs nōn amant?	Eāsdem rēs omnēs nōn amant.
Quae rēs ab omnibus nōn amantur?	Eaedem rēs ab omnibus nōn amantur.

Dominī saepe īram sentiunt.

Quid ā dominīs saepe sentītur?	Īra ā dominīs saepe sentītur.
Quī saepe īrāscuntur?	Dominī saepe īrāscuntur.
Quī īram saepe sentiunt?	Dominī īram saepe sentiunt.
Quid dominī saepe sentiunt?	Īram dominī saepe sentiunt.

Stultī prūdentēs simulant.

Quī prūdentēs simulant?	Stultī prūdentēs simulant.
Quī ā stultīs simulantur?	Prūdentēs ā stultīs simulantur.
Quī prūdentēs imitantur?	Stultī prūdentēs imitantur.
Quōs stultī imitantur?	Prūdentēs stultī imitantur.

Nātī patrem suum colunt.

Quī patrem suum colunt?	Nātī patrem suum colunt.
Quī patrem suum verentur?	Nātī patrem suum verentur.
Quis ā nātīs colitur?	Pater ā nātīs colitur.
Quem nātī verentur?	Patrem suum nātī verentur.

Servī dominō verba dīcunt.

Quae rēs ā servīs dīcuntur?	Verba ā servīs dīcuntur.
Quī cum dominō loquuntur?	Servī cum dominō loquuntur.
Quī dominō verba dīcunt?	Servī dominō verba dīcunt.
Quid servī dīcunt?	Verba servī dīcunt.

Hominēs nūdī in vītam veniunt.

Quī nūdī nāscuntur?	Hominēs nūdī nāscuntur.
Quō hominēs nūdī veniunt?	In vītam hominēs nūdī veniunt.
Quālēs hominēs nāscuntur?	Nūdī hominēs nāscuntur.
Quālēs hominēs in vītam veniunt?	Nūdī hominēs in vītam veniunt.

Sapientēs dolōrem ferunt.

Quī dolōrem ferunt?	Sapientēs dolōrem ferunt.
Quid ā sapientibus fertur?	Dolor ā sapientibus fertur.
Quī dolōrem patiuntur?	Sapientēs dolōrem patiuntur.
Quid sapientēs patiuntur?	Dolōrem sapientēs patiuntur.

SELF TEST

Complete each of the following sentences with a different deponent verb:

1. Mala lingua saepe _____.

2. Similis īnsānō est is quī _____.

3. Mulierēs vestem semper _____.

4. Mors vītam semper _____.

5. Omnis quī _____ mortālis est.

6. Sapiēns malam fortūnam fortiter _____.

7. Post breve tempus _____ homō.

8. Quantō plūs _____ tantō minus sapit.

9. Quisquis in vītā suā parentēs _____ , ille dīs grātus est.

10. Quī sapientem _____ saepe ipse sapiēns fit.

READINGS

Which of the following verbs in -*tur* and -*ntur* are deponents?

R261 Lēgem nocēns verētur, fortūnam innocēns. Publilius Syrus

Quis lēgem timet?
Quis fortūnam timet?
Quem lēx tērret?
Quem fortūna?
Quid timet quī innocēns est?
Quid timet quī nocēns est?

R262 Plērīque Deum vōcibus sequuntur, mōribus autem fugiunt. Anon.

Quibus auxiliīs multī Deum petunt?	plērusque, plēraque,
Quibus auxiliīs plērīque Deum fugiunt?	plērumque (used
Quot hominēs in vītā suā Deum	mainly in plural):
sequuntur?	*very much, very*
Quis vōcibus petitur, mōribus fugitur?	*many*

R263 Cūrae levēs loquuntur, ingentēs stupent. Seneca

Quālēs cūrae tacent?	stupet/----: *be word-*
Quālium cūrārum vōcēs silent?	*less* through as-
Quālēs cūrae quiēscunt?	tonishment, fright,
Quantae cūrae vōcem habent?	etc.

R264 Ignis cineribus alitur suīs. Anon.

Quid ignem alit?	
Quid ignem nōn extinguit?	(Cōnfer Lēctiōnem nōnā-
Per quās rēs crēscit ignis?	gēsimam quartam)
Quid pāscunt cinerēs?	

R265 Vincit quī patitur. Burton

Quis est victor?
Quis victōriam habet?

Cujus est victōria?
Quid capit quī malum patitur?

R266 Aurō loquente, sermō omnis inānis est. Greek proverb

Quāle fit omne verbum sī   aurum -ī, n: *gold*
   nummus loquitur?
Quid in mundō maximē valet?
Per quid fit omnis sermō inūtilis?
Quid est majus verbīs?
Pecūniā loquente, quantum valet ōrātiō?
Quō auxiliō hominēs plūs efficiunt?
Quā condiciōne est omne verbum vānum?
Cujus est maxima vīs?

R267 Jūdex damnātur cum nocēns absolvitur. Publilius Syrus

Quālis jūdex nocentem absolvit?   absolvit/-itur
Quō modō jūdicat quī nocentem   damnat/-ātur
   damnat?   culpa -ae, f: *blame,*
Quis damnātur sī jūdex rēctē jūdicat?   *fault*
Quālis jūdex innocentem absolvit?
Cujus culpā nocēns absolvitur?
Quem damnat jūdex injūstus?

R268 Quem dī dīligunt, adulēscēns moritur, dum valet, sentit, sapit.
                                                        Plautus

Quibus cārus est quī adulēscēns perit?   dīligit/-itur: *love* (amat,
Quōrum cūrā adulēscēns perit?   colit)
Cujus aetās amāra est?   adulēscēns
Quāle corpus habet adulēscēns?
Quot morbōs patitur senex?
Cujus aetās jūcunda est?

R269 Cui sunt multa bona, huic dantur plūrima dōna. Anon.

Quanta dōna accipit dīves?
Quanta dōna accipit inops?
Cujus dōna plūrima sunt?
Ā quālī homine pauca dōna accipiuntur?

R270 Citius venit perīculum cum contemnitur. Anon.

Venit perīculum neglēctum sērius aut citius?
Perīculum sī expectātum, quō tempore venit?
Quālis homō perīculum contemnit?   expectat/-ātur
Quālis homō perīculum verētur?
Cujus cūrā perīcula repelluntur?

EXPLANATION OF STRUCTURE: THE IMPERFECTIVE INFINITIVE

We have seen that many Latin verbs have corresponding nouns, for example, *īrāscitur* and *īra*, *moritur* and *mors*, *vincit* and both *victor* and *victōria*, *sapit* and *sapientia*. But we can never be sure of the form of the corresponding noun until we look in the dictionary.

We have in Latin, as in many languages, a *predictable* noun for every regular verb; that is, once you know the verb you can form this noun with 100% chance of success. The predictable noun is called the *infinitive*. The signal in Latin is *-re* for the active and *-rī* for the passive (except for one sizeable group of verbs which has *-ī* for the passive).

This predictable noun has only the nominative and accusative cases;[1] since it is a neuter noun, the forms of the nominative and accusative are the same. The Latin infinitive has a limited distribution even within these two cases: it is used as the object of only a few transitive (and transitival) verbs and as subject of a very few verbs. It is the object (in this lesson) only of *potest*, *dēbet*, *vidētur*,[2] *vult*, and *solet*. It is the subject (in this lesson) only of *est*. It is frequently found with *est* in an A=B construction. Remembering that the sign of the infinitive is *-re* for the active and *-rī* (as well as *-ī*) for the passive, examine the following Basic Sentences.

BASIC SENTENCES

S221 Nēmō...regere potest nisī quī et regī.
SENECA

No one can govern who cannot also be governed.

Quis regere potest?
Quid saepe potest quī regī potest?

S222 Et monēre et monērī proprium est vērae amīcitiae.
CICERO

Both giving and taking advice is proper to real friendship.

Quibus hominibus est proprium et monēre et monērī?
Quī et monēre et monērī dēbent?
Quid dēbent vērī amici?

---

[1] More accurately we might say that the use in other cases is rare.

[2] *Vidētur* is a special verb which can take the accusative (of the infinitive) when passive.

251

Ā quō amīcus rēctē monētur?
Quem amīcus rēctē monet?
Quis bene monētur?

S223 Ōre plēnō vel bibere vel loquī nec honestum est nec tūtum.
PETRUS ALPHONSUS (?)

It is neither polite nor safe to drink or speak with a full mouth.

Quō modō bibit quī ōre plēnō bibit?
Quō modō loquitur quī ōre plēnō loquitur?
Quid nōn est honestum?
Quālis rēs est ōre plēnō loquī?

S224 Et facere et patī fortia Rōmānum est.
LIVY

Both to act and to suffer bravely is the Roman way.

Quālēs rēs Rōmānī gerere dēbent?
Quō modō Rōmānī patī dēbent?
Quālī mōre hominēs fortia faciunt ac patiuntur?
Quibus similēs sunt eī quī fortia faciunt?
Quōs eī imitantur?
Quibuscum comparantur?

S225 Dulce et decōrum est prō patriā morī.
HORACE

It is pleasant and proper to die for one's country.

Quō modō perit is quī moritur prō patriā?
Quālem mortem patitur quī prō patriā moritur?
Cujus mors decōra est?
Quid est bonum?

S226 Sōlem ... ē mundō tollere videntur quī amīcitiam ē vītā tollunt.
CICERO

Those who remove friendship from life seem to remove the sun from the sky.

Cui reī amīcitia similis est?
Quid tollunt quī amīcitiam tollunt?
Cujus lūx mundum nūtrit?
Quōs nūtrit amīcitia?

S227 Multōs timēre dēbet quem multī timent.
PUBLILIUS SYRUS

He whom many fear ought to fear many.

Sī quis multōs terret, quot dēbet timēre?
Cujus timor magnus esse dēbet?

S228 Stultum facit Fortūna quem vult perdere.
PUBLILIUS SYRUS

Whom Fortune wishes to destroy it makes foolish.

Quālis fit cui Fortūna nocēre cupit?
Cujus auxiliō stultus fit?

S229 In malīs spērāre bene, nisī innocēns, nēmō solet.
PUBLILIUS SYRUS

No one usually is of good spirits in evil circumstances unless
innocent.

Quis saepe in malīs rēbus spērat?
Quotiēns nocēns in adversīs spērat?
Cujus spēs in malīs bona est?
Ubi nocēns nōn spērat?

S230 Stultum est querī dē adversīs ubi culpa est tua.
PUBLILIUS SYRUS

It is foolish to complain about adversity where the fault is yours.

Quō modō homō queritur dē malīs sī
    ipse suōrum malōrum causa est?   causa -ae, f
Quālis homō est quī sīc queritur?
Quā condiciōne est stultum querī?
Quid est stultum?

NEW	potest/----	monet/-ētur	tollit/-itur
VERBS	solet/----	----/queritur	

NEW	Rōmānus -a -um	decōrus -a -um (decōrē)
ADJECTIVES	proprius-a-um	tuus -a -um

NEW   vel: *or* (vel...vel: *either...or*)
INDECLINABLES   While *aut* indicates that a choice must be made
                    (Nihil rēctē sine exemplō aut docētur aut dis-
                    citur), *vel* shows that the two items are not

mutually exclusive (as in S223). Perhaps these
jingles will help you to remember:

Aut means you must throw one *out*.
Vel means either will do as *well*.

Which of the new verbs is a deponent? How do you tell that it is a
deponent?

PATTERN PRACTICE, Part One

Purpose: to learn the imperfective infinitive.
Directions: change the utterance by adding *potest* and transforming the verb to
the imperfective infinitive to show that subject *can* do the action.
Example: Numquam perīculum vincī potest. (Danger can never be
overcome.)

Numquam perīculum vincitur. (S50)	Numquam perīculum vincī potest.
Magna dī cūrant. (S62)	Magna dī cūrāre possunt.
In marī piscēs capiuntur. (S75)	In marī piscēs capī possunt.
Labor omnia vincit. (S82)	Labor omnia vincere potest.
Ā cane aper tenētur. (S21)	Ā cane aper tenērī potest.
Amīcus certus cernitur. (S74)	Amīcus certus cernī potest.
Ōrātiō venēnum suum habet. (S53)	Ōrātiō venēnum suum habēre potest.
Verba movent. (S65)	Verba movēre possunt.
Exempla trahunt. (S65)	Exempla trahere possunt.
Deus alter opem fert. (S126)	Deus alter opem ferre potest.
Capillus umbram suam habet. (S51)	Capillus umbram suam habēre potest.
Caesar omnia in terrīs regit. (S84)	Caesar omnia in terrīs regere potest.
Crūdēlis lacrimīs pāscitur. (S69)	Crūdēlis lacrimīs pāscī potest.
Oculī in amōre ducēs sunt. (S97)	Oculī in amōre ducēs esse possunt.
Sapientēs fortūnam ferunt. (S78)	Sapientēs fortūnam ferre possunt.

PATTERN PRACTICE, Part Two

Directions: add *dēbet* to show that the subject *ought* to do the action. Example:
Fūrem fūr cognōscere dēbet. (A thief should recognize a thief.)

Fūrem fūr cognōscit. (S2)	Fūrem fūr cognōscere dēbet.
Antīquā veste pauper vestītur. (S23)	Antīquā veste pauper vestīrī dēbet.
Rem amīcus quaerit. (S5)	Rem amīcus quaerere dēbet.
Manus manum lavat. (S8)	Manus manum lavāre dēbet.
Amphora sub veste portātur. (S22)	Amphora sub veste portārī dēbet.

Saepe malum petitur. (S41)   Saepe malum petī dēbet.
Saepe bonum fugitur. (S41)   Saepe bonum fugī dēbet.
Parva dī neglegunt. (S62)   Parva dī neglegere dēbent.
Deus superbīs resistit. (S171)   Deus superbīs resistere dēbet.
Canis timidus lātrat. (S156)   Canis timidus lātrāre dēbet.

Stultī fortūnam timent. (S78)   Stultī fortūnam timēre dēbent.
Studium honōrem reddit. (S98)   Studium honōrem reddere dēbet.
Nāvis in marī parvula est. (S104)   Nāvis in marī parvula esse dēbet.
Post trēs diēs piscis vīlēscit. (S115) Post trēs diēs piscis vīlēscere dēbet.
Nihil sine exemplō docētur. (S139)   Nihil sine exemplō docērī dēbet.

PATTERN PRACTICE, Part Three

Directions: add *vult* to show that the subject *wants* to do the action. Example:
             Deus humilibus grātiam dare vult. (God wants to give grace to the
             humble.)

Deus humilibus grātiam dat. (S171)   Deus humilibus grātiam dare vult.
Flōris odōrem nōn pingit. (S184)   Flōris odōrem nōn pingere vult.
Caelum, nōn animum, mūtant. (S114)   Caelum, nōn animum, mūtāre volunt.
Lupus mentem ad agnum vertit. (S111) Lupus mentem ad agnum vertere vult.
Nēmō sine crīmine vīvit. (S73)   Nēmō sine crīmine vīvere vult.

In marī aquam quaerit. (S43)   In marī aquam quaerere vult.
Nēmō līber est. (S162)   Nēmō līber esse vult.
Inopī beneficium dat. (S161)   Inopī beneficium dare vult.
Prō innocente dīcit. (S103)   Prō innocente dīcere vult.
Hominēs oculīs crēdunt. (S178)   Hominēs oculīs crēdere volunt.

Mulier multīs nūbit. (S173)   Mulier multīs nūbere vult.
Nēmō corporī servit. (S162)   Nēmō corporī servīre vult.
Glōria virtūtem sequitur. (S211)   Glōria virtūtem sequī vult.
Nōn omnēs eadem mīrantur. (S213)   Nōn omnēs eadem mīrārī volunt.
Paucī cōnscientiam verentur. (S216)   Paucī cōnscientiam verērī volunt.

PATTERN PRACTICE, Part Four

Directions: add *solet* to show that the subject *usually* does the action. Example:
             Oculī mentīrī solent. (Eyes are accustomed to lie, or Eyes usually
             lie.)

Oculī mentiuntur. (S218)   Oculī mentīrī solent.
Poēta nāscitur. (S212)   Poēta nāscī solet.
Glōria virtūtem sequitur. (S211)   Glōria virtūtem sequī solet.
Multī fāmam verentur. (S216)   Multī fāmam verērī solent.
Gravis īra rēgum est. (S197)   Gravis īra rēgum esse solet.

Sēcūrus orbis jūdicat. (S194)   Sēcūrus orbis jūdicāre solet.
Sōl omnibus lūcet. (S179)   Sōl omnibus lūcēre solet.
Nihil sine exemplō discitur. (S139)   Nihil sine exemplō discī solet.
Famēs optimus coquus est. (S147)   Famēs optimus coquus esse solet.
Gaudēns gaudentī placet. (S168)   Gaudēns gaudentī placēre solet.

Necessitās lēgem nōn habet. (S37)   Necessitās lēgem nōn habēre solet.
Occāsiō facile āmittitur. (S30)   Occāsiō facile āmittī solet.
In omnī rē vēritās vincit. (S35)   In omnī rē vēritās vincere solet.
Imāgō animī vultus est. (S188)   Imāgō animī vultus esse solet.
Immodicīs brevis aetās est. (S174)   Immodicīs brevis aetās esse solet.

PATTERN PRACTICE, Part Five

Directions: add *vidētur* to show that the subject *seems* to do the action. Example: Sapiēns vir pauca loquī vidētur. (The wise man seems to talk little.)

Vir sapiēns pauca loquitur. (S214)   Vir sapiēns pauca loquī vidētur.
Nōn omnēs eadem mīrantur. (S213)   Nōn omnēs eadem mīrārī videntur.
Sōlitūdō Mūsīs placet. (S175)   Sōlitūdō Mūsīs placēre vidētur.
Vōx audīta perit. (S131)   Vōx audīta perīre vidētur.
Vulpēs fraudem vult. (S11)   Vulpēs fraudem velle vidētur.

Brevis vīta est. (S203)   Brevis vīta esse vidētur.
In vīnō vēritās est. (S45)   In vīnō vēritās esse vidētur.
Mundus ingēns templum est. (S193)   Mundus ingēns templum esse vidētur.
Fēmina laudem vult. (S11)   Fēmina laudem velle vidētur.
Sapiēns deōs imitātur. (S217)   Sapiēns deōs imitārī vidētur.

Omnia eum timent. (S209)   Omnia eum timēre videntur.
Sapiēns fīnem impōnit. (S177)   Sapiēns fīnem impōnere vidētur.
Deus superbīs resistit. (S171)   Deus superbīs resistere vidētur.
Mors sua quemque manet. (S155)   Mors sua quemque manēre vidētur.
Virtūs hominēs nōbilitat. (S88)   Virtūs hominēs nōbilitāre vidētur.

SELF TEST

1. Quid caecus bene facere nōn potest? (Cōnfer Lēctiōnem centēsimam sextam)

2. Quid surdus bene facere nōn potest?

3. Quid claudus bene facere nōn potest?

4. Transform the following verbs to an infinitive and add *dēbet, vult,* etc.

a. Tempore fēlīcī multī numerantur amīcī. (S72)
b. Mulier sōla male cōgitat. (S91)
c. Vincit omnia vēritās. (S80)
d. Post trēs diēs hospes vīlēscit. (S115)
e. Nōn aurem facilem habet fēlīcitās. (S55)
f. Dī parva neglegunt. (S62)
g. Flēns flentī placet. (S168)

If you wish to check your work, you can find the infinitive in the vocabulary. It is the second form listed, the first being the first person singular form (habeō: *I have*). You may have observed that all verbs (except a handful in a class by themselves) form the infinitive by adding *-re* to a vowel which is *-ā-*, *-ē-*, *-e-*, or *-ī-*. This vowel is the *conjugation marker*, and all regular verbs fall into one of four *conjugations*. *Habē-* is the imperfective stem. This fact will be of the utmost importance in the next few lessons when we examine the verb system.

EXPLANATION OF STRUCTURE: CONTRAST BETWEEN ENGLISH AND LATIN

English has two infinitives. One is called the *marked infinitive* because it is marked by *to*. This infinitive patterns with almost any verb:

He went away	
He wanted	
He tried	
He got up in the morning	
He stayed up all night	*to buy* a hat.
He fell all over himself	
He refused	
He asked his friends	
He saved up money	

The *unmarked infinitive*, however, patterns with only a few auxiliary verbs; most of these do not have the *-s* ending in the third singular:

He can	
He could	
He may	
He might	
He shall	
He should	*buy* a hat.
He will	
He would	
He must	
He does	
He did	

The Latin infinitive, on the other hand, is object of only a few verbs. What are the five we have had? Common A=B expressions are: -re est proprium; -re est honestum; -re est tūtum; -re est stultum. In such expressions a common English equivalent is the -*ing* form: Bibere est stultum = Drinking is stupid. Often English would use an ordinary noun: Morī est dulce = Death is pleasant.

READINGS

First, identify all the infinitives by their form. Secondly, tell whether they are subject or object, and the verbs with which they pattern.

R271 Nōn sentīre mala sua nōn est hominis, et nōn ferre, nōn est virī.

Seneca

> Quis mala sua sentit?
> Quis mala sua fert?
> Quālis vir mala sua nōn fert?
> Quālis homō mala sua nōn sentit?
> Cujus est mala sua sentīre?
> Cujus est mala sua ferre?

R272 Levis est dolor quī capere cōnsilium potest. Seneca

> Quō modō dolet is quī cōnsilium capere potest?
> Quālem dolōrem sentit is quī monērī potest?
> Quid nōn possunt eī quī gravem dolōrem sentiunt?
> Quōrum dolor levis est?

R273 Difficile est longum subitō dēpōnere amōrem. Catullus

> Quid nōn est facile?   dēpōnit/-itur
> Quālis amor facile dēpōnitur?
> Quō tempore amor longus dēpōnitur?
> Quō modō nēmō amōrem longum dēpōnit?
> Cujus cūrā amor crēscit?

R274 Contrā vim mortis nōn nāscitur herba in hortīs. Medieval

> Quantum potest medicīna contrā mortem?
> Ubi inveniuntur herbae?

R275 Omnia mors poscit: lēx est, nōn poena, perīre. Seneca

> Cujus sub lēge vīvit homō?   poscit/-itur: *demand*
> Quibus mors īnstat?   (petit)
> Quōs mors sequitur?

R276 Nīl agentī diēs longus est. Seneca

Sī quis labōrat, quantus esse diēs vidētur?
Cujus diēs longus est?
Quā condiciōne tempus fugit?
Quā condiciōne tempus stat?

R277 Multa docet famēs. Anon.

Cujus cūrā plūrimī discunt?
Per quid bonus discipulus fit?
Quālis doctor est famēs?

R278 Effugere cupiditātem rēgnum est vincere. Publilius Syrus

Quid facit sī quis avāritiam effugit? effugit/-itur: *escape*
Quis est magnus victor?   cupiditās -tātis, f:
              desire, lust, greed

R279 Omnia nēmō potest: nōn omnēs omnia possunt. Werner

Quis omnia potest?
Quantum omnēs nōn possunt?

R280 Rēs est magna tacēre. Martial

Quid est magnum?
Estne loquācitās magna rēs?
Sapitne sī quis tacet?
Estne silentium magna rēs?

You should now be able to do the first Narrative Reading, page 401.

REVIEW LESSON SIX

READINGS

R281 Thēsaurum in sepulchrō pōnit, quī senem hērēdem facit.

Publilius Syrus

Quō modō agit quī senem hērēdem facit?
Cui pecūnia darī nōn dēbet?   sepulchrum -ī, n
Cujus vīta brevis est?   hērēs -ēdis, m&f

R282 Multō...plūs intellegitur quod oculīs vidētur quam quod aure
   percipitur. St. Jerome

Per quae membra aliquis optimē   intellegit/-itur
   discit?
Quōrum auxiliō homō bene discit?   percipit/-itur

R283 Mors lupī agnīs vīta. Anon.

Sī lupus moritur, quid agunt agnī?
Quā condiciōne vīvunt agnī?
Estne mors lupī agnīs grāta?
Quibus nocet lupus vīvus?
Quōrum hostis est lupus vīvus?
Sī lupus vīvit, quid patiuntur agnī?

R284 Omnis ars nātūrae imitātiō est. Seneca

Quid ars imitātur?
Cui ars similis est?

R285 Dormiunt aliquandō lēgēs, numquam moriuntur. Legal

Quotiēns dormiunt lēgēs?   aliquandō (adverbial): *some-*
Sī interdum injūstitia fit, suntne   *times* (interdum)
   lēgēs mortuae?
Quotiēns vīvunt lēgēs?
Videnturne aliquandō lēgēs mortuae esse?

R286 Quis pauper? Avārus. Pseudo-Ausonius

Cūr avārus pauper est?
Cujus inopia maxima est?
Quis suam inopiam honestē accipit?
Quod vitium habet avārus?

R287 Lāta porta et spatiōsa via quae dūcit ad perditiōnem, et multī
sunt quī intrant per eam. St. Matthew

Faciuntne multī iter ad īnfernum?	lātus -a -um (lātē)
Estne porta quae dūcit ad īnfernum	porta -ae, f: *gate*
magna an parva?	spatiōsus -a -um
Estne iter ad Paradīsum facile an	(spatiōsē)
difficile?	
Quālis via ad īnfernum?	

R288 Is minimum eget mortālis quī minimum cupit. Publilius Syrus

Quantum caret sapiēns?
Quantum caret avārus?
Utrum minimum an maximum vult sapiēns?
Quantum vult avārus?
Quotiēns avārus satis habet?
Quantum saepe capit quī plūs cupit?

R289 Beātī monoculī in terrā caecōrum. Medieval

Quōrum est luscus rēx?
Quōrum sub rēgnō stant caecī?
Quid agere potest luscus inter caecōs?
Ubi est luscus rēx?

R290 Sūmere vult piscēs cattus sed flūmen abhorret. Werner

Dēbetne cattus piscēs habēre, flūmen	sūmit/-itur: *take, get*
sī timet?	cattus -ī, m
Ubi habitant piscēs?	abhorret/-ētur
Quid cattus amat?	
Cujus timōre dēterrētur cattus?	

R291 Perīculōsum est crēdere et nōn crēdere. Phaedrus

Estne tūtum crēdere?
Quō modō homō crēdit?

R292 Contrā vim mortis nōn herbula crēscit in hortīs. Medieval

Quid est forte?
Estne medicīna morte fortior?
Estne medicīnā mors fortior?
Quō fortior est mors?

R293 Fāmam cūrant multī, paucī cōnscientiam.   Pseudo-Publilius Syrus

Quot glōriam sequuntur?
Quot virtūtem sequuntur?
Quot hominibus est fāma cāra?
Quot hominibus est cōnscientia cāra?

R294 Vitiīs nēmō sine[1] nāscitur; optimus ille est
qui minimīs urgētur.   Horace

Quis vitia nōn habet?
Quanta vitia habet bonus?
Quanta habet optimus?
Quantīs vitiīs servit sapiēns?
Quantīs stultus?   urget/-ētur
Quō modō vīvit optimus vir?

R295 Ipsa scientia potestās est.   Bacon

Quōrum est potestās magna?   potestās -tātis, f
Quōrum est parva?

R296 Amor fit īrā jūcundior.   Anon.

Post lītem estne amor grātior?
Quid facit amōrem jūcundiōrem?
Per quid amor crēscit?
Per quid amor solvitur?

R297 Ē vīperā rursum vīpera nāscitur.   Anon.

Quem vīpera generat?   vīpera -ae, f
Cui similis est vīpera?   rursum (adverbial):
Cujus nāta est vīpera?   *again*
Produce ten similar sayings using different
    animals, plants, and people.

R298 Fortūna meliōrēs sequitur.   Sallust

Quōrum est fortūna fēlīx?
Quō modō vīvunt pejōrēs?
Quōrum est fortūna mala?
Quibus fortūna favet?

---

[1]*sine* is here separated (most unusually) from the word it patterns with, *vitiīs*.

R299 Aliud vīnum, aliud ēbrietās. Anon.

Cujus mēns īnsāna fit?
Dēbetne ēbrietās vīnum sequī?
Daturne vīnum ad ēbrietātem?
Daturne vīnum ad laetitiam?

R300 Nāscuntur poētae, ōrātōrēs fīunt. Anon.

Faciuntne litterae ōrātōrēs?
Quibus auxiliīs ōrātōrēs fīunt?
Ā quibus ōrātōrēs docentur?
Uter sine magistrī cūrā crēscit?

R301 Quisquis amat servit; sequitur captīvus amātam. Anon.

Cui amātor servit?
Cujus est domina puella?
Cujus servus est amātor?
Quem amat?
Quis amātur?
Quis sequitur?

R302 Dulcis amor patriae, dulce vidēre suōs. Anon.

Quid omnis amat?
Quōs quisque amat?
Quōs omnis vidēre vult?
Cupitne suam quisque patriam vidēre?

R303 Audācēs Fortūna juvat. Anon.

Cujus cūrā vīvunt audentēs?
Quibus favet Fortūna?
Quī ā Fortūnā adjuvantur?
Quālēs sunt eī quibus Fortūna favet?

R304 Injūriārum remedium est oblīviō. Publilius Syrus

Quō auxiliō injūriae cūrantur?   oblīviō -ōnis, f
Quid per oblīviōnem cūrātur?
Tenetne semper in memoriā sapiēns injūriās?
Quālēs hominēs injūriās in memoriā semper tenent?

R305 Avārus, nisi cum moritur, nīl rēctē façit. Publilius Syrus

Cujus mors grāta est?
Quibus est mors avārī grāta?

Agitne rēctē avārus cum moritur?
Agitne avārus rēctē dum vīvit?

R306 Quidquid fit cum virtūte, fit cum glōriā. Publilius Syrus

SĪ quis fortiter agit, habetne glōriam?
Quem glōria sequitur?

R307 Deōs nēmō sānus timet. Seneca

Quālis vir est quī deōs timet?
Quālis vir est quī deōs verētur?
(This contrasts the verbs *timet* and *verētur*.)

R308 Gaudium...nōn nāscitur nisī ex virtūtum cōnscientiā. Seneca

Quae rēs gaudium generat?
Cujus vīta fēlīx est?

R309 Necessitās dat lēgem, nōn ipsa accipit. Publilius Syrus

Quid necessitās facit?
Quid nōn facit?
Servitne lēgī necessitās?
Servitne lēx necessitātī?

R310 In terrīs summus rēx est hōc tempore nummus. Werner

Cui orbis servit?
Cujus est nummus rēx?

R311 Vīta ipsa...brevis est. Sallust

SĪ vīta brevis, quid longum?
Cujus vīta brevis est?

R312 Saepe mōrēs patris imitātur fīlius īnfāns. Binder

Cui similis est parvulus?
Cujus vitia puer discit?
Quid in vītā puerī simile patrī est?

R313 Quō plūs habent, eō plūs cupiunt. Anon.

Restate this sentence, using necessary forms of *tantus* and *quantus*.
Restate, using necessary forms of *possidet* and *vult*.
Restate, making all four changes.

R314 Omnia pecūniā efficī possunt. Cicero (adapted)

Quid omnia efficere potest?
Quid potest nummus?
Per quid omnia efficiuntur?
Quōrum est pecūnia rēgīna?

R315 Victōria nātūrā īnsolēns et superba est. Cicero (adapted)

Cujus nātūra est superba?
Estne victōria humilis?

R316 Mors sequitur, vīta fugit. Burton

Quid mors sequitur?
Quid vīta fugit?
Cui mors īnstat?
Cujus socia est mors?

R317 Virtūs omnī locō nāscitur. Seneca (adapted)

Quot regiōnēs virōs bonōs generant?
Ubi invenītur vir bonus?

R318 Vīle dōnum, vīlis grātia. Anon.

Quālem grātiam accipere dēbet quī dōnum vīle dat?
Quālis vir vīle dat dōnum?

R319 Aliud aliīs vidētur optimum. Cicero (?)

Quid volunt aliī?
Sī multī hominēs, quot sententiae?

R320 Intus et exterius ōrnat sapientia corpus. Werner

Quō auxiliō ōrnātur corpus?   pulchritūdō-dinis, f
Cujus pulchritūdō per sapientiam crēscit?

R321 Quid est sapientia? Semper idem velle atque idem nōlle. Seneca

Cujus voluntās semper mūtātur?   *nōlle* is the negative
Quid facit sapiēns?   of *velle*.
Cujus est semper mūtārī?
Cujus voluntās stabilis est?
Cujus est idem semper velle, idem semper nōlle?

R322 Suum sequitur lūmen semper innocentia. Publilius Syrus

Quid innocentia omnī tempore sequitur?
Cujus lūx semper clārissima est?

R323 Ex minimō crēscit sed nōn citō fāma quiēscit. Medieval

Cujus orīgō parva est?   orīgō -inis, f
Quandō fāma moritur?
Cui fāma nocet?
Cui hominēs facile crēdunt?

R324 Poēta nāscitur, nōn fit. Anon.

Sī nōn poēta, quis fit?
Per quid fit ōrātor?

R325 Stat sua cuique diēs. Vergil

Quem manet sua mors?
Quandō mors sua quemque manet?   (Cōnfer Exemplar centēsi-
Cujus mors certa est?   mum quīnquāgēsimum
                                                           quīntum)

R326 Grātius ex ipsō fonte bibuntur aquae. Ovid

Unde grātius bibuntur aquae?
Sī quis aquam ē fonte ipsō bibit, quō modō bibit?
Quid ē fonte aliquis magnō gaudiō bibit?
Cujus aqua grātior est?

R327 Quī mala dīligit et bona neglegit, intrat abyssum;
      nūlla pecūnia, nūlla scientia līberat ipsum. Werner

Quid stultus amat?   abyssus -ī, f
Quid nōn cūrat?   līberat/-ātur
Quem locum intrat stultus?
Potestne hic ā perditiōne līberārī?

R328 Omnia scīre volunt omnēs, sed discere nōlunt. Werner

Quid volunt omnēs?
Quid nōlunt?   *nōlunt* is the plural of
Quot rēs scīre volunt?   *nōn vult.*
Estne eīs studium cārum?

R329 Vēritās odium parit. Burton

> Ex quō locō nāscitur odium?
> Cujus vōx ingrāta est?
> Estne hominī cāra vēritās?
> Quis amīcum suum saepe āmittit?

R330 Ars est cēlāre artem. Anon.

> Quid est ars?
> Cujus cūrā ars ipsa cēlātur?

R331 Thēsaurus est mulier malōrum, sī mala est. Anon.

> Ubi latitant multa mala?
> Quid est fēmina sī bona est?

R332 Nēmō potest nūdō vestīmenta dētrahere. Anon.

> Quot vestīmenta gerit nūdus?   dētrahit/-itur
> Cujus vestīmenta dētrahī nōn possunt?   vestīmentum -ī, n

R333 Nec plēnō flūmine cernit aquās. Ovid

> Cujus aquam stultus nōn videt?
> Quālis vir est quī aquās in amne nōn videt?
> Ā quō aqua plēnō in amne nōn cernitur?
> Quis quid nōn invenit?

R334 Contrā malum mortis nōn est medicāmen in hortīs. Medieval

> Restate, using different words for *malum, est,* and *medicāmen.*

R335 Nec mortem effugere quisquam nec amōrem potest.

> Publilius Syrus

> Quid est prīmum malum quod quisquam effugere nōn potest?
> Quid est alterum malum?
> Quae duae rēs quemque semper tenent?
> Quōrum perīculum nēmō effugit?

R336 Prūdentis est mūtāre cōnsilium: stultus sīcut lūna mūtātur. Anon.

> Quis semper cōnsilium mūtat?   sīcut (conjunction): *as*
> Quis tempore cōnsilium mūtat?
> Cujus est cōnsilium semper mūtāre?
> Cujus est cōnsilium tempore mūtāre?
> Cui similis est quī cōnsilium semper mūtat?
> Quālis est is quī numquam cōnsilium mūtat?

R337 Famem pestilentia sequitur. Anon.

Cui pestilentia succēdit?   pestilentia -ae, f
Cujus socia est famēs?

R338 Audentēs Deus ipse juvat. Ovid

Cujus sub cūrā vīvunt audentēs?
Quālēs virī sunt eī quī audent?

R339 Male facere quī vult numquam nōn causam invenit.

Publilius Syrus

Quotiēns quī male facere vult   numquam nōn: semper,
   causam invenit?   omnī tempore
Caretne malus causā?   nōn numquam: inter-
Cui est semper causa?   dum, aliquandō

R340 Tantō fortior, tantō fēlīcior. Seneca

Quis fēlīx?
Restate, using the necessary form of *quantus*. (Cōnfer Exemplar
   centēsimum sexāgēsimum)
Restate, using the necessary forms of *is* and *quī*. (Cōnfer
   Lēctiōnem trēcentēsimam tertiam decimam)

R341 Trahit sua quemque voluptās. Vergil

Quō auxiliō quisque trahitur?
Quid quisque sequitur?
Cui quisque servit?
Cujus servus est quisque?

R342 Fortūna per omnia hūmāna, maximē in rēs bellicās, potēns. Livy

Ubi sors multum potest?   bellicus -a -um
Ubi est sors potentissima?   potēns
Quid maximē regit sors?   hūmānus -a -um
Cujus vīs in pāce magna est?
Cui est maxima potestās in bellō?

R343 Cattus amat piscem sed nōn vult tangere flūmen. Werner

Quibus membrīs cattus piscēs capere dēbet?
Cui sunt piscēs cārī?
Quid fēlēs sūmere vult?   fēlēs -is, f: cattus

R344 Nīl nisī cruce. Motto

 Quantum cum cruce vincitur?
 Quantum sine cruce vincitur?
 In cujus nōmine vincitur omne?
 Quis sine cruce vincit?

R345 Quid est... ratiō? Nātūrae imitātiō. Pseudo-Seneca(?)

 Quid ratiō imitātur?
 Cui ratiō similis est?
 Quid ratiōnī simile est?
 Quid ratiō sequitur?

R346 Multī sunt quī scīre volunt sed discere nōlunt. Werner

 Quibus scientia placet?
 Quibus studium placet?

R347 Vultus est index animī. Anon.

 Quid vultus indicat?
 Ubi latitat animus?

R348 Interdum stultus bene loquitur. Anon.

 Quid stultus nōn numquam loquitur?
 Quid stultus saepe dīcit?
 Cujus verbum nōn numquam sapiēns vidētur?

R349 Virtūtis amōre. Motto

 Quid amat ille?
 Quō modō vīvit?
 Cui servit?

R350 Amīcitia parēs aut accipit aut facit. Anon.

 Sī quis potēns est, quālēs amīcōs accipere dēbet?
 Sī quis pauper, quālēs amīcōs?
 Quālēs sī stultus? Sī prūdēns? Sī fatuus?

R351 Cor sapientis quaerit doctrīnam. Bible

 Quis discere vult?
 Cujus cor doctrīnam fugit?
 Cui placet studium?

R352 Saepe solet similis fīlius esse patrī. Werner

Quotiēns fīlius patrem imitātur?
Cujus mōrēs imitātur fīlius?
Quam rem imitātur?
Quis imitātur?
Quem imitātur?
Unde fīlius suōs mōrēs discit?

R353 Quid levius ventō? Fulmen. Quid fulmine? Fāma.
Quid fāmā? Mulier. Quid muliere? Nihil. Werner

Cujus animus levissimus est?
Quid levitāte fēmina superat?

R354 Perīc'la timidus etiam quae nōn sunt videt. Publilius Syrus

Cujus timor vānus est?
Timetne timidus perīcula vāna?

R355 Ubi jūdicat quī accūsat, vīs, nōn lēx, valet. Publilius Syrus

Quō modō jūdicat jūdex quī accūsat?   accūsat/-ātur
Quālis jūdex est quī ipse accūsat?
Quid patitur innocēns sī jūdex accūsat?
Cui nocet jūdex injūstus?

R356 Stultus stulta loquitur. Anon.

Make up similar sentences using other adjectives.

R357 Fēlēs amat piscēs sed aquās intrāre recūsat. Medieval

Quid fēlēs vult?
Quid nōn vult?   recūsat/-ātur: *refuse*

R358 Avārus ipse miseriae causa est suae. Publilius Syrus

Cujus bibit avārus maximam partem?   miseria -ae, f
  (Cōnfer Lēctiōnem ducentēsimam
  quīnquāgēsimam sextam)
Gaudetne avārus?

R359 Contrā malum mortis nōn est medicāmentum in hortīs. Medieval

Quid nōn crēscit contrā mortem?   medicāmentum -ī, n
Quid est īnsānābile?

R360 Quae est maxima egestās? Avāritia. Pseudo-Seneca

    Cujus egestās maxima est?   egestās -tātis, f
    Quis minimum habet?

R361 Honor sequitur fugientem. Motto

    Cujus umbra est glōria?
    Cui succēdit honor?

R362 Grātus dēbet esse quī beneficium accipit. Cicero (adapted)

    Sī aliquis cui beneficium datur ingrātus est, agitne injūstē?

R363 Ibi potest valēre populus ubi lēgēs valent. Publilius Syrus

    Gaudetne populus quōrum lēgēs dormiunt?
    Quālis populus est quōrum lēgēs validae sunt?

R364 Dūcit amor patriae. Motto

    Quid hunc hominem dūcit?
    Quō auxiliō dūcitur?
    Quid is amat quī dūcitur?
    Cui servit?

R365 Esse quam vidērī. Motto

    Utrum imitātiō an vēritās est melior?

R366 Sine doctrīnā vīta est quasi mortis imāgō. Dionysius Cato

    Estne vīta quae litterīs caret mors ipsa?
    Cui similis est vīta nōn docta?   doctrīna -ae, f:
    Quid est doctrīna sine mōribus?   *instruction*
    Quōcum comparātur vīta sine   quasi, quasī (conjunc-
       litterīs?   tion): *as if, like*

R367 Vīs lēgibus inimīca. Legal

    Quid vīs nōn amat?
    Quōrum hostis est vīs?

R368 Sequitur vēr hiemem. Anon.

    Utrum vēr an hiems tempus jūcundum?   hiems, hiemis, f: *winter*
    Quandō flōrēs crēscunt?
    Quandō flōrēs moriuntur?

Utrum tempus laetificat cor hominum?
Cui vēr succēdit?

R369 Tam dēest avārō quod habet quam quod nōn habet. Publilius Syrus

Quibus rēbus eget avārus?
Cujus egestās maxima est?

R370 Spīna etiam grāta est, ex quā spectātur rosa. Publilius Syrus

Cujus spīna grāta est?   spectat/-ātur
Cujus odor grātus est?

R371 Est quaedam flēre voluptās. Ovid

Estne flētus ipse voluptās?
Quid est quaedam voluptās?
Quō modō hominēs saepe lacrimant?
Ubi posita est quaedam voluptās?

R372 Suō... ūnus quisque studiō maximē dūcitur. Cicero

Quid quemque maximē dūcit?
Quem suum studium dūcit?
Quantum suum quemque studium dūcit?
Placetne suum cuique studium?

R373 Quōs vult perdere Juppiter dēmentat prius. Anon.

Quem Juppiter īnsānum facit?   dēmentat/-ātur
Per quid Juppiter hominēs perdit?

R374 Labor ipse voluptās. Motto

Quō modō hic homō labōrat?
Quālī hominī labor placet?
Estne hic homō strēnuus ac fortis?
Quid est quaedam voluptās?

R375 Pecūnia nōn satiat avāritiam sed irritat. Pseudo-Seneca

Quō auxiliō avārus irritātur?   irritat/-ātur
Cui nummus ipse nōn placet?
Cujus inopiā fit avārus miser?

R376 Magis deōs miserī quam beātī colunt. Seneca the Elder (?)

Quōrum reverentia deōs magis colit?

Quālēs hominēs deōs in memoriā tenent?
Quālēs hominēs deōs in memoriā nōn tenent?

R377 Post vīnum verba, post imbrem nāscitur herba. Werner

Cujus auxiliō crēscunt verba?　　　　imber, imbris, m: *rain-*
Cujus auxiliō herba?　　　　　　　　　　*storm*
Quid verba generat?
Quid herbam generat?

R378 In bibliothēcīs loquuntur dēfūnctōrum immortālēs animae.
　　　　　　　　　　　　　　　　Pliny the Elder (adapted)

Ubi auctōrēs mortuī aeternō vīvunt?
Quī per librōs suōs nōn moriuntur?　　　liber, librī, m
Quibus auxiliīs scrīptōrēs　　　　　　　bibliothēca -ae, f
　　immortālēs fīunt?
Quōrum auxiliō poētae nōn pereunt?

R379 Nātūrāle est magis nova quam magna mīrārī. Seneca

Quid solet quisque magis mīrārī?　　　nātūrālis -e
Quid solet quisque minus mīrārī?

R380 Nēmō omnibus hōrīs sapit, Nēmō nāscitur sine vitiīs, crīmine
　　Nēmō caret, Nēmō sorte suā vīvit contentus, Nēmō in amōre
　　sapit, Nēmō bonus, Nēmō sapiēns, Nēmō est omnī parte beātus.

(This is adapted from a witty poem by Ulricus Huttenus about
a man named Nemo. This version is the one given by Burton,
much changed from the original.)

Quid est nōmen hujus hominis?
Quis nōmine est sed rē nōn est?
Quālis vir est Nēmō?

EXPLANATION OF STRUCTURE:
HOW THE LATIN VERB SYSTEM WORKS

Here is a thumbnail sketch of the Latin verb. You are not expected to memorize the information in this section. It is intended only as a map for the next dozen lessons; refer to it frequently. At present it will show you what remains to be learned. As you meet each new point, this section will enable you to locate it properly within a larger framework.

VOICE AND NUMBER

You already know that the Latin verb has active and passive forms, and singular and plural number.

PERSON

So far you have met only the third person, used when talking about someone as subject: *Rem quaerit amīcus* (A friend wants assistance). In Latin you can also say *Rem quaeris* (You want assistance) and *Rem quaerō* (I want assistance). The person endings, active and passive, are as follows:

ACTIVE		PASSIVE	
singular	plural	singular	plural
-ō, -m (I)	-mus (we)	-r, -or (I)	-mur (we)
-s (you)	-tis (you)	-ris (you)	-minī (you)
-t (he)	-nt (they)	-tur (he)	-ntur (they)

This corresponds closely to the English system, the two chief differences being these: 1) person in Latin is shown by the ending of the verb, person in English by a pronoun; 2) Latin distinguishes between *you* singular and *you* plural.

MOOD

Latin has three *moods*. So far you have met only the *indicative* mood, which makes an assertion (*Rem quaerit amīcus*: A friend wants assistance) or which asks a question requiring an assertion in answer (*Quaeritne rem amīcus?*: Does a friend want assistance?).

274

The chief use of the *subjunctive* mood is to contrast with assertion (*Rem quaerat amīcus*: A friend ought to want assistance). Notice the -*a*- in *quaerat*; it is the sign of the subjunctive in this verb form. All subjunctives which are main verbs show contrast with assertion, either wish or possibility. Subjunctives in subordinate clauses show contrast with assertion of various kinds, depending upon the introductory words.

The *imperative* mood gives a command, as in *Rem quaere!* (Look for assistance!) addressed to one person, and in *Rem quaerite!* (Look for assistance!) addressed to more than one person.

To summarize the moods: the indicative shows assertion; the subjunctive contrasts with assertion; the imperative shows a command.

TIME AND ASPECT

Finally, the Latin verb has different forms of the indicative and subjunctive to show *when* the action occurs (past, present, or future) and *what kind of action* it is (incomplete or complete). These time-aspect contrasts are called *tenses*.

The indicative has six tenses. If you will glance at the verb diagram you will see that the forms in the box marked #1 may be called *Past Imperfective*, the forms in #2 box *Present Imperfective*, those in #3 *Future Imperfective*, those in #4 *Past Perfective*, and so on. The meaning of *regēbat* in box #1 is "He ruled in the past and this act of ruling is not regarded as completed." Since languages are different (and now you know a little better what we mean by that!) it is fatal to assume that one English equivalent can express this form. Among possible interpretations (which would depend on the context) we can say: He ruled, He used to rule, He was ruling, He started to rule, He tried to rule, He kept ruling, etc. In all of these English phrases we have the idea of an action in past time that is not regarded as complete.

The tense which we have been using so far is #2, the Present Imperfective, expressing an incomplete action in present time. You will remember that it either expressed an action which was going on in present time, as in the pictures (*Puer ad flōrēs currit*: The boy is running towards the flowers), where the action is going on now and is not completed, or expressed a general truth, as in the sayings (*Rēm, nōn spem, quaerit amīcus*).

If you understand this so far, you will be able to figure out the meaning of the other forms; if you don't, then further talk *about* them would only be confusing; so we will wait until we see them in use. But we do want to add just one thing. For simple narration the Present Perfective (#5) is commonly used. This form therefore has two separate meanings: the first is that the action is complete in present time, as in *Vīcit*, "He has conquered (and so is now victorious);" the second meaning is "He conquered," without any reference to whether he is now winner or loser.

The subjunctive has four tenses (time-aspect contrasts). The

THE LATIN VERB SYSTEM

INDICATIVE

		Past Time	Present Time	Future Time
I	Imperfective Aspect	#1 amābat vidēbat regēbat audiēbat	#2 amat videt regit audit	#3 amābit vidēbit reget audiet
N D I C A T I V E	Perfective Aspect	#4 amāverat vīderat rēxerat audīverat	#5 amāvit vīdit rēxit audīvit	#6 amāverit vīderit rēxerit audīverit

SUBJUNCTIVE

		Past Time	Present Time
S U B J U N	Imperfective Aspect	#7 amāret vidēret regeret audīret	#8 amet videat regat audiat
C T I V E	Perfective Aspect	#9 amāvisset vīdisset rēxisset audīvisset	#10 amāverit vīderit rēxerit audīverit

IMPERATIVE

		Singular	Plural
I M P E R A T I V E		amā vidē rege audī	#11 amāte vidēte regite audīte

imperative (#11) does not have contrasts except for singular and plural. There is, however, another set of forms which you will learn much later, called the Second Imperative; these are used in formal language like prayers and laws or in informal language like letters — a curious combination!

Now that you have seen the whole picture, the next dozen lessons will present these items one at a time. If you can answer the following questions, you have learned what we hoped you would learn:

a. How many moods are there in Latin?
b. What does each mood mean?
c. How many tenses does the indicative mood have?
d. How many tenses does the subjunctive mood have?
e. How many persons are there in Latin?
f. How is person signalled in Latin? In English?
g. How does English show these ideas of time, types of action, and mood?

MORPHOLOGY OF THE VERB

From the following contrasting forms you will see that there are four classes or *conjugations* of regular verbs with a characteristic conjugation marker. For the #2 form, the signal is zero, i.e., the absence of any other tense, aspect, or mood sign. Notice that the only morphophonemic change in the second conjugation is the shortening of the conjugation marker before -ō,-t,and -nt. The other conjugations have more complicated morphophonemic changes. Notice that there is a subclass in the third conjugation.

Irregular verbs are those whose forms differ in some way from the great bulk of verbs. Irregular verbs are always common words; otherwise speakers of the language would regularize them.

Here are sample verbs for each conjugation:

1 (-ā-)	2 (-ē-)	3 (-e-,-i-,-∅-)	3 –iō (-e-,-i-)	4 (-ī-)
laudō	videō	dīcō	capiō	audiō
laudās	vidēs	dīcis	capis	audīs
laudat	videt	dīcit	capit	audit
laudāmus	vidēmus	dīcimus	capimus	audīmus
laudātis	vidētis	dīcitis	capitis	audītis
laudant	vident	dīcunt	capiunt	audiunt

Here are the chief irregular verbs:

sum	possum	ferō	volō	nōlō	mālō	eō
es	potes	fers	vīs	nōn vīs	māvīs	īs
est	potest	fert	vult	nōn vult	māvult	it

sumus	possumus	ferimus	volumus	nōlumus	mālumus	īmus
estis	potestis	fertis	vultis	nōn vultis	māvultis	ītis
sunt	possunt	ferunt	volunt	nōlunt	mālunt	eunt

PERSONAL PRONOUNS

To do the Pattern Practice for this lesson, it will be necessary to learn the Latin *personal pronouns*. You will notice that although they resemble one another, they do not look like the nouns, pronouns, or adjectives which we have met before. Morphologically they form a separate subclass.

	1st person (I, me, we, us)		2d person (you)		3d person (himself, herself, itself)	
	Sg	Pl	Sg	Pl	Sg	Pl
Nom	ego	nōs	tū	vōs	----	----
Acc	mē	nōs	tē	vōs	sē, sēsē	sē, sēsē
Abl	mē	nōbīs	tē	vōbīs	sē, sēsē	sē, sēsē
Dat	mihi, mī	nōbīs	tibi	vōbis	sibi	sibi
Gen	meī	nostrum, nostrī	tuī	vestrum, vestrī	suī	suī

Notice two things. The genitive is not used very much; if you want to give an equivalent for "my book" or "that book of mine," you use the adjective *meus*. Secondly, the pronoun *sē* (or *sēsē*) is used when the verb is third person (singular or plural) to refer back to the subject. Thus *sē videt* means "He sees himself" or "She sees herself," while *sē vident* means "They see themselves."

You can remember the first person pronoun from the word *egoist* and the English pronoun *me*. Those of you who have had French will recognize *tū*, *vōs*, and *nōs*. As for the third person, whom does a *sui*cide kill?

BASIC SENTENCES

S231 Videō ... barbam et pallium; philosophum nōndum videō.
AULUS GELLIUS

I see the beard and cloak; I don't yet see the philosopher.

Quae rēs in aspectū sunt?   aspectus -ūs, m

Quis in aspectū nōn est?
Cui est propria vestis palliolum?
Quid tū vidēs?[1]   Quid ego videō?[1]

S232   Certa mittimus dum incerta petimus.
PLAUTUS

We lose what is sure while seeking what is unsure.

Quālibus rēbus saepe carēmus quī vāna quaerimus?
Qualēs rēs nōs saepe mittimus?
Ā quibus certa saepe mittuntur?
Ā quibus incerta saepe petuntur?
Quid tū saepe mittis? [1]

S233   Nōn potestis Deō servīre et Mamōnae.
ST. MATTHEW

You cannot serve both God and Mammon.

Uter est deus falsus?
Quid vōs nōn potestis?[1]
Quid ego nōn possum?[1]

S234   Animum dēbēs mūtāre, nōn caelum.
SENECA

You should change your spirit, not your environment.

Quid mūtārī dēbet?
Quid mūtārī nōn dēbet?
Quī nihil praeter caelum mūtant? (Confer Exemplar centēsimum
Quid tū mūtāre dēbēs?[1]   Quid ego?[1] (quārtum decimum)

S235   Effugere nōn potes necessitātēs; potes vincere.
SENECA

You cannot run away from what is necessary, but you can conquer
    it.

Quid tū facere potes?[1]
Quid tū nōn potes?[1]
Quid ego possum?[1]
Quid vōs potestis?[1]
Possuntne necessitātēs vincī?

---

[1]When the question is in the first person singular, you answer in the second
and vice versa: "What do *you* see?" "*I* see such-and-such." "What do *I* see?"
"*You* see such-and-such." Only in the third singular and plural and the first plural
can one answer in the same person as the question.

S236 Hōrās nōn numerō, nisi serēnās.
SUNDIAL

I do not count the hours unless they are sunny.

Quālēs hōrās hōrologium numerat?   hōrologium -ī, n
Quā condiciōne hōrās numerat hōrologium?   ·nūbilus-a-um:
Quid hōrās nūbilās nōn numerat?   *cloudy*
Quid numerātur? Quid ego numerō?[1] Quid vōs?[1]
Quid nōn numerātur? Quid tū nōn numerās?[1]

S237 Nōs... beātam vītam in animī sēcūritāte pōnimus.
CICERO

In my opinion, happiness lies in peace of mind.

Quis sēcūritātem vult?   Cicerō -ōnis, m
Ubi posita est vēra fēlīcitās?   (Cf. Exemplar centēsimum
Quis vītam fēlīcem in sēcūrō animō pōnit? trīcēsimum tertium)
Ubi ego vītam beātam pōnō?[1]

S238 Saepius opīniōne quam rē labōrāmus.
SENECA

We are more often troubled by our thoughts about a difficulty than
    by the difficulty itself.

Quid nōs saepe aegrē ferimus?[1]
Quō auxiliō vōs plūs labōrātis?[1]
Quō auxiliō tū minus labōrās?[1]

S239 Mālō quam bene olēre nīl olēre.
MARTIAL

Rather than have a fragrant smell I prefer to have no smell.

Quis rēctē olet? (Cf. Exemplar centēsimum vīcēsimum octāvum)
Quantum Mārtiālis olēre vult?   Mārtiālis -is, m
Vultne male olēre?
Quid tū māvīs?[1]

S240 Cōgitō, ergō sum.
DESCARTES (?)

I think; therefore I exist.

Make up similar sentences in different persons.

NEW
NOUNS   pallium -ī, n   Mamōna -ae, m   sēcūritās -tātis, f

NEW
VERBS   mālō, mālle

NEW
ADJECTIVES   serēnus-a-um

NEW   nōndum: *not yet*
INDECLINABLES   ergō: *therefore*

It is customary in dictionaries to list verbs by first person singular present imperfective indicative (#2), followed by the infinitive. From now on we shall list all verbs this way.

PATTERN PRACTICE

Purpose: to learn the person endings of the verb.
Directions: repeat the utterance, expanding with the proper subject, either noun or personal pronoun.

First conjugation (-ā-)

Stultum virum nōbilitāmus. (S52)   Nōs stultum virum nōbilitāmus.
Stultum virum nōbilitat.   Vestis stultum virum nōbilitat.
Stultum virum nōbilitō.   Ego stultum virum nōbilitō.
Stultum virum nōbilitās.   Tū stultum virum nōbilitās.
Stultum virum nōbilitātis.   Vōs stultum virum nōbilitātis.

Nātōs cum laude corōnō. (S61)   Ego nātōs cum laude corōnō.
Nātōs cum laude corōnātis.   Vōs nātōs cum laude corōnātis.
Nātōs cum laude corōnāmus.   Nōs nātōs cum laude corōnāmus.
Nātōs cum laude corōnās.   Tū nātōs cum laude corōnās.
Nātōs cum laude corōnat.   Bēstia nātōs cum laude corōnat.

Male cōgitās. (S91)   Tū male cōgitās.
Male cōgitātis.   Vōs male cōgitātis.
Male cōgitat.   Mulier male cōgitat.
Male cōgitāmus.   Nōs male cōgitāmus.
Male cōgitō.   Ego male cōgitō.

Second conjugation (-ē-)

Nōn aurem facilem habet. (S55)   Fēlīcitās nōn aurem facilem habet.
Nōn aurem facilem habēmus.   Nōs nōn aurem facilem habēmus.
Nōn aurem facilem habētis.   Vōs nōn aurem facilem habētis.
Nōn aurem facilem habēs.   Tū nōn aurem facilem habēs.
Nōn aurem facilem habeō.   Ego nōn aurem facilem habeō.

Omnibus miserīs nocētis. (S172)   Vōs omnibus miserīs nocētis.
Omnibus miserīs nocet.   Ingrātus omnibus miserīs nocet.
Omnibus miserīs noceō.   Ego omnibus miserīs noceō.
Omnibus miserīs nocēmus.   Nōs omnibus miserīs nocēmus.
Omnibus miserīs nocēs.   Tū omnibus miserīs nocēs.

Spērāre bene solet. (S229)   Innocēns spērāre bene solet.
Spērāre bene solēmus.   Nōs spērāre bene solēmus.
Spērāre bene soleō.   Ego spērāre bene soleō.
Spērāre bene solētis.   Vōs spērāre bene solētis.
Spērāre bene solēs.   Tū spērāre bene solēs.

Third conjugation (-e-, -i-, -∅-)

Sine crīmine vīvimus. (S73)   Nōs sine crīmine vīvimus.
Sine crīmine vīvis.   Tū sine crīmine vīvis.
Sine crīmine vīvitis.   Vōs sine crīmine vīvitis.
Sine crīmine vīvō.   Ego sine crīmine vīvō.
Sine crīmine vīvit.   Nēmō sine crīmine vīvit.

Omnia in terrā regis. (S84)   Tū omnia in terrā regis.
Omnia in terrā regit.   Caesar omnia in terrā regit.
Omnia in terrā regimus.   Nōs omnia in terrā regimus.
Omnia in terrā regitis.   Vōs omnia in terrā regitis.
Omnia in terrā regō.   Ego omnia in terrā regō.

Mentem ad agnum vertitis. (S111)   Vōs mentem ad agnum vertitis.
Mentem ad agnum vertō.   Ego mentem ad agnum vertō.
Mentem ad agnum vertit.   Lupus mentem ad agnum vertit.
Mentem ad agnum vertis.   Tū mentem ad agnum vertis.
Mentem ad agnum vertimus.   Nōs mentem ad agnum vertimus.

Amplius oculīs crēdō. (S178)   Ego amplius oculīs crēdō.
Amplius oculīs crēdunt.   Hominēs amplius oculīs crēdunt.
Amplius oculīs crēditis.   Vōs amplius oculīs crēditis.
Amplius oculīs crēdis.   Tū amplius oculīs crēdis.
Amplius oculīs crēdimus.   Nōs amplius oculīs crēdimus.

Third conjugation -iō (-e-, -i-)

In harēnā cōnsilium capiō. (S47)   Ego in harēnā cōnsilium capiō.

In harēnā cōnsilium capit.

In harēnā cōnsilium capitis.

In harēnā cōnsilium capis.

In harēnā cōnsilium capimus.

Gladiātor in harēnā cōnsilium capit.

Vōs in harēnā cōnsilium capitis.

Tū in harēnā cōnsilium capis.

Nōs in harēnā cōnsilium capimus.

Mortālia aspicis. (S92)

Mortālia aspiciunt.

Mortālia aspiciō.

Mortālia aspicitis.

Mortālia aspicimus.

Tū mortālia aspicis.

Superī mortālia aspiciunt.

Ego mortālia aspiciō.

Vōs mortālia aspicitis.

Nōs mortālia aspicimus.

Saepe minōra capiō. (S151)

Saepe minōra capit.

Saepe minōra capimus.

Saepe minōra capis.

Saepe minōra capitis.

Ego saepe minōra capiō.

Avārus saepe minōra capit.

Nōs saepe minōra capimus.

Tū saepe minōra capis.

Vōs saepe minōra capitis.

Fourth conjugation (-ī-)

Sub omnī lapide dormit. (S68)

Sub omnī lapide dormiō.

Sub omnī lapide dormīs.

Sub omnī lapide dormīmus.

Sub omnī lapide dormītis.

Scorpiō sub omnī lapide dormit.

Ego sub omnī lapide dormiō.

Tū sub omnī lapide dormīs.

Nōs sub omnī lapide dormīmus.

Vōs sub omnī lapide dormītis.

Thēsaurum invenīmus. (S109)

Thēsaurum invenit.

Thēsaurum invenītis.

Thēsaurum invenīs.

Thēsaurum inveniō.

Nōs thēsaurum invenīmus.

Quī invenit amīcum thēsaurum invenit.

Vōs thēsaurum invenītis.

Tū thēsaurum invenīs.

Ego thēsaurum inveniō.

Pauperem honestē vestīmus. (S23)

Pauperem honestē vestit.

Pauperem honestē vestītis.

Pauperem honestē vestiō.

Pauperem honestē vestīs.

Nōs pauperem honestē vestīmus.

Antīqua vestis pauperem honestē vestit.

Vōs pauperem honestē vestītis.

Ego pauperem honestē vestiō.

Tū pauperem honestē vestīs.

Irregulars

Pessima rēs sumus. (S144)

Pessima rēs est.

Pessima rēs estis.

Pessima rēs sum.

Pessima rēs es.

Nōs pessima rēs sumus.

Fēmina mala pessima rēs est.

Vōs pessima rēs estis.

Ego pessima rēs sum.

Tū pessima rēs es.

Fraudem vult. (S11)

Fraudem vīs.

Fraudem volō.

Vulpēs fraudem vult.

Tū fraudem vīs.

Ego fraudem volō.

Fraudem volumus.	Nōs fraudem volumus.
Fraudem vultis.	Vōs fraudem vultis.

Laudem volō. (S11)	Ego laudem volō.
Laudem volumus.	Nōs laudem volumus.
Laudem vultis.	Vōs laudem vultis.
Laudem vīs.	Tū laudem vīs.
Laudem vult.	Fēmina laudem vult.

Firmāmentum reī pūblicae es. (S181)	Tū firmāmentum reī pūblicae es.
Firmāmentum reī pūblicae sum.	Ego firmāmentum reī pūblicae sum.
Firmāmentum reī pūblicae sumus.	Nōs firmāmentum reī pūblicae sumus.
Firmāmentum reī pūblicae est.	Religiō firmāmentum reī pūblicae est.
Firmāmentum reī pūblicae estis.	Vōs firmāmentum reī pūblicae estis.

SELF TEST

Read at speed Basic Sentences 231-240, expanding with the pronoun subject suggested by the person ending.

Identification of nouns naturally becomes more complicated when they are seen in contrast with verbs. Identify at speed the following, first by part of speech, secondly by case, person, etc.

effugis	capiō	integritās	vitiō	aprīs
vertō	canis	vestis	regit	operis
labōrāmus	cōgitās	vīvō	undās	vestīs

READINGS

R381 Dum fāta fugimus, fāta stultī incurrimus. Buchanan (?)

> Quid effugere nōn possumus? incurrō -ere (with *in* and
> Quibus incurrimus fāta accusative, or with
> fugientēs? accusative alone, or
> with dative)

R382 Aliēnum nōbīs, nostrum plūs aliīs placet. Publilius Syrus

> Quālēs rēs plūs amāmus?
> Quālēs rēs aliī plūs mīrantur?

R383 In idem flūmen bis dēscendimus et nōn dēscendimus. Manet enim idem flūminis nōmen; aqua trānsmissa est.[2] Seneca

> Manentne omnia eōdem locō? trānsmittō -ere

[2] The Heraclitean idea of "All is in flux."

Fluuntne omnia?
Quid semper mūtātur?
Cujus aqua semper fluit?

enim (conjunction introducing
an explanation)

R384 Nōlō tribus servīre: senī, puerō, mulierī;
morbidus hic, alter immemor, illa levis. Werner

Quī malī dominī sunt?
Quis est aeger?
Quis ingrātus? Quis īnfidēlis?

morbidus-a-um: aeger
immemor (one ending adjective)

R385 Nec habeō nec careō nec cūrō. Motto

Quantum tū habēs? Quantum tū vīs? Habēsne satis?
Transform to different persons.

R386 Nōn sibi sed patriae. Motto

Cui hic homō servit? Cui nōn servit?
Quem cūrat? Quem nōn cūrat?
Prō quō agit? Prō quō nōn agit?

R387 Male sēcum agit aeger, medicum quī hērēdem facit. Publilius
Syrus

Cui nocet quī medicum hērēdem facit?
Peritne citō quī sīc agit?
Cui medicus avārus venēnum dat?

R388 Facis dē necessitāte virtūtem. St. Jerome (?)

Tūne facis dē necessitāte virtūtem?
Cujus causā honēstē saepe agitur?

R389 Bis vincit quī sē vincit in victōriā. Publilius Syrus

Quotiēns vincit quī hostem vincit?
Quotiēns vincit quī in victōriā humilis est?

semel: *once*

R390 Mē lūmen, vōs umbra regit. Sundial inscription

Cui hōrologium servit?
Cui nōs omnēs servīmus?
Quem diēs regit?
Quōs nox regit?
Quōs mors manet?

R391 Nec male olēre mihī nec bene olēre placet. Ausonius

Quid Ausōnius māvult?   Ausōnius -ī, m
Quantum olēre vult?

R392 Nōn quia difficilia sunt, nōn audēmus; sed quia nōn audēmus,
      difficilia sunt. Seneca

Quālēs rēs nōn temptāmus?   temptō -āre
Sumusne fortēs ac strēnuī?
Quibus omnia difficilia videntur?
Cui labor omnis facilis est?

R393 Ex ōre tuō tē jūdicō. Anon.

Quis mē condemnat?   condemnō -āre
Unde tū mē condemnās?

R394 Sī Deus prō nōbīs, quis contrā nōs? Romans

Quis nōs adjuvat?
Deō adjuvante, quis nōbis nocēre potest?

R395 Sex hōrīs dormīre sat est juvenīque senīque;
      septem vix pigrō, nūllī concēdimus octō. Anon.

Quot hōrīs quisque dormīre dēbet?   piger -gra -grum: *lazy*

R396 Praeterita mūtāre nōn possumus. Anon.

Quid mūtārī nōn potest?

R397 Tantō major fāmae sitis est quam virtūtis. Juvenal

Utrum fāmam an virtūtem māvult homō?
Utrum fāma an virtūs plūs valet?
Quid plūrimī sitiunt? Quid paucī sitiunt?

R398 Quī sēsē accūsat ipse, ab aliō nōn potest. Publilius Syrus

Quid nōn patitur quī sē accūsat?

R399 Ego sum rēx Rōmānus et suprā grammaticam. (Reputedly said by
      Sigismund the First)

Quōs hic rēx regit?   grammatica -ae, f
Quō auxiliō nōn regitur?

R400 Caecī...ducem quaerunt; nōs sine duce errāmus. Seneca

Quis caecōs dūcit?
Quis nōs dūcit?

EXPLANATION OF STRUCTURE AND MORPHOLOGY:
THE PRESENT PERFECTIVE ACTIVE[1] (#5 FORM)

In a recent study[2] of the frequency of Latin forms, sample passages from six prose authors (Caesar, Cicero, Nepos, Livy, Pliny the Younger, and Eutropius) were examined. Approximately 132 pages of prose contained 3,330 indicative verb forms with the following relative frequency:

Form #1	454
Form #2	1361
Form #3	129
Form #4	247
Form #5	1092
Form #6	47

These figures make it easy to see why we took up the present imperfective form (#2) first, and why we now take up the present perfective (#5).

The present perfective is formed on a different stem from the present imperfective, and it also has a special set of endings. Here are the special endings, found only in this tense:

-ī	-imus
-istī	-istis
-it	-ērunt (-ēre)

In general, the perfective stem (used for forming not only form #5 but also #4 and #6) is formed in one of four ways, as illustrated below:

A	B	C	D
portat/portāvit	regit/rēxit	facit/fēcit	fallit/fefellit
cōgitat/cōgitāvit	dīcit/dīxit	videt/vīdit	dat/dedit
vestit/vestīvit	tegit/tēxit	vincit/vīcit	perdit/perdidit
tenet/tenuit	manet/mānsit	capit/cēpit	stat/stetit
habet/habuit	pingit/pīnxit	movet/mōvit	cadit/cecidit
parat/parāvit	scrībit/scrīpsit	juvat/jūvit	currit/cucurrit

The perfective stem of the verbs in column A is formed by the addition of -*v*- to the imperfective stem (or -*u*- when the conjugation marker

---

[1] There are no passive forms in this tense. Instead there are compound passival forms: *portātus est*, "he was carried."

[2] "Reports of Research," Gerald F. Else, *Classical Journal* 44 (1948-49), 107.

is dropped, as in *tenuit* and *habuit*). Almost all *-ā-* type verbs (first conjugation) have the *-v-* perfective stem, and so do almost all *-ī-* type verbs (fourth conjugation).

The perfective stem of the verbs in column B is formed by the addition of *-s-* to the imperfective stem with the loss of the conjugation marker. Most verbs which form the perfective stem this way are the variable short vowel type (third conjugation).

The perfective stem of the verbs in column C is formed by a change in the vowel in the root of the word: this is like our change from *run* to *ran* or from *fight* to *fought*.

The perfective stem of the verbs in column D is formed by reduplicating (doubling) the initial consonant (or consonant cluster) of the verb stem. The verb *perdit* is a compound of *dat*, hence *perdidit*.

Most verbs fit into one of these four types. Sometimes the verb borrows a perfective stem from an entirely different verb, as do *fert/ tulit* and *est/fuit*. In the end, you will have to remember the perfective stem of each verb separately.

THE MEANING OF THE PRESENT PERFECTIVE (#5):

As mentioned briefly on page 275, this tense has two separate and distinct meanings:

1. Completed action in present time, as in this quotation from Horace:

   > Lūsistī satis, ēdistī satis, atque bibistī;
   > tempus abīre tibi est.

   > You have played enough, eaten enough, and drunk enough;
   > it is time for you to depart.

2. Simple narration of an action in past time, as in this quotation from St. Matthew:

   > Et dēscendit pluvia, et vēnērunt flūmina et flāvērunt ventī
   > et irruērunt in domum illam. Et cecidit, et fuit ruīna
   > ejus magna.

   > And the rain descended, and the floods came, and the winds blew, and beat upon that house; and it fell; and great was the fall of it.

One more point. The present imperfective (form #2) has two meanings which you know about. What are these two meanings? If you have forgotten, they were explained on page 275. The #2 tense has a third meaning: it is also used as a narrative. In a narrative, *Puer currit* would mean "The boy ran." The difference between it and *Puer cucurrit* (#5) is that the form #2 is more vivid, describing the action as if it were actually going on in the present.

PRINCIPAL PARTS

You have now learned the three stems of a Latin verb: the imperfective stem, the perfective stem, and the perfective participial stem (in Lesson Thirteen). These three stems are seen in *facit*, *fēcit*, and *factus*. The imperfective stem is used to form the active and passive of forms #1, #2, #3, #7, #8, and #11. The perfective stem is used to form the active (only) of forms #4, #5, #6, #9, and #10.

While these three stems must be learned for all verbs, you will soon find that large numbers of verbs are done alike.

In dictionaries, verbs are listed with all four principal parts, like this:

faciō, facere, fēcī, factus

Faciō and *facere* contain the imperfective stem: *faciō* is first person singular active of the present imperfective (#2); *facere* is the imperfective infinitive. The short *-e-* in *facere* shows that this is a third conjugation verb; *amāre* is a first conjugation verb; *vidēre* a second; and *vestīre* a fourth. There are two kinds of third conjugation verbs, those which have *-ō* in the first person (like *dīcō*) and those which have *-iō* (like *faciō*). The principal parts, therefore, contain the first person to indicate whether the verb, if third conjugation, is a regular third or an *-iō* third.

Fēcī (#5) contains the perfective stem *fēc-*, and *factus* contains the perfective participial stem *fact-*. What then are the four words which constitute the principal parts of *faciō*?

Deponent verbs have no active perfective stem. Why not? The principal parts of *loquor* are *loquor, loquī, locūtus*; *loquor* and *loquī* correspond to *faciō* and *facere*, while *locūtus* corresponds to *factus*.

Here are the principal parts of 37 verbs.

First conjugation

amō	amāre	amāvī	amātus
portō	portāre	portāvī	portātus
parō	parāre	parāvī	parātus
mīror	mīrārī		mīrātus
juvō	juvāre	jūvī	jūtus
dō	dare	dedī	datus
stō	stāre	stetī	

Almost all first conjugation verbs have *-ō, -āre, -āvī, -ātus*. *Juvō, dō,* and *stō* are exceptions. Notice that *dō* is irregular, with short *-a-* in almost all of its forms; its compounds are usually third conjugation.

Second conjugation

habeō	habēre	habuī	habitus

teneō	tenēre	tenuī	tentus
maneō	manēre	mānsī	
videō	vidēre	vīdī	vīsus
moveō	movēre	mōvī	mōtus

Third conjugation

faciō	facere	fēcī	factus
agō	agere	ēgī	āctus
vincō	vincere	vīcī	victus
capiō	capere	cēpī	captus
cadō	cadere	cecidī	
fallō	fallere	fefellī	falsus
pōnō	pōnere	posuī	positus
quaerō	quaerere	quaesīvī	quaesītus
regō	regere	rēxī	rēctus
dīcō	dīcere	dīxī	dictus
scrībō	scrībere	scrīpsī	scrīptus
ēripiō	ēripere	ēripuī	ēreptus
tollō	tollere	sustulī	sublātus
nāscor	nāscī		nātus
loquor	loquī		locūtus

Fourth conjugation

audiō	audīre	audīvī	audītus
vestiō	vestīre	vestīvī	vestītus
veniō	venīre	vēnī	

Irregular verbs

sum	esse	fuī	
possum	posse	potuī	
ferō	ferre	tulī	lātus
volō	velle	voluī	
nōlō	nōlle	nōluī	
mālō	mālle	māluī	
eō	īre	iī	

BASIC SENTENCES

S241   Prīmus in orbe deōs fēcit timor.
STATIUS

Fear was the first thing in the world that created the gods.

Quid quōs creāvit?
Per quid dī prīmī factī sunt?
Cujus causā dī factī sunt?

S242 Quod nōn dedit Fortūna, nōn ēripit.
SENECA

Fortune does not take away what she has not given.

Sī nihil habēs, quantum tū perdere potes?
Sī magnās opēs habēs, quantum perdere potes?

S243 Ubi lībertās cecidit, audet līberē nēmō loquī.
PUBLILIUS SYRUS

When liberty has fallen, no one dares to speak freely.

Cujus sub rēgnō dīcit nēmō quod vult?
Cujus sub rēgnō omnēs līberē loquī audent?

S244 Ēripuit caelō fulmen scēptrumque tyrannīs.
TURGOT (?)

He seized the lightning from the heavens and the scepter from
  the tyrants. (Said of Benjamin Franklin)

Quid tū ēripuistī?
Unde vōs fulmen ēripuistis?
Unde ego scēptrum ēripuī?

S245 Dīmidium factī quī coepit habet.
HORACE

He who has begun has the job half done.

Quantum fēcit quī coepit?
Tū, sī coepistī, quantum factī habēs?

S246 Nīl sine magnō vīta labōre dedit mortālibus.
HORACE

Life gives nothing to mortals without hard work.

Utrum mollis an dūra est vīta hominum?
Quōs vīta adjuvat?
Quantum tū ā vītā sine labōre accēpistī?
Unde vōs nihil sine labōre accēpistis?
Quōrum vīta dūra est?

S247 Dīvīna nātūra dedit agrōs; ars hūmāna aedificāvit urbēs.
VARRO

Divine nature gave the fields; human skill built the cities.

Cujus dōnum sunt agrī?
Quī urbēs aedificā'runt?
Per quid crēscunt agrī?
Per quid crēscunt urbēs?

S248   Aut amat aut ōdit mulier: nīl est tertium.
PUBLILIUS SYRUS

A woman either hates or loves: there is nothing in between.

Quī immodicī sunt?
Quibus est mulier levior? (Cōnfer Exemplar centēsimum
quadrāgēsimum quīntum)

**S249   Lūsistī satis, ēdistī satis atque bibistī;
tempus abīre tibi est.**
HORACE

You have played enough, eaten and drunk enough; it is time for
you to depart (i.e., to die).

Quantum tū lūsistī? Quantum bibistī? Quantum ēdistī?
Quid tū jam facere dēbēs?

S250   Bonum certāmen certāvī, cursum cōnsummāvī, fidem servāvī.
II TIMOTHY

I have fought a good fight, I have finished my course, I have kept
the faith.

Quō modō Sānctus Paulus pūgnāvit?	pergō -ere, perēgī,
Cui fidēlis fuit?	perāctus: *complete*
Quis cursum suum perēgit?	sānctus-a-um:
Quid ego servāvī?	*blessed, holy*

NEW	certāmen-minis, n	cursus-ūs, m
NOUNS	scēptrum -i, n	tyrannus -ī, m ager, agrī, m

NEW	ēripiō, ēripere, ēripuī, ēreptus	ōdī, ōsus[5]
VERBS	cadō, cadere, cecidī	lūdō, lūdere, lūsī, lūsus
	audeō, audēre, ausus[3]	edō, edere, ēdī, ēsus
	coepī, coeptus[4]	abeō, abīre, abiī
	aedificō -āre-āvī-ātus	servō -āre -āvī -ātus
	cōnsummō -āre -āvī -ātus	

NEW
ADJECTIVES   dīvīnus-a-um (dīvīnē)

Identify each of the verb forms ("principal parts") of the new verbs.

[3] The verb *audeō* is deponent in the perfective system. *Gaudeō* has the same
peculiarity.

[4] *Coepī* is a defective verb, found only in the perfective system.

[5] *Ōdī* is a defective verb, found only in the perfective system. It has this further
peculiarity: *ōdī* means "I have learned to hate" and is used with the same meaning
and in the same environments as #2 verbs; notice that in S248 it is levelled with
amat.

PATTERN PRACTICE, Part One

Purpose: to learn the perfective stem.
Directions: transform the left-hand column of present imperfective (#2)
to present perfective (#5), substituting the trigger word
quondam ("once upon a time," "formerly," "on a certain occasion in the past") for the trigger word *nunc* ("now"). Note that
this is the narrative use of #5.

Nunc rem quaerit amīcus. (S5)   Quondam rem quaesīvit amīcus.
Nunc nēmō in amōre videt. (S6)   Quondam nēmō in amōre vīdit.
Nunc līs lītem generat. (S12)   Quondam līs lītem generāvit.
Nunc vītam regit fortūna. (S15)   Quondam vītam rēxit fortūna.
Nunc nūlla avāritia sine poenā est.   Quondam nūlla avāritia sine poenā
   (S33)   fuit.

Nunc in omnī rē vincit vēritās. (S35)   Quondam in omnī rē vīcit vēritās.
Nunc sapiēns vitium ēmendat. (S44)   Quondam sapiēns vitium ēmendāvit.
Nunc fīnis corōnat opus. (S46)   Quondam fīnis corōnāvit opus.
Nunc habet venēnum ōrātiō. (S53)   Quondam habuit venēnum ōrātiō.
Nunc virum bonum nātūra facit. (S54)   Quondam virum bonum nātūra fēcit.

Nunc nōn in sōlō pāne vīvit homō. (S59) Quondam nōn in sōlō pāne vīxit homō.
Nunc magna dī cūrant. (S62)   Quondam magna dī cūrāvērunt.
Nunc parva dī neglegunt. (S62)   Quondam parva dī neglēxērunt.
Nunc ācta mortālia deōs numquam   Quondam ācta mortālia deōs
   fallunt. (S64)   numquam fefellērunt.
Nunc sub omnī lapide scorpiō   Quondam sub omnī lapide scorpiō
   dormit. (S68)   dormīvit.

Nunc religiō deōs colit. (S70)   Quondam religiō deōs coluit.
Nunc fortēs Fortūna adjuvat. (S71)   Quondam fortēs Fortūna adjūvit.
Nunc stultī timent fortūnam. (S78)   Quondam stultī timuērunt fortūnam.
Nunc sapientēs fortūnam ferunt.   Quondam sapientēs fortūnam
   (S78)   tulērunt.[6]
Nunc parva levēs capiunt animōs.   Quondam parva levēs cēpērunt
   (S81)   animōs.

Nunc certā stant omnia lēge. (S86)   Quondam certā stetērunt omnia lēge.
Nunc homō locum ōrnat. (S87)   Quondam homō locum ōrnāvit.
Nunc astra regunt hominēs. (S89)   Quondam astra rēxērunt hominēs.
Nunc aspiciunt superī mortālia. (S92)   Quondam aspexērunt superī mortālia.
Nunc litterae nōn dant pānem. (S94)   Quondam litterae nōn dedērunt pānem.

---

[6]*Tulērunt* is a borrowing from *tollō*. The word *tollō* has in turn developed a
new perfective form *sustulērunt*. A similar phenomenon occurs in English with
go/went. *Went* is a borrowing from *wend*; the word *wend* has developed the past
form *wended*.

Nunc oculī sunt in amōre ducēs. (S97)

Nunc caelum, nōn animum, mūtant. (S114)

Nunc inter caecōs rēgnat luscus. (S120)

Nunc omnēs ūna manet nox. (S127)

Nunc lacrimae īnsidiās indicant. (S134)

Nunc dē minimīs nōn cūrat lēx. (S150)

Nunc humilibus dat grātiam. (S171)

Nunc ingrātus miserīs nocet. (S172)

Nunc sōlitūdō placet Mūsīs. (S175)

Nunc hominēs oculīs crēdunt. (S178)

Quondam oculī fuērunt in amōre ducēs.

Quondam caelum, nōn animum, mūtāvērunt.

Quondam inter caecōs rēgnāvit luscus.

Quondam omnēs ūna mānsit nox.

Quondam lacrimae īnsidiās indicāvērunt.

Quondam dē minimīs nōn cūrāvit lēx.

Quondam humilibus dedit grātiam.

Quondam ingrātus miserīs nocuit.

Quondam sōlitūdō placuit Mūsīs.

Quondam hominēs oculīs crēdidērunt.

PATTERN PRACTICE: Part Two

Purpose: to learn the person endings of the Great Narrative Tense (#5).
Directions: as in Lesson Twenty-three, expand these utterances with the
proper subject.

Omnia in terrīs rēxistī. (S84)

Omnia in terrīs rēxit.

Omnia in terrīs rēximus.

Omnia in terrīs rēxistis.

Omnia in terrīs rēxī.

Tū omnia in terrīs rēxistī.

Caesar omnia in terrīs rēxit.

Nōs omnia in terrīs rēximus.

Vōs omnia in terrīs rēxistis.

Ego omnia in terrīs rēxī.

Īnsidiās indicāvī. (S134)

Īnsidiās indicāvistis.

Īnsidiās indicāvistī.

Īnsidiās indicāvēre.

Īnsidiās indicāvimus.

Ego īnsidiās indicāvī.

Vōs īnsidiās indicāvistis.

Tū īnsidiās indicāvistī.

Parātae lacrimae īnsidiās indicāvēre.

Nōs īnsidiās indicāvimus.

Amplius oculīs crēdidēre. (S178)

Amplius oculīs crēdidistī.

Amplius oculīs crēdidī.

Amplius oculīs crēdidimus.

Amplius oculīs crēdidistis.

Hominēs amplius oculīs crēdidēre.

Tū amplius oculīs crēdidistī.

Ego amplius oculīs crēdidī.

Nōs amplius oculīs crēdidimus.

Vōs amplius oculīs crēdidistis.

In harēnā cōnsilium cēpistis. (S47)

In harēnā cōnsilium cēpī.

In harēnā cōnsilium cēpit.

In harēnā cōnsilium cēpistī.

In harēnā cōnsilium cēpimus.

Vōs in harēnā cōnsilium cēpistis.

Ego in harēnā cōnsilium cēpī.

Gladiātor in harēnā cōnsilium cēpit.

Tū in harēnā cōnsilium cēpistī.

Nōs in harēnā cōnsilium cēpimus.

Firmāmentum reī pūblicae fuī. (S181)

Firmāmentum reī pūblicae fuimus.

Firmāmentum reī pūblicae fuit.

Ego firmāmentum reī pūblicae fuī.

Nōs firmāmentum reī pūblicae fuimus.

Religiō firmāmentum reī pūblicae fuit.

Firmāmentum reī pūblicae fuistis.

Firmāmentum reī pūblicae fuistī.

Vōs firmāmentum reī pūblicae
  fuistis.
Tū firmāmentum reī pūblicae fuistī.

Sine crīmine vīxit. (S73)
Sine crīmine vīxī.
Sine crīmine vīximus.
Sine crīmine vīxistī.
Sine crīmine vīxistis.

Nēmō sine crīmine vīxit.
Ego sine crīmine vīxī.
Nōs sine crīmine vīximus.
Tū sine crīmine vīxistī.
Vōs sine crīmine vīxistis.

Aurem facilem habuistī. (S55)
Aurem facilem habuimus.
Aurem facilem habuit.
Aurem facilem habuistis.
Aurem facilem habuī.

Tū aurem facilem habuistī.
Nōs aurem facilem habuimus.
Fēlīcitās aurem facilem habuit.
Vōs aurem facilem habuistis.
Ego aurem facilem habuī.

PATTERN PRACTICE, Part Three

Purpose: to learn the variants of the present perfective (#5).
Directions: substitute a common variant for the left-hand column; first the
         -ēre form.

Magna dī cūrāvērunt. (S62)
Parva dī neglēxērunt. (S62)
Ācta mortālia deōs numquam
    fefellērunt. (S64)
Sapientēs tulērunt fortūnam. (S78)
Stultī fortūnam timuērunt. (S78)

Magna dī cūrāvēre.
Parva dī neglēxēre.
Ācta mortālia deōs numquam
    fefellēre.
Sapientēs tulēre fortūnam.
Stultī fortūnam timuēre.

Parva levēs animōs cēpērunt. (S81)
Certā lēge omnia stetērunt. (S86)
Astra hominēs rēxērunt. (S89)
Litterae pānem nōn dedērunt. (S94)
Oculī fuērunt in amōre ducēs. (S97)

Parva levēs animōs cēpēre.
Certā lēge omnia stetēre.
Astra hominēs rēxēre.
Litterae pānem nōn dedēre.
Oculī fuēre in amōre ducēs.

Caelum, nōn animum, mūtāvērunt.
    (S114)
Fāta orbem rēxērunt. (S86)
Omnia eum timuērunt. (S209)
Lacrimae īnsidiās indicāvērunt. (S134)
Hominēs oculīs crēdidērunt. (S178)

Caelum, nōn animum, mūtāvēre.

Fāta orbem rēxēre.
Omnia eum timuēre.
Lacrimae īnsidiās indicāvēre.
Hominēs oculīs crēdidēre.

   Now the contracted variants:

Vōs īnsidiās indicāvistis. (S134)
Tū īnsidiās indicāvistī.
Lacrimae īnsidiās indicāvērunt.

Vōs īnsidiās indicā'stis.
Tū īnsidiās indicā'stī.
Lacrimae īnsidiās indicā'runt.

Tū corporī tuō servīvistī. (S162)
Vōs corporī vestrō servīvistis.
Immodicī corporī suō servīvērunt.

Tū corporī tuō servī'stī.
Vōs corporī vestrō servī'stis.
Immodicī corporī suō servī'ērunt.

Canēs statim lātrāvērunt. (S123)
Tū statim lātrāvistī.
Vōs statim lātrāvistis.

Canēs statim lātrā'runt.
Tū statim lātrā'stī.
Vōs statim lātrā'stis.

Tū nātōs corōnāvistī. (S61)
Bēstiae nātōs corōnāvērunt.
Vōs nātōs corōnāvistis.

Tū nātōs corōnā'stī.
Bēstiae nātōs corōnā'runt.
Vōs nātōs corōnā'stis.

SELF TEST

Transform the following verbs to present perfectives (#5). Use the list of principal parts on page 289 if necessary.

Bēstia quaeque suōs nātōs corōnat. (S61)
Numquam aliud nātūra, aliud sapientia dīcit. (S83)
Impōnit fīnem sapiēns et rēbus honestīs. (S177)
Nēmō regere potest nisī quī et regī. (S221)

Expand the following with an appropriate subject:

Aspexit mortālia oculīs jūstīs.
Aspexī mortālia oculīs justīs.
Aspexēre mortālia oculīs justīs.

Aspeximus mortālia oculīs justīs.
Aspexistī mortālia oculīs justīs.
Aspexistis mortālia oculīs justīs.

Finally, give variants for the following:

Sēcūrus jūdicāvistī.
Sēcūrī jūdicāvistis.

Flōris odōrem nōn pīnxērunt.
Sapientēs vitia sua ēmendā'runt.

READINGS

R401 Vīnum bonum laetificat cor hominum. Psalms (?)

Quibus vīnum gaudium dat?
Per quid hominēs jūcundiōrēs fīunt?
Quōs vīnum laetificat?
Quōrum corda vīnō gaudium sentiunt?

R402 Nec quae praeteriit hōra redīre potest. Ovid

Quālis hōra nōn redit? (Cōnfer Exemplar centēsimum vīcēsimum quārtum)

Does this #5 form show narration or completed action in present
    time?

R403 Amīcus vester, quī fuit rāna, nunc est rēx. Petronius

    Quantus nunc est noster amīcus?   rāna -ae, f: *frog*
    Quantus quondam fuit?   vester-tra-trum: *your*

R404 Plūs tibi virtūs tua dedit quam Fortūna abstulit. Cicero

    Quantum per Fortūnam amīcus   auferō, auferre, abstulī,
       Cicerōnis āmīsit?   ablātus
    Quantum per virtūtem suam accēpit?

R405 Levis est Fortūna: citō reposcit quod dedit. Publilius Syrus

    Quis facile mūtātur?   reposcō -ere
    Quandō Fortūna dōna sua petit?

R406 Deus dedit, Deus abstulit. Book of Job (?)

    Cujus dōna nōn semper manent?
    Cui Deus dat? Ā quō aufert?

R407 Vēnī, vīdī, vīcī.[7] Suetonius

    Quid Caesar fēcit?

R408 Nātūra ... sēmina nōbīs scientiae dedit; scientiam nōn dedit.
    Seneca

    Quis ā nātūrā sēmina scientiae accēpit? sēmen, sēminis, n: *seed*
    Quibus nātūra scientiam ipsam nōn dedit?

R409 Amāre et sapere vix deō concēditur. Publilius Syrus

    Quis sapienter amāre aegrē potest?   vix (adverbial):
    In amōre quantum sapit Juppiter?   *hardly*
                                concēdō -ere
                                -cessī -cessus

R410 Frātrum inter sē īrae sunt acerbissimae. Anon.

    Cui est frāter crūdēlissimus?   acerbus-a-um: *harsh*
    Quibus est maximum odium?

[7]Inscribed on the banners of Julius Caesar after his victory over Mithridates.

LESSON TWENTY-FIVE: The Imperfective System

MORPHOLOGY: THE FUTURE IMPERFECTIVE (#3)

The most common way of showing future time in English is "going to"; thus *Rem quaeret amīcus* in English might be "A friend is going to look for assistance." Two other common ways of representing future time in English are by the present tense, "He speaks next Thursday," and by the *shall/will* verbs, "Will he speak next Thursday?"

There are two separate signals for the future imperfective in Latin. The first and second conjugation have -*b*- plus a variable short vowel, plus the endings:

amābō	amābimus	vidēbō	vidēbimus
amābis	amābitis	vidēbis	vidēbitis
amābit	amābunt	vidēbit	vidēbunt

The third and fourth conjugations have -*ē*- (-*a*- in the first singular); the conjugation marker is zero in the regular third conjugation, -*i*- in the -*iō* thirds and in the fourth:

dūcam	dūcēmus	capiam	capiēmus	audiam	audiēmus
dūcēs	dūcētis	capiēs	capiētis	audiēs	audiētis
dūcet	dūcent	capiet	capient	audiet	audient

The irregulars offer little difficulty:

feram	volam	nōlam	mālam	ībō
ferēs	volēs	nōlēs	mālēs	ībis
etc.	etc.	etc.	etc.	etc.

But the verb *sum* (and its compounds, including *possum*) is unique:

erō	erimus	poterō	poterimus
eris	eritis	poteris	poteritis
erit	erunt	poterit	poterunt

MORPHOLOGY: THE PAST IMPERFECTIVE (#1)

The past imperfective (#1) is an easy tense to recognize or to reproduce; it is sometimes called the Whiffenpoof tense because it always has its *bā, bā, bā*. The only exception is the verb *sum* and its compounds. Here are samples of this tense:

amābam	vidēbam	dīcēbam	capiēbam	audiēbam
amābās	etc.	etc.	etc.	etc.
etc.				

eram	ferēbam	volēbam	nōlēbam	mālēbam	ībam
etc.	etc.	etc.	etc.	etc.	etc.

Except for the regular shortening of the long vowel before -*m*, -*t*, and -*nt*, there are no morphophonemic changes.

The meaning of this tense is an action in past time which is not regarded as a single action, either because it was repeated ("I used to go," "I went every day") or continuous ("I kept going again and again") or in process ("I was going there when someone stopped me") or beginning ("I started to go there") or attempted ("I tried to go there but I couldn't make it and turned back") and so forth.

The important thing to remember is that this is the speaker's view of the world, not the real world itself. For example, the expression "I stayed in Italy ten years" might in Latin be either *In Italiā decem annōs mānsī* or *manēbam*. In the first case it would mean that the ten years are regarded as one unbroken period; in the second case it would mean that the ten years are considered as a succession of discrete units: days, months, years, etc. In English we do not have to make this choice: we may simply say "I stayed." In Latin you must show the contrast, whether you want to or not.

In the diagram of the indicative mood of the Latin verb, we have now had #1, 2, 3, and 5. Give examples of each conjugation for each tense. Be sure you understand what kind of time-and-aspect they represent.

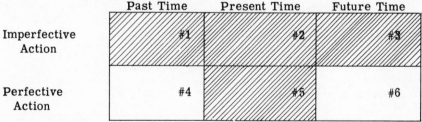

	Past Time	Present Time	Future Time
Imperfective Action	#1	#2	#3
Perfective Action	#4	#5	#6

BASIC SENTENCES

S251   Sed quis custōdiet ipsōs custōdēs?
JUVENAL

But who will guard the guards?

Answer with *nōs*, *vōs*, *egō*, *tū*, and *dominus*.

S252   In hōc sīgnō vincēs.
MOTTO

In this sign (the cross) you will conquer.

Ubi tibi erit victōria?   Cōnstantīnus -ī, m
Quis in cruce vincet? (Answer with *tū, ego, nōs, Cōnstantīnus*)
Ubi nōs vincēmus?
Ubi tū victōriam inveniēs?

S253   Aut inveniam viam aut faciam.
          MOTTO

I will either find a way or make one.

Quid hic vir aget?
Quālis vir est quī hōc modō agit?
Quid nōs agēmus sī viam nōn inveniēmus?

S254   In lūmine tuō vidēbimus lūmen.
          MOTTO OF COLUMBIA

In thy light will we behold the light.

Quid vōs aspiciētis?
Ubi ego lūmen aspiciam?

S255   Trīstis eris sī sōlus eris.
          OVID

You will be sad if you are alone.

Placēbitne tibi sōlītūdō?
Erisne tū trīstis sī sōlus?

S256   Hoc fuit, est, et erit: similis similem sibi quaerit.
          WERNER

This was, is, and will be true: like seeks like.

Quem petit stultus?
Quem petit īnsipiēns?
Quaesīvitne quondam gaudēns gaudentem?
Placēbitne tempore futūrō flēns flentī?
Amatne hōc tempore sapiēns īnsipientem?

S257   Jamque quiēscēbant vōcēs hominumque canumque
S258   lūnaque nocturnōs alta regēbat equōs.
          OVID

And now grew silent the voices of men and dogs
      and the moon on high began to drive her steeds of night.

Quī tacēbant?
Quī per caelum regēbantur?
Cujus equī per caelum currēbant?
Cui serviunt equī nocturnī?

S259 Nox erat, et caelō fulgēbat lūna serēnō
inter minora sīdera.
HORACE

It was night and in the peaceful sky shone the moon among
the lesser stars.

Ubi lūna lūmen dabat?   circum (preposition
Quid circum lūnam fulgēbat?   with accusative)

S260 Orbem jam tōtum victor Rōmānus habēbat.
PETRONIUS

Now the Roman victor held the world.

Ā quō tōtus orbis regēbātur?
Cui orbis serviēbat?
Cujus victōria fuit?
Cujus imperium tenuit populus Rōmānus?

NEW
NOUNS   sīdus -eris, n
                equus -ī, m   lūmen -minis, n

NEW
VERBS   fulgeō -ēre, fulsī

NEW
ADJECTIVES   trīstis -e (no adverb; the adverbial accusative,
                    trīste, is used instead)
                nocturnus-a-um

PATTERN PRACTICE

Purpose: to learn to identify the tense signs of the past, present, and future
of the imperfective system (#1, 2, and 3).

Directions: expand each utterance with the appropriate temporal expression:
tempore praeteritō, "in the past"; *tempore praesentī*, "in the
present"; and *tempore futūrō*, "in the future." All the verbs
are incomplete aspect.

Vestis virum faciet. (S1)   Tempore futūrō vestis virum faciet.
Vestis virum facit.   Tempore praesentī vestis virum facit.
Vestis virum faciēbat.   Tempore praeteritō vestis virum faciēbat.

Fūrem fūr cognōscēbat. (S2)   Tempore praeteritō fūrem fūr cognōscēbat.
Fūrem fūr cognōscet.   Tempore futūrō fūrem fūr cognōscet.
Fūrem fūr cognōscit.   Tempore praesentī fūrem fūr cognōscit.

Prūdēns cum cūrā vīvit. (S7)   Tempore praesentī prūdēns cum cūrā
                                vīvit.
Prūdēns cum cūrā vīvēbat.   Tempore praeteritō prūdēns cum cūrā
                                vīvēbat.
Prūdēns cum cūrā vīvet.   Tempore futūrō prūdēns cum cūrā vīvet.

Rem quaeret amīcus. (S5)   Tempore futūro rem quaeret amīcus.
Rem quaerēbat amīcus.   Tempore praeteritō rem quaerēbat amīcus.
Rem quaerit amīcus.   Tempore praesentī rem quaerit amīcus.

Vēritās numquam perībit. (S10) Tempore futūrō vēritās numquam perībit.
Vēritās numquam perībat.   Tempore praeteritō vēritās numquam
                                perībat.
Vēritās numquam perit.   Tempore praesentī vēritās numquam perit.

Vulpēs vult fraudem. (S11)   Tempore praesentī vulpēs vult fraudem.
Vulpēs volēbat fraudem.   Tempore praeteritō vulpēs volēbat fraudem.
Vulpēs volet fraudem.   Tempore futūrō vulpēs volet fraudem.

Līs lītem generābat. (S12)   Tempore praeteritō līs lītem generābat.
Līs lītem generābit.   Tempore futūrō līs lītem generābit.
Līs lītem generat.   Tempore praesentī līs lītem generat.

Vītam regēbat fortūna. (S15)   Tempore praeteritō vītam regēbat fortūna.
Vītam reget fortūna.   Tempore futūrō vītam reget fortūna.
Vītam regit fortūna.   Tempore praesentī vītam regit fortūna.

Lupus nōn mordet lupum. (S16) Tempore praesentī lupus nōn mordet lupum.
Lupus nōn mordēbat lupum.   Tempore praeteritō lupus nōn mordēbat
                                lupum.
Lupus nōn mordēbit lupum.   Tempore futūrō lupus nōn mordēbit lupum.

Amor gignet amōrem. (S27)   Tempore futūrō amor gignet amōrem.
Amor gignēbat amōrem.   Tempore praeteritō amor gignēbat amōrem.
Amor gignit amōrem.   Tempore praesentī amor gignit amōrem.

Ā fonte dēfluēbat aqua. (S31) Tempore praeteritō ā fonte dēfluēbat aqua.
Ā fonte dēfluit aqua.   Tempore praesentī ā fonte dēfluit aqua.
Ā fonte dēfluet aqua.   Tempore futūrō ā fonte dēfluet aqua.

Nūlla avāritia sine poenā erat. Tempore praeteritō nūlla avāritia sine
  (S33)   poenā erat.
Nūlla avāritia sine poenā erit. Tempore futūrō nūlla avāritia sine poenā
                                erit.
Nūlla avāritia sine poenā est.   Tempore praesentī nūlla avāritia sine
                                poenā est.

Lēx videt īrātum. (S34)	Tempore praesentī lēx videt īrātum.
Lēx vidēbat īrātum.	Tempore praeteritō lēx vidēbat īrātum.
Lēx vidēbit īrātum.	Tempore futūrō lēx vidēbit īrātum.
In omnī rē vincet vēritās. (S35)	Tempore futūrō in omnī rē vincet vēritās.
In omnī rē vincēbat vēritās.	Tempore praeteritō in omnī rē vincēbat vēritās.
In omnī rē vincit vēritās.	Tempore praesentī in omnī rē vincit vēritās.
Necessitās nōn habēbat lēgem. (S37)	Tempore praeteritō necessitās nōn habēbat lēgem.
Necessitās nōn habēbit lēgem.	Tempore futūrō necessitās nōn habēbit lēgem.
Necessitās nōn habet lēgem.	Tempore praesentī necessitās nōn habet lēgem.
Sapiēns ēmendat vitium. (S44)	Tempore praesentī sapiēns ēmendat vitium.
Sapiēns ēmendābit vitium.	Tempore futūrō sapiēns ēmendābit vitium.
Sapiēns ēmendābat vitium.	Tempore praeteritō sapiēns ēmendābat vitium.
In vīnō erit vēritās. (S45)	Tempore futūrō in vīnō erit vēritās.
In vīnō erat vēritās.	Tempore praeteritō in vīnō erat vēritās.
In vīnō est vēritās.	Tempore praesentī in vīnō est vēritās.
Gladiātor capit cōnsilium. (S47)	Tempore praesentī gladiātor capit cōnsilium.
Gladiātor capiet cōnsilium.	Tempore futūrō gladiātor capiet cōnsilium.
Gladiātor capiēbat cōnsilium.	Tempore praeteritō gladiātor capiēbat cōnsilium.
Nēmō sine vitiō erit. (S49)	Tempore futūrō nēmō sine vitiō erit.
Nēmō sine vitiō erat.	Tempore praeteritō nēmō sine vitiō erat.
Nēmō sine vitiō est.	Tempore praesentī nēmō sine vitiō est.
Capillus habēbat umbram. (S51)	Tempore praeteritō capillus habēbat umbram.
Capillus habet umbram.	Tempore praesentī capillus habet umbram.
Capillus habēbit umbram.	Tempore futūrō capillus habēbit umbram.
Nōbilitat virum vestis. (S52)	Tempore praesentī nōbilitat virum vestis.
Nōbilitābat virum vestis.	Tempore praeteritō nōbilitābat virum vestis.
Nōbilitābit virum vestis.	Tempore futūrō nōbilitābit virum vestis.

Exitus in dubiō erat. (S57)   Tempore praeteritō exitus in dubiō erat.
Exitus in dubiō erit.   Tempore futūrō exitus in dubiō erit.
Exitus in dubiō est.   Tempore praesentī exitus in dubiō est.

Magna dī cūrābant. (S62)   Tempore praeteritō magna dī cūrābant.
Magna dī cūrābunt.   Tempore futūrō magna dī cūrābunt.
Magna dī cūrant.   Tempore praesentī magna dī cūrant.

Parva dī neglegent. (S62)   Tempore futūrō parva dī neglegent.
Parva dī neglegunt.   Tempore praesentī parva dī neglegunt.
Parva dī neglegēbant.   Tempore praeteritō parva dī neglegēbant.

Certa mittēmus. (S232)   Tempore futūrō certa mittēmus.
Certa mittimus.   Tempore praesentī certa mittimus.
Certa mittēbāmus.   Tempore praeteritō certa mittēbāmus.

Effugere nōn poteris. (S235)   Tempore futūrō effugere nōn poteris.
Effugere nōn potes.   Tempore praesentī effugere nōn potes.
Effugere nōn poterās.   Tempore praeteritō effugere nōn poterās.

Hōrās nōn numerābō. (S236)   Tempore futūrō hōrās nōn numerābo.
Hōrās nōn numerābam.   Tempore praeteritō hōrās nōn numerābam.
Hōrās nōn numerō.   Tempore praesentī hōrās nōn numerō.

In sēcūritāte vītam pōnimus.   Tempore praesentī in sēcūritāte vītam
   (S237)   pōnimus.
In sēcūritāte vītam pōnēmus.   Tempore futūrō in sēcūritāte vītam
                                        pōnēmus.
In sēcūritāte vītam pōnēbāmus.   Tempore praeteritō in sēcūritāte vītam
                                        pōnēbāmus.

Saepius opīniōne labōrābimus.   Tempore futūrō saepius opīniōne
   (S238)   labōrābimus.
Saepius opīniōne labōrāmus.   Tempore praesentī saepius opīniōne
                                        labōrāmus.
Saepius opīniōne labōrābāmus.   Tempore praeteritō saepius opīniōne
                                        labōrābāmus.

Mālēbam nīl olēre. (S239)   Tempore praeteritō mālēbam nīl olēre.
Mālō nīl olēre.   Tempore praesentī mālō nīl olēre.
Mālam nīl olēre.   Tempore futūrō mālam nīl olēre.

SELF TEST

Correct identification becomes more complex with the introduction of the future. Identify the following by part of speech, then more closely by case, tense, etc.

terrēs	dolet	neglegēs	pingēmus	querī
rēs	crucī	regī	vēnī	amāre
resistet	auctōrēs	fulgēmus	flōrēs	fuēre

To do this properly, you must contrast the form given with something else. When did you see a word beginning with *terr-?* In S84 there was the form *terrīs*, ablative plural of *terra.* In S204 there was the form *terret*, present imperfective (#2) of *terreō.* Is *terrēs* then a noun or verb? What form is it?

Repeat the following Readings, expanding each main verb with an appropriate temporal expression.

READINGS

R411 Jam ego ūnō in saltū lepidē aprōs capiam duōs. Plautus

> Quid faciet hic homō?   saltus -ūs, m: *jump*
> Quid ūnō in saltū capiētur?   lepidus-a-um: *neat,*
> Quō modō hoc perficiētur?   *pretty, attractive*

R412 Doctor erat quālis, tālis fit saepe scholāris. Werner

> Cui saepe similis est discipulus? scholāris -e (a medieval word)
> Unde discipulus suōs mōrēs discit?

R413 Plūs apud mē vēra ratiō valēbit quam vulgī opīniō. Cicero (?)

> Quid Cicero māvult?   vulgus -ī, n: *crowd*
> Apud quem valēbit sapientia?

R414 Mediīs sitiēmus in undīs. Ovid

> Quis in aquīs aquam quaeret?
> Ubi vōs sitiētis?

R415 Paucīs cārior fidēs quam pecūnia fuit. Sallust

> Quot fidem māluēre?
> Quot pecūniam māluēre?
> Utrum fidēs an pecūnia vīlior fuit?

R416 Vēritās vōs līberābit. Motto of Johns Hopkins

Per quid līberī fīēmus?

R417 Piscēs magnī parvulōs comedunt. Anon.

Quantī piscēs eduntur?
Ā quibus piscēs parvī eduntur?

R418 Bonīs nocet quisquis pepercit malīs. Anon.

Quōs laedit quī malōs jūvit?   parcō -ere, pepercī
                                     (special intransitive
                                     with the dative): *spare*

R419 Cum ... docēmus, discimus. Sergius

Quis docet?
Quis discit?

R420 Ōdimus quem laesimus. Anon.

Quem nōn dīligimus?
Restate, using *noceō*.

LESSON TWENTY-SIX: The Perfective System

MORPHOLOGY

In this lesson we meet the last two tenses of the indicative mood, the Past Perfective (#4) and the Future Perfective (#6). The word *Perfective* tells you what stem you find in these forms; which one is it? In the perfective system contractions are common.

The Past Perfective consists of the perfective stem (the third principal part minus the *-ī*) plus *-erā-* plus the endings.[1] This gives us *amāveram, amāverās, amāverat*. The information carried by this tense is completed action in past time; it may often be translated by *had*, as "I had loved."

The Future Perfective consists of the perfective stem plus *-er-* plus the variable short vowel plus the ending.[2] This gives *amāverō, amāveris, amāverit*. The information carried by this form is completed action in future time; it is common in subordinate clauses.

Identify these two new tenses in the following.

BASIC SENTENCES

S261 Quī prior strīnxerit ferrum, ejus victōria erit.
LIVY

Victory will belong to him who first draws the sword.

Quis vincet?
Quā condiciōne tū vincēs?
Quā condiciōne vōs vincētis?

S262 Āctiō rēcta nōn erit, nisī rēcta fuerit voluntās.
SENECA

It will not be a proper act unless the wish has been proper.

Quālis āctiō erit sī tū inhonestē volueris?

S263 Īgnōscent, sī quid peccā'rō stultus, amīcī.
HORACE

My friends will pardon me if I make a stupid mistake.

Quis haec verba dīxit?   Hōrātius -i, m

---

[1]The passival (there is no passive) is the fourth principal part plus the past imperfective of the verb *sum*: *amātus eram*.

[2]The passival is the fourth principal part plus the future imperfective of *sum*: *amātus erō*.

307

Cui amīcī īgnōscent?
Quā condiciōne Hōrātiō amīcī īgnōscent?
Quid amīcī agere dēbent sī poēta errat?

S264   Citō rumpēs arcum, semper sī tēnsum habueris;
S265   at sī laxā'ris, cum volēs, erit ūtilis.
        PHAEDRUS

You will quickly break the bow if you always keep it bent;
but if you relax it, the bow will be useful when you want it.

Quantō tempore arcus semper tēnsus rumpētur?
Quā condiciōne erit arcus ūtilis?
Quid tū citō rumpēs?

S266   Extrā Fortūnam est quidquid dōnātur amīcīs;
S267   quās dederis, sōlās semper habēbis opēs.
        MARTIAL

Whatever you give to friends is outside the grasp of Fortune;
    the only riches you will always keep are those which you
    have given away.

Quās opēs nōs semper habēbimus?
Quās opēs tū semper habēbis?

S268   Quae fuerant vitia, mōrēs sunt.
        SENECA

What had been vices are now habits.

Habetne nostra aetās multa vitia?   appellō (1)
Quid nunc appellantur haec vitia?

S269   Nōn sum ego quod fueram.
        OVID

I am not what I was.

Restate with *tū, nōs, vōs, Ovidius*.   Ovidius -ī, m

S270   Nōn facit hoc aeger quod sānus suāserat aegrō.
        WERNER

The sick man does not do that which as a well man he persuaded
    the sick man to do.

Quō modō saepe patitur quī fortiter persuāserat?

NEW
NOUNS   ferrum -ī, n   āctiō -ōnis, f   arcus -ūs, m

NEW   stringō -ere, strīnxī, strictus   tendō -ere, tetendī, tēnsus
VERBS   īgnōscō -ere, īgnōvi, īgnōtus   laxō (1)
        rumpō -ere, rūpī, ruptus   dōnō (1)
                                             suādeō -ēre, suāsī, suāsus

The numeral (1) means tnat these verbs are regular first conjugation verbs. Give the principal parts of each; you can do this because they
are predictable. In subsequent lessons all regular first conjugation verbs
are listed this way.

EXPLANATION OF STRUCTURE:
VERB SYSTEMS OF OTHER LANGUAGES.

Our diagram of the indicative (p. 276) is now complete. Note again
that the forms which show incomplete action (#1, 2, 3) are formed on
the imperfective stem (see p. 289); those which show completed action
(#4, 5, 6) are formed on the perfective stem.

Other languages have other systems. Tunica (an extinct language of
the lower Mississippi Valley) has three aspects (simulfactive, habitua-
tive, and repetitive) and a conditional mood, but no time contrast. Nootka
(a language of the Pacific Northwest) has eight aspects:[3]

durative	"he was flying"
inceptive	"he began to fly"
momentaneous	"he flew off all at once"
graduative	"he set about flying"
inceptive of graduative	"he began to set about flying"
repetitive	"he flew and flew"
iterative	"he flew from time to time"
inceptive of iterative	"he began to fly from time to time"

Note especially that although we may represent these aspects in
English, we are not forced to. As one scholar has said:[4] "Languages
differ not as much in what they can express as in what they regularly
do and must express." When we say in English "He flew," we are ig-
noring certain contrasts which the speaker of Nootka must observe. We,
on the other hand, are forced to comment on the fact that this action took
place in the past as opposed to the present, a choice which was not
forced on the speaker of Tunica, which had no tense.

Treatment of time shows similar variation. Sukuma (another Bantu
language of Tanganyika) has four past times: immediate past, proximate
past, intermediate past, and remote past:

tùàlólà   "we looked (less than two hours ago)"
tùàlólàgà   "we looked (this morning some time)"

[3]Adapted from Eugene A. Nida, *Linguistic Interludes* (Glendale, Calif.: Summer
Institute of Linguistics, 1947), p. 77.
[4]H. A. Gleason, *An Introduction to Descriptive Linguistics* (New York, 1955) p. 153.

tùălórìrè   "we looked (yesterday, or the day before)"
tùkàlòrà   "we looked (any time prior to the day before yesterday)"[5]

In Mongbandi (Sudanic language of Northern Congo) the differences between past, present, and future time are shown — by the pronoun![6]

No matter how difficult a certain feature appears to be in the language you are learning, it seems that you can always find a more complicated example in another language. Take for example the speech of the San Blas Indians of Panama. The verb *ampo'ittimalasarsōsana* means "the two of us just about hit them, but we did not." This is a single word because the morphemes of which it is constructed do not occur in isolation but only in combinations, like the Latin *-bā-*.

am-	first person
-po-	two
-itti-	third person
-mala-	pluralizer of third person
-sarsō-	hit
-sa-	past tense
-na	reversive (reverses the entire meaning)

It has been estimated[7] that there are about ten thousand different combinations of the *-sarsō-* stem.

To return to Latin, the verb has three morphemes to show person, number, voice, time, mood, and aspect. If we analyze *amābam* or *vidēbam*, the *-m* shows person (first), number (singular), and voice (active). The *-bā-* shows time (past), aspect (imperfective), and mood (indicative). The *amā-* or *vidē-* shows aspect (imperfective). In *amāveram* or *vīderam* the *-m* shows the same person, number, and voice as above; the *-erā-* shows past time and perfective aspect, and the *amāv-* or *vīd-* shows perfective aspect. We also note that the *-bā-* is added only to the imperfective stem and the *-erā-* only to the perfective stem, so aspect is signalled twice. *Amā-* and *vidē-* may be further divided into morphemes, the root (*am-* and *vid-*) and the conjugation markers (*-ā-* and *-ē-*); and the same kind of further division may be made for *amāv-* and *vīd-*.

PATTERN PRACTICE

Purpose: to learn to recognize the six indicative tenses in contrast with one another.
Directions: This is the only type of Pattern Practice in which you use English answers. Be able to identify the verb forms either by name or by number.

[5]Eugene A. Nida, *Learning a Foreign Language* (New York, 1950), p. 67.
[6]*Ibid*, p. 9.
[7]Nida, *Linguistic Interludes*, pp. 12-13.

Prīmus in orbe deōs fēcit timor.
   (S241)
Prīmus in orbe deōs faciet timor.
Prīmus in orbe deōs fēcerit timor.
Prīmus in orbe deōs fēcerat timor.
Prīmus in orbe deōs faciēbat timor.
Prīmus in orbe deōs facit timor.

Ēripuit caelō fulmen. (S244)
Ēripiet caelō fulmen.
Ēripuerit caelō fulmen.
Ēripuerat caelō fulmen.
Ēripiēbat caelō fulmen.
Ēripit caelō fulmen.

Dīvīna nātūra dedit agrōs. (S247)
Dīvīna nātūra dabit agrōs.
Dīvīna nātūra dabat agrōs.
Dīvīna nātūra dederit agrōs.
Dīvīna nātūra dederat agrōs.
Dīvīna nātūra dat agrōs.

Ars hūmāna aedificāvit urbēs. (S247)
Ars hūmāna aedificābat urbēs.
Ars hūmāna aedificābit urbēs.
Ars hūmāna aedificāverat urbēs.
Ars hūmāna aedificāverit urbēs.
Ars hūmāna aedificat urbēs.

Bonum certāmen certāvī. (S250)
Bonum certāmen certō.
Bonum certāmen certābō.
Bonum certāmen certābam.
Bonum certāmen certāverō.
Bonum certāmen certāveram.

Lūna nocturnōs equōs regēbat. (S258)
Lūna nocturnōs equōs reget.
Lūna nocturnōs equōs regit.
Lūna nocturnōs equōs rēxit.
Lūna nocturnōs equōs rēxerat.
Lūna nocturnōs equōs rēxerit.

Āctiō rēcta nōn erit. (S262)
Āctiō rēcta nōn fuerat.
Āctiō rēcta nōn fuerit.
Āctiō rēcta nōn fuit.
Āctiō rēcta nōn erat.
Āctiō rēcta nōn est.

Caelō fulgēbat lūna serēnō. (S259)
Caelō fulgēbit lūna serēnō.
Caelō fulsit lūna serēnō.
Caelō fulserat lūna serēnō.
Caelō fulget lūna serēnō.
Caelō fulserit lūna serēnō.

Citō rumpēs arcum. (S264)
Citō rūpistī arcum.
Citō rūperis arcum.
Citō rumpēbās arcum.
Citō rūperās arcum.
Citō rumpis arcum.

Orbem victor Rōmānus habēbat. (S260)
Orbem victor Rōmānus habuit.
Orbem victor Rōmānus habet.
Orbem victor Rōmānus habēbit.
Orbem victor Rōmānus habuerat.
Orbem victor Rōmānus habuerit.

Fert deus alter opem. (S126)
Tulit deus alter opem.
Ferēbat deus alter opem.
Tulerat deus alter opem.
Tulerit deus alter opem.
Feret deus alter opem.

Mulier male cōgitat. (S91)
Mulier male cōgitābit.
Mulier male cōgitāvit.
Mulier male cōgitāverat.
Mulier male cōgitāverit.
Mulier male cōgitābat.

Litterae nōn dant pānem. (S94)
Litterae nōn dedēre pānem.
Litterae nōn dederant pānem.
Litterae nōn dabunt pānem.
Litterae nōn dabant pānem.
Litterae nōn dederint pānem.

In Venere certant dolor et gaudium.
   (S66)
In Venere certāvēre dolor et gaudium.
In Venere certā'rant dolor et gaudium.
In Venere certā'rint dolor et gaudium.
In Venere certābunt dolor et gaudium.
In Venere certābant dolor et gaudium.

Nūlla avāritia sine poenā est. (S33)

Nūlla avāritia sine poenā fuit.

Nūlla avāritia sine poenā erat.

Nūlla avāritia sine poenā fuerat.

Nūlla avāritia sine poenā erit.

Nūlla avāritia sine poenā fuerit.

Oculī sunt in amōre ducēs. (S97)

Oculī fuēre in amōre ducēs.

Oculī erunt in amōre ducēs.

Oculī fuerint in amōre ducēs.

Oculī erant in amōre ducēs.

Oculī fuerant in amōre ducēs.

Capillus habet umbram suam. (S51)

Capillus habēbit umbram suam.

Capillus habuit umbram suam.

Capillus habēbat umbram suam.

Capillus habuerat umbram suam.

Capillus habuerit umbram suam.

Piscis captīvus vīnum vult. (S108)

Piscis captīvus vīnum volēbat.

Piscis captīvus vīnum volet.

Piscis captīvus vīnum voluit.

Piscis captīvus vīnum voluerit.

Piscis captīvus vīnum voluerat.

Sapientēs fortūnam ferunt. (S78)

Sapientēs fortūnam ferent.

Sapientēs fortūnam tulerant.

Sapientēs fortūnam tulēre.

Sapientēs fortūnam tulerint.

Sapientēs fortūnam ferēbant.

Videō barbam et pallium. (S231)

Vīdī barbam et pallium.

Vīderam barbam et pallium.

Vidēbō barbam et pallium.

Vidēbam barbam et pallium.

Vīderō barbam et pallium.

In lūmine tuō vidēbimus lūmen. (S254)

In lūmine tuō vidēmus lūmen.

In lūmine tuō vīdimus lūmen.

In lūmine tuō vidēbāmus lūmen.

In lūmine tuō vīderāmus lūmen.

In lūmine tuō vīderimus lūmen.

Quis custōdiet ipsōs custōdēs? (S251)

Quis custōdiēbat ipsōs custōdēs?

Quis custōdīverat ipsōs custōdēs?

Quis custōdit ipsōs custōdēs?

Quis custōdīverit ipsōs custōdēs?

Quis custōdīvit ipsōs custōdēs?

Similis similem sibi quaerit. (S256)

Similis similem sibi quaesīvit.

Similis similem sibi quaesīverit.

Similis similem sibi quaeret.

Similis similem sibi quaerēbat.

Similis similem sibi quaesīverat.

In hōc sīgnō vincēs. (S252)

In hōc sīgnō vīcistī.

In hōc sīgnō vincis.

In hōc sīgnō vīcerās.

In hōc sīgnō vincēbas.

In hōc sīgnō vīceris.

Quiēscēbant vōcēs hominum. (S257)

Qui'erant vōcēs hominum.

Quiēscent vōcēs hominum.

Quiēscunt vōcēs hominum.

Qui'ērunt vōcēs hominum.

Qui'erint vōcēs hominum.

Potestis Deō servīre. (S233)

Poterātis Deō servīre.

Potuerātis Deō servīre.

Poteritis Deō servīre.

Potueritis Deō servīre.

Potuistis Deō servīre.

Mālō nīl olēre. (S239)

Māluerō nīl olēre.

Mālueram nīl olēre.

Mālam nīl olēre.

Māluī nīl olēre.

Mālēbam nīl olēre.

Hōrās nōn numerō nisī serēnās. (S236)

Hōrās nōn numerāvī nisī serēnās.

Hōrās nōn numerā'rō nisī serēnās.

Hōrās nōn numerābō nisī serēnās.

Hōrās nōn numerā'ram nisī serēnās.

Hōrās nōn numerābam nisī serēnās.

In sēcūritāte vītam pōnimus. (S237)
In sēcūritāte vītam pōnēmus.
In sēcūritāte vītam pōnēbamus.
In sēcūritāte vītam posuerimus.
In sēcūritāte vītam posuerāmus.
In sēcūritāte vītam posuimus.

Saepius opīniōne quam rē labōrāmus.
     (S238)
Saepius opīniōne quam rē labōrāvimus.
Saepius opīniōne quam rē labōrābimus.
Saepius opīniōne quam rē labōrābāmus.
Saepius opīniōne quam rē
     labōrāverāmus.
Saepius opīniōne quam rē
     labōrāverimus.

SELF TEST

More morphological identification, with the added complexity of the perfective system.

jūstitia	vīderō	puerōs	poteris	loquī
poterō	fūgī	religiō	orbis	contrā
operis	odōrum	vīderis	omnia	potueris
fugī	regī	canis	rēgī	beneficium

READINGS

R421 Dōnec eris fēlīx, multōs numerābis amīcos;
        tempora sī fuerint nūbila, sōlus eris. Ovid

Quandō numerābitis multōs amīcōs?   dōnec (conjunction):
Quandō paucōs?   *as long as*

R422 Nōn ergō fortūnā hominēs aestimābō sed mōribus; sibi quisque
        dat mōrēs, condiciōnem cāsus assīgnat. Macrobius

Quid faciet Macrōbius?   aestimō (1)
Unde locum suum quisque accipit?   assīgnō (1)
Unde mōrēs?   cāsus -ūs, m: sors, fortūna
                                                     Macrōbius -ī, m

R423 Dominus vōbīscum et cum spīritū tuō. Ecclesiastical

Quis nōs juvābit?   spīritus -ūs, m
Cujus sub cūrā erimus?

R424 Nēmō...nōn nostrum peccat. Hominēs sumus, nōn deī. Petronius

Quid nōs nōn agēmus?
Quis sine crīmine vīvet?

R425 Quī amat mē, amat et canem meum. Anon.

  Quis meus amīcus erit?
  Cui placet quī canem meum dīligit?

R426 Nātūram quidem mūtāre difficile est. Seneca

  Quō modō nātūra mūtātur?   quidem (intensifier): *indeed*
  Sī quis nunc est stultus, quālis erit tempore futūrō?

R427 Homō doctus in sē semper dīvitiās habet. Phaedrus

  Cui est mēns causa dīvitiārum?   dīvitiae -ārum, f:
  Sī quis doctrīnam habet, quālis est?   *riches*

R428 Nēmō sibi satis est; eget omnis amīcus amīcō. Werner

  Quid est rēs magis necessāria?
  Sine quō omnis minimum valet?

R429 Esse quam vidērī bonus mālēbat. (Said of Cato) Sallust

  Eratne Catō rē vērā vir bonus?
  Quid mālēbat?

R430 Hoc sī crīmen erit, crīmen amōris erit. Propertius

  Sī Propertius peccāverit, cujus causa erit?   Propertius -ī, m

Read the Narrative Readings assigned by your teacher and do the following Pattern Practice.

PATTERN PRACTICE

Purpose: to produce the present imperfective (#2), the future imperfective (#3), and the present perfective (#5).

Directions: transform the verb in each Basic Sentence below to the tense suggested by each of these temporal expressions: *quondam*, on a certain occasion; *hōc tempore*, at this time; and *mox*, soon.[1]

Videō barbam et pallium. (S231)

Mox...	Mox vidēbō barbam et pallium.
Hōc tempore...	Hōc tempore videō barbam et pallium.
Quondam...	Quondam vīdī barbam et pallium.

Certa mittimus. (S232)

Hōc tempore...	Hōc tempore certa mittimus.
Mox...	Mox certa mittēmus.
Quondam...	Quondam certa mīsimus.

Potestis Deō servīre. (S233)

Quondam...	Quondam potuistis Deō servīre.
Mox...	Mox poteritis Deō servīre.
Hōc tempore...	Hōc tempore potestis Deō servīre.

Animum dēbēs mūtāre. (S234)

Mox...	Mox animum dēbēbis mūtāre.
Quondam...	Quondam animum dēbuistī mūtāre.
Hōc tempore...	Hōc tempore animum dēbēs mūtāre.

Effugere nōn potes necessitātēs. (S235)

Hōc tempore...	Hōc tempore effugere nōn potes necessitātēs.
Mox...	Mox effugere nōn poteris necessitātēs.
Quondam...	Quondam effugere nōn potuistī necessitātēs.

[1] In this exercise the present perfective (#5) is consistently interpreted as the narrative use: *Quondam lībertās cecidit* (On one occasion liberty fell).

Hōrās nōn numerō. (S236)

Mox...   Mox hōrās nōn numerābō.
Quondam...   Quondam hōrās nōn numerāvī.
Hōc tempore...   Hōc tempore hōrās nōn numerō.

In sēcūritāte vītam pōnimus. (S237)

Quondam...   Quondam in sēcūritāte vītam posuimus.
Hōc tempore...   Hōc tempore in sēcūritāte vītam pōnimus.
Mox...   Mox in sēcūritāte vītam pōnēmus.

Saepius opīniōne labōrāmus. (S238)

Quondam...   Quondam saepius opīniōne labōrāvimus.
Mox...   Mox saepius opīniōne labōrābimus.
Hōc tempore...   Hōc tempore saepius opīniōne labōrāmus.

Mālō nīl olēre. (S239)

Hōc tempore...   Hōc tempore mālō nīl olēre.
Quondam...   Quondam māluī nīl olēre.
Mox...   Mox mālam nīl olēre.

Prīmus deōs fēcit timor. (S241)

Hōc tempore...   Hōc tempore prīmus deōs facit timor.
Quondam...   Quondam prīmus deōs fēcit timor.
Mox...   Mox prīmus deōs faciet timor.

Ēripuit caelō fulmen. (S244)

Quondam...   Quondam ēripuit caelō fulmen.
Mox...   Mox ēripiet caelō fulmen.
Hōc tempore...   Hōc tempore ēripit caelō fulmen.

Bonum certāmen certāvī. (S250)

Mox...   Mox bonum certāmen certābo.
Quondam...   Quondam bonum certāmen certāvī.
Hōc tempore...   Hōc tempore bonum certāmen certō.

Quis custōdiet ipsōs custōdēs? (S251)

Mox...   Quis mox custōdiet ipsōs custōdēs?
Quondam...   Quis quondam custōdīvit ipsōs custōdēs?
Hōc tempore...   Quis hōc tempore custōdit ipsōs custōdēs?

In hōc sīgnō vincēs. (S252)

Quondam...   Quondam in hōc sīgnō vīcistī.
Hōc tempore...   Hōc tempore in hōc sīgnō vincis.
Mox...   Mox in hōc sīgnō vincēs.

In lūmine tuō vidēbimus lūmen. (S254)

Mox...   Mox in lūmine tuō vidēbimus lūmen.
Quondam...   Quondam in lūmine tuō vīdimus lūmen.
Hōc tempore...   Hōc tempore in lūmine tuō vidēmus lūmen.

Similis similem quaerit. (S256)

Quondam...   Quondam similis similem quaesīvit.
Hōc tempore...   Hōc tempore similis similem quaerit.
Mox...   Mox similis similem quaeret.

Quiēscēbant vōcēs hominum. (S257)

Quondam...   Quondam quiēvēre vōcēs hominum.
Mox...   Mox quiēscent vōcēs hominum.
Hōc tempore...   Hōc tempore quiēscunt vōcēs hominum.

Lūna equōs regēbat. (S258)

Hōc tempore...   Hōc tempore lūna equōs regit.
Quondam...   Quondam lūna equōs rēxit.
Mox...   Mox lūna equōs reget.

Caelō serēnō lūna fulgēbat. (S259)

Mox...   Mox caelō serēnō lūna fulgēbit.
Quondam...   Quondam caelō serēnō lūna fulsit.
Hōc tempore...   Hōc tempore caelō serēnō lūna fulget.

Citō rumpēs arcum. (S264)

Quondam...   Quondam citō rūpistī arcum.
Hōc tempore...   Hōc tempore citō rumpis arcum.
Mox...   Mox citō rumpēs arcum.

Lībertās cecidit. (S243)

Mox...   Mox lībertās cadet.
Quondam...   Quondam lībertās cecidit.
Hōc tempore...   Hōc tempore lībertās cadit.

Nīl vīta mortālibus dedit. (S246)

Hōc tempore...	Hōc tempore nīl vīta mortālibus dat.
Mox...	Mox nīl vīta mortālibus dabit.
Quondam...	Quondam nīl vīta mortālibus dedit.

Lūsistī satis. (S249)

Mox...	Mox lūdēs satis.
Quondam...	Quondam lūsistī satis.
Hōc tempore...	Hōc tempore lūdis satis.

Orbem victor Rōmānus habēbat. (S260)

Quondam...	Quondam orbem victor Rōmānus habuit.
Hōc tempore...	Hōc tempore orbem victor Rōmānus habet.
Mox...	Mox orbem victor Rōmānus habēbit.

Caelum, nōn animum, mūtant. (S114)

Mox...	Mox caelum, nōn animum, mūtābunt.
Quondam...	Quondam caelum, nōn animum, mūtāvēre.
Hōc tempore...	Hōc tempore caelum, nōn animum, mūtant.

Inveniam viam. (S253)

Quondam...	Quondam invēnī viam.
Hōc tempore...	Hōc tempore inveniō viam.
Mox...	Mox inveniam viam.

Faciam viam. (S253)

Mox...	Mox faciam viam.
Quondam...	Quondam fēcī viam.
Hōc tempore...	Hōc tempore faciō viam.

Ēdistī satis. (S249)

Mox...	Mox edēs satis.
Quondam...	Quondam ēdistī satis.
Hōc tempore...	Hōc tempore edis satis.

Satis bibistī. (S249)

Hōc tempore...	Hōc tempore satis bibis.
Mox...	Mox satis bibēs.
Quondam...	Quondam satis bibistī.

Aut inveniam viam aut faciam. (S253)

Quondam...   Quondam aut invēnī viam aut fēcī.
Mox...   Mox aut inveniam viam aut faciam.
Hōc tempore...   Hōc tempore aut inveniō viam aut faciō.

SELF TEST

Add the verb in the tense suggested by the adverbial expression.

Nēmō in amōre videt. (S6)   Īgnōscent amīcī. (S263)

    Mox...   Quondam...
    Quondam...   Mox...
    Hōc tempore...   Hōc tempore...

Sōlās semper habēbis opēs. (S267)   Flōris nōn pingis odōrem. (S184)

    Hōc tempore...   Quondam...
    Mox...   Hōc tempore..
    Quondam...   Mox...

Cursum cōnsummāvī. (S250)   Impōnō fīnem et rēbus honestīs.
                                  (S177)
    Mox...
    Hōc tempore...   Hōc tempore...
    Quondam...   Quondam...
                                       Mox...

REVIEW LESSON EIGHT

Read the Narrative Readings assigned by your teacher and do the
following Pattern Practice.

PATTERN PRACTICE

Purpose: to learn to produce all six indicative tenses.
Directions: answer the questions by transforming the verb to agree with
the subject.

First, the #1 form (past imperfective):

Quis lītem generābat? (S12)

Vōs...	Vōs lītem generābātis.
Ego...	Ego lītem generābam.
Tū...	Tū lītem generābās.

Quis aurem facilem habēbat? (S55)

Ego...	Ego aurem facilem habēbam.
Nōs...	Nōs aurem facilem habēbāmus.
Tū...	Tū aurem facilem habēbās.

Quis in marī aquam quaerēbat? (S43)

Tū...	Tū in marī aquam quaerēbās.
Ego...	Ego in marī aquam quaerēbam.
Nōs...	Nōs in marī aquam quaerēbāmus.

Quis levēs animōs capiēbat? (S81)

Nōs...	Nōs levēs animōs capiēbāmus.
Vōs...	Vōs levēs animōs capiēbātis.
Tū...	Tū levēs animōs capiēbās.

Quis corporī serviēbat? (S162)

Nōs...	Nōs corporī serviēbāmus.
Ego...	Ego corporī serviēbam.
Vōs...	Vōs corporī serviēbātis.

Quis erat pessima rēs? (S144)

Nōs...   Nōs erāmus pessima rēs.

Vōs...   Vōs erātis pessima rēs.

Tū...   Tū erās pessima rēs.

Now, the #2 form (present imperfective):

Quis nātōs cum laude corōnat? (S61)

Vōs...   Vōs nātōs cum laude corōnātis.

Nōs...   Nōs nātōs cum laude corōnāmus.

Ego...   Ego nātōs cum laude corōnō.

Quis in amōre videt? (S6)

Ego...   Ego in amōre videō.

Tū...   Tū in amōre vidēs.

Vōs...   Vōs in amōre vidētis.

Quis cum cūrā vīvit? (S7)

Tū...   Tū cum cūrā vīvis.

Ego...   Ego cum cūrā vīvō.

Prūdentēs...   Prūdentēs cum cūrā vīvunt.

Quis caelō fulmen ēripit? (S244)

Ego...   Ego caelō fulmen ēripiō.

Hominēs doctī...   Hominēs doctī caelō fulmen ēripiunt.

Vōs...   Vōs caelō fulmen ēripitis.

Quis custōdēs custōdit? (S251)

Dominī...   Dominī custōdēs custōdiunt.

Tū...   Tū custōdēs custōdīs.

Nōs...   Nōs custōdēs custōdīmus.

Quī ducēs in amōre sunt? (S97)

Oculī...   Oculī ducēs in amōre sunt.

Vōs...   Vōs ducēs in amōre estis.

Nōs...   Nōs ducēs in amōre sumus.

Quis vir fortis nōn est? (S110)

Tū...   Tū vir fortis nōn es.

Ego...   Ego vir fortis nōn sum.

Quī labōrem fugit...   Quī labōrem fugit vir fortis nōn est.

Quis vīnum vult? (S108)

Nōs...	Nōs vīnum volumus.
Piscis captīvus...	Piscis captīvus vīnum vult.
Tū...	Tū vīnum vīs.

Quis laudem vult? (S11)

Ego...	Ego laudem volō.
Vōs...	Vōs laudem vultis.
Tū...	Tū laudem vīs.

Next, the #3 form (future imperfective):

Quis opīniōne labōrābit? (S238)

Tū...	Tū opīniōne labōrābis.
Nōs...	Nōs opīniōne labōrābimus.
Ego...	Ego opīniōne labōrābō.

Quis audēbit līberē loquī? (S243)

Nōs...	Nōs audēbimus līberē loquī.
Vōs...	Vōs audēbitis līberē loquī.
Nēmō...	Nēmō audēbit līberē loquī.

Quis deōs colet? (S70)

Ego...	Ego deōs colam.
Tū...	Tū deōs colēs.
Vōs...	Vōs deōs colētis.

Quis in harēnā capiet cōnsilium? (S47)

Tū...	Tū in harēnā capiēs cōnsilium.
Ego...	Ego in harēnā capiam cōnsilium.
Vōs...	Vōs in harēnā capiētis cōnsilium.

Quis inveniet thēsaurum? (S109)

Tū...	Tū inveniēs thēsaurum.
Nōs...	Nōs inveniēmus thēsaurum.
Ego...	Ego inveniam thēsaurum.

Quis sine vitiō erit? (S49)

Vōs...	Vōs sine vitiō eritis.
Tū...	Tū sine vitiō eris.
Nōs...	Nōs sine vitiō erimus.

Quis flūmina volet? (S108)

Nōs...   Nōs flūmina volēmus.
Ego...   Ego flūmina volam.
Vōs...   Vōs flūmina volētis.

Now, the #4 form (past perfective). Since all conjugations are done alike in this tense, we do not need to practice more than two.

Quis ferrum strīnxerat? (S261)

Ego...   Ego ferrum strīnxeram.
Vōs...   Vōs ferrum strīnxerātis.
Tū...   Tū ferrum strīnxerās.

Quis oculīs crēdiderat? (S178)

Homō...   Homō oculīs crēdiderat.
Nōs...   Nōs oculīs crēdiderāmus.
Ego...   Ego oculīs crēdideram.

Next, the #5 form (present perfective); this is the only tense with special person endings:

Quis in sōlō pāne nōn vīxit? (S59)

Tū...   Tū in sōlō pāne nōn vīxistī.
Vōs...   Vōs in sōlō pāne nōn vīxistis.
Ego...   Ego in sōlō pāne nōn vīxī.

Quis inopī beneficium dedit? (S161)

Nōs...   Nōs inopī beneficium dedimus.
Vōs...   Vōs inopī beneficium dedistis.
Tū...   Tū inopī beneficium dedistī.

Quis inter caecōs rēgnāvit? (S120)

Luscī...   Luscī inter caecōs rēgnā'runt.
Tū...   Tū inter caecōs rēgnā'stī.
Vōs...   Vōs inter caecōs rēgnā'stis.

Quis ad agnum mentem vertit? (S111)

Ego...   Ego ad agnum mentem vertī.
Tū...   Tū ad agnum mentem vertistī.
Lupī...   Lupī ad agnum mentem vertēre.

Quis bene cēlāvit amōrem? (S129)

Tū...	Tū bene cēlā'stī amōrem.
Vōs...	Vōs bene cēlā'stis amōrem.
Ego...	Ego bene cēlāvī amōrem.

Quis fortūnam tulit? (S78)

Sapientēs...	Sapientēs fortūnam tulēre.
Tū...	Tū fortūnam tulistī.
Vōs...	Vōs fortūnam tulistis.

Finally, the #6 form (future perfective):

Quis opēs dederit? (S267)

Tū...	Tū opēs dederis.
Ego...	Ego opēs dederō.
Bonī...	Bonī opēs dederint.

Quis dīmidium factī habuerit? (S245)

Nōs...	Nōs dīmidium factī habuerimus.
Vōs...	Vōs dīmidium factī habueritis.
Ego...	Ego dīmidium factī habuerō.

SELF TEST

Answer the questions by transforming the verb to agree with the subject:

Quis equōs regēbat? (S258)	Quis corporī servit? (S162)
Ego...	Nōs...
Nōs...	Immodicus...
Tū...	Tū...

Quis rumpet arcum? (S264)	Quis aedificā'rat urbēs? (S247)
Tū...	Nōs...
Vōs...	Hominēs...
Ego...	Ego...

Quis satis lūsit? (S249)	Quis stultus peccāverit? (S263)
Tū...	Nōs...
Vōs...	Ego...
Ego...	Vōs...

LESSON TWENTY-SEVEN: Passive Person Endings

MORPHOLOGY

In this lesson we will learn the passive person endings. These endings are found on forms #1, 2, 3, 7, and 8; in other words, only on the imperfective forms. The perfective forms have a compound form made up of the passive perfective participle (the fourth principal part, the one in *-tus* or *-sus*) with some form of the verb *est*. Since a passive verb is defined as one which takes the passive person endings, these compound forms we call *passivals*. Here are the passive person endings, found on the imperfective forms:

singular	plural
-r/-or (I)	-mur (we)
-ris (you)	-minī (you)
-tur (he, she, it)	-ntur (they)

BASIC SENTENCES

S271 Nāscentēs morimur, fīnisque ab orīgine pendet.
MANILIUS

> We start to die when we are born, and the end depends upon the
>   beginning.

> Cui similis est fīnis?
> Quid est orīgō mortis?
> Estne poena perīre?
> Transform *nāscentēs morimur*, adding *ego, tū, omnēs, homō, vōs.*

S272 Videō meliōra probōque, dēteriōra sequor.
OVID

> I see the better course and approve of it, but I follow the worse.

> Quālibus rēbus tū movēris?
> Quālibus rēbus tū traherìs?

S273 Dum loquor, hōra fugit.
OVID

> While I talk, the hour flies.

> Restate, using *tū, diēs, tempus, nōs, amīci, aetās, vōs, annus.*

S274 Omnia mūtantur, nōs et mūtāmur in illīs.
BORBONIUS (?)

All things change, and we change with them.

Quid nōs patimur dum tempora mūtantur?
Quid ego patior? Quid tū pateris?

S275 Nōn sum ūnī angulō nātus; patria mea tōtus hic mundus est.
SENECA

I am not born for one corner; this whole world is my country.

Cujus regiōnis est Seneca cīvis?   cīvis, cīvis, m&f: *citizen*
Cui regiōnī vōs nātī estis?

S276 Frangar, nōn flectar.
MOTTO

I will break but I won't bend.

Restate with *fortis, tū, nōs, vōs, ego.*

S277 Trahimur omnēs studiō laudis.
CICERO

We are all driven by desire for approval.

Quid nōs trahit?
Per quid vōs trahiminī?
Quid tū maximē vīs?

S278 Prōgredimur quō dūcit quemque voluntās.
LUCRETIUS

We go where our will leads each one of us.

Quō auxiliō tū dūceris?
Quō tū prōgrederis?

S279 In quō... jūdiciō jūdicāveritis, jūdicābiminī.
ST. MATTHEW

For with what judgment ye judge, ye shall be judged.

In quō jūdiciō vōs jūdicābiminī?
In quō jūdiciō ego jūdicābor?

S280 Rōma locūta est; causa finīta est.
ANON.

Rome has spoken; the case is finished.

Quis locūtus est?
Quid finītum est?
Cujus verbum multum valet?

NEW   orīgō -inis, f   angulus -ī, m
NOUNS   jūdicium -ī, n

NEW   probō (1)   prōgredior, prōgredī, prōgressus
VERBS   flectō -ere, flexī, flexus   fīniō (4)

NEW
ADJECTIVES   dēterior, dēterius (comparative form)

PATTERN PRACTICE

Purpose: to learn the passive person endings of the imperfective system.
Directions: answer each question using the subject provided.

First, the past imperfective (#1):

Quis eadem nōn mīrābātur? (S213)

Ego...	Ego eadem nōn mīrābar.
Tū...	Tū eadem nōn mīrābāris.
Vōs...	Vōs eadem nōn mīrābāminī.
Omnēs...	Omnēs eadem nōn mīrābantur.
Nōs...	Nōs eadem nōn mīrābāmur.

Quis fāmam verēbātur? (S216)

Nōs...	Nōs fāmam verēbāmur.
Ego...	Ego fāmam verēbar.
Multī...	Multī fāmam verēbantur.
Vōs...	Vōs fāmam verēbāminī.
Tū...	Tū fāmam verēbāris.

Quis lacrimīs pāscēbātur? (S69)

Tū...	Tū lacrimīs pāscēbāris.
Crūdēlis...	Crūdēlis lacrimīs pāscēbātur.
Vōs...	Vōs lacrimīs pāscēbāminī.
Nōs...	Nōs lacrimīs pāscēbāmur.
Ego...	Ego lacrimīs pāscēbar.

Quis malum fortiter patiēbātur? (S220)

Fortis...	Fortis malum fortiter patiēbātur.
Ego...	Ego malum fortiter patiēbar.
Vōs...	Vōs malum fortiter patiēbāminī.

Nōs...   Nōs malum fortiter patiēbāmur.
Tū...   Tū malum fortiter patiēbāris.

Quis saepe mentiēbātur? (S218)

Nōs...   Nōs saepe mentiēbāmur.
Vultus...   Vultus saepe mentiēbātur.
Vōs...   Vōs saepe mentiēbāminī.
Tū...   Tū saepe mentiēbāris.
Ego...   Ego saepe mentiēbar.

Next, the present imperfective (#2):

Quis in vīlī veste honestē tractātur? (S60)

Ego...   Ego in vīlī veste honestē tractor.
Nēmō...   Nēmō in vīlī veste honestē tractātur.
Vōs...   Vōs in vīlī veste honestē tractāminī.
Tū...   Tū in vīlī veste honestē tractāris.
Nōs...   Nōs in vīlī veste honestē tractāmur.

Quis ā cane nōn magnō tenētur? (S21)

Tū...   Tū ā cane nōn magnō tenēris.
Vōs...   Vōs ā cane nōn magnō tenēminī.
Aper...   Aper ā cane nōn magnō tenētur.
Nōs...   Nōs ā cane nōn magnō tenēmur.
Ego...   Ego ā cane nōn magnō teneor.

Quis in rē incertā cernitur? (S74)

Tū...   Tū in rē incertā cerneris.
Nōs...   Nōs in rē incertā cernimur.
Amīcus...   Amīcus in rē incertā cernitur.
Vōs...   Vōs in rē incertā cerniminī.
Ego...   Ego in rē incertā cernor.

Quis in marī magnō capitur? (S75)

Piscēs...   Piscēs in marī magnō capiuntur.
Tū...   Tū in marī magnō caperis.
Nōs...   Nōs in marī magnō capimur.
Vōs...   Vōs in marī magnō capiminī.
Ego...   Ego in marī magnō capior.

Quis persaepe mentītur? (S218)

Tū...   Tū persaepe mentīris.

Nōs...	Nōs persaepe mentīmur.
Vultus...	Vultus persaepe mentītur.
Ego...	Ego persaepe mentior.
Vōs...	Vōs persaepe mentīminī.

Finally, the future imperfective (#3):

Quis tempore fēlīcī numerābitur? (S72)

Vōs...	Vōs tempore fēlīcī numerābiminī.
Nōs...	Nōs tempore fēlīcī numerābimur.
Ego...	Ego tempore fēlīcī numerābor.
Tū...	Tū tempore fēlīcī numerāberis.
Multī amicī...	Multī amicī tempore fēlīcī numerābuntur.

Quis cōnscientiam verēbitur? (S216)

Tū...	Tū cōnscientiam verēberis.
Nōs...	Nōs cōnscientiam verēbimur.
Vōs...	Vōs cōnscientiam verēbiminī.
Paucī...	Paucī cōnscientiam verēbuntur.
Ego...	Ego cōnscientiam verēbor.

Quis ad lacrimās cōgētur? (S113)

Ego...	Ego ad lacrimās cōgar.
Oculus...	Oculus ad lacrimās cōgētur.
Tū...	Tū ad lacrimās cōgēris.
Nōs...	Nōs ad lacrimās cōgēmur.
Vōs...	Vōs ad lacrimās cōgēminī.

Quis mūneribus nōn capiētur? (S76)

Vōs...	Vōs mūneribus nōn capiēminī.
Nōs...	Nōs mūneribus nōn capiēmur.
Tū...	Tū mūneribus nōn capiēris.
Vulpēs...	Vulpēs mūneribus nōn capiētur.
Ego...	Ego mūneribus nōn capiar.

Quis in antīquā veste vestiētur? (S23)

Pauper...	Pauper in antīquā veste vestiētur.
Tū...	Tū in antīquā veste vestiēris.
Vōs...	Vōs in antīquā veste vestiēminī.
Ego...	Ego in antīquā veste vestiar.
Nōs...	Nōs in antīquā veste vestiēmur.

SELF TEST

Answer the questions using the subjects provided.

Quis ā cane nōn magnō tenēbātur?   Quis in rē incertā cernētur?

Aprī...	Tū...
Vōs...	Vōs...
Tū...	Amīcī...
Nōs...	Ego...

Quis lacrimīs pāscitur?   Quis saepe mentiētur?

Tū...	Vultus...
Ego...	Tū...
Vōs...	Vōs...
Crūdēlēs...	Ego...

Quis fāmam verētur?   Quis eadem nōn mīrābitur?

Tū...	Nōs omnēs...
Nōs...	Vōs omnēs...
Vōs...	Tū...
Ego...	Ego...

READINGS

R431 Sī sequeris, fugiet; sī fūgeris, umbra sequētur:
sīc optāta fugit laus et contempta tenētur. Werner

Cui similis est glōria?
Quis vēram glōriam habēbit?

R432 Jūstum ab injūstīs petere īnsipientia est. Burton

Quid agit stultus?
Cujus est jūstitiam ab inhonestīs petere?

R433 Nōn metuit mortem quī scit contemnere vītam. Dionysius Cato.

Quid vir fortis contemnit?   sciō (4): *know*
Cujus timōre fortis nōn movētur?   metuō -ere -uī -ūtus: *fear*
Cujus amōre fortis movētur?

R434 Dum loquimur, fūgerit invida aetās. Horace

Quandō tempus fūgerit?   invidus-a-um: *envious*

Cūr aetās *invida* dīcitur?
Cujus per invidiam nōs omnēs moriēmur?

R435 Ēbrietās mōrēs aufert tibi, rēs et honōrēs. Werner

Quō auxiliō pauper ex dīvite fit?
Quālis fit ex honestō per vīnum?

R436 Glōriam quī sprēverit, vēram habēbit. Livy

Quem sequētur glōria?
Cui similis est glōria?

R437 Effugit mortem, quisquis contempserit; timidissimum quemque
         cōnsequitur. Curtius

Quis moriētur?
Quis salvus erit?
Quō auxiliō mors effugitur?

R438 Cautus...metuit foveam lupus. Horace

Quem experientia docet?   fovea -ae, f: *pit, pitfall*
Quotiēns stultus in eandem foveam cadit?
Cujus timōre lupus movētur?

R439 Quī sibi nōn parcit, mihi vel tibi quō modō parcet? Werner

Cui amārus parcit?
Sī quis sē nōn amat, quem amat?

R440 Vēritātem diēs aperit. Seneca

Quantō tempore omnia cognōscentur?   aperiō -īre -uī, apertus:
Per quid nōs vēritātem cognōscēmur?   *open, disclose*

LESSON TWENTY-EIGHT: **Calls and Commands**

MORPHOLOGY: THE IMPERATIVE MOOD (#11)

The imperative mood signals a command. Here are the forms, singular and plural, for the four conjugations:

sg	laudā	vidē	vīve	cape	audī
pl	laudāte	vidēte	vīvite	capite	audīte

What is the signal for the singular imperative? What is the signal for the plural imperative?

There are four verbs which have a zero vowel in the singular of the imperative: these verbs are *dīcō*, *dūcō*, *faciō*, and *ferō*. The following jingle will perhaps help you remember these special imperative forms:

> *Dīc*, *dūc*, *fác*, and *fér*
> Ought to have an *é*, but it isn't thére.

The plurals are *dīcite*, *dūcite*, *facite*, and *ferte*.

The imperative of deponents has the morpheme *-re* in the singular and *-minī* in the plural. The plural form is therefore the same as the present imperfective indicative (#2).

MORPHOLOGY: THE VOCATIVE CASE

The vocative is the call of the noun. Its form is like the nominative except for second declension nouns, explained below. The vocative may be added as an expansion to any utterance to show the person to whom the utterance is addressed: it has only this one environment and this one meaning. Frequently the particle *Ō* accompanies the vocative, helping to distinguish it from the nominative. Only personal nouns are used in the vocative; this is one of the criteria by which we determine personal nouns, another being use as the subject of first and second person verbs, a third being used in the ablative with *ā/ab* and passive verbs.

The only special form for the vocative is in the second declension. Nouns with the ending *-s* have the following vocative: *agne*, *corve*, *lupe*, *Mārce*, *Thymelice*, *Paule*, etc.; the morpheme is zero and the declension marker *-o-* weakens to *-e*. The vocative of nouns like *vir*, *puer*, and *aper* is the same as the nominative. Nouns with *-i-* before the characteristic vowel *-o-* have the following vocative forms: *fīlī*, *Tiberī*, *Clytī*, *Jūlī*, *Gāvī*, etc. Since many men's names end in *-ius*, this form is common. The masculine vocative of the adjective *meus* is *mī*; "My son!" is *mī fīlī!*

Since the vocative in writing is generally set off by commas and is thus easy to recognize, we will not have any Pattern Practices on it. You will learn the vocative from the examples you see and hear.

BASIC SENTENCES

Transform each of the following Basic Sentences by changing the number of the imperative from singular to plural or vice versa. Be sure to make any other changes which such transformation requires; in S286, for example, you must change every word.

S281   **Audī, vidē, tacē, sī vīs vīvere in pāce.**
        MEDIEVAL

Listen, be wary, be silent if you wish to live in peace.

Quid ego facere dēbeō sī pācem volō?

S282   **Īnfirmōs cūrāte, mortuōs suscitāte, leprōsōs mundāte, daemonēs ējicite: grātīs accēpistis, grātīs date.**
        ST. MATTHEW

Heal the sick, cleanse the lepers, raise the dead, cast out devils: freely have ye received, freely give.

Quī aegrōs cūrāre dēbent?
Quī ējicī dēbent?

S283   **Contrā verbōsōs nōlī contendere verbīs.**
        DIONYSIUS CATO

Against the wordy contend not with words.

Quis vīncētur sī ego contrā verbōsōs contendō?

S284   **"Accipe! Sūme! Cape!" sunt verba placentia cuique.**
        WERNER

"Accept it! Use it! Take it!" are words pleasing to everyone.

Quid omnēs facere volunt?

S285   **Bene ferre magnam disce fortūnam.**
        HORACE

Learn to bear good fortune well.

Quanta fortūna difficile fertur?

S286   Medice, cūrā tē ipsum.
ST. LUKE

Physician, heal thyself.

Quem medicus cūrāre dēbet?

S287   Ō fīlī cāre, nōlī nimis altē volāre.
WERNER

O dear son, do not fly too high.

Utrum fēlīx an īnfēlīx est humilis?
Quō modō vīvit superbus?

S288   Vītae sequere nātūram ducem.
SENECA

Follow nature as a guide to life.

Cui servīre dēbeō?
Quis erit noster dux?

S289   Ūtere quaesītīs opibus; fuge nōmen avārī.
DIONYSIUS CATO

Use the riches you have sought; flee the name of "miser."

Quid sūmere dēbēmus?
Quid fugere dēbēmus?

S290   Patere lēgem quam ipse tuleris.
DIONYSIUS CATO

Obey the law which you yourself proposed.

Quid auctor lēgis facere dēbet?

NEW NOUNS	daemōn -onis, m

NEW   suscitō (1)   contendō -ere, contendī, contentus
VERBS   ējiciō -ere, ējēcī, ējectus   ūtor, ūtī, ūsus[1]

NEW   īnfirmus -a -um (īnfirmē)   verbōsus -a -um (verbōsē)
ADJECTIVES   cārus-a-um (cārē)

[1]*Ūtor* (like *careō* and *egeō*) patterns with the ablative. It is a synonym of the transitive verb *sūmō*.

NEW   nimis (adverbial): *too much*
INDECLINABLES

PATTERN PRACTICE, Part One

Purpose: to learn the imperative form of the verb.
Directions: transform the left-hand column from a polite suggestion (future
        imperfective, #3) to the standard form of command (imperative, #11).

Animum, nōn caelum, mūtābis. (S114)	Animum, nōn caelum, mūtā.
Animum, nōn caelum, mūtābitis.	Animum, nōn caelum, mūtāte.
In hōc sīgnō vincēs. (S252)	In hōc sīgnō vince.
In hōc sīgnō vincētis.	In hōc sīgnō vincite.
Prō patriā moriēris. (S225)	Prō patriā morere.
Prō patriā moriēminī.	Prō patriā moriminī.
In harēnā capiēs cōnsilium. (S47)	In harēnā cape cōnsilium.
In harēnā capiētis cōnsilium.	In harēnā capite cōnsilium.
Nātōs cum laude corōnābis. (S61)	Nātōs cum laude corōnā.
Nātōs cum laude corōnābitis.	Nātōs cum laude corōnāte.
Magnam fortūnam ferēs. (S285)	Magnam fortūnam fer.
Magnam fortūnam ferētis.	Magnam fortūnam ferte.
Omnia in terrīs regēs. (S84)	Omnia in terrīs rege.
Omnia in terrīs regētis.	Omnia in terrīs regite.
Inter caecōs rēgnābis. (S120)	Inter caecōs rēgnā.
Inter caecōs rēgnābitis.	Inter caecōs rēgnāte.
Impōnēs fīnem et rēbus honestīs. (S177)	Impōne fīnem et rēbus honestīs.
Impōnētis fīnem et rēbus honestīs.	Impōnite fīnem et rēbus honestīs.
In sēcūritāte vītam pōnēs. (S237)	In sēcūritāte vītam pōne.
In sēcūritāte vītam pōnētis.	In sēcūritāte vītam pōnite.
Audēbis līberē loquī. (S243)	Audē līberē loquī.
Audēbitis līberē loquī.	Audēte līberē loquī.
In lūmine meō vidēbis lūmen. (S254)	In lūmine meō vidē lūmen.
In lūmine meō vidēbitis lūmen.	In lūmine meō vidēte lūmen.
Timidōs fortēs faciēs. (S77)	Timidōs fortēs fac.
Timidōs fortēs faciētis.	Timidōs fortēs facite.

Aurem facilem habēbis. (S55)   Aurem facilem habē.
Aurem facilem habēbitis.   Aurem facilem habēte.

Cōnscientiam verēberis. (S216)   Cōnscientiam verēre.
Cōnscientiam verēbiminī.   Cōnscientiam verēminī.

PATTERN PRACTICE, Part Two

Purpose: to learn the negative imperative.
Directions: same as Part One.

Ōre plēnō nōn bibēs. (S223)   Ōre plēnō nōlī bibere.
Ōre plēnō nōn bibētis.   Ōre plēnō nōlīte bibere.

Nōn eadem mīrāberis. (S213)   Nōlī eadem mīrārī.
Nōn eadem mīrābiminī.   Nōlīte eadem mīrārī.

Nōn dē adversīs querēris. (S230) Nōlī dē adversīs querī.
Nōn dē adversīs querēminī.   Nōlīte dē adversīs querī.

Nōn in sōlō pāne vīvēs. (S59)   Nōlī in sōlō pāne vīvere.
Nōn in sōlō pāne vīvētis.   Nōlīte in sōlō pāne vīvere.

Ōre plēnō nōn loquēris. (S223)   Ōre plēnō nōlī loquī.
Ōre plēnō nōn loquēminī.   Ōre plēnō nōlīte loquī.

Mamōnae nōn serviēs. (S233)   Mamōnae nōlī servīre.
Mamōnae nōn serviētis.   Mamōnae nōlīte servīre.

Mentem nōn vertēs ad agnum. (S111) Mentem nōlī vertere ad agnum.
Mentem nōn vertētis ad agnum.   Mentem nōlīte vertere ad agnum.

PATTERN PRACTICE, Part Three

Purpose: to learn the positive imperative in contrast with the negative.
Directions: transform the left-hand column from *volō tē aliquid facere* (I want
               you to do something) to the corresponding imperative form.

Volō tē hōrās serēnās numerāre. (S236) Hōrās serēnās numerā.
Volō vōs hōrās serēnās numerāre.   Hōrās serēnās numerāte.

Volō tē cum cūrā vīvere. (S7)   Cum cūrā vīve.
Volō vōs cum cūrā vīvere.   Cum cūrā vīvite.

Volō tē rem nōn spem quaerere. (S5)   Rem nōn spem quaere.
Volō vōs rem nōn spem quaerere.   Rem nōn spem quaerite.

Volō tē fortūnam timēre. (S78)   Fortūnam timē.
Volō vōs fortūnam timēre.   Fortūnam timēte.

Nōlō tē lupum mordēre. (S16)   Nōlī lupum mordēre.
Nōlō vōs lupum mordēre.   Nōlīte lupum mordēre.

Volō tē mentem vertere ad
  studium. (S111)   Mentem verte ad studium.
Volō vōs mentem vertere ad studium.   Mentem vertite ad studium.

Volō tē pauca loquī. (S214)   Pauca loquere.
Volō vōs pauca loquī.   Pauca loquiminī.

Volō tē gaudentī placēre. (S168)   Gaudentī placē.
Volō vōs gaudentī placēre.   Gaudentī placēte.

Volō tē prō innocente dīcere. (S103)   Prō innocente dīc.
Volō vōs prō innocente dīcere.   Prō innocente dīcite.

Volō tē sub lapide dormīre. (S68)   Sub lapide dormī.
Volō vōs sub lapide dormīre.   Sub lapide dormīte.

Nōlō tē labōrem fugere. (S110)   Nōlī labōrem fugere.
Nōlō vōs labōrem fugere.   Nōlīte labōrem fugere.

Volō tē glōriam sequī. (S211)   Glōriam sequere.
Volō vōs glōriam sequī.   Glōriam sequiminī.

Nōlō tē flōris odōrem pingere. (S184)   Flōris odōrem nōlī pingere.
Nōlō vōs flōris odōrem pingere.   Flōris odōrem nōlīte pingere.

Volō tē bonum certāmen certāre. (S250)   Bonum certāmen certā.
Volō vōs bonum certāmen certāre.   Bonum certāmen certāte.

Volō tē ipsōs custōdēs custōdīre. (S251)   Ipsōs custōdēs custōdī.
Volō vōs ipsōs custōdēs custōdīre.   Ipsōs custōdēs custōdīte.

Volō tē malum fortiter patī. (S224)   Malum fortiter patere.
Volō vōs malum fortiter patī.   Malum fortiter patiminī.

Nōlō tē dōna minōra spernere. (S143)   Dōna minōra nōlī spernere.
Nōlō vōs dōna minōra spernere.   Dōna minōra nōlīte spernere.

Volō tē caelō fulmen ēripere. (S244)   Caelō fulmen ēripe.
Volō vōs caelō fulmen ēripere.   Caelō fulmen ēripite.

Volō tē Deōs imitārī. (S217)   Deōs imitāre.
Volō vōs Deōs imitārī.   Deōs imitāminī.

Volō tē Deō servīre. (S233)   Deō servī.
Volō vōs Deō servīre.   Deō servīte.

SELF TEST

Transform the following expressions to imperatives (#11):

Volō vōs prōgredī quō dūcit   Volō tē līberē loquī. (S243)
  voluntās. (S278)   Caelum mūtābitis. (S114)
Citō rumpēs arcum. (S264)   In malīs bene spērābis. (S229)
Inveniēs viam. (S253)

Identify the following isolated forms:

vītā	morere	ratiō	vīna	resiste	facī
vidē	patere	flōre	lupe	fortūna	fēcī
fidē	dīcere	capiō	cape	laudēs	extrā
audī	ōrātiō	vīvēs	amās	vēritās	fac

READINGS

Which contain the new imperative form?

R441 Dā glōriam Deō. Motto

      Quis glōriam habēre dēbet?
      Cujus est vēra glōria?

R442 Sī vīs pācem, parā bellum. Vegetius

      Quid agere dēbet quī pācem vult?

R443 Crēde mihī, bene quī latuit bene vīxit, et intrā
        fortūnam dēbet quisque manēre suam. Ovid

      Change the last part to an imperative.   lateō -ēre -uī: *hide*

R444 Disce aliquid; nam cum subitō Fortūna recessit,
      ars remanet vītamque hominis nōn dēserit umquam.
                                                    Dionysius Cato

      Quibus doctrīna beneficium dat?   ars: doctrīna
      Sī dīvitiae pereunt, quid doctus in sē   nam (conjunction intro-
        semper habet?   ducing explanation of
      Quotiēns doctrīna nōn manet?   earlier clause): *for*
                                                    (enim)

Quis est socia fidēlis?   recēdō -ere -cessī
Cui litterae semper manent?   remaneō -ēre -sī
Quem doctrīna numquam dēserit? dēserō -ere -uī, dēsertus
Quid interdum hominem dēserit?   umquam (adverbial): *ever*

R445 Servā mē, servābō tē. Petronius

Quis quem adjuvābit?

R446 Frīgiditās hiemis, vēris lascīvia, fervor
     aestātis studium surripuēre mihī. Werner

Quid est tempus jūcundum?   frīgiditās -tātis, f
Quid frīgidum?   lascīvia -ae, f: *playfulness*
Quō tempore hic discere vult?   fervor -ōris, m: *heat*
Estne vir strēnuus?   surripiō -ere -uī,
Quō tempore crēscit lascīvia?   surreptus: *snatch away*
                              frīgidus -a -um

R447 Numquam, crēde mihī, ā morbō sānābitur aeger
     sī multīs medicīs trāditur ūna febris. Anon.

Ā quot medicīs bene cūrātur aeger? sānō (1)
Quot coquī cibum bene parant?   trādō -ere, trādidī,
Cui nocent plūrimī medicī?   trāditus: *hand over*
Cujus auxiliō aeger optimē sānātur? febris -is, f: *fever*

R448 Naufragium rērum est mulier malefīda marītō. Anon.

Estne uxor malefīda dīgna laude?   naufragium -ī, n: *shipwreck*
Cui nocet uxor malefīda?
Quem dēcipit mulier malefīda?
Quid est mulier sī fidēlis?

R449 Nīl habet īnfēlīx paupertās dūrius in sē
     quam quod rīdiculōs hominēs facit. Juvenal

Quis rīdiculus est?   rīdiculus -a -um
Cujus auxiliō homō rīdiculus factus est?

R450 Cum fortūna perit, nūllus amīcus erit. Werner

Quot amīcōs habet dīves?
Quot habēbit sī dīvitiās suās āmīserit?
Cui est pauper cārus?
Cui erunt multī amīcī?

LESSON TWENTY-NINE: The Mood of Non-Assertion

MORPHOLOGY: THE PRESENT IMPERFECTIVE SUBJUNCTIVE (#8)

The signal for the present imperfective subjunctive (#8) is $-\bar{a}-$ in the second, third, and fourth conjugations. In the first conjugation the conjugation marker $(-\bar{a}-)$ changes to $-\bar{e}-$. Shortening occurs in the usual places.

laudem	videam	dīcam	capiam	audiam
laudēs	videās	dīcās	capiās	audiās
laudet	videat	dīcat	capiat	audiat
laudēmus	videāmus	dīcāmus	capiāmus	audiāmus
laudētis	videātis	dīcātis	capiātis	audiātis
laudent	videant	dīcant	capiant	audiant
lauder	videar	dīcar	capiar	audiar
laudēris	videāris	dīcāris	capiāris	audiāris
laudētur	videātur	dīcātur	capiātur	audiātur
laudēmur	videāmur	dīcāmur	capiāmur	audiāmur
laudēminī	videāminī	dīcāminī	capiāminī	audiāminī
laudentur	videantur	dīcantur	capiantur	audiantur

And of course the inevitable irregulars:

sim	possim	velim	nōlim	mālim	feram	eam
sīs	possīs	velīs	nōlīs	mālīs	ferās	eās
sit	possit	velit	nōlit	mālit	ferat	eat
sīmus	possīmus	velīmus	nōlīmus	mālīmus	ferāmus	eāmus
sītis	possītis	velītis	nōlītis	mālītis	ferātis	eātis
sint	possint	velint	nōlint	mālint	ferant	eant

Notice that in order to interpret the morphology correctly you must know what conjugation a verb belongs to. What forms are *tenet*, *dīcet*, and *laudet*? What forms are *dūcat* and *corōnat*?

EXPLANATION OF STRUCTURE: THE SUBJUNCTIVE MOOD

The indicative mood makes an assertion; the imperative mood gives a command; and the subjunctive mood shows non-assertion, such as wish, doubt, possibility, contingency, etc.

Independent subjunctives show either possibility (potential) or wish (volitive). There may be ambiguity: *Vincat vēritās* means either "Truth may conquer" (potential) or "Would that truth would conquer!" (volitive). The presence of *utinam* with an independent subjunctive identifies it as volitive. *Utinam vincat vēritās* means unambiguously "Would that truth would conquer!" In negative statements *nōn* shows the potential use and *nē* the volitive. *Nōn vincat vēritās* means "Truth may not conquer." What then does *Nē vincat vēritās* mean?

Only one of the following Basic Sentences signals the potential/volitive contrast *overtly* by the *nē/nōn* contrast. In the others the distinction is *covert;* you must guess.

BASIC SENTENCES

S291 **Fīat jūstitia, ruat caelum.**
LEGAL

Let justice be done, even though the heavens collapse.

Quae est maxima virtūs?

S292 **Amēs parentem, sī aequus est; sī aliter, ferās.**
PUBLILIUS SYRUS

Love your father, if he is just; if he is otherwise, bear with him.

Sī pater acerbus est, quid facere dēbeō?
Sī dulcis, quid?

S293 **Sī quid agis, prūdenter agās et respice fīnem.**
AESOP (translation)

If you do anything, do it prudently and regard the outcome.

Quā cum virtūte agere dēbēmus?
Transform the main verbs, expressing the idea of command
   by other moods.

S294 **Dum vīvimus, vīvāmus.**
ANON.

While we live, let us really live.

Hāc in sententiā estne lascīvia virtūs an vitium?

S295 **Quī dēsiderat pācem, praeparet bellum.**
VEGETIUS

Let him who wishes peace prepare for war.

Quā condiciōne vīvēmus in pāce?

S296 Edāmus, bibāmus, gaudeāmus; post mortem nūlla voluptās.
ANON.

Let us eat, drink, and be merry; there is no pleasure after death.

In vītā quid agere dēbēmus?
Quandō est voluptās?
Utrum mortuus an vīvus gaudet?
Quandō nōn gaudēbis?

S297 Ferās, nōn culpēs, quod mūtārī nōn potest.
PUBLILIUS SYRUS

You should endure and not blame what can't be changed.

Sī aliquid mūtāre nōn possumus, quid agere dēbēmus?
Quid agere nōn dēbēmus?

S298 Aut bibat aut abeat.
CICERO

Either drink or get out.[1]

Sī ego bibere nōlō quid agere dēbeō?

**S299 Quod sentīmus, loquāmur; quod loquimur, sentiāmus:
concordet sermō cum vītā.**
SENECA

Let us say what we feel; let us feel what we say: our speech
should agree with our lives.

Cui sermō similis esse dēbet?
Sī vir honestē loquitur, quō modō agere dēbet in vītā suā?

S300 Rapiāmus, amīcī, occāsiōnem dē diē.
HORACE

My friends, let us seize opportunity from the day.

Quibus Hōrātius haec verba dīcit?
Cūr occāsiōnem rapere dēbēmus?

NEW VERBS	
respiciō -ere -spexī -spectus	culpō (1)
dēsīderō (1)	concordō (1)
praeparō (1)	rapiō -ere, rapuī, raptus

NEW ADJECTIVES   aequus -a -um (aequē)

---

[1]Translation of a common Greek saying: ē pīthi ē apithi.

PATTERN PRACTICE

Purpose: to recognize the new mood, the subjunctive.

Directions: In the following sets one form is some tense of the *indicative*, the other is #8 (present imperfective *subjunctive*). Show that you recognize the difference by expanding the familiar indicative form with *certē* (certainly) and the new subjunctive form with *utinam* (would that).

Fūrem fūr cognōscit. (S2)
Fūrem fūr cognōscat.

In marī magnō piscēs capiantur. (S75)
In marī magnō piscēs capiuntur.

Rem, nōn spem, quaerat amīcus. (S5)
Rem, nōn spem, quaerit amīcus.

Littera scrīpta maneat. (S131)
Littera scrīpta manet.

Nēmō in amōre videat. (S6)
Nēmō in amōre videt.

Suum cuique placeat. (S163)
Suum cuique placet.

Prūdēns cum cūrā vīvit. (S7)
Prūdēns cum cūrā vīvat.

Brevis ipsa vīta sit. (S203)
Brevis ipsa vīta est.

Vēritās numquam perit. (S10)
Vēritās numquam pereat.

In terrīs ā Caesare regāmur. (S84)
In terrīs ā Caesare regimur.

Vulpēs velit fraudem. (S11)
Vulpēs vult fraudem.

Custōdīmus ipsōs custōdēs. (S251)
Custōdiāmus ipsōs custōdēs.

Vītam regat fortūna. (S15)
Vītam regit fortūna.

Nōbilitet vestis virum. (S52)
Nōbilitat vestis virum.

Pauper vestiātur honestē. (S23)
Pauper vestītur honestē.

Nōs lītem generēmus. (S12)
Nōs lītem generāmus.

In vīnō est vēritās. (S45)
In vīnō sit vēritās.

Tū in rē incertā cernāris. (S74)
Tū in rē incertā cerneris.

Ā cane nōn magnō teneātur aper. (S21)
Ā cane nōn magnō tenētur aper.

Tū caelum mūtēs. (S114)
Tū caelum mūtās.

Bēstia nātōs corōnet. (S61)
Bēstia nātōs corōnat.

Ego fortiter patior. (S220)
Ego fortiter patiar.

Magna dī cūrant. (S62)
Magna dī cūrent.

Vōs deōs numquam fallitis. (S64)
Vōs deōs numquam fallātis.

Parva dī neglegunt. (S62)
Parva dī neglegant.

Ego virtūtem sequor. (S211)
Ego virtūtem sequar.

Astra regunt hominēs. (S89)
Astra regant hominēs.

Hōrās serēnās numerem. (S236)
Hōrās serēnās numerō.

Barbam et pallium videō. (S231)
Barbam et pallium videam.

Deō servīre potestis. (S233)
Deō servīre possītis.

Animum mūtāre dēbēs. (S234)
Animum mūtāre dēbeās.

Necessitātēs vincere possīs. (S235)
Necessitātēs vincere potes.

Nīl olēre mālō. (S239)
Nīl olēre mālim.

In sēcūritāte vītam pōnāmus. (S237)
In sēcūritāte vītam pōnimus.

Prīmus timor deōs faciat. (S241)
Prīmus timor deōs fēcit.

Omnis līberē loquī audet. (S243)
Omnis līberē loquī audeat.

Actiō rēcta erit. (S262)
Actiō rēcta sit.

Citō rumpēs arcum. (S264)
Citō rumpās arcum.

Fīnis ab orīgine pendeat. (S271)
Fīnis ab orīgine pendet.

Videam meliōra. (S272)
Videō meliōra.

Probō meliōra. (S272)
Probem meliōra.

Ēripis fulmen caelō. (S244)
Ēripiās fulmen caelō.

Dīmidium factī habeās. (S245)
Dīmidium factī habēs.

Vīta nīl mortālibus dat. (S246)
Vīta nīl mortālibus det.

Bonum certāmen certem. (S250)
Bonum certāmen certāvī.

In hōc sīgnō vincās. (S252)
In hōc sīgnō vincēs.

In lūmine tuō lūmen vidēbimus. (S254)
In lūmine tuō lūmen videāmus.

Vōcēs hominum quiēscēbant. (S257)
Vōcēs hominum quiēscant.

Lūna caelō fulgeat. (S259)
Lūna caelō fulgēbat.

Orbem terrārum victor habēbat. (S260)
Orbem terrārum victor habeat.

Prior ferrum stringat. (S261)
Prior ferrum strīnxerit.

Dēteriōra sequar. (S272)
Dēteriōra sequor.

Nōs in illīs mūtēmur. (S274)
Nōs in illīs mūtāmur.

Patria mea tōtus mundus sit. (S275)
Patria mea tōtus mundus est.

Omnēs studiō laudis trahimur. (S277)
Omnēs studiō laudis trahāmur.

Prōgredimur quō dūcit voluntās.
Prōgrediāmur quō dūcit
    voluntās. (S278)

SELF TEST

Expand the following with the proper trigger word, *certē* or *utinam*:

Poēta nāscētur, ōrātor fīet.
Jūstitia erit omnium domina
  virtūtum.
Sōlitūdō placeat Mūsīs.
Deus superbīs resistat.
Nēmō regere possit nisī quī
  et regī.

Amor gignet amōrem.
Antīquā veste pauper vestiātur
  honestē.
Līs lītem generāvit.
Fortēs Fortūna adjuvet.
Acta deōs numquam mortālia
  fallent.

Morphological identification is now further complicated by the present imperfective subjunctive. Most of the other forms which remain to be learned are, you will be pleased to know, distinctive and not easily confused. Identify the following:

certē	certēs	aquā	poteris	imāgō
amā	movēs	tuleris	tacē	fēminam
capiam	dūcās	oculī	vultūs	diēī
vēritās	vulpī	odōrum	fēminae	lupō

READINGS

There are eleven subjunctives. See if you can identify them instantly.

R451 Faciāmus...dē necessitāte virtūtem. Anon.

> Quid nōs agere dēbēmus?
> Quid est causa nostrae virtūtis?
> Cūr nōs honestē agimus?

R452 Fīat jūstitia et pereat mundus. Legal

> Quid super omnia dēsīderāmus?
> Quibus nocētur sī innocēns damnātur?

R453 Dīvide et imperā. Anon.

> Quālibus populīs imperat victor?   dīvidō -ere -vīsī -vīsus
> Transform to future, then to   imperō (1): *rule*
>   subjunctive.

R454 Omnia vincit Amor; et nōs cēdāmus Amōrī. Vergil

> Cujus servī sumus?   cēdō -ere, cessī: *yield*
> Quid nōs agere dēbēmus?

R455 Bibāmus et gaudeāmus dum juvenēs sumus.
    Nam tarda senectūs venit;
    et post eam, mors;
    post mortem, nihil! Medieval

    Quandō gaudēre dēbēmus?   tardus -a -um: *slow* or
    Cūr est senectūs amāra?   *causing others to be*
    Quid senectūtī succēdit?   *slow*[2]
    Quid mortī succēdit?
    Quae aetās gaudet?
    Quae aetās dolet?

R456 Disce aut discēde. Common school motto

    Quid agere dēbet discipulus   discēdo -ere -cessī
        strēnuus?
    Quid agere dēbet discipulus piger?
    Transform to future, then to subjunctive.

R457 Populus vult dēcipī; dēcipiātur. Anon.

    Quālem mentem habet populus?
    Quō modō dēcipiētur populus?

R458 Cēdant carminibus rēgēs rēgumque triumphī. Ovid

    Utrum poētae an rēgēs plūs possunt?   triumphus -ī, m
    Ā quibus rēgēs et triumphī eōrum superentur?

R459 Quī dedit beneficium taceat; nārret quī accēpit. Seneca

    Quis loquī dēbet?   nārrō (1): *tell, relate*
    Quis silentium tenēre dēbet?

R460 Bella gerant aliī; tū, fēlīx Austria, nūbe!
    Nam quae Mārs aliīs, dat tibi rēgna Venus.[3] Anon.

    Quid aliī populī agere dēbent?   Austria -ae, f
    Quid Austria?   Mārs, Mārtis, m
    Quis aliīs imperium suum dat?
    Quis Austriae imperium dat?
    Cujus auxiliō aliī crēscunt?
    Per quid crēscit Austria?

[2]Some Latin adjectives are used in two senses, either possessing the state or causing it in others. *Caecus vir*, for example, is a man who suffers blindness; *caeca via* is a road which makes those who follow it blind.

[3]The first three words come from a line of Ovid (Her. 13. 84): *Bella gerant aliī; Prōtesilāus amet*. The significance of the couplet lies in the fact that Austria grew to power through a series of advantageous marriages.

LESSON THIRTY: Dependent Subjunctives

EXPLANATION OF STRUCTURE: PURPOSE CLAUSES WITH *UT*

We have become familiar with the subordinating conjunction *ut* which, used with the indicative, means *when, since, as*; used with the subjunctive it shows purpose:

> Servus currit ut cibus *parātur*.
> The slave is running *since* food *is being prepared*.
>
> Servus currit ut cibus *parētur*.
> The slave is running *in order that* food *may be prepared*.

The same contrast occurs in relative clauses. Observe the following:

> Dominus servum mittit quī cibum parat.
> The master sends the slave who prepares the food.
>
> Dominus servum mittit quī cibum paret.
> The master sends the slave who may prepare the food; i.e.,
> The master sends the slave to prepare the food.
>
> Quis est quī mē servat?
> Who is it who is saving me?
>
> Quis est quī mē servet?
> Who is there to save me?

EXPLANATION OF STRUCTURE: *DUM* CLAUSES

Dum with the indicative shows assertion:

> Manet dum frāter *edit*.
> He is waiting while his brother is eating.

Dum with the subjunctive shows non-assertion:

> Manet dum frāter *edat*.
> He is waiting until his brother eats (but perhaps the poor
> brother starves to death).

Dummodo, used only with the subjunctive, means *provided that*.

347

EXPLANATION OF STRUCTURE: INDIRECT QUESTIONS

Quis adest? (Who is there?) is a direct question.

Rogō quis adsit (I ask who is there) is an indirect question.
There are three factors always present in an indirect question in Latin:

a) verb of asking, saying, telling, like *rogō, dīcō*.

b) question word, like *quis, quot, quandō*.

c) subjunctive mood. (In Latin an indirect question never asks
who *is* there but always who *might be* there: Rogō quis
adsit. To emphasize actual doubt you must add a specific
lexical item: Rogō quis fortasse adsit.)

EXPLANATION OF STRUCTURE: CONDITIONAL CLAUSES

The word *sī* (if) introduces either the indicative or the subjunctive.

Sī caecus caecum dūcit, ambō in foveam cadunt. Medieval
If one blind person leads another, they both fall in the well.

This presents the condition on a 50-50 basis: if blind people do this,
then this is the result. The present imperfective subjunctive (#8) would
make it more remote:

Sī caecus caecum dūcat...
If one blind person should lead another (which is unlikely)...

MORPHOLOGY: THE PAST IMPERFECTIVE SUBJUNCTIVE (#7)

The form of the past imperfective subjunctive (#7) is one of the
easiest in the whole verb system:

amārem	vidērem	regerem	caperem	audīrem	essem[1]
amārēs	vidērēs	regerēs	caperēs	audīrēs	essēs
etc.	etc.	etc.	etc.	etc.	etc.

amārer	vidērer	regerer	caperer	audīrer
amārēris	vidērēris	regerēris	caperēris	audīrēris
etc.	etc.	etc.	etc.	etc.

As you can see at a glance, this form looks like the imperfective

---

[1]There is a variant *forem, forēs,* etc.

infinitive, with the final *-e* lengthened, plus the person endings. This is true even for the irregular verbs: the past imperfective subjunctive of *volō* is *vellem*.

The resemblance is explained thus. The signal for the infinitive is *-re*; for the #7 form it is *-rē-*.[2] The same morphophonemic changes take place in both forms. With that description, predict the past imperfective subjunctive (#7) of the following verbs: possum, posse; ferō, ferre; mālō, mālle; nōlō, nōlle; eō, īre.

Since the deponent verbs do not have *-re* in the imperfective infinitive, this handy rule won't work with them. Examples of deponent verbs in this form are *mīrārer*, *verērer*, *loquerer*, and *mentīrer*.

EXPLANATION OF STRUCTURE: THE PAST IMPERFECTIVE SUBJUNCTIVE (#7)

The *present* imperfective subjunctive (#8) is used with *present* (or future) tenses:

> Dominus servum *mittit* quī cibum *paret*.

The *past* imperfective subjunctive is used with *past* tenses:

> Dominus servum *mittēbat* quī cibum *parāret*.

There is one complication. The present perfective (#5) is sometimes used to show present time, completed action; in this case it patterns with the present subjunctive (#8). But when the present perfective is used in a narrative (the most common use) it patterns with the past subjunctive (#7).

The past imperfective subjunctive (#7) used independently shows an impossible situation in present time. Combined with the same form in a *sī* clauses it forms *contrary-to-fact conditions*:

> Sī frāter adesset, gaudērem.
> If my brother were here (which he is not),
>   I would be happy (which I am not).

Compare this with the present imperfective subjunctive (#8) which shows possibility:

> Sī frāter adsit, gaudeam.
> If my brother should be here (and he might show up),
>   I would be happy.

With *utinam* the past imperfective subjunctive (#7) shows an impossible wish:

[2]Historically it was originally *-se* and *-sē-*.

Utinam frāter meus adesset!
If my brother were only here (but of course he can't be
since he's dead, in a foreign land, etc.).

Contrast this with the present imperfective subjunctive (#8), which
shows a possible wish:

Utinam frāter meus adsit!
If only my brother could be here (and if the gods are
favorable, he may show up)!

BASIC SENTENCES

S301   Sī foret in terrīs, rīdēret Dēmocritus.
    HORACE

Were Democritus on earth he would laugh.[3]

Estne Dēmocritus in terrīs?
Rīdetne Dēmocritus?
Potestne Dēmocritus rīdēre?
Cūr Dēmocritus rīdēre nōn potest?
Rīdēretne sī vīveret?

S302   Ante senectūtem cūrāvī ut bene vīverem, in senectūte
S303   ut bene moriar. Bene autem morī est libenter morī.
    SENECA

Before I was old I took care to live well; in old age I take care
to die well. And dying well is dying willingly.

Quid Seneca nunc cūrat?
Quid ante cūrāvit?
Quid est bona mors?

S304   Ēn ego Fortūna! Sī stārem sorte sub ūnā
S305   et nōn mūtārer, numquam Fortūna vocārer.
    WERNER

Behold me, I am Fortune! If I always stayed in the same
condition and never changed, I would never be called Fortune.

Manetne Fortūna eōdem statū?
Mānsitne?
Quid paterētur Fortūna sī manēret?

---

[3]Democritus was a philosopher who had only contempt for the follies of men
and constantly mocked them.

S306   Sī quem barbātum faceret sua barba beātum,
S307   in mundī circō nōn esset sānctior hircō.
        WERNER

If a beard made a man blessed, in the whole world there
would be no one holier than a goat.

Facitne barba philosophum?
Sī faceret, quid esset hircus?
Estne hircus beātus?
Gaudēretne hircus, sī barba faceret philosophum?

S308   Rūsticus expectat dum dēfluat amnis.
        HORACE

The country bumpkin waits until the stream runs by.

Quem ad fīnem expectat stultus?
Dēfluitne amnis?

S309   Dummodo sit dīves, barbarus ipse placet.
        OVID

Provided he is rich, even a barbarian pleases a girl.

Placetne barbarus dīves?
Placetne barbarus inops?
Placetne puellae Ovidius dummodo inops sit?
Placēretne poēta sī dīves foret?

S310   Amīcum an nōmen habeās, aperit calamitās
        PUBLILIUS SYRUS

Calamity discloses whether you have a friend in deed or a
friend in name only.

Ubi cernitur vēra amīcitia?
Habeāsne vērum amīcum sī in calamitāte sōlus sīs?

NEW NOUNS	Dēmocritus -ī, m	circus -ī, m	hircus -ī, m

NEW
VERBS   rīdeō -ēre, rīsī, rīsus
        libet, libēre, libuit (impersonal verb, with no forms in 1st or
            2nd persons or 3d plural; *libenter* is an adverb formed on
            the imperfective participle)

NEW   barbātus -a -um   barbarus -a -um (barbarē)
ADJECTIVES   rūsticus -a -um (rūsticē)

NEW   ēn (interjection): *behold!*
INDECLINABLES   dummodo (subordinating conjunction with
                 subjunctive): *provided*

PATTERN PRACTICE, Part One

Purpose: to produce the present imperfective subjunctive (#8).
Directions: transform the left-hand column of imperatives (#11) to the present
                imperfective subjunctive (#8), from a standard command to a polite
                request.

Animum, nōn caelum, mūtā.	Animum, nōn caelum, mūtēs.
Animum, nōn caelum, mūtāte.	Animum, nōn caelum, mūtētis.
In hōc sīgnō vince.	In hōc sīgnō vincās.
In hōc sīgnō vincite.	In hōc sīgnō vincātis.
In harēnā cape cōnsilium.	In harēnā capiās cōnsilium.
In harēnā capite cōnsilium.	In harēnā capiātis cōnsilium.
Nōlī vertere mentem ad agnum.	Nē vertās mentem ad agnum.
Nōlīte vertere mentem ad agnum.	Nē vertātis mentem ad agnum.
Rege omnia in terrīs.	Regās omnia in terrīs.
Regite omnia in terrīs.	Regātis omnia in terrīs.
Inter caecōs rēgnā.	Inter caecōs rēgnēs.
Inter caecōs rēgnāte.	Inter caecōs rēgnētis.
Nōlī Mamōnae servīre.	Nē Mamōnae serviās.
Nōlīte Mamōnae servīre.	Nē Mamōnae serviātis.
Impōne fīnem et rēbus honestīs.	Impōnās fīnem et rēbus honestīs.
Impōnite fīnem et rēbus honestīs.	Impōnātis fīnem et rēbus honestīs.
Audē līberē loquī.	Audeās līberē loquī.
Audēte līberē loquī.	Audeātis līberē loquī.
Nōlī eadem mīrārī.	Nē eadem mīrēris.
Nōlīte eadem mīrārī.	Nē eadem mīrēminī.
Cōnscientiam verēre.	Cōnscientiam vereāris.
Cōnscientiam verēminī.	Cōnscientiam vereāminī.
Ōre plēnō nōlī loquī.	Ōre plēnō nē loquāris.
Ōre plēnō nōlīte loquī.	Ōre plēnō nē loquāminī.

Prō patriā morere.   Prō patriā moriāris.
Prō patriā moriminī.   Prō patriā moriāminī.

In malīs bene spērā.   In malīs bene spērēs.
In malīs bene spērāte.   In malīs bene spērētis.

In lūmine meō vidē lūmen.   In lūmine meō videās lūmen.
In lūmine meō vidēte lūmen.   In lūmine meō videātis lūmen.

Nōlī in sōlō pāne vīvere.   Nē in sōlō pāne vīvās.
Nōlīte in sōlō pāne vīvere.   Nē in sōlō pāne vīvātis.

Fortūnam fortiter fer.   Fortūnam fortiter ferās.
Fortūnam fortiter ferte.   Fortūnam fortiter ferātis.

Timidōs fortēs fac.   Timidōs fortēs faciās.
Timidōs fortēs facite.   Timidōs fortēs faciātis.

Ōre plēnō nōlī bibere.   Ōre plēnō nē bibās.
Ōre plēnō nōlīte bibere.   Ōre plēnō nē bibātis.

Aurem facilem habē.   Aurem facilem habeās.
Aurem facilem habēte.   Aurem facilem habeātis.

PATTERN PRACTICE, Part Two

Purpose: to learn the forms of the past imperfective subjunctive (# 7) in con-
          trast with both the present imperfective indicative (#2) and the present
          imperfective subjunctive (#8).
Directions: transform the direct questions to indirect questions.

Rogō, "Quid quaerit amīcus?"   Rogō quid quaerat amīcus.
Rogāvī, "Quid quaerit amīcus?"   Rogāvī quid quaereret amīcus.

Rogāvī, "Quō lupus mentem vertit?"   Rogāvī quō lupus mentem verteret.
Rogō, "Quō lupus mentem vertit?"   Rogō quō lupus mentem vertat.

Rogō, "Quō modō mulier cōgitat?"   Rogō quō modō mulier cōgitet.
Rogāvī, "Quō modō mulier cōgitat?"   Rogāvī quō modō mulier cōgitāret.

Rogō, "Ubi rēgnat luscus?"   Rogō ubi rēgnet luscus.
Rogāvī, "Ubi rēgnat luscus?"   Rogāvī ubi rēgnāret luscus.

Rogāvī, "Quō modō pauper vestītur?"   Rogāvī quō modō pauper vestīrētur.
Rogō, "Quō modō pauper vestītur?"   Rogō quō modō pauper vestiātur.

Rogō, "Quis videt īrātum?"   Rogō quis videat īrātum.
Rogāvī, "Quis videt īrātum?"   Rogāvī quis vidēret īrātum.

Rogō, "Quis saepe tenētur?"   Rogō quis saepe teneātur.
Rogāvī, "Quis saepe tenētur?"   Rogāvī quis saepe tenērētur.

Rogō, "Quis fraudem vult?"   Rogō quis fraudem velit.
Rogāvī, "Quis fraudem vult?"   Rogāvī quis fraudem vellet.

Rogāvī, "Quis mūneribus capitur?"   Rogāvī quis mūneribus caperētur.
Rogō, "Quis mūneribus capitur?"   Rogō quis mūneribus capiātur.

Rogāvī, "Ubi scorpiō dormit?"   Rogāvī ubi scorpiō dormīret.
Rogō, "Ubi scorpiō dormit?"   Rogō ubi scorpiō dormiat.

PATTERN PRACTICE, Part Three

Purpose: to learn the past imperfective subjunctive (#7) in conditions contrary-
          to-fact.
Directions: In the left-hand column are pairs of negative statements. Subordi-
          nate the first and transform the whole thing into an affirmative
          contrary-to-fact. Example: "A beard does not make a philosopher.
          Not all men are wise." = "If a beard did make a philosopher, all
          men would be wise."

Barba philosophum nōn facit.   Sī barba philosophum faceret,
Nōn omnēs barbātī sapiunt.   omnēs barbātī saperent.

Dēmocritus nōn est in terrīs.   Dēmocritus, sī esset in terrīs,
Dēmocritus nōn rīdet.   rīdēret.

Litterae pānem nōn dant.   Sī litterae pānem darent,
Poētae nōn dīvitēs sunt.   poētae dīvitēs essent.

Īrātus lēgem nōn videt.   Īrātus, sī lēgem vidēret,
Īrātus poenam nōn effugit.   poenam effugeret.

Nōn in sōlō pāne homō vīvit.   Sī in sōlō pāne homō vīveret,
Pānis nōn est optimum.   pānis esset optimum.

Vulpēs mūneribus nōn capitur.   Vulpēs, sī mūneribus caperētur,
Vulpēs nōn stulta est.   stulta esset.

Lupus mentem ad studium nōn vertit. Lupus, sī mentem ad studium verteret,
Lupus discipulus bonus nōn est.   discipulus bonus esset.

Via ad astra mollis nōn est.   Sī via ad astra mollis esset,
Hominēs dī nōn sunt.   hominēs dī essent.

Hōra ruēns nōn redit.   Sī hōra ruēns redīret,
Nōs nōn semper juvenēs manēmus.   nōs semper juvenēs manērēmus.

Necessitātēs effugere nōn potes.   Sī necessitātēs effugere possēs,
Fuga nōn est remedium malōrum.   fuga esset remedium malōrum.

SELF TEST

Change the following to the new type of command:

Nōlīte eadem amāre. (S213)   Aurem facilem habē. (S55)
Nōlī fāmam verērī. (S216)   In lūmine meō vidēte lūmen. (S254)
Virtūtem sequere. (S211)   Tīmidōs fortēs fac. (S77)

Change the following to indirect questions with *rogō*, then to indirect
questions with *rogāvī*:

       "Quid dī oculīs jūstīs aspiciunt?" (S92)
       "Quis nōbilitāte caret?" (S99)
       "Quō auxiliō nōs omnēs trahimur?" (S277)
       "Quis laudem vult?" (S11)
       "Quis nōn videt lēgem?" (S34)

Create a contrary-to-fact condition out of the following:

    Nōn omnēs eadem mīrantur; magna discordia nōn est. (S213)
    Dē minimīs nōn cūrat lēx; jūstitia inūtilis nōn est. (S150)

READINGS

R461 Nōn ut edam, vīvō; sed ut vīvam, edō. Quintilian

    Quō cōnsiliō edit Quīntiliānus?
    Quō cōnsiliō nōn vīvit?
    Cui Quīntiliānus nōn servit?
    Uter rēgnat, Quīntiliānus an venter ejus?

R462 An dīves sit, omnēs quaerunt; nēmō an bonus. Anon.

    Quid numquam nōn quaeritur?
    Quid numquam quaeritur?
    Quid nunc praefertur, virtūs an dīvitiae?

R463 Paucōrum est intellegere quid dōnet Deus.[4] Publilius Syrus

    Suntne dōna deōrum semper bona?
    Quid paucī sciunt?

[4] The thought here is that we can tell only with difficulty whether any gift from
the gods will turn out well or badly for us.

R464 "Servus est." Sed fortasse līber animō. "Servus est." Hoc illī
nocēbit? Ostende quis nōn sit. Alius libīdinī servit, alius
avāritiae, alius ambitiōnī, omnēs timōrī. Seneca

Quōrum servī sunt aliī?   fortasse (adverbial): *perhaps*
Cujus servī sunt omnēs?   (forte)
Quid aliōs regit?   libīdō -inis, f: *lust*
Potestne servus animō līber esse?   ambitiō -ōnis, f

R465 Ūnī nāvī nē committās omnia. Anon.

Ubi rēs nostrās pōnere   committō -ere -mīsī -missus
   dēbēmus?
Transform the verb to the other two moods, still expressing a
   command.

R466 Haec... prīma lēx amīcitiae sanciātur, ut ab amīcīs honesta
petāmus. Cicero

Quō modō cum amīcīs agere   sanciō -īre, sānxī, sānctus:
   dēbēmus?   *make sacred*
Quid ex nōbīs amīcī expectāre dēbent?

R467 Nihil est quod timeās sī innocēns es. Quintilian (?)

Quis in malīs timēre dēbet?
Quis spērāre dēbet?

R468 Quid Deus intendat, nōlī perquīrere sorte;
quid statuat dē tē, sine tē dēlīberat ille. Dionysius Cato

Quibuscum cōgitat Deus?   intendō -ere -ndī -ntus
Quid homō agere nōn dēbet?   perquīro: quaerō
Quō auxiliō futūra quaerere   statuō -ere, statuī, statūtus:
   nōn dēbēmus?   *decide, determine*
Cujus sub rēgnō omnēs vīvimus?   dēlīberō (1)
Quōs Deus cūrat?   *sors* here means "fortune-
                                        telling"

R469 Post trēs saepe diēs vīlēscit piscis et hospes,
nī sale conditus vel sit speciālis amīcus. Werner

Quā condiciōne piscis nōn   condō -ere -didī -ditus: *put*
   vīlēscit?   *down* or away permanently
Quā condiciōne hospes nōn   or for a long time, *store*
   vīlēscit?   wine and food, *found* cities,
Quandō fit amīcus nōn cārus?   *bury* people.
                                     sāl, salis, m: *salt*

Cui similis est hospes   speciālis -e: proprius
   quī quattuor diēs manet?   nī (variant of *nisī*)

R470 Percutitur saepe canis ut timeat leō fortis. Anon.

Quō cōnsiliō aliquis canem terret? percutiō-ere-cussī-cussus
Cujus causā canis timidus percutitur?

MORPHOLOGY: THE PAST PERFECTIVE SUBJUNCTIVE (#9) AND THE PRESENT PERFECTIVE SUBJUNCTIVE (#10)

You already know that these forms will be built on the perfective stem, will have no true passives but a compound substitute, and will have the endings $-\bar{o}$ or $-m$, $-s$, $-t$, etc. The only thing to learn therefore is the morpheme that shows mood, time, and aspect. For the past perfective subjunctive this morpheme is $-iss\bar{e}-$ with regular shortening of the $-\bar{e}-$, giving the following paradigm:

amāvissem	amāvissēmus	amātus essem	amātī essēmus
amāvissēs	amāvissētis	amātus essēs	amātī essētis
amāvisset	amāvissent	amātus esset	amātī essent

The morpheme for the present perfective subjunctive is $-er\bar{\imath}-$ with regular shortening of the $-\bar{\imath}-$, giving the following paradigm:

amāverim	amāverīmus	amātus sim	amātī sīmus
amāverīs	amāverītis	amātus sīs	amātī sītis
amāverit	*amāverint*	amātus sit	amātī sint

What other form of the verb does the active resemble? Although the italicized forms are identical with this other form, the remaining forms are distinctive. What is the distinguishing feature?

In both of these tenses contractions are common.

EXPLANATION OF STRUCTURE: PAST PERFECTIVE SUBJUNCTIVE (#9) AND PRESENT PERFECTIVE SUBJUNCTIVE (#10)

These forms are used whenever one wishes to indicate that the non-assertion is complete, not incomplete.

Rogō quis fulmen caelō ēripiat. (#8)
I ask who is in the process of seizing the thunderbolt
    from the sky. (incomplete)

Rogō quis ēripuerit. (#10)
I ask who has seized. (complete)

Rogāvī quis ēriperet. (#7)
I asked who was in the process of seizing. (incomplete)

Rogāvī quis ēripuisset. (#9)
I asked who had seized. (complete)

Three special uses should be noted. Conditions with the past perfective subjunctive (#9) show a contrary-to-fact in past time. For examples, see S311 and S312. Secondly, the present perfective subjunctive (#10) is used independently to show negative commands, see S315-319. This is an informal type of command. Finally, verbs which are found only in the perfective system (like *ōdī*) use perfective forms in situations where ordinary verbs use imperfective ones (see S312, S313, and S314).

EXPLANATION OF STRUCTURE: *CUM* CLAUSES

The conjunction *cum* (not the preposition *cum*, which patterns with the ablative) shows either time (*when*) or circumstances (*since, because, although*). The temporal use (*when*) takes the indicative, the others take the subjunctive. The non-assertion is rather subtle: the subjunctive shows that the action in the *cum* clause is not important for itself but only important because of its connection with the main verb. This distinction is impossible to show in English.

BASIC SENTENCES

S311 **Sī tacuissēs, philosophus mānsissēs.**
      BOETHIUS (adapted)

Had you kept quiet, you would have remained a philosopher.

Tacuitne hic philosophus?   postquam (subordinating
Quid factum esset sī nōn locūtus esset?   conjunction): *after*
Quid accidit quod silentium nōn tenuit?
Quālis vīsus est hic philosophus postquam locūtus est?
Quālis vīsus esset nisī verba dīxisset?

S312 **Hectora quis nō'sset, sī fēlix Troja fuisset?**
      OVID

Who would know about Hector if Troy had remained prosperous?

Estne Hector īgnōtus?
Quālis fuisset sī in pāce vīxisset?
Quālis fuit quod bellum gessit?

S313 **Inventa sunt specula ut homō ipse sē nō'sset.**
      SENECA

Mirrors were discovered so that man might know himself.

Quō cōnsiliō Deus hominibus specula dat?
Quō auxiliō homō sē nōvit?

S314 Ōderint, dum metuant.
ACCIUS

Let them hate, provided they fear me.[1]

Quid Caligula ex populō voluit?   Caligula -ae, m

S315 Quod tibi fīerī nōn vīs, alterī nē fēcerīs.
LAMPRIDIUS

Do not do to another what you don't wish done to yourself.

Transform to three other types of command.

S316 Antequam vocērīs, nē accesserīs.
DIONYSIUS CATO

Do not come before you are called.

Transform to three other types of command.

S317 Minōrem nē contempserīs.
DIONYSIUS CATO

Do not despise an inferior.

Transform to three other types of command.

S318 Nihil arbitriō vīrium fēcerīs.
DIONYSIUS CATO

Do nothing at the dictate of force.

Transform to three other types of command.

S319 Nihil temere crēdiderīs.
DIONYSIUS CATO

Believe nothing rashly.

Transform to three other types of command.

S320 Inde lupī spērēs caudam, cum vīderis aurēs.
WERNER

Look for the wolf's tail from the time when you have seen
his ears.

Quandō nōs lupum spērāre dēbēmus?
Quid semper caput lupī sequitur?

---

[1]A favorite saying of Caligula; see Suetonius *Life of Caligula* 30.1.

NEW   Hector -oris, m (Greek form of accusative: Hectora)
NOUNS   arbitrium -ī, n

NEW   nōscō -ere, nōvī, nōtus[2]
VERBS

NEW   temere (with no corresponding adjective)
ADVERBS

NEW   antequam (subordinating conjunction): *before*
INDECLINABLES   inde (adverbial): *from that place, from that time*

PATTERN PRACTICE, Part One

Purpose: to learn the forms of the present perfective subjunctive (#10).
Directions: change these standard negative commands to the less formal present
            perfective subjunctive (#10). Compare Part Two of Pattern Practice
            for Lesson Twenty-eight.

Ōre plēnō nōlī bibere. (S223)	Ōre plēnō nē biberīs.
Ōre plēnō nōlīte bibere.	Ōre plēnō nē biberītis.
Nōlī eadem mīrārī. (S213)	Nē eadem mīrātus sīs.
Nōlīte eadem mīrārī.	Nē eadem mīrātī sītis.
Ōre plēnō nōlī loquī. (S223)	Ōre plēnō nē locūtus sīs.
Ōre plēnō nōlīte loquī.	Ōre plēnō nē locūtī sītis.
Mamōnae nōlī servīre. (S233)	Mamōnae nē servīverīs.
Mamōnae nōlīte servīre.	Mamōnae nē servīverītis.
Mentem nōlī vertere ad agnum. (S111)	Mentem nē verterīs ad agnum.
Mentem nōlīte vertere ad agnum.	Mentem nē verterītis ad agnum.
Minōrem nōlī contemnere. (S317)	Minōrem nē contempserīs.
Minōrem nōlīte contemnere.	Minōrem nē contempserītis.
Nōlī nimis altē volāre. (S287)	Nē nimis altē volāverīs.
Nōlīte nimis altē volāre.	Nē nimis altē volāverītis.
Nōlī labōrem fugere. (S110)	Nē labōrem fūgerīs.
Nōlīte labōrem fugere.	Nē labōrem fūgerītis.

[2]The imperfective forms mean "to become acquainted with," while the perfective forms mean "to have become acquainted with" or "to now know."

Flōris odōrem nōlī pingere. (S184)   Nē flōris odōrem pīnxerīs.
Flōris odōrem nōlīte pingere.   Nē flōris odōrem pīnxerītis.

Dōna minōra nōlī spernere. (S143)   Dōna minōra nē sprēverīs.
Dōna minōra nōlīte spernere.   Dōna minōra nē sprēverītis.

Nōlī contendere verbīs. (S283)   Nē contenderīs verbīs.
Nōlīte contendere verbīs.   Nē contenderītis verbīs.

Nōlī accēdere. (S316)   Nē accesserīs.
Nōlīte accēdere.   Nē accesserītis.

Nōlī temere crēdere. (S319)   Nē temere crēdiderīs.
Nōlīte temere crēdere.   Nē temere crēdiderītis.

Nōlī id alterī facere. (S315)   Nē id alterī fēcerīs.
Nōlīte id alterī facere.   Nē id alterī fēcerītis.

Nōlī in sōlō pāne vīvere. (S59)   Nē in sōlō pāne vīxerīs.
Nōlīte in sōlō pāne vīvere.   Nē in sōlō pāne vīxerītis.

PATTERN PRACTICE, Part Two

Purpose: to produce the four tenses of the subjunctive in indirect questions.
Directions: transform the direct question to an indirect. First, transform
present imperfective indicative (#2) to past imperfective subjunctive (#7) or present imperfective subjunctive (#8).

Rogās, "Ubi piscēs capiuntur?"   Rogās ubi piscēs capiantur.
Rogā'stī, "Ubi piscēs capiuntur?"   Rogā'stī ubi piscēs caperentur.

Rogās, "Ubi pauper vestītur?"   Rogās ubi pauper vestiātur.
Rogā'sti, "Ubi pauper vestītur?"   Rogā'stī ubi pauper vestīrētur.

Rogās, "Quōs Fortūna adjuvat?"   Rogās quōs Fortūna adjuvet.
Rogā'stī, "Quōs Fortūna adjuvat?"   Rogā'stī quōs Fortūna adjuvāret.

Rogās, "Quid sub veste portātur?"   Rogās quid sub veste portētur.
Rogā'stī, "Quid sub veste portātur?"   Rogā'stī quid sub veste portārētur.

Rogās, "Quis sine crīmine vīvit?"   Rogās quis sine crīmine vīvat.
Rogā'stī, "Quis sine crīmine vīvit?"   Rogā'stī quis sine crīmine vīveret.

Rogās, "Ubi semper est victōria?"   Rogās ubi semper sit victōria.
Rogā'stī, "Ubi semper est victōria?"   Rogā'stī ubi semper esset victōria.

Rogās, "Quis inopī beneficium dat?"   Rogās quis inopī beneficium det.
Rogā'stī, "Quis inopī beneficium dat?"   Rogā'sti quis inopī beneficium daret.

Rogās, "Quid tūtius pecūniā est?"   Rogās quid tūtius pecūniā sit.
Rogā'stī, "Quid tūtius pecūniā est?"   Rogā'stī quid tūtius pecūniā esset.

Rogās, "Unde aqua pūra dēfluit?"   Rogās unde aqua pūra dēfluat.
Rogā'stī, "Unde aqua pūra dēfluit?"   Rogā'stī unde aqua pūra dēflueret.

Rogās, "Quis in rē incertā cernitur?"   Rogās quis in rē incertā cernātur.
Rogā'stī, "Quis in rē incertā cernitur?"   Rogā'stī quis in rē incertā cernerētur.

Now transform the past imperfective indicative (#1) or the present perfective indicative (#5) to the past perfective subjunctive (#9) or the present perfective subjunctive (#10).

Quaerō, "Quis in orbe deōs fēcit?"   Quaerō quis in orbe deōs fēcerit.
Quaesīvī, "Quis in orbe deōs fēcit?"   Quaesīvī quis in orbe deōs fēcisset.

Quaerō, "Quid Fortūna nōn dedit?"   Quaerō quid Fortūna nōn dederit.
Quaesīvī, "Quid Fortūna nōn dedit?"   Quaesīvī quid Fortūna nōn dedisset.

Quaerō, "Ubi lībertās cecidit?"   Quaerō ubi lībertās ceciderit.
Quaesīvī, "Ubi lībertās cecidit?"   Quaesīvī ubi lībertās cecidisset.

Quaerō, "Quis caelō fulmen ēripuit?"   Quaerō quis caelō fulmen ēripuerit.
Quaesīvī, "Quis caelō fulmen ēripuit?"   Quaesīvī quis caelō fulmen
                                               ēripuisset.

Quaerō, "An tū lūsistī satis?"   Quaerō an tū lūserīs satis.
Quaesīvī, "An tū lūsistī satis?"   Quaesīvī an tū lūsissēs satis.

Quaerō, "An ego fidem servāvī?"   Quaerō an ego fidem servāverim.
Quaesīvī, "An ego fidem servāvī?"   Quaesīvī an ego fidem servā'ssem.

Quaerō, "Quid vōs grātīs accēpistis?"   Quaerō quid vōs grātīs accēperītis.
Quaesīvī, "Quid vōs grātīs accēpistis?"   Quaesīvī quid vōs grātīs accēpissētis.

Quaerō, "Quis orbem terrārum   Quaerō quis orbem terrārum
  habēbat?"   habuerit.
Quaesīvī, "Quis orbem terrārum   Quaesīvī quis orbem terrārum
  habēbat?"   habuisset.

Quaerō, "Ubi alta lūna fulgēbat?"   Quaerō ubi alta lūna fulserit.
Quaesīvī, "Ubi alta lūna fulgēbat?"   Quaesīvī ubi alta lūna fulsisset.

Quaerō, "Quōrum vōcēs quiēscēbant?"   Quaerō quōrum vōcēs quiēverint.
Quaesīvī, "Quōrum vōcēs quiēscēbant?"   Quaesīvī quōrum vōcēs quiēvissent.

SELF TEST

Change these negative commands to the new type of negative command, using the present perfective subjunctive (#10).

Nōlī lupum mordēre.

Nōlīte lupum mordēre.

Nē querāris dē adversīs.

Nē querāminī dē adversīs.

Change these direct questions to indirect.

Rogāmus, "An tū bibistī satis?"

Rogāvimus, "Quis bonum certāmen certāvit?"

Rogāvimus, "Quid ante senectūtem Seneca cūrāvit?"

Rogāmus, "Quid calamitās aperit?"

Rogāmus, "Quid faciēbant vōcēs hominum?"

Rogāvimus, "Quis est mōbilior ventīs?"

READINGS

R471 Mihi ille dētur puer quem laus excitet, quem glōria juvet, quī victus fleat.[3] Quintilian

Quālem puerum volēbat Quīntiliānus?

R472 Requiēscat in pāce. Common grave inscription

Quis in pāce requiēscere dēbet?
Quid sīgnificat RIP?

requiēscō -ere -ēvī
sīgnificō (1)

R473 Fīlī, nē sit formīca sapientior tē, quae congregat in aestāte unde vīvat[4] in hieme. Petrus Alphonsus

Cui fīlius similis sit?
Cujus exemplum sequātur?

formīca -ae, f: ant
congregō (1)

R474 Lēgum servī sumus ut līberī esse possīmus. Cicero (?)

Quō cōnsiliō lēgibus servīs?
Quis līber est?

[3]The subjunctive in subordinate clauses contrasts with assertion; Quintilian wants the kind of student who will weep if defeated, but this doesn't mean necessarily that he will be defeated. He is the kind of boy who *would* weep *if* defeated. In translation this distinction is often not carried over into English. We would say "Give me a boy whom praise excites, etc."

[4]*Vīvit* would mean "from which she actually gets her living." *Vīvat* means "from which she may live (who knows, she may die before she gets a chance to eat)."

R475 Ante mortem nē laudēs hominem quemquam. Ecclesiastes

Transform the verb to a different form, still expressing a
command.

R476 Nisī per tē sapiās, frūstrā sapientem audiās. Publilius Syrus

Quantum discat stultus sī virō doctō   frūstrā (adverbial): *in*
ūtātur?   *vain*

R477 Fraus est accipere quod nōn possīs reddere. Publilius Syrus

Transform *est* to the corresponding subjunctive. What difference
does it make in the meaning of the utterance?
Transform *possīs* to the indicative and comment on the difference in meaning.

R478 Sī vītam īnspiciās hominum, sī dēnique mōrēs,
cum culpant aliōs: nēmō sine crīmine vīvit. Dionysius Cato

Quō modō vīvunt eī quī aliōs culpant?   īnspiciō -ere -spexī
Quālēs mōrēs habent omnēs, sī   -spectus
īnspiciās?   dēnique (adverbial):
Ubi crīmina saepe latitant?   *finally*

R479 Īrātus dē rē incertā contendere nōlī;
impedit īra animum nē possīs cernere vērum. Dionysius Cato

Quā condiciōne nēmō contendere   impediō (4)
dēbet?
Quis vēritātem cernere nōn possit?

R480 Edās, bibās ut bene vīvās; nōn vīvās ut tantum edās et bibās.
                                              Medieval

Transform, using different moods.
Transform, using different persons and numbers.

REVIEW LESSON NINE

PATTERN PRACTICE

Purpose: to learn to identify all forms of the Latin verb.

Directions: identify by name or number the following forms. The first form in each set is that in the original Basic Sentence; the other three are transformations of mood, time, and aspect. The person stays the same throughout each set.

Philosophus mānsissēs. (S311)
Philosophus manēs.
Philosophus maneās.
Philosophus mānsistī.

Sī fēlīx Troja fuisset. (S312)
Sī fēlīx Troja foret.
Sī fēlīx Troja fuit.
Sī fēlīx Troja erit.

Lupī spērēs caudam. (S320)
Lupī spērās caudam.
Lupī spērā'stī caudam.
Lupī spērāveris caudam.

Barbarus ipse placet. (S309)
Barbarus ipse placeat.
Barbarus ipse placēbat.
Barbarus ipse placēbit.

Nihil arbitriō vīrium fēcerīs. (S318)
Nihil arbitriō vīrium faciās.
Nihil arbitriō vīrium fēceris.
Nihil arbitriō vīrium faciēs.

Nōn esset sānctior hircō. (S307)
Nōn fuit sānctior hircō.
Nōn erit sānctior hircō.
Nōn est sānctior hircō.

Inventa sunt specula. (S313)
Inventa erunt specula.
Invenientur specula.
Inventa sint specula.

Numquam Fortūna vocārer. (S305)
Numquam Fortūna vocer.
Numquam Fortūna vocāta sum.
Numquam Fortūna vocāta essem.

Rapiāmus occāsiōnem dē diē. (S300)
Rapuerimus occāsiōnem dē diē.
Rapuissēmus occāsiōnem dē diē.
Rapiēmus occāsiōnem dē diē.

Quis custōdiet ipsōs custōdēs? (S251
Quis custōdit ipsōs custōdēs?
Quis custōdiat ipsōs custōdēs?
Quis custōdīverat ipsōs custōdēs?

Rīdēret Dēmocritus. (S301)
Rīdeat Dēmocritus.
Rīsisset Dēmocritus.
Rīdet Dēmocritus.

Prūdenter agās. (S293)
Prūdenter ēgistī.
Prūdenter ēgeris.
Prūdenter agis.

Amēs parentem. (S292)
Amā parentem.
Amābis parentem.
Amā'stī parentem.

Patere lēgem. (S290)
Pateris lēgem.
Patiēris lēgem.
Passus es lēgem.

Ūtere quaesītīs opibus. (S289)
Ūtāris quaesītīs opibus.
Ūtēris quaesītīs opibus.
Ūteris quaesītīs opibus.

Vītae sequere nātūram ducem. (S288)
Vītae sequeris nātūram ducem.
Vītae sequēris nātūram ducem.
Vītae sequāris nātūram ducem.

Grātīs accēpistis. (S282)
Grātīs accipite.
Grātīs accipiātis.
Grātīs accipiētis.

Daemonēs ējicite. (S282)
Daemonēs ējiciētis.
Daemonēs ējiciātis.
Daemonēs ējicerētis.

Rōma locūta est. (S280)
Rōma loquēbātur.
Rōma locūta esset.
Rōma loquētur.

Causa fīnīta est. (S280)
Causa fīniātur.
Causa fīniētur.
Causa fīnītur.

Trahimur omnēs studiō laudis. (S277)
Trahāmur omnēs studiō laudis.
Trahēmur omnēs studiō laudis.
Tractī sumus omnēs studiō laudis.

Nōs mūtāmur in illīs. (S274)
Nōs mūtēmur in illīs.
Nōs mūtātī erāmus in illīs.
Nōs mūtātī essēmus in illīs.

Bonum certāmen certāvī. (S250)
Bonum certāmen certāverō.
Bonum certāmen certārem.
Bonum certāmen certāverim.

Dīvīna nātūra dedit agrōs. (S247)
Dīvīna nātūra det agrōs.
Dīvīna nātūra dederat agrōs.
Dīvīna nātūra daret agrōs.

Ēripuit caelō fulmen. (S244)
Ēripuisset caelō fulmen.
Ēripiat caelō fulmen.
Ēripiet caelō fulmen.

Prīmus deōs fēcit timor. (S241)
Prīmus deōs facit timor.
Prīmus deōs faciet timor.
Prīmus deōs faciat timor.

Saepius opīniōne labōrāmus. (S238)
Saepius opīniōne labōrāvimus.
Saepius opīniōne labōrāverimus.
Saepius opīniōne labōrābāmus.

Certa mittimus. (S232)
Certa mittēmus.
Certa mīserimus.
Certa mīserīmus.

Videō barbam et pallium. (S231)
Videam barbam et pallium.
Vīdī barbam et pallium.
Vidērem barbam et pallium.

Oculī persaepe mentiuntur. (S218)
Oculī persaepe mentientur.
Oculī persaepe mentītī sunt.
Oculī persaepe mentiēbantur.

Cōnscientiam paucī verentur. (S216)
Cōnscientiam paucī veritī sunt.
Cōnscientiam paucī veritī essent.
Cōnscientiam paucī verēbuntur.

Nōn omnēs eadem mīrantur. (S213)
Nōn omnēs eadem mīrentur.
Nōn omnēs eadem mīrātī sunt.
Nōn omnēs eadem mīrātī erunt.

Glōria virtūtem sequitur. (S211)
Glōria virtūtem sequētur.
Glōria virtūtem secūta est.
Glōria virtūtem sequātur.

In hōc sīgnō vincēs. (S252)
In hōc sīgnō vīcistī.
In hōc sīgnō vincās.
In hōc sīgnō vince.

Fīnis ab orīgine pendet. (S271)
Fīnis ab orīgine pendēbit.
Fīnis ab orīgine pendēbat.
Fīnis ab orīgine pependisset.

Nāscentēs morimur. (S271)
Nāscentēs moriāmur.
Nāscentēs moriēmur.
Nāscentēs morerēmur.

Citō rumpēs arcum. (S264)
Citō rumpe arcum.
Citō rumpās arcum.
Citō rumpis arcum.

Caelō fulgēbat lūna. (S259)
Caelō fulsit lūna.
Caelō fulserat lūna.
Caelō fulgeat lūna.

Quiēscēbant vōcēs hominum. (S257)
Quiēscerent vōcēs hominum.
Quiēvērunt vōcēs hominum.
Quiēverant vōcēs hominum.

Similis similem quaerit. (S256)
Similis similem quaerat.
Similis similem quaeret.
Similis similem quaesīvisset.

SELF TEST

In the preceding Pattern Practice it is easy to distinguish the different forms because they are placed in obvious contrast. Can you think of the contrasts which will permit you to identify the following verb forms?

Crūdēlitātis māter fuisset
   avāritia. (S190)
Flōris nōn pinget odōrem. (S184)

Sōl omnibus lūcet. (S179)
Impōnat fīnem sapiēns et rēbus
   honestīs. (S177)
Sōlitūdō placuerat Mūsīs. (S175)

Exemplō melius quam verbō
   quidque doctum est. (S153)
In magnō grandēs capientur
   flūmine piscēs. (S130)
Quis bene cēlābat amōrem? (S129)
Inter caecōs rēgnāret
   luscus. (S120)
Litterae nōn dedēre pānem. (S94)

There are no Readings in this Review Lesson. Instead, do Narrative Readings as directed by your teacher.

Observe the following *direct* statements and their *indirect* counterparts in both English and Latin.

Direct Statement

I used to say, "Clothes make the man."
Dīcēbam, "Vestis virum facit."

Indirect Statement

I used to say that clothes made the man.
I used to say clothes made the man.
Dīcēbam vestem virum facere.

Let's take the English first. What is the difference *in writing* between "I used to say, 'Clothes make the man'" and "I used to say clothes made the man"? What is the difference in what you *say*? Do you say them alike? What are the signals that tell you which one you would write with quotation marks? Do the quotation marks correspond to anything in our speech?

EXPLANATION OF STRUCTURE: ACCUSATIVE-AND-INFINITIVE

Dīcō is a transitive verb. It has passive forms and can take an object, as *Haec verba dīcēbam* (I used to say these words). Sometimes you will have a direct quotation as substitute for *haec verba*. But the most common construction for *dīcō* is to take *two* accusatives, one an ordinary noun, the second the noun of the verb, i.e., the infinitive. Thus we find *Dīcēbam vestem virum facere*. There are two objects of *dīcēbam*; one is *vestem*, whose accusative case is clearly marked; the other is *facere*, the noun (or we should say the *nominal*) of the verb. We are talking about two things, *clothing* and *making*.

That the noun and the nominal (infinitive) are both direct objects is apparent when the verb is transformed into the passive; either of them can be put into the subject, although the infinitive, not being inflected, does not change form. We find both *Prūdēns dīcitur cum cūrā vīvere* and *Dīcitur prūdentem cum cūrā vīvere*. In the first, *prūdēns* has been made the subject; in the second it is *vīvere*. This shows up even more clearly in the passival forms of the perfective where there is agreement. What can you tell from this pair: *Prūdēns dictus est cum cūrā vīvere/Dictum est prūdentem cum cūrā vīvere?* We might translate this pair as "The prudent man was said to live carefully" and "It was said that the prudent man lived carefully."

Notice this point: *Dīcēbam vestem virum facere* is an ambiguous statement. It is obviously an accusative-and-infinitive construction, and *facere* is the infinitive. But which accusative belongs in the accusative-and-infinitive construction and which is the object of *facere*? The answer is that you can't tell. If it were necessary to avoid ambiguity one could use another construction: there is no ambiguity about *Ait vestem ā virō fīerī*.

There was a famous oracle given to Pyrrhus when he was planning to conquer the Romans: *Ajō tē, Aeacidā, Rōmānōs vincere posse.* (*Aeacidā* is a Greek vocative form meaning "O descendant of Aeacus.") Pyrrhus, descendant of Aeacus, rashly assumed that this was a favorable answer. Do you see what the oracle claimed to have meant?

EXPLANATION OF STRUCTURE: RESULT CLAUSES

A common use of the subjunctive is to show result. Observe the following:

> Saepe fit ut ā cane teneātur aper.
> It often happens that a boar is caught by a dog.

> Saepe factum est ut ā cane tenērētur aper.
> It often happened that a boar was caught by a dog.

> Canis tam fortis est ut aprum saepe teneat.
> The dog is so brave that he often catches a boar.

> Canis tam fortis erat ut aprum saepe tenēret.
> The dog was so brave that he often caught a boar.

The question now arises: how does one tell purpose clauses from result clauses, since both are signalled by *ut* and the subjunctive? The answer is that result clauses have these items in the environment: verbs like *accidit* or *fit*, both meaning "happen"; or an adverb or adverbial of degree, like *tam*, *sīc*, or *ita*, meaning "so"; or an adjective of measure like *tantus* or *tālis*.

The contrast with assertion is subtle: it isn't so much that these things happen as that they have a tendency to happen. Such a distinction is difficult to express in English, so let us be content with knowing that in Latin *accidit*, *tam*, *tantus*, etc., plus *ut* plus the subjunctive show result. The negative is *ut ... nōn*.[1]

---

[1]There are refinements in the use of the tenses which are here ignored.

BASIC SENTENCES

Transform each Basic Sentence to a direct statement.

S321   **Quod tegitur, majus crēditur esse malum.**
MARTIAL

The evil which is concealed is believed to be larger than it is.

Quāle malum majus vidētur?

S322   **Ēventus docuit fortēs Fortūnam juvāre.**
LIVY

The event has proven that Fortune aids the brave.

Per quid scīmus fortibus Fortūnam favēre?

S323   **Īnsānus omnis furere crēdit cēterōs.**
ANON.

Every madman believes the others are insane.

Quid crēdit omnis īnsānus?

S324   **Victōrem ā victō superārī saepe vidēmus.**
DIONYSIUS CATO

We often see that the victor is conquered by the vanquished.

Transform the infinitive from passive to active.
Why do you suppose Dionysius Cato used the passive?

S325   **Vidēmus...suam cuique rem esse cārissimam.**
PETRONIUS

We see that each one's own is dearest to him.

Quem vidēmus suam rem mīrārī?

S326   **Decet verēcundum esse adulēscentem.**
PLAUTUS

It is fitting for a young man to be respectful.

Suntne omnēs juvenēs verēcundī?
Decetne adulēscentem suōs parentēs verērī?

S327   **Nēmō doctus umquam ... mūtātiōnem cōnsiliī incōnstantiam dīxit esse.**
CICERO

No learned man ever said that change of plans was inconstancy.

Sī cōnsilium mūtem, vocerne varius?

S328 Dīcere...solēbat nūllum esse librum tam malum ut nōn aliquā parte prōdesset.
PLINY

(My uncle) used to say that no book was so bad it wasn't useful in some part.

Quot librī huic senī prōfuērunt?

S329 Nēmō umquam neque poēta neque ōrātor fuit quī quemquam meliōrem quam sē arbitrārētur.
CICERO

There was never a poet or an orator who thought anyone better than he was.

Quem poēta omnis optimē amat?

S330 Catō dīxit litterārum rādicēs amārās esse, frūctūs jūcundiōrēs.
DIOMEDES

Cato said that the roots of study were bitter, but the fruit was quite delightful.

Quōcum comparātur doctrīna?

NEW NOUNS	mūtātiō -ōnis, f rādīx -īcis, f Catō -ōnis, m

NEW VERBS	tegō -ere, tēxī, tēctus prōsum, prōdesse, prōfuī
	decet -ēre, decuit arbitror (1)
	(impersonal verb like *libet*)

NEW ADJECTIVES	verēcundus -a -um (verēcundē)
	aliquī, aliquae, aliquod

PATTERN PRACTICE

Purpose: to produce the accusative-and-infinitive construction.
Directions: transform the direct statement in the left-hand column to an indirect statement.

"Vestis virum facit."	Dīcō vestem virum facere.
"Nēmō in amōre videt."	Dīcō nēminem in amōre vidēre.
"Prūdēns cum cūrā vīvit."	Dīcō prūdentem cum cūrā vīvere.
"Stultus sine cūrā vīvit."	Dīcō stultum sine cūrā vīvere.
"Vulpēs vult fraudem."	Dīcō vulpem velle fraudem.
"Occāsiō aegrē offertur."	Dīcō occāsiōnem aegrē offerrī.
"Occāsiō facile āmittitur."	Dīcō occāsiōnem facile āmittī.
"Saepe malum petitur."	Dīcō saepe malum petī.
"Saepe bonum fugitur."	Dīcō saepe bonum fugī.
"In vīnō semper est vēritās."	Dīcō in vīnō semper esse vēritātem.
"Vīnō forma perit."	Dīcō vīnō formam perīre.
"Vīnō corrumpitur aetās."	Dīcō vīnō corrumpī aetātem.
"Nēmō sine vitiō est."	Dīcō nēminem sine vitiō esse.
"Sapientia vīnō obumbrātur."	Dīcō sapientiam vīnō obumbrārī.
"Exitus in dubiō est."	Dīcō exitum in dubiō esse.
"Crūdēlis lacrimīs pāscitur."	Dīcō crūdēlem lacrimīs pāscī.
"Crūdēlis lacrimīs nōn frangitur."	Dīcō crūdēlem lacrimīs nōn frangī.
"Religiō deōs colit."	Dīcō religiōnem deōs colere.
"Superstitiō deōs violat."	Dīcō superstitiōnem deōs violāre.
"Fortēs Fortūna adjuvat."	Dīcō fortēs Fortūnam adjuvāre.
"Nēmō sine crīmine vīvit."	Dīcō nēminem sine crīmine vīvere.
"In marī piscēs capiuntur."	Dīcō in marī piscēs capī.
"Vulpēs nōn capitur mūneribus."	Dīcō vulpem nōn capī mūneribus.
"Stultī timent fortūnam."	Dīcō stultōs timēre fortūnam.
"Sapientēs ferunt fortūnam."	Dīcō sapientēs ferre fortūnam.
"Fortēs creantur fortibus."	Dīcō fortēs creārī fortibus.
"Certā stant omnia lēge."	Dīcō certā stāre omnia lēge.
"Astra regunt hominēs."	Dīcō astra regere hominēs.
"Regit astra Deus."	Dīcō regere astra Deum.
"Litterae nōn dant pānem."	Dīcō litterās nōn dare pānem.
"Vīta vīnum est."	Dīcō vītam vīnum esse.
"Cōgitur ad lacrimās oculus."	Dīcō cōgī ad lacrimās oculum.
"Inter caecōs rēgnat luscus."	Dīcō inter caecōs rēgnāre luscum.
"Nōn redit unda fluēns."	Dīcō nōn redīre undam fluentem.
"Nōn redit hōra ruēns."	Dīcō nōn redīre hōram ruentem.
"Omnēs ūna manet nox."	Dīcō omnēs ūnam manēre noctem.
"Vōx audīta perit."	Dīcō vōcem audītam perīre.
"Littera scrīpta manet."	Dīcō litteram scrīptam manēre.
"Īra furor brevis est."	Dīcō īram furōrem brevem esse.
"Rēs mala vir malus est."	Dīcō rem malam virum malum esse.

"Famēs est optimus coquus."   Dīcō famem esse optimum coquum.
"Dē minimīs nōn cūrat lēx."   Dīcō dē minimīs nōn cūrāre lēgem.
"Suum cuique placet."   Dīcō suum cuique placēre.
"Pauper egentī placet."   Dīcō pauperem egentī placēre.
"Deus superbīs resistit."   Dīcō Deum superbīs resistere.

"Deus humilibus dat grātiam."   Dīcō Deum humilibus dare grātiam.
"Immodicīs brevis est aetās."   Dīcō immodicīs brevem esse aetātem.
"Sōlitūdō placet Mūsīs."   Dīcō sōlitūdinem placēre Mūsīs.
"Urbs est inimīca poētīs."   Dīcō urbem esse inimīcam poētīs.
"Sōl omnibus lūcet."   Dīcō sōlem omnibus lūcēre.

"Mors omnibus īnstat."   Dīcō mortem omnibus īnstāre.
"Imāgō animī vultus est."   Dīcō imāginem animī vultum esse.
"Sēcūrus jūdicat orbis."   Dīcō sēcūrum jūdicāre orbem.
"Glōria virtūtem sequitur."   Dīcō glōriam virtūtem sequī.
"Gravis īra rēgum est semper."   Dīcō gravem īram rēgum esse semper.

"Brevis ipsa vīta est."   Dīcō brevem ipsam vītam esse.
"Poēta nāscitur."   Dīcō poētam nāscī.
"Ōrātor fit."   Dīcō ōrātōrem fīerī.
"Multī fāmam verentur."   Dīcō multōs fāmam verērī.
"Oculī persaepe mentiuntur."   Dīcō oculōs persaepe mentīrī.

SELF TEST

Change from direct statement to indirect.

"Hominēs amplius oculīs crēdunt."   "Numquam perīc'lum sine
                                       perīc'lō vincitur."
"Calamitās virtūtis occāsiō est."   "In vīlī veste nēmō tractātur
                                       honestē."
"Exemplō melius quidque docētur."   "Amīcus certus in rē incertā
                                       cernitur."
"Rem nōn spem quaerit amīcus."   "Juppiter in caelīs, Caesar regit
                                       omnia terrīs."
"Fēmina vult laudem."   "Crūdēlitātis māter est avāritia."

READINGS

Identify three utterances which contain no subjunctive forms.
Identify three result clauses.
Identify the indirect statements.

R481 Nihil tam absurdē dīcī potest quod nōn dīcātur ab aliquō
     philosophōrum. Cicero

Quālia verba dīcit interdum
    philosophus?   absurdus -a -um
Sapitne semper philosophus?

R482 Exiguum mūnus nēmō contemnat amīcī:
    dat pira, dat pōma, quī nōn habet altera dōna. Werner

Cujus dōna sunt pira vel pōma?   exiguus -a -um: parvus
Quantum capit quī pōma spernit?   pōmum -ī, n
Quāle dōnum placeat?   pirum -ī, n

R483 Numquam imperātor ita pācī crēdit ut nōn sē praeparet bellō.
                                                    Seneca

Quid facit omnis imperātor sapiēns?   imperātor -ōris, m:
Crēditne pācī imperātōr quī sē   *general*; later a title
    bellō praeparat?   of rulers, *emperor*

R484 Placeat hominī quidquid Deō placuit. Seneca

Placetne hominī quidquid Deus vult?
Placeatne hominī quidquid Deus vult?

R485 Sī Fortūna volet, fīēs dē rhētore cōnsul;
    sī volet haec eadem, fīet dē cōnsule rhētor. Juvenal

By transforming the *mood* of the verbs,   rhētor -oris, m: *pro-*
    make this change of status less   *fessor*
    probable.
By transforming the *tense* of the verbs,   cōnsul -is, m: chief
    make this change of status more   magistrate in Rome,
    probable.   *consul*

R486 Ait omnia pecūniā efficī posse. Cicero

Quid ait Cicerō ōrātiōne rēctā?

R487 Mortālis nēmō est quem nōn attingat dolor morbusve. Cicero

Quem attingit dolor vel morbus?   attingō -ere -tigī
Quid omnibus accidit?   -tāctus: tangō
Quid nēmō effugere potest?   -ve: vel

R488 In prōverbium cessit sapientiam vīnō obumbrārī. Pliny the Elder

Quem ajunt per vīnum dē sapientī   prōverbium -ī, n
    fīerī?
Quid dīxit Plīnius ōrātiōne rēctā?

R489 Nūllum est jam dictum quod nōn dictum sit prius. Terence

Quāle est omne verbum?
Inveniēsne umquam sententiam novam?

R490 Quae enim domus tam stabilis, quae tam firma cīvitās est quae
nōn discidiīs funditus possit ēvertī? Cicero

Quid omnem cīvitātem perdere
    potest?
Per quid domus firma saepe perditur?
Cui nocet discordia ōrdinum?

discidium -ī, n: *dissension*
funditus (adverbial): *from the bottom*
ēvertō -ere -tī -sus

**Indirect Statements —
Past, Present, and Future**

EXPLANATION OF STRUCTURE AND MORPHOLOGY

There is a perfective active infinitive in Latin. From the name, can you tell what stem it is built on? Can you tell anything about the passive? To produce this form you need only know the distinctive morpheme -*isse*. Give, then, the perfective infinitive of *facere*.

In contrast to the imperfective infinitive, the perfective infinitive indicates completed action. This occurs most frequently in indirect statement:

> Dīcō nēminem sine crīmine vīvere.
> I say no one lives without crime.

> Dīcō nēminem sine crīmine *vīxisse*.
> I say no one *has ever lived* without crime.

The verb *sum* has a future infinitive:

> Dīcō nēminem sine vitiō esse.
> I say no one is without fault.

> Dīcō nēminem sine vitiō fuisse.
> I say no one has ever been without fault.

> Dīcō nēminem sine vitiō *fore*.
> I say no one *will ever be* without fault.

All other verbs use a compound form for a future infinitive. There is a future participle formed by adding -*ūrus* -*a* -*um* to the stem of the fourth principal part: thus we get *amātūrus* (about to love). The future active infinitive is the compound *amātūrus esse*.

If you have understood the perfective system, you should be able to predict the passival form which is used for the nonexistent passive. It is *amātus esse*. And the passive equivalent of *amātūrus esse*? There is none.[1]

A few contrast readings at this point should help:

Dīxī vēritātem vincere.   Dīcitis multōs amīcōs numerārī.
Dīxī vēritātem victūram esse.   Dīcitis multōs amīcōs numerātōs.

[1]One does occur, but it is so rare we will not tell you about it.

Dīxī vēritātem vīcisse.   Dīxit longum esse iter.
Dīcis amīcum rem quaesīvisse.   Dīxit longum fore iter.
Dīcis amīcum rem quaesītūrum.   Dīxit longum fuisse iter.
Dīcis amīcum rem quaerere.   Dīcēbant exitum in dubiō fuisse.
Dīcimus occāsiōnem facile āmittī.   Dīcēbant exitum in dubiō futūrum.
Dīcimus occāsiōnem facile āmissam.   Dīcēbant exitum in dubiō esse.

There are several points to notice in these contrast readings. In compound forms the participle agrees with the accusative. Also, in the compounds the participles without the *esse* are common. And finally, *esse* has besides *fore* the compound *futūrus esse*.

BASIC SENTENCES

S331   Incipe: dīmidium factī est coepisse.
AUSONIUS

Begin; to have begun is half done.

Sī incēpistī, estne perfectum tōtum opus?
Quantum perficiās sī numquam incipiās?

S332   Quae fuit dūrum patī, meminisse dulce est.
SENECA

What was hard to endure is pleasant to remember.

Quālēs rēs cum gaudiō memineris?
Quārum rērum est memoria jūcunda?

S333   Forsan et haec ōlim meminisse juvābit.
VERGIL

Perhaps sometime it will be pleasant to recall even these misfortunes.

Quō tempore haec libenter memineritis?

S334   Perdidisse ad assem māllem quam accēpisse turpiter.
PUBLILIUS SYRUS

I would prefer to lose to the last penny than acquire anything dishonestly.

Quō modō Pūblilius agere māvult?
Quantum perdere mālit quam inhonestē agere?

S335   Nō'sse volunt omnēs, mercēdem solvere nēmō.
JUVENAL

All wish to have knowledge, but no one wants to pay the price.

Amantne omnēs scientiam?
Amantne īdem labōrem doctrīnae?

S336   Nūllī tacuisse nocet; nocet esse locūtum.
DIONYSIUS CATO

It hurts no one to have kept quiet, but it does hurt to have spoken.

Cui verba saepe nocent?
Cui silentium nocet?

S337   Omnem crēde diem tibi dīlūxisse suprēmum.
HORACE

Believe that every day has dawned your last.

Quandō mors veniet?
Monetne nōs Hōrātius ut omnī diē mortem expectēmus?

S338   Crēdula vītam spēs fovet et fore crās semper ait melius.
TIBULLUS

Credulous hope cherishes life and always says that tomorrow will
be better.

Cūr est spēs crēdula?
Crēditne spēs mala praeterita esse?

S339   Tempus erit, quō vōs speculum vīdisse pigēbit.
OVID

The time will come when you will be sorry to have looked into
your mirror.

Quō modō tē in speculō mox vīsūra es?
Dīcitne Ovidius faciem puellae per aetātem pulchriōrem fīerī?

S340   Disce quasī semper vīctūrus; vīve quasī crās moritūrus.
ANON.

Learn as if you were going to live forever; live as if you were
going to die tomorrow.

Cujus sub speciē vīvere dēbēmus?   aeternitās -tātis, f
Cujus sub speciē labōrāre dēbēmus?

NEW   as, assis, m: *smallest Roman coin*   mercēs, mercēdis, f
NOUNS

NEW   incipiō -ere, incēpī, inceptus
VERBS   meminī (transitival, perfective system only)

dīlūceō -ēre, dīlūxī
foveō -ēre, fōvī, fōtus
ajō (defective verb); the common forms are:

ajō	--	ajēbam
ais	--	etc.
ait	ajunt	

piget, pigēre, piguit (impersonal verb)

NEW ADJECTIVES	turpis -e (turpiter)

NEW INDECLINABLES	forsan (adverbial): *perhaps* (fortasse, forte)
	ōlim (adverbial): *at some remote time in the past, at some remote time in the future*

PATTERN PRACTICE, Part One

Purpose: to produce the perfective infinitive.
Directions: change from direct to indirect statement.

"In orbe deōs fēcit timor."	Dīcō in orbe deōs fēcisse timōrem.
"Lībertās cecidit."	Dīcō lībertātem cecidisse.
"Ēripuit doctus caelō fulmen."	Dīcō ēripuisse doctum caelō fulmen.
"Nīl vīta mortālibus dedit."	Dīcō nīl vītam mortālibus dedisse.
"Nātūra dedit agrōs."	Dīcō nātūram dedisse agrōs.
"Ars aedificāvit urbēs."	Dīcō artem aedificā'sse urbēs.
"Aut amat aut ōdit mulier."	Dīcō aut amāre aut ōdisse mulierem.
"Tū lūsistī satis."	Dīcō tē lūsisse satis.
"Tū ēdistī satis."	Dīcō tē ēdisse satis.
"Tū bibistī satis."	Dīcō tē bibisse satis.
"Bonum certāmen certāvī."	Dīcō mē bonum certāmen certā'sse.
"Cursum cōnsummāvī."	Dīcō mē cursum cōnsummā'sse.
"Fidem servāvī."	Dīcō mē fidem servā'sse.
"Rōma locūta est."	Dīcō Rōmam locūtam esse.
"Causa fīnīta est."	Dīcō causam fīnītam esse.
"Grātīs accēpistis."	Dīcō vōs grātīs accēpisse.
"Quiēscēbant vōcēs hominum."	Dīcō quiēvisse vōcēs hominum.
"Lūna regēbat equōs."	Dīcō lūnam rēxisse equōs.
"Caelō fulgēbat lūna."	Dīcō caelō fulsisse lūnam.
"Orbem victor habēbat."	Dīcō orbem victōrem habuisse.

PATTERN PRACTICE, Part Two

Purpose: to learn the future active participle.
Directions: transform the #3 forms (future imperfective) to the future active
participle with *est*.

Quis custōdiet ipsōs cūstōdes?	Quis custōdītūrus est ipsōs custōdēs?
In hōc sīgnō vincēs.	In hōc sīgnō victūrus es.
Inveniam viam.	Inventūrus sum viam.
Faciam viam.	Factūrus sum viam.
In lūmine tuō vidēbimus lūmen.	In lūmine tuō vīsūrī sumus lūmen.
Trīstis eris.	Trīstis futūrus es.
Ejus victōria erit.	Ejus victōria futūra est.
Āctiō rēcta nōn erit.	Āctiō rēcta nōn futūra est.
Citō rumpēs arcum.	Citō ruptūrus es arcum.
Īgnōscent amīcī.	Īgnōtūrī sunt amīcī.

PATTERN PRACTICE, Part Three

Purpose: to learn to express past, present, and future time in indirect statement.
Directions: change from direct statement to indirect statement. In each set,
one item shows present time, one shows past, and one shows future.

"Sub lapide dormit scorpiō."	Dīcō sub lapide dormīre scorpiōnem.
"Sub lapide dormiēbat scorpiō."	Dīcō sub lapide dormīvisse scorpiōnem.
"Sub lapide dormiet scorpiō."	Dīcō sub lapide dormītūrum scorpiōnem.
"Oculī sunt in amōre ducēs."	Dīcō oculōs esse in amōre ducēs.
"Oculī erunt in amōre ducēs."	Dīcō oculōs fore in amōre ducēs.
"Oculī erant in amōre ducēs."	Dico oculōs fuisse in amōre ducēs.
"Religiō deōs colit."	Dīcō religiōnem deōs colere.
"Religiō deōs colet."	Dīcō religiōnem deōs cultūram.
"Religiō deōs coluit."	Dīcō religiōnem deōs coluisse.
"Fortēs Fortūna adjuvābat."	Dīcō fortēs Fortūnam adjūvisse.
"Fortēs Fortūna adjuvat."	Dīcō fortēs Fortūnam adjuvāre.
"Fortēs Fortūna adjuvābit."	Dīcō fortēs Fortūnam adjūtūram.
"Rēs mala vir malus fuit."	Dīcō rem malam virum malum fuisse.
"Rēs mala vir malus erit."	Dīcō rem malam virum malum fore.
"Rēs mala vir malus est."	Dīcō rem malam virum malum esse.
"Nēmō sine crīmine vīvet."	Dīcō nēminem sine crīmine vīctūrum.
"Nēmō sine crīmine vīxit."	Dīcō nēminem sine crīmine vīxisse.
"Nēmō sine crīmine vīvit."	Dīcō nēminem sine crīmine vīvere.

"Sapientēs fortūnam ferent."   Dīcō sapientēs fortūnam lātūrōs.
"Sapientēs fortūnam tulēre."   Dīcō sapientēs fortūnam tulisse.
"Sapientēs fortūnam ferunt."   Dīcō sapientēs fortūnam ferre.

"Imāgō animī vultus erat."   Dīcō imāginem animī vultum fuisse.
"Imāgō animī vultus est."   Dīcō imāginem animī vultum esse.
"Imāgō animī vultus erit."   Dīcō imāginem animī vultum fore.

"Vincit omnia vēritās."   Dīcō vincere omnia vēritātem.
"Vīcit omnia vēritās."   Dīcō vīcisse omnia vēritātem.
"Vincet omnia vēritās."   Dīcō victūram omnia vēritātem.

"Crūdēlitātis māter est avāritia."   Dīcō crūdēlitātis mātrem esse avāritiam.
"Crūdēlitātis māter erit avāritia."   Dīcō crūdēlitātis mātrem fore avāritiam.
"Crūdēlitātis māter erat avāritia."   Dīcō crūdēlitātis mātrem fuisse
     avāritiam.

"Caesar in terrīs omnia regēbat."   Dīcō Caesarem in terrīs omnia rēxisse.
"Caesar in terrīs omnia reget."   Dīcō Caesarem in terrīs omnia
     rēctūrum.
"Caesar in terrīs omnia regit."   Dīcō Caesarem in terrīs omnia regere.

"Certā stant omnia lēge."   Dīcō certā stāre omnia lēge.
"Certā stābant omnia lēge."   Dīcō certā stetisse omnia lēge.
"Certā stābunt omnia lēge."   Dīcō certā stātūra omnia lēge.

"Calamitās virtūtis occāsiō erit."   Dīcō calamitātem virtūtis occāsiōnem.
     fore.
"Calamitās virtūtis occāsiō erat."   Dīcō calamitātem virtūtis occāsiōnem
     fuisse.
"Calamitās virtūtis occāsiō est."   Dīcō calamitātem virtūtis occāsiōnem
     esse.

"Virtūs nōbilitāvit hominēs."   Dīcō virtūtem nōbilitāvisse hominēs.
"Virtūs nōbilitābit hominēs."   Dīcō virtūtem nōbilitātūram hominēs.
"Virtūs nōbilitat hominēs."   Dīcō virtūtem nōbilitāre hominēs.

"Litterae nōn dant pānem."   Dīcō litterās nōn dare pānem.
"Litterae nōn dedēre pānem."   Dīcō litterās nōn dedisse pānem.
"Litterae nōn dabunt pānem."   Dīcō litterās nōn datūrās pānem.

SELF TEST

Change from direct statement to indirect.

"Superstitiō deōs violābit."   "Vōx audīta periit."
"Ā cane nōn magnō saepe tenētur aper."   "Dē minimīs nōn cūrābit lēx."

"Stultī timuēre fortūnam."   "Glōria virtūtem sequitur."
"Piscis captīvus vīnum voluit."   "Gravis īra rēgum erit semper."
"Coāctus est ad lacrimās oculus."   "In virtūte posita est vēra
                                              fēlīcitās."

READINGS

R491 Quī sapit, in tacitō gaudeat ille sinū. Tibullus

   Quem silentium decet?   sinus -ūs, m: *curve,*
   Quid sapiēns agere dēbet?   *fold, lap*; here, *heart*

R492 Conticuisse nocet numquam; nocet esse locūtum. Medieval

   Quis malum interdum patitur?   conticēscō -ere -ticuī:
   Quis numquam malum patitur?   *to become silent*

R493 Sī, quotiēns hominēs peccant, sua fulmina mittat
         Juppiter, exiguō tempore inermis erit. Ovid

   Dīcitne Ovidius Jovem inermem esse?   inermis -e: *unarmed*
   Essetne inermis sī contrā nocentēs
      semper suīs armīs ūterētur?

R494 Optimum est patī quod ēmendāre nōn possīs. Seneca

   Sī aliquid nōn ēmendēs, quid optimē agās?
   Monetne nōs Seneca ut omnia ferāmus?
   Quid ferre dēbēmus?

R495 Adhūc nēminem cognōvī poētam ... quī sibī nōn optimus
         vidērētur. Cicero

   Cui poēta quisque maximē placet?   adhūc (adverbial): *up*
   Quem poēta quisque maximē amat?   *till now*
   Cujus carmina poēta quisque dīligit?

R496 Sānctissimum est meminisse cui tē dēbeās. Publilius Syrus

   Quid agit quī ingrātus est?
   Quid agit quī grātus est?

R497 Septem hōrās dormī'sse sat est juvenīque senīque. Medieval

   Quot hōrās bene dormit juvenis?
   Estne piger quī decem hōrās dormit?
   Quālis est quī tantum sex hōrās dormit?

R498 Est quidem haec nātūra mortālium ut nihil magis placeat quam
quod āmissum est. Seneca

Quid nōbīs maximē placet?
Quis gaudia āmissa vult?

R499 Miserum est tacēre cōgī quod cupiās loquī. Publilius Syrus

Quid nōn numquam agere cōgimur?
Sī loquī volumus, tacēmusne laetī?

R500 Ut nōn multa loquī, plūra autem audīre monēret,
linguam ūnam nātūra, duās dedit omnibus aurēs. Muret[2]

Quid nātūra dōnat ut nōs pauca loquāmur?
Quid dōnat ut multa audiāmus?
Quō cōnsiliō tū duās aurēs habēs?
Quō cōnsiliō tū tantum ūnam linguam habēs?

[2]Muretus (Latinized form of *Muret*), 1526-1585.

LESSON THIRTY-FOUR: Gerund

EXPLANATION OF STRUCTURE

On page 251 you were told that the infinitive was the predictable noun of the verb, that it was used only in two cases, nominative and accusative, and that its only use as an accusative was as object of special transitive (or transitival) verbs like *vult*, *dīcit*, etc. This lesson presents a second predictable noun, the gerund, which is used in the missing slots, namely in the ablative, dative (very rare), genitive, and in the accusative as object of a few prepositions (most commonly the preposition *ad*).

The gerund is a second declension noun with no nominative case. (What is used in place of this nominative?) It is formed on the imperfective stem. There is no plural. Here are the forms.

ad[1] amandum	ad videndum	ad dīcendum	ad capiendum	ad audiendum
amandō	videndō	dīcendō	capiendō	audiendō
amandō	videndō	dīcendō	capiendō	audiendō
amandī	videndī	dīcendī	capiendī	audiendī

English has a gerund, the form in *-ing*. Note that the marked infinitive and the gerund are interchangeable as subject or object:

To shoot robins is illegal.   I like *swimming*.
Shooting robins is illegal.   I like *to swim*.

The unmarked infinitive, however, cannot be so used:

*Shoot robins is illegal.   **I like *swim*.

In general, however, the uses of the gerund are rather alike in the two languages. This means that if you observe the *-nd-* morpheme and the case endings, you should have no trouble.

BASIC SENTENCES

S341 Cēde repūgnantī: cēdendō victor abibis.
   OVID

   Yield to one who fights back: by yielding you will go away as victor.

---

[1]The *ad* is added to the accusative to remind you that the accusative is used only adverbially, never as direct object.

Quis saepe vincit?

Vincēsne repūgnandō an cēdendō?

Utrum repūgnāre an cēdere melius est?

S342   Vigilandō, agendō, bene cōnsulendō prospera omnia cēdunt.
SALLUST

All things turn out well by vigilance, action, and good planning.

Sī quis bonum cōnsilium capiat, quid patiātur?

Quid agāmus sī bonam fortūnam volumus?

S343   Gutta cavat lapidem nōn vī sed saepe cadendō.
BINDER

The drop carves the stone not by force but by repeated falling.

Quō auxiliō aqua mollis lapidem dūrum vincit?

Quantō tempore lapis per aquam cavātur?

S344   Dēlīberandō saepe perit occāsiō.
PUBLILIUS SYRUS

Opportunity often vanishes through excessive deliberation.

Estne sapientis longō tempore dēlīberāre?

Quō auxiliō occāsiō saepe āmittitur?

S345   Triste ... est nōmen ipsum carendī.
CICERO

The very word "want" is oppressive.

Estne egestās honesta an turpis?

Estne nōmen egestātis foedum?

S346   Ūnus homō nōbīs cūnctandō restituit rem.
ENNIUS

One man through delaying tactics restored the state.[2]

Quō auxiliō Q. Fabius Maximus rem pūblicam servāvit?

Quid fēcit is ut rem pūblicam servāret?

S347   Nūlla causa jūsta cuiquam esse potest contrā patriam arma capiendī.
CICERO (adapted)

There can be no just reason for anyone to take arms against his country.

---

[2]Said of Quintus Fabius Maximus, victor over Hannibal, and afterwards given the surname of *Cūnctātor*. Why?

Quis arma contrā patriam capiat?   oblīquus -a -um:
Quid dīxit Cicerō ōrātiōne oblīquā?   *indirect*

S348 Hominis...mēns discendō alitur et cōgitandō.
CICERO

The mind of man is nourished by learning and thinking.

Quālis vir fīet quī discit et cōgitat?
Crēscitne corpus cōgitandō?
Quid dīxit Cicerō ōrātiōne oblīquā?

S349 Audendō virtūs crēscit, tardandō timor.
PUBLILIUS SYRUS

Courage increases through daring, fear through delay.

Quō auxiliō virtūs dēcrēscit?
Quō auxiliō timor dēcrēscit?
Quid per audāciam crēscat?
Quid cūnctandō crēscat?

S350 Negandī causa avārō numquam dēficit.
PUBLILIUS SYRUS

The miser never lacks a reason to refuse.

Quid avārus semper habet?
Quō avārus numquam caret?
Quid semper agere potest avārus?
Dōnetne avārus sī pecūnia nōn dēficiat?

NEW   gutta -ae, f
NOUNS

NEW	vigilō (1)	restituō -ere, restituī, restitūtus
VERBS	cōnsulō -ere, cōnsuluī, cōnsultus	tardō (1)
		cūnctor (1)
	cavō (1)	negō (1)
	dēlīberō (1)	

NEW   prosperus -a -um (prosperē)
ADJECTIVES

PATTERN PRACTICE, Part One

Purpose: to learn the gerund.
Directions: A popular saying is *Dīcendō dīcere discunt* (They learn to speak by
speaking). On this model, answer the following.

Quō auxiliō loquī discimus?	Loquendō loquī discimus.
Quō auxiliō docēre discimus?	Docendō docēre discimus.
Quō auxiliō scrībere discimus?	Scrībendō scrībere discimus.
Quō auxiliō tacēre discimus?	Tacendō tacēre discimus.
Quō auxiliō crēdere discimus?	Crēdendō crēdere discimus.
Quō auxiliō currere discimus?	Currendō currere discimus.
Quō auxiliō mentīrī discimus?	Mentiendō mentīrī discimus.
Quō auxiliō certāre discimus?	Certandō certāre discimus.
Quō auxiliō rīdēre discimus?	Rīdendō rīdēre discimus.
Quō auxiliō cōgitāre discimus?	Cōgitandō cōgitāre discimus.
Quō auxiliō fallere discimus?	Fallendō fallere discimus.
Quō auxiliō agere discimus?	Agendō agere discimus.
Quō auxiliō patī discimus?	Patiendō patī discimus.
Quō auxiliō rēgnāre discimus?	Rēgnandō rēgnāre discimus.
Quō auxiliō legere discimus?	Legendō legere discimus.
Quō auxiliō cēdere discimus?	Cēdendō cēdere discimus.
Quō auxiliō dēlīberāre discimus?	Dēlīberandō dēlīberāre discimus.
Quō auxiliō discere discimus?	Discendō discere discimus.
Quō auxiliō audēre discimus?	Audendō audēre discimus.
Quō auxiliō dēcipere discimus?	Dēcipiendō dēcipere discimus.
Quō auxiliō custōdīre discimus?	Custōdiendō custōdīre discimus.
Quō auxiliō laudāre discimus?	Laudandō laudāre discimus.
Quō auxiliō pingere discimus?	Pingendō pingere discimus.
Quō auxiliō ōrāre discimus?	Ōrandō ōrāre discimus.
Quō auxiliō ambulāre discimus?	Ambulandō ambulāre discimus.

PATTERN PRACTICE, Part Two

Purpose: same as Part One.
Directions: What is life? It is the condition of living.

Quid est vīta?	Vīta est condiciō vīvendī.
Quid est spēs?	Spēs est status spērandī.
Quid est fuga?	Fuga est āctus fugiendī.
Quid est gaudium?	Gaudium est status gaudendī.
Quid est labor?	Labor est āctus labōrandī.

Quid est mors?	Mors est condiciō moriendī.
Quid est laus?	Laus est āctus laudandī.
Quid est timor?	Timor est sēnsus timendī.
Quid est lēctiō?	Lēctiō est āctus legendī.
Quid est doctrīna?	Doctrīna est effectus docendī.
Quid est custōdia?	Custōdia est āctus custōdiendī.
Quid est dolor?	Dolor est sēnsus dolendī.
Quid est dēceptiō?	Dēceptiō est āctus dēcipiendī.
Quid est expectātiō?	Expectātiō est status expectandī.
Quid est dēscēnsus?	Dēscensus est āctus dēscendendī.
Quid est furor?	Furor est sēnsus furendī.
Quid est imitātiō?	Imitātiō est āctus imitandī.
Quid est loquācitās?	Loquācitās est facultās loquendī.
Quid est līs?	Līs est āctus lītigandī.
Quid est perditiō?	Perditiō est condiciō perdendī.
Quid est ōrātiō?	Ōrātiō est āctus ōrandī.
Quid est quiēs?	Quiēs est status quiēscendī.
Quid est flētus?	Flētus est āctus flendī.
Quid est silentium?	Silentium est status silendī.
Quid est ascēnsus?	Ascēnsus est āctus ascendendī.

PATTERN PRACTICE, Part Three

Purpose: to learn the use of the gerund with *ad* to express purpose.
Directions: transform these subjunctive expressions of purpose to *ad* plus the
gerund. Notice that the verbs show past time.

Rēx pūgnāvit ut vinceret.	Rēx pūgnāvit ad vincendum.
Auctor scrīpsit ut vīveret.	Auctor scrīpsit ad vīvendum.
Dux tacuit ut audīret.	Dux tacuit ad audiendum.
Ōrātor labōrāvit ut disceret.	Ōrātor labōrāvit ad discendum.
Hospes mānsit ut ederet.	Hospes mānsit ad edendum.
Canis lātrāvit ut excitāret.	Canis lātrāvit ad excitandum.
Puer flēvit ut dēciperet.	Puer flēvit ad dēcipiendum.
Aper cucurrit ut effugeret.	Aper cucurrit ad effugiendum.
Lupus vēnit ut biberet.	Lupus vēnit ad bibendum.
Vir quiēvit ut dormīret.	Vir quiēvit ad dormiendum.

PATTERN PRACTICE, Part Four

Purpose: to learn the use of the gerund with *causā* to express purpose.
Directions: transform these accusatives with *ad* to the genitive with *causā*.
          Note that the *causā* regularly follows its gerund.

Puer flet ad dēcipiendum.   Puer flet dēcipiendī causā.
Rēx pūgnat ad vincendum.   Rēx pūgnat vincendī causā.
Vir quiēscit ad dormiendum.   Vir quiēscit dormiendī causā.
Aper currit ad effugiendum.   Aper currit effugiendī causā.
Ōrātor labōrat ad discendum.   Ōrātor labōrat discendī causā.

Lupus venit ad bibendum.   Lupus venit bibendī causā.
Hospes manet ad edendum.   Hospes manet edendī causā.
Dux tacet ad audiendum.   Dux tacet audiendī causā.
Auctor scrībit ad vīvendum.   Auctor scrībit vīvendī causā.
Canis lātrat ad excitandum.   Canis lātrat excitandī causā.

PATTERN PRACTICE, Part Five

Purpose: to review the present imperfective subjunctive (#8) through the new
          gerund constructions.
Directions: transform these expressions of purpose from the gerund plus *causā*
             to *ut* plus the subjunctive. Notice that the time is present, aspect
             incomplete.

Aper currit effugiendī causā.   Aper currit ut effugiat.
Canis lātrat excitandī causā.   Canis lātrat ut excitet.
Vir quiēscit dormiendī causā.   Vir quiēscit ut dormiat.
Rēx pūgnat vincendī causā.   Rēx pūgnat ut' vincat.
Hospes manet edendī causā.   Hospes manet ut edat.

Auctor scrībit vīvendī causā.   Auctor scrībit ut vīvat.
Ōrātor labōrat discendī causā.   Ōrātor labōrat ut discat.
Puer flet dēcipiendī causā.   Puer flet ut dēcipiat.
Dux tacet audiendī causā.   Dux tacet ut audiat.
Lupus venit bibendī causā.   Lupus venit ut bibat.

SELF TEST

Answer the following questions, using gerunds.

Quō auxiliō natāre discimus?   Quid est certāmen?
Quō auxiliō rādere discimus?   Quid est timor?

Transform to the gerund construction.

Agnus cucurrit ut lūderet.   Servus lacrimat ut fallat.
Puella manet ut scrībat.   Virī ad montem vēnērunt ut
                                      ascenderent.

Each of the first two questions contains an unknown verb. Did you realize that you could answer the questions without first looking up the word? This would have been the best procedure; you could then look up *natāre* and *rādere* to see what you had said.

READINGS

R501 Jūstitia est cōnstāns et perpetua voluntās jūs suum
cuique tribuendī. Justinian

Quō modō agitur sī suum quisque jūs   tribuō -ere, tribuī,
   capit?   tribūtus: *assign*
Agātur cum jūstitiā sī quis aliēna
   petat?
Quid dīxit Jūstiniānus ōrātiōne oblīquā?

R502 Breve...tempus aetātis; satis est longum ad bene honestēque
vīvendum. Cicero

Estne vīta tam brevis ut honestē vīvere nōn possīmus?
Quem ad fīnem nātī sumus?

R503 Ēripuit...Jovī fulmen vīrēsque tonandī.[3] Manilius

Unde ratiō ēripuit potestātem tonandī?   tonō -āre -uī: *thunder*
Quem crēdit superstitiō tonāre?

R504 Timendī causa est nescīre. Seneca (?)

Quid est īgnōrantia?   nesciō (4): negative of
Quid facit īgnōrantia?   *sciō*
Quālis homō timet?   īgnōrantia -ae, f
Quid ōrātiōne oblīquā dīxit Seneca?

R505 Hī nōn vīdērunt, ut ad cursum equum, ad arandum bovem, ad
indāgandum canem, sīc hominem ad duās res (ut ait Aristotelēs)
ad intellegendum et ad agendum esse nātum. Cicero

Quis bene arat?   arō (1): *plow*
Quis bene currit?   bōs, bovis, m & f: *ox,*
Quis bene cōgitat?   *bull, cow* (has irre-
Quis bene indāgat?   gular forms *bōbus*
Quem ad fīnem nātus est bōs?   and *boum*)
Quem ad fīnem nātus est equus?   indāgō (1): *track, chase*
Cujus mūnus est arāre?   Aristotelēs -is, m
Quod est mūnus canis?

[3]Describing the triumph of reason over superstition.

R506 Citō scrībendō nōn fit ut bene scrībātur; bene scrībendō fit ut
      citō. Quintilian

      Quō auxiliō discās citō scrībere?
      Quō modō scrībit quī bene scrībit?

R507 Dēlīberandō discitur sapientia. Publilius Syrus

      Quid est bona doctrīna?
      Quō auxiliō discās sapientiam?

R508 Male imperandō summum imperium āmittitur. Publilius Syrus

      Quis rēgnum āmittit?
      Quis imperium retinet?
      Quō auxiliō rēgnum retinērī potest?

R509 Nihil agendō hominēs male agere discunt. Marcus Cato

      Quō auxiliō hominēs male agere discunt?
      Quō auxiliō bene agere discant?
      Quō auxiliō fit vir strēnuus ac fortis?

R510 Legendī semper occāsiō est, audiendī nōn semper. Pliny the
                                                           Younger

      Quid Plīnius numquam nōn agere   Plīnius -ī, m
         poterat?
      Quid Plīnius nōn numquam agere poterat?

The Gerundive is an Adjective

MORPHOLOGY

There is a future passive participle whose morpheme is *-nd-* added to the imperfective stem and whose declension is first-and-second, like *bonus*:

> amandus-a-um   videndus-a-um   dīcendus-a-um
> capiendus-a-um   audiendus-a-um

The gerund of the last lesson is a noun and has four forms; the gerund*ive* is an adjec*tive* and has 30 forms (five cases x three genders x two numbers).

EXPLANATION OF STRUCTURE

Amandus means more than "about to be loved"; it carries the ancillary notion of obligation or necessity, "must be loved." Examination of the first few Basic Sentences in this lesson will illustrate the point: *Nihil faciendum est* (Nothing should be done); *Vitium tollendum aut ferendum* (A fault should be removed or endured). The dative of a personal noun with this construction shows the person by whom the action should be done; *Vitium virō tollendum est* means "The husband should remove the fault" or "The fault should be removed by the husband."

In the previous lesson you may have noticed that none of the gerunds took an object. The gerund seldom takes an object. Instead, Latin prefers the construction we see in two Basic Sentences of this lesson, S359 and S360. *In voluptāte* means "in pleasure"; *in voluptāte spernendā* means "in pleasure which must be refused," i.e., "in refusing pleasure." The Pattern Practice drill will make this clear.

BASIC SENTENCES

S351   Nihil ... sine ratiōne faciendum est.
    SENECA

Nothing should be done without intelligent thought.

> Quō modō agāmus?
> Quis agit sine ratiōne?
> Quibus nihil sine ratiōne faciendum est?

393

S352   Vitium uxōris aut tollendum aut ferendum est.
VARRO

The fault of a wife should either be removed or endured.

Quid faciat vir sī vitium uxōris suae tollere nōn potest?
Cui vitia uxōris ferenda sunt?

S353   Sapientia...ars vīvendī putanda est.
CICERO

Wisdom should be considered the art of living.

Quid est bene vīvere?
Quō modō vīvit quī bene vīvit?

S354   Diū apparandum est bellum, ut vincās celerius.
PUBLILIUS SYRUS

War should be prepared long in advance that you may win more quickly.

Quō consiliō rēx bellum diū praeparat?
Quid rēgī accidit quī in bellō parandō piger est?

S355   Heu! Quam est timendus quī morī tūtum putat!
PUBLILIUS SYRUS

Alas! How much to be feared is he who (is so desperate that he) thinks it safe to die!

Quandō est mors tūta?
Quem timēre dēbēmus?

S356   Sine dolōre est vulnus quod ferendum est cum victōriā.
PUBLILIUS SYRUS

The wound which one must suffer in victory is painless.

Quandō vulnus nōn dolet?
Quid saepe accipiendum est cum victōriā?
Cui vulnus cum gaudiō ferendum est?

S357   Quaerenda pecūnia prīmum est; virtūs post nummōs.
HORACE

Money should be your first consideration; then after money, virtue.

Quid nōs omnēs petimus?
Quandō virtūs quaeritur?

S358 **Mīranda canunt sed nōn crēdenda poētae.**
DIONYSIUS CATO

Poets sing of marvelous but incredible things.

Decet mīrārī quod poēta canit?
Decet crēdere?

S359 **In voluptāte spernendā et repudiandā virtūs vel[1] maximē cernitur.**
CICERO (adapted)

Virtue is certainly most clearly distinguished in casting aside
or denying pleasure.

Sī voluptātem spernāmus, quid crēscat?
Quā condiciōne tū melior fīās?

S360 **Virtūs ... cōnstat ex hominibus tuendīs.**
CICERO

Virtue consists in watching over mankind.

Quid est virtūs?
Quō modō agās sī hominibus serviās?

NEW   vulnus, vulneris, n
NOUNS

NEW	putō (1)	repudiō (1)
VERBS	apparō (1)	cōnstō -āre, cōnstitī, cōnstātus
	canō, canere, cecinī, cantus	tueor, tuērī, tuitus

NEW   diū (adverbial): *long time*   heu (interjection): *alas!*
INDECLINABLES

PATTERN PRACTICE, Part One

Purpose: to produce the gerundive.
Directions: transform *dēbet* plus the passive infinitive to the gerundive.

Aper saepe tenērī dēbet.	Aper saepe tenendus est.
Amphora sub veste portārī dēbet.	Amphora sub veste portanda est.
Pauper vestīrī dēbet.	Pauper vestiendus est.
Occāsiō aegrē offerrī dēbet.	Occāsiō aegrē offerenda est.
Occāsiō facile āmittī dēbet.	Occāsiō facile āmittenda est.

[1] When *vel* does not connect equal parts of speech it is an intensifying particle.

Semper bonum petī dēbet.
Semper malum fugī dēbet.
Perīculum sine perīculō vincī dēbet.
Sapientia vīnō obumbrārī nōn dēbet.
Nēmō inhonestē tractārī dēbet.

Crūdēlis lacrimīs frangī dēbet.
Tempore fēlīcī amīcī numerārī dēbent.
Amīcus in rē incertā cernī dēbet.
In marī piscēs capī dēbent.
Vulpēs mūneribus capī nōn dēbet.

Nihil rēctē sine exemplō docērī dēbet.
Nihil rēctē sine exemplō discī dēbet.
Nōs in illīs mūtārī dēbēmus.
Nōs studiō laudis trahī dēbēmus.
Numquam Fortūna vocārī dēbeō.

Semper bonum petendum est.
Semper malum fugiendum est.
Perīculum sine perīculō vincendum est.
Sapientia vīnō nōn obumbranda est.
Nēmō inhonestē tractandus est.

Crūdēlis lacrimīs frangendus est.
Tempore fēlīcī amīcī numerandī sunt.
Amīcus in rē incertā cernendus est.
In marī piscēs capiendī sunt.
Vulpēs mūneribus nōn capienda est.

Nihil rēctē sine exemplō docendum est.
Nihil rēctē sine exemplō discendum est.
Nōs in illīs mūtandī sumus.
Nōs studiō laudis trahendī sumus.
Numquam Fortūna vocanda sum.

PATTERN PRACTICE, Part Two

Purpose: to produce the gerundive.
Directions: transform *dēbet* with the active infinitive to the gerundive. Note the
other transformations which this involves.

Nōs nihil facere dēbēmus.
Vir vitium uxōris tollere dēbet.
Vir vitium uxōris ferre dēbet.
Rēx bellum praeparāre dēbet.
Vōs fortem timēre dēbētis.

Nōbīs nihil faciendum est.
Virō vitium uxōris tollendum est.
Virō vitium uxōris ferendum est.
Rēgī bellum praeparandum est.
Vōbīs fortis timendus est.

Ego vulnus ferre dēbeō.
Tū pecūniam quaerere dēbēs.
Tū animum mūtāre dēbes.
Nōs necessitātēs vincere dēbēmus.
Ego hōrās numerāre dēbeō.

Mihi vulnus ferendum est.
Tibi pecūnia quaerenda est.
Tibi animus mūtandus est.
Nōbīs necessitātēs vincendae sunt.
Mihi hōrae numerandae sunt.

Nōs occāsiōnem rapere dēbēmus.
Ego meliōra probāre dēbeō.
Vōs īnfirmōs cūrāre dēbētis.
Vōs mortuōs suscitāre dēbētis.
Vōs daemonēs ējicere dēbētis.

Nōbīs occāsiō rapienda est.
Mihi meliōra probanda sunt.
Vōbīs īnfirmī cūrandī sunt.
Vōbīs mortuī suscitandī sunt.
Vōbīs daemonēs ējiciendī sunt.

Gladiātor cōnsilium capere dēbet.
Sapientēs fortūnam ferre dēbent.
Caesar omnia regere dēbet.
Homō locum ōrnāre dēbet.
Amīcus spem quaerere nōn dēbet.

Gladiātōrī cōnsilium capiendum est.
Sapientibus fortūna ferenda est.
Caesarī omnia regenda sunt.
Hominī locus ōrnandus est.
Amīcō spēs nōn quaerenda est.

PATTERN PRACTICE, Part Three

Purpose: to learn the use of the gerundive to express purpose.
Directions: transform the *ut* clauses of purpose to gerundives with *ad*.

Rēx pūgnāvit ut hostēs vinceret.	Rēx pūgnāvit ad hostēs vincendōs.
Dux tacuit ut vōcēs audīret.	Dux tacuit ad vōcēs audiendās.
Ōrātor labōrāvit ut artēs disceret.	Ōrātor labōrāvit ad artēs discendās.
Hospes mānsit ut cibum ederet.	Hospes mānsit ad cibum edendum.
Canis lātrāvit ut dominum excitāret.	Canis lātrāvit ad dominum excitandum.

Puer flēvit ut mātrem dēciperet.	Puer flēvit ad mātrem dēcipiendam.
Aper cucurrit ut canēs effugeret.	Aper cucurrit ad canēs effugiendōs.
Lupus vēnit ut aquam biberet.	Lupus vēnit ad aquam bibendam.
Puella mānsit ut litterās scrīberet.	Puella mānsit ad litterās scrībendās.
Servus lacrimāvit ut dominam falleret.	Servus lacrimāvit ad dominam fallendam.

PATTERN PRACTICE, Part Four

Purpose: to learn the gerundive in contrast with the gerund.
Directions: transform the gerund plus objects to gerundive. Note that in the left-hand column *causā* patterns with the genitive of the gerund. In the right-hand column *causā* patterns with the noun, which in turn is modified by the gerundive.

Puer flet mātrem dēcipiendī causā.	Puer flet mātris dēcipiendae causā.
Dux tacet vōcēs audiendī causā.	Dux tacet vōcum audiendārum causā.
Rēx pūgnat hostēs vincendī causā.	Rēx pūgnat hostium vincendōrum causā.
Lupus venit aquam bibendī causā.	Lupus venit aquae bibendae causā.
Canis lātrat dominum excitandī causā.	Canis lātrat dominī excitandī causā.

Puella manet litterās scrībendī causā.	Puella manet litterārum scrībendārum causā.

Hospes manet cibum edendī causā.	Hospes manet cibī edendī causā.
Aper currit canēs effugiendī causā.	Aper currit canum effugiendōrum causā.

Ōrātōr labōrat artēs discendī causā.	Ōrātōr labōrat artium discendārum causā.

Servus lacrimat dominam fallendī causā.	Servus lacrimat dominae fallendae causā.

PATTERN PRACTICE, Part Five

Purpose: Same as Four.
Directions: reverse the procedure in Part Four, transforming from the gerundive to the gerund.

SELF TEST

Transform the following in the same way you did in the Pattern Practices.

Canis aprum tenēre dēbet.

Nōs fūrem cognōscere dēbēmus.

Amīcī spem quaerere nōn dēbent.

Ego occāsiōnem āmittere nōn dēbeō.

Canis lātrābat ad fūrēs terrendōs.

Cattus arborem ascendit ut canem effugeret.

READINGS

R511 Praetereā cēnseō Carthāginem esse dēlendam.[2] Marcus Cato

Quid Catō volēbat?
Ā quibus est Carthāgō dēlēta?
Cui urbī nocēre voluit Catō?
Quid dīxit Catō ōrātiōne rēctā?
Cujus hostis fuit Catō?

praetereā (adverbial): *in addition*
cēnseō -ēre -uī, cēnsus: *advise, suggest*
dēleō -ēre -uī, dēlētus: *destroy*
Carthāgō -inis, f

R512 Dēlīberandum est saepe, statuendum est semel. Publilius Syrus

Quotiēns cōgitēmus?
Quotiēns agāmus?

R513 Pānis fīliōrum nōn objiciendus canibus. Anon.

Cui parēns cibum dare dēbet?
Quibus nātī praeferendī sunt?

objicio -ere -jēcī -jectus (three-party verb): *throw something to somebody*

R514 Oculīs magis habenda fidēs quam auribus. Anon.

Quae membra fidēliōra sunt?
Quae membra nōs saepius fallunt?

R515 Inhonesta victōria est suōs vincere. Pseudo-Seneca

Quī nōn vincendī?
Quālis est quī frātrem vīcit?

R516 Nēminem citō laudāverīs, nēminem citō accūsāverīs:
semper putā tē cōram dīs testimōnium dīcere. Pseudo-Seneca

[2]The words with which Cato the Censor, the implacable enemy of Carthage, concluded every speech, no matter what the subject.

Transform to other forms of negative
commands. Suggestions: *nōlī*,
present imperfective subjunctive
(#8), future imperfective indicative
(#3), gerundive, *dēbēs*, etc.

cōram (prep with abl):
   in the presence of
testimōnium -ī, n

R517 Ūtendum est dīvitiīs, nōn abūtendum. Pseudo-Publilius Syrus

In quid datae sunt opēs?
In quid nōn datae sunt?
Quō modō agit potēns qui dīvitiīs suīs abūtitur?

abūtor -ī -ūsus: *misuse,*
   abuse

R518 Vitium uxōris aut tollendum aut ferendum est. Quī tollit vitium,
uxōrem commodiōrem praestat; quī fert, sēsē meliōrem facit.

                                                         Varro

Quō auxiliō vir conjugem
   meliōrem facit?
Quō auxiliō vir sē meliōrem fit?

commodus -a -um (commodē):
   obliging, agreeable
praestō -āre -stitī -stātus:
   make (faciō)

R519 Est tempus quandō nihil, est tempus quandō aliquid, nūllum
tamen est tempus in quō dīcenda sunt omnia. Anon.

Quotiēns nōs omnia dīcere
   dēbēmus?
Quotiēns aliquid dīcendum est?

tamen (conjunction showing
strong adverseness; never
comes first in clause): *but,*
however

R520 Ratiō docet et explānat quid faciendum fugiendumve sit.

                                     Cicero (adapted)

Cui nōs dūcendī sumus?
Quid ratiō nōbīs ostendit?

explānō (1)

Catulli Veronensis liber incipit ad Cornelium.

Cui dono lepidum nouum libellum,
Arido modo pumice expolitum,
Corneli tibi namq̃ tu solebas
Meas esse aliquid putare nugas.
Iam tum cum ausus es vnus italorum,
Omne euum tribus explicare cartis!

D octis Iupiter & laboriosis.
Q uare tibi habe quicquid hoc libelli
Q ualecumq̃ quod patrona uirgo
P lus uno maneat perenne seclo.

Fletus passeris lesbie

P asser delicie mee puelle
Q ui cum ludere quem in sinu tenet
Q ui primum digitum dare ad petenti
E t acris solet incitare morsus
C um desiderio meo nitenti.
C arum nescio quid libet iocari
E t solaciolum sui doloris
C redo ut cum grauis adquiescet ardor
T ecum ludere sicut ipsa possem
E t tristis animi leuare curas.
T am gratum est mihi quam ferunt puelle
P ernici aureolum fuisse malum
Q uod zonam soluit diu negatam. alligatam.
L ugete o ueneres cupidinesq̃
E t quantum est hominum uenustiorum.
P asser mortuus est mee puelle
P asser delicie mee puelle.
Q uem plus illa oculis suis amabat.
N am mellitus erat suamq̃ norat
I psam tam bene quam puella matrem.
N ec sese a gremio illius mouebat

Genus metri falentiu endeca-
bus, constans ex quinq̃ pedibus, primo dactilo & tribus trocheus; incipit a spodeus, maxie in-
nuitur et quiq̃ iambus in primo pede aliqui trocheus.

Genus metri falentiu endecas

NARRATIVE READINGS
For Lessons 22-35

We now meet our first long connected reading. It was written as a school exercise by Alcuin, tutor of Pippin, the son of Charlemagne. We have shortened the dialogue somewhat and have inserted one transitional question, clearly marked.

In this dialogue, curiously enough, the student asks the questions and the teacher gives the answers. This situation arose from a misunderstanding of similar Greek dialogues. The Greek word for teacher is *didáskalos* and for pupil, *mathētḗs*, abbreviated in the manuscripts to *D* and *M*. Now *D* suggested the Latin word *discipulus* and *M*, *magister*, thus reversing the roles.

Although there are many new words, you are expected to figure out the meaning of most of them without using a dictionary. Take for instance the word *historia*. Who needs to look this up? We have had the adjective *siccus* (R102) meaning *dry*; what part of speech is *siccitās -tātis*, f, and what does it mean? Finally, you must train yourself to know what to expect so that you can interpret the meaning of words that have no English or Latin relatives to help you. In a series like *right and wrong, black and white, hot and xyz*, what would the unknown item *xyz* probably be?

Through such practice you will learn to become more and more self-reliant in figuring out the meaning of the new words. To help you do this we will progressively withdraw our help on the meaning of new words until finally we give you the meaning of almost no words at all.

Disputātiō Rēgālis et Nōbilssimī Juvenis Pippinī cum Albīnō[1] Scholasticō

Pippinus: Quid est littera?
Albīnus: Custōs historiae.

P: Quid est verbum?
A: Prōditor animī.

prōditor -tōris, m

P: Quid generat verbum?
A: Lingua.

P: Quid est lingua?
A: Flagellum āeris.

āēr, āeris, m (Greek accusative, *āera*)

P: Quid est āēr?
A: Custōdia vītae.

[1]*Albīnus* is the Latin name for Alcuin.

401

P: Quid est vīta?
A: Beātōrum laetitia, miserōrum maestitia,   laetitia -ae, f: gaudium
    expectātiō mortis.   maestitia -ae, f: dolor
                                            expectātiō -ōnis, f

P: Quid est mors?   peregrīnātiō -ōnis, f
A: Inēvītābilis ēventus, incerta peregrīnā-   ēventus -ūs, m
    tiō, lacrimae vīventium, latrō   latrō -ōnis, m: fūr
    hominis.

P: Quid est homō?
A: Mancipium mortis, trānsiēns viātor, locī
    hospes.

P: Quō modō positus est homō?
A: Ut lucerna in ventō.

P: Ubi positus est?
A: Intrā sex parietēs.

P: Quōs?
A: Suprā, subtus; ante, retrō; dextrā laevāque.

P: Quot habet sociōs?
A: Quattuor.

P: Quōs?
A: Calōrem, frīgus, siccitātem, hūmōrem.   frīgus -oris, n

P: Quot modīs variābilis est?
A: Sex.

P: Quibus?
A: Ēsuriē et saturitāte; requiē et labōre;   ēsuriēs -ēī, f: famēs
    vigiliīs et somnō.   vigilia -ae, f
                                            somnus -ī, m

P: Quid est somnus?
A: Mortis imāgō.

P: Quid est lībertās hominis?
A: Innocentia.

P: Quid est caput?
A: Culmen corporis.

P: Quid est corpus?
A: Domicilium animae.

P: Quid sunt comae?
A: Vestis capitis.

P: Quid est barba?
A: Sexūs discrētiō, honor aetātis.   sexus -ūs, m

P: Quid est cerebrum?
A: Servātor memoriae.   servātor -tōris, m

P: Quid sunt oculī?
A: Ducēs corporis, vāsa lūminis, animī indicēs.

P: Quid sunt nārēs?
A: Adductiō odōrum.   adductiō -ōnis, f

P: Quid sunt aurēs?
A: Collātōrēs sonōrum.   collātor -tōris, m

P: Quid est frōns?
A: Imāgō animī.

P: Quid est ōs?
A: Nūtrītor corporis.   nūtrītor -tōris, m

P: Quid sunt dentēs?
A: Molae morsōrum.   morsus: perfective
                                                     participle of *mordeō*

P: Quid sunt labia?   labium -ī, n
A: Valvae ōris.

P: Quid est gula?
A: Dēvorātor cibī.   dēvorātor -tōris, m

P: Quid sunt manūs?
A: Operāriī corporis.   operārius -ī, m: *work-*
                man

P: Quid sunt digitī?
A: Chordārum plēctra.   chorda -ae, f

P: Quid est pulmō?
A: Servātor āeris.

P: Quid est cor?
A: Receptāculum vītae.

P: Quid est jecur?
A: Custōdia calōris.

P: Quid sunt ossa?
A: Fortitūdō corporis.

P: Quid sunt crūra?
A: Columnae corporis.

P: Quid sunt pedēs?
A: Mōbile fundāmentum.

P: Quid est sanguis?
A: Hūmor vēnārum, vītae alimentum. hūmor -ōris, m
             alimentum -ī, n

P: Quid sunt vēnae?
A: Fontēs carnis.   carō, carnis, f: *flesh*

P: Quid est caelum?
A: Sphaera volūbilis, culmen immēnsum.

P: Quid est lūx?
A: Faciēs omnium rērum.

P: Quid est diēs?
A: Incitāmentum labōris.   incitāmentum -ī, n

P: Quid est sōl?
A: Splendor orbis, caelī pulchritūdō, pulchritūdō -dinis, f
  nātūrae grātia, honor diēī, hōrārum splendor -ōris, m
  distribūtor.   distribūtor -tōris, m

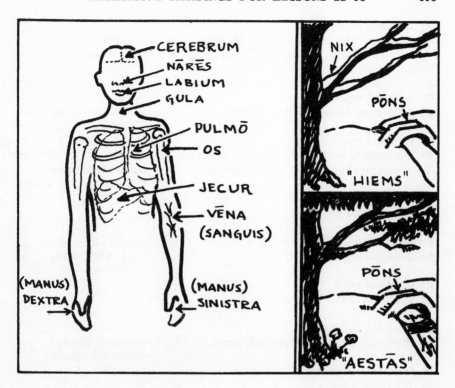

P: Quid est lūna?
A: Oculus noctis, praesāga tempestātum.   praesāga -ae, f: *fore-teller*

P: Quid sunt stēllae?
A: Pictūra culminis, nautārum gubernātōrēs,   nauta -ae, m: *sailor*
     noctis decor.   decor -ōris, m

P: Quid est pluvia?
A: Conceptiō terrae, frūgum generātrīx.

P: Quid est nebula?
A: Nox in diē, labor oculōrum.

P: Quid est ventus?
A: Āeris perturbātiō, mōbilitās aquārum,   perturbātiō -ōnis, f
     siccitās terrae.   mōbilitās -tātis, f

P: Quid est terra?
A: Māter crēscentium, nūtrīx vīventium,   nūtrīx -īcis, f
     cellārium vītae, dēvorātrīx omnium.   cellārium -ī, n: *store-room*
                                            dēvorātrīx -īcis, f

P: Quid est mare?
A: Audāciae via, līmes terrae, dīvīsor
    regiōnum, hospitium fluviōrum, fōns
    imbrium.

audācia -ae, f
dīvīsor -ōris, m

P: Quid est aqua?
A: Subsidium vītae, ablūtiō sordium.

subsidium -ī, n: auxi-
    lium
ablūtiō -ōnis, f

P: Quid est gelus?
A: Persecūtiō herbārum, perditor foliōrum,
    vinculum terrae, pōns aquārum.

sordēs -is, f: *dirt, sin*
persecūtiō -ōnis, f
vinculum -ī, n: *chain*

P: Quid est nix?
A: Aqua sicca.

P: Quid est hiems?
A: Aestātis exul.

aestās -tātis, f
exul -ulis, m&f:
    exile

P: Quid est vēr?
A: Pictor terrae.

P: Quid est aestās?
A: Revestiō terrae, mātūritiō frūgum.

revestiō -ōnis, f
mātūritiō -ōnis, f
autumnus -ī, m

P: Quid est autumnus?
A: Horreum annī.

P: Quid est annus?
A: Quadrīga mundī.

P: Quis dūcit eam?
A: Nox et diēs, frīgus et calor.

P: Quis est aurīga ejus?
A: Sōl et lūna.

aurīga -ae, m: *driver*

P: Quot habent palātia?
A: Duodecim.

palātium -i, n

P: Quī sunt praetōrēs palātiōrum?
A: Ariēs, Taurus, Geminī, Cancer, Leō,
    Virgō, Lībra, Scorpiō, Sagittārius,
    Capricornus, Aquārius, Piscēs.

praetor -tōris, m:
    Roman official

P: [Quid est nāvis?[2]]
A: Nāvis est domus errātica, viātor sine
    vestīgiīs, vīcīna harēnae.

vīcīnus -a -um:
    neighboring

[2]This question was added to furnish continuity.

P: Quid est harēna?
A: Mūrus terrae.

P: Quid est herba?
A: Vestis terrae.

P: Quid sunt holera?
A: Amīcī medicōrum, laus coquōrum.

P: Quis est quī amāra dulcia facit?
A: Famēs.

P: Quid est vigilantī somnus?   vigilat/----: *be awake*
A: Spēs.

P: Quid est spēs?
A: Refrīgerium labōris, dubius ēventus.   refrīgerium -ī, n:
                                            cooling off, con-
                                            solation
P: Quid est amīcitia?
A: Aequālitās animōrum.   aequālitās -tātis, f

P: Quid est fidēs?
A: Īgnōtae reī et mīrandae certitūdō.   īgnōtus -a -um: *un-*
                                            known
                                         mīrandus -a -um:
                                            wonderful

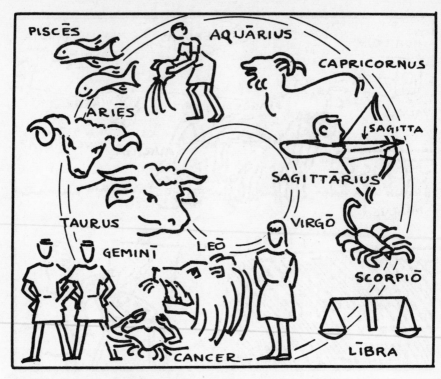

P: Vīdī (*I saw*) fēminam volantem, rōstrum
habentem ferreum et corpus
ligneum et caudam pennātam,
mortem portantem.
A: Socia est mīlitum.[3]

P: Quid est mīles?
A: Mūrus imperiī, timor hostium,
glōriōsum servitium.

P: Quid est quod est et nōn est?
A: Nihil.

P: Quō modō potest esse et nōn esse?
A: Nōmine est et rē nōn est.

ferreus -a -um: *made
of iron*
ligneus -a -um
pennātus -a -um:
feathered
imperium -ī, n
servitium -ī, n:
slavery

When you are thoroughly familiar with the Alcuin passage, answer
the following questions which are based upon it.

Quid litterae custōdiunt?   Cui lingua nocet?
Quō auxiliō historia custōdītur?   Unde generātur verbum?
Quid lingua prōdit?   Quid lingua agitat?

[3]The answer is an arrow (*sagitta -ae*, f).

Quid āēr custōdit?

Quō modō vīvunt beātī?

Quō modō maestī?

Quem ēventum omnēs expectant?

Cui mors īnstat?

Estne mors certa?

Estne vīta certa?

Quō modō homō iter ad mortem
    facit?

Cui homō servit?

Quantō tempore in hōc mundō
    manet?

Quō modō lucerna in ventō
    extinguitur?

Quae rēs hominem continent?

Cum quot sociīs vīvit homō?

Cum quibus sociīs vīvit?

Per quās rēs vīta mūtātur?

Cui similis est somnus?

Per quid hominēs līberī fīunt?

Ubi habitat anima?

Quō auxiliō caput vestītur?

Quō auxiliō senex nōbilitātur?

Utrum mulier an vir barbam gerit?

Quid sexum indicat?

Quid cerebrum servat?

Cujus membrī est cerebrum pars?

Quid oculī dūcunt?

Quid oculī indicant?

Quid in oculīs latitat?

Quid nārēs addūcunt?

Quibus auxiliīs homō odōrēs sentit?

Quid aurēs cōnferunt?

Quibus auxiliīs sonī accipiuntur?

Quō auxiliō animus indicātur?

Cujus membrī est frōns pars?

Quid ōs pāscit?

Quō auxiliō corpus alitur?

Quibus membrīs cibus frangitur?

Ubi sunt dentēs?

Cujus membrī sunt labia partēs?

Quibus membrīs proxima sunt
    labia?

Quid gula dēvorat?

Cui manūs subsidium dant?

Quae membra labōrēs perficiunt?

Quod membrum āera custōdit?

Quō in membrō latitat vīta?

Quid cor recipit?

Quam rem jecur servat?

Quō in membrō est calor?

Cui ossa dant fortitūdinem?

Quibus membrīs homō stat?

Quae membra corpus movent?

Quid sanguis nūtrit?

Ubi fluit sanguis?

Unde fluit sanguis?

Quid volvitur?

Quantum est caelum?

Quibus rēbus simile est caelum?

Per quid homō mundum vidēre
        potest?

Quid hominem ad labōrem incitat?

Quid sōl regit?

Quem locum sōl ōrnat?

Cui locō sōl lūcet?

Ubi lūcet sōl?

Cujus oculus est lūna?

Quid lūna indicat?

Per quid tempestātēs indicantur?

Cui membrō corporis est lūna
    similis?

Quōs stēllae dūcunt?

Quid stēllae ōrnant?

Unde frūgēs crēscunt?

Quibus membrīs nebula nocet?

Quid ventus cōnfundit?

Quid ventus movet?

Quid ventus siccat?

Quōs terra generat?

Quōs terra alit?

Quid omnēs dēvorat?

Quālēs virī trāns mare currunt?

Unde gignuntur imbrēs?

Quid regiōnēs terrārum dīvidit?

Quō auxiliō vīta crēscit?

Quī aquā mundantur?

Quī aquā baptizantur?

Quibus rēbus frīgus nocet?

Quās rēs gelus perdit?

Quō auxiliō terra tenētur?

Unde nix cadit?

Quid manūs adjuvant?
Quibus membrīs poēta chordās
    tangit?
Cui similis est hiems?
Quid est quod orbem terrārum
    pingit?
Quid vēr pingit?
Cui similis est vēr?
Quid aestās vestit?
Quō tempore frūgēs mātūrantur?
Quandō frūgēs in horreō
    dēpōnuntur?

Cui similis est autumnus?
Cui similis est annus?
Ā quibus annus dūcitur?
Quī annum regunt?
Cujus socius est sōl?
Cujus socia est lūna?
Ubi habitant sōl et lūna?
Quot vestīgia nāvis relinquit?
Cui proxima est nāvis?
Manetne nāvis semper in eōdem
    locō?

Utrum aestāte an hieme cadit nix?
Quid hiems fugit?

Quid harēna dēfendit?
Quid herbae vestiunt?
Quibus auxiliīs orbis vestītur?
Quī holera amant?
Quī ea laudant?
Quibus ea grāta sunt?
Quis est optimus coquus?
Per quid ex amārīs dulcia fīunt?
Quid facit is quī spērat?

Quālis rēs est spēs?
Suntne amīcī parēs aut imparēs?
Quō modō crēdit homō fidēlis?
Quod īnstrūmentum est fēmina volāns,
    socia mīlitum?
Quō īnstrūmentō pūgnant mīlitēs?
Quō modō mīlitēs serviunt?
Quem hostēs semper timent?
Quid mīlitēs custōdiunt?
Cui similis est mīles?

NARRATIVE READINGS
For Lessons 23-35

The next few readings will be epigrams. The word *epigram* comes
from the Greek and originally meant inscription. *Webster's Collegiate
Dictionary* defines it as "a short poem treating concisely, pointedly,
often satirically, a single thought or event, and now usually ending with
a witticism."

The brevity of the epigram makes it useful for our purposes, since
a beginning student often bogs down on longer works. While many of
these epigrams are amusing to those who know Latin well, it will be hard
at first for you to see their humor. Since it is essential with any joke to
be able to see the point at once, a language barrier means you are not
always sure when a foreigner is being funny.

One of the greatest epigrammatists was the Roman poet Martial.
With unerring hand he sketched for us the glittering frivolity of the Roman
Empire. However much we may admire the poet, it is difficult to feel
much respect for a man who did not hesitate to shower servile flattery
on the infamous emperor Domitian. We might be tempted to believe that
Martial's admiration was sincere and that he was guilty only of bad
judgment, were it not for the fact that after Domitian's death he alluded
to the old emperor in sarcastic tones in order to praise the new emperors Nerva and Trajan.

Although a Roman citizen, Martial was a native of Spain. The dates
of his life are conjectural, perhaps 38 AD to 104 AD.

Do you want whiter teeth? Then do what Laecania did.
N2   Thāis habet nigrōs, niveōs Laecānia dentēs.
          Quae ratiō est? Ēmptōs haec habet, illa suōs. Martial 5.43

Paraphrasis: Thāidī sunt dentēs sordidī; Laecāniae autem candidī.
Quā dē causā? Laecānia dentēs falsōs habet, Thāis vērō habet suōs.

Utra habet dentēs sordidōs?	niger -gra -grum: *black*
Utra habet dentēs candidōs?	niveus -a -um: *snowy*
Utra habet dentēs suōs?	emō -ere, ēmī, ēmptus:
Utra habet dentēs ēmptōs?	*buy*
Utrī sunt dentēs niveī?	Thāis: Greek name (acc
Utrī sunt dentēs nigrī?	Thāida; dat Thāidī; gen
Utrīus dentēs falsī sunt?	Thāidos)
	candidus -a -um: niveus

411

Love is blind.

N3   Thāida[1] Quīntus amat. Quam Thāida? Thāida luscam.
       Ūnum oculum Thāis nōn habet; ille duōs. Martial 3.8

Paraphrasis: Quīntus Thāida amat. "Quam Thāida?" quaeris? Illam
quae lusca est. Thāis lusca caret oculō ūnō; Quīntus, quod puellam tam
foedam amāvit, caret duōbus.

Quem amat Quīntus?
Quot oculōs habet Thāis?
Cūr Quīntus caecus vidētur?
Estne Thāis pulchra?
Quālis est Quīntus quī puellam tam foedam amat?

Fortune hunters were common in Rome.

N4   Petit Gemellus nūptiās Marōnillae
       et cupit et īnstat et precātur et dōnat.
       Adeōne pulchra est? Immō foedius nīl est.
       Quid ergō in illā petitur et placet? Tussit. Martial 1.10

Paraphrasis: Gemellus Marōnillam in mātrimōnium dūcere vult, et
urget et rogat et eī mūnera dat. Estne Marōnilla tam pulchra? Ex
contrāriō nēmō turpior est. Quid igitur in eā Gemellus amat? Quod
tussī labōrat et tantum brevī vīvere potest. Gemellus avārus pecūniam
ejus cupit.

Quis quem in mātrimōnium dūcere vult?	nūptiae -ārum, f: *marriage*
Quō morbō Marōnilla labōrat?	dōnō -āre
Estne Marōnilla pulchra?	precor -ārī
Cūr Gemellus uxōrem aegram	mātrimōnium -ī, n
dūcere vult?	adeō (adverbial): *so* (tam)
Estne Marōnilla dīves?	immō (particle contra-
Quid ex uxōre dīvite et aegrā	dicting or qualifying what
is capere vult?	precedes)
Cui mūnera dat?	tussiō -īre
Quem urget?	igitur[2]: ergō
Quō est nēmō foedior?	

Labienus has no rival.

N5   Sē sōlum Labiēnus amat, mīrātur, adōrat:
       nōn modo sē sōlum, sē quoque sōlus amat. Joannes
       Audoenus[3]

---

[1]This is (we hope) not the same Thais of the last poem.
[2]*Igitur* usually comes second in the sentence.
[3]A Renaissance writer.

Quem Labiēnus amat?   modo (intensifier): *only*
Quis alius eum amat?
Quis est sōlus quī Labiēnum amat?
Quis est sōlus quem Labiēnus amat?

"Yes, I like him, but . . . . . "
N6   Difficilis, facilis, jūcundus, acerbus es īdem.
                Nec tēcum possum vīvere nec sine tē. Martial 12.46

Pótestne Mārtiālis cum hōc amīcō vīvere?
Potestne sine amīcō?
Sī hic amīcus malum est, quāle malum est? (Cōnfer Lēctiōnem
      ūndētrīcēsimam)
Utrum hic amīcus semper īdem manet an semper mūtātur?

Here is an ancient inscription found scratched on a wall in Rome by
someone who disliked the big city.
N7   Omnia formōsīs cupiō dōnāre puellīs
                sed mihi dē populō nūlla puella placet.

Quid scrīptor dōnāre vult?   formōsus -a -um: pulcher
Quibus vult?
Cūr nōn dōnat?
Quem amat scrīptor?

NARRATIVE READINGS
For Lessons 24-35

Since Latin is a dead language, it seems appropriate to read grave inscriptions. In many cases the poetry of these inscriptions is on an artistic level with our Christmas cards, but they furnish interesting sidelights on Roman life. Since the subjects are limited, you will find that you can soon read them with ease and rapidity. When you learn about Latin meter, you will realize that the meter of many of these epigrams is faulty.

A few words about some of the common expressions. *Dīs Mānibus* (dative) means "This tomb is sacred to the deified spirit of the dead." The dative of a person's name means "Sacred to So-and-so." Be careful of the person endings of the verb: sometimes the person in the tomb is supposed to be talking (first person); sometimes he is talked about (third person); sometimes he is talked to (second person). The second person (person addressed) may sometimes be the parents or children left behind; at other times it is the passer-by.

A common beginning is "Here lies So-and-so." Three common expressions for this are: *hīc jacet*; *hīc situs est*; and *hīc conditus est*.

Since these inscriptions are both pagan and Christian, with the pagan ones in their turn representing several philosophies, you will find many different views on life after death.

Your knowledge of numerals will come in handy here; refer to page 164 if you need to brush up. You will notice that sometimes instead of using *vīgintī* for "twenty" the writer will say *bis dēnōs vīxit*, "He lived twice ten sets of years," avoiding the common numeral, as in our "Four score and seven years ago . . . "

N8   Virgō hīc sepulta fīda puella jacet.
        Ante quidem tempus fāta rapuērunt mala.
        Scrīpsī ego per lacrimās miserābilis morte puellae.
        Pater posuit.

Quandō haec virgō puella periit?	sepeliō -īre -īvī, sepultus: *bury*
Per quās rēs periit?	
Cui pater tumulum fēcit?	jaceō -ēre, jacuī, -----: *lie*
Quis lacrīmātur?	tumulus -i, m: sepulchrum
	quidem (intensifier)

N9   Vīva virō placuī prīma et cārissima conjūnx.
        cujus in ōre animam frīgida dēposuī.[1]
        Ille mihī lacrimāns morientia lūmina pressit.
        Post obitum satis hāc fēmina laude nitet.

[1]The nearest member of the family was supposed to catch the dying breath in his mouth and close the eyelids of the deceased.

Cui haec fēmina vīva placuit?   niteō -ēre; *shine*
Quis animam morientis accēpit?   lūmen -inis, n: oculus
Quis mortuus est, vir an fēmina?   conjūnx, conjugis, m&f:
Quis lacrimāvit?   vir vel uxor
Quandō tālis fēmina laudābitur?   frīgidus -a -um
Cujus oculōs vir pressit?   obitus -ūs, m: mors

N10   Dīs Mānibus. T. Coccejō Euhemerō.
             Bis ternōs annōs vīxit et mēnsibus quīnque:
             incrēmenta negant ejus currentia fāta.

Quis hīc jacet?   T: abbreviation for *Titus*
Quam diū vīxit?   -*ī*, m
Per quid periit?   mēnsis -is, m: pars annī
Cui hic tumulus sacer est?   sacer, sacra, sacrum

This is a common sentiment: the parents buried the child, although in
the normal course of events the child should have buried his parents.
N11   Dēbuit hīc ante miserōs sepelīre parentēs.

Quid volunt parentēs?   ante (adverbial)
Quis in tumulō jacet?
Quis quem sepelīre dēbet?
Quis quem in hōc tumulō sepelīvit?

N12   Raedārum custōs, numquam lātrāvit ineptē.
             Nunc silet, et cinerēs vindicat umbra suōs.

Quod animal hōc in tumulō jacet?   raeda -ae, f: *carriage*
Quid ante custōdīvit?   ineptus -a -um: *unskillful,*
Quō modō lātrāvit?   *foolish*
Cūr nunc nōn lātrat?   vindicō (1): *protect*
Cujus umbra cinerēs nunc custōdit?
Cui tumulus sacer est?

N13   Hīc miser Anthēros posuit duo corpora frātrum.

Quī in tumulō jacent?   ob (prep with acc): *because*
Quid in tumulō jacet?   *of*
Quōrum corpora in tumulō sunt?   Anthēros -ī, m (Greek
Ubi jacent haec duo corpora?   nominative)
Quis miserābilis est?
Quam ob rem Anthēros nunc dolet?

In literature we read a lot about unhappy marriages. It is reassuring to read the grave inscriptions.

N14   Jūlius cum Trebiā bene vīxit multōsque per annōs;
            conjugiō aeternō hīc quoque nunc remanet.

Quis cum Jūliō fēlīciter vīxit?   conjugium -ī, n
Quis cum Trebiā?
Quōcum Jūlius bene vīxit?
Quōcum Trebia?
Quis fīdus Trebiae est?
Cui Jūlius aeternō fīdus manet?
Cujus vir erat Jūlius?
Cujus uxor Trebia?
Quī in eōdem tumulō jacent?

You may have heard of the tremendous public baths in the Roman world. The following inscription (on a gravestone!) will give you some idea of the importance which the institution of bathing had for the Romans.

N15   Balnea, vīna, Venus corrumpunt corpora nostra.
          Sed vītam faciunt balnea, vīna, Venus.
       D. M. Tiberiī Claudī Secundī: hīc sēcum habet omnia.

Quō auxiliō corrumpuntur   balnea -ōrum, n
    corpora nostra?
Quid facit vītam?
Quid facit Venus?
Cui sacrum est hoc sepulchrum?
Quis in tumulō jacet?
Quid Tiberius habet in tumulō?

NARRATIVE READINGS
For Lessons 25-35

Grave Inscriptions, N16 through N20.

N16   Hodiē mihi, crās tibi.

Quis loquitur?   hodiē (adverbial): *today*
Quid accidit eī quī loquitur?   crās (adverbial): *tomorrow*
Quid accidet eī quī legit?
Quis crās perībit?

N17   Fīlius hunc titulum dēbēbat pōnere mātrī.

Per quid hic fīlius mātrem fefellit?   titulus -ī, m
Quis hīc jacet?
Quis tumulum posuit?
Quis tumulum pōnere dēbēbat?

N18   Lūcius haec conjūnx posuī tibi dōna merentī.
             Hīc erit et nōbīs ūna aliquando domus.

Quis dōna bene meruit?   Lūcius -ī, m
Quid erat dōnum quod Lūcius dedit?   mereō -ēre, meruī, meritus:
Cujus uxor in tumulō jacet?   *deserve* (A common ex-
Cui Lūcius tumulum posuit?   pression on inscriptions
Quis erat Lūcius?   is *Bene Merentī*, often
Ubi Lūcius post jacēbit?   abbreviated to B.M.)

N19   Sum quod eris.

Quis loquitur?
Quis perībit?

N20   Sī quid praeteriēns titulō vīs dīcere nostrō,
             sī bene sīve male dīcis, habēbis idem.

Sī viātor cinerī bene dīcit,   -ve (conjunction): vel
     quālem fortūnam patiētur?
Sī male, quālem fortūnam?

417

You're not a real success, says Martial, until you have made some
enemies.

N21   Laudat, amat, cantat nostrōs mea Rōma libellōs,
       mēque sinūs omnēs, mē manus omnis habet.
       Ecce rubet quīdam, pallet, stupet, ōscitat, ōdit.
       Hoc volo. Nunc nōbīs carmina nostra placent. Martial 6.60

Paraphrasis: Tōta Rōma carmina Mārtiālis celebrat, dīligit, recitat;
libellī ejus in omnī gremiō et omnī manū sunt. Nōndum Mārtiālis
contentus est. Subitō autem aspicit quendam invidum ejus carmina
legentem. Fit faciēs rubida, deinde pallida; stat sine mōtū; ōs aperītur;
Mārtiālem perōdit. Hoc est quod Mārtiālis vult: nunc versūs eī jūcundī
sunt, quod ille invidiā cruciātur.

Cujus carmina omnī locō laudantur?   cantō (1): *sing, recite*
Quis invidiā cōnsūmitur?   libellus -ī, m: liber parvus
Ubi sunt Mārtiālis carmina?   sinus -ūs, m: *curve, pocket*
Cui invidet is quī rubet et pallet?   ecce (interjection): *behold*
Quā rē quīdam Mārtiālem ōdit?   ōscitō (1): *open the mouth*
Cūr Mārtiālis jam carmina sua amat?   invidia -ae, f: *envy*
Quis dīligit Mārtiālis versiculōs?   invideō -ēre -vīdī -vīsus
Quid facit quīdam carmina Mārtiālis   invidus -a -um
    legēns?   gremium -i, n: *lap, pocket*
Quis omnī locō nitet?   deinde (adverbial): *next,*
Quod membrum invidus aperuit?   *then*
Quid patitur quīdam per invidiam   aperiō -īre, aperuī, apertus:
    suam?   *open*
    cruciō (1)

A pilgrim proverb of the early Middle Ages; used by Byron in *Childe
Harold's Pilgrimage* 4.145.

N22   Quam diū stābit Colysēus, stābit et Rōma;
       quandō cadet Colysēus, cadet et Rōma;
       quandō cadet Rōma, cadet et mundus.

Sī Colysēus manet, quid quoque manēbit?   quam diū: *as long as*
Sī Colysēus perībit, quid idem fātum patiētur?
Quōcum perībit Rōma?

The next two selections will be fables. Stories in which animals act
and talk like human beings are common in many cultures. Most of the
fables with which you are familiar have been attributed to Aesop, supposed to have been a Greek slave of the sixth century BC. The Latin
versions which you will read were written by Phaedrus, a freedman of
the emperor Augustus. These poems are not great literature but they
have exercised an enormous effect, both direct and indirect, upon the
literature of the Western world.

You will notice that fewer and fewer words are being explained.
Eventually *no* words will be given you. It is expected that you can figure
them out without turning to the dictionary. If you constantly look up new
words you will never gain power in reading.

N23   Lupus et Agnus
Ad rīvum eundem lupus et agnus vēnerant
sitī compulsī. Superior stābat lupus,
longēque īnferior agnus. Tunc fauce improbā
latrō incitātus jūrgiī causam intulit.
"Cūr" inquit "turbulentam fēcistī mihi
aquam bibentī?" Lāniger contrā timēns:
"Quī possum, quaesō, facere quod quereris, lupe?
Ā tē dēcurrit ad meōs haustūs liquor."
Repulsus ille vēritātis vīribus:
"Ante hōs sex mēnsēs male," ait, "dīxistī mihi."
Respondit agnus: "Equidem nātus nōn eram."
"Pater herclē tuus" ille inquit "maledīxit mihi."
Atque ita correptum[1] lacerat injūstā nece.
Haec propter illōs scrīpta est hominēs fābula
quī fictīs causīs innocentēs opprimunt. Phaedrus 1.1

Paraphrasis: Ad idem flūmen vēnerant et lupus et agnus quod aquam
bibere cupīvērunt. Suprā stābat lupus, agnus īnfrā. Tum lupus, quod
agnum edere volēbat, lītem cum īnfēlīcī generābat et ait, "Quā rē tū
aquam meam cōnfūdistī?" Agnus timōre commōtus respondit: "Quō
modō facere possum id quod tū expostulās? Flūmen ā tē ad mē dēfluit;
ergō ego aquam tibi turbulentam facere nōn possum." Vēritāte ipsā
lupus quidem victus aliam causam lītis invēnit: "Ante sex mēnsēs tū
mihi maledīxistī." Timidus agnus: "Ego quidem" inquit "ante sex

[1]A typical Latin use of subordination. Where English would use two parallel
verbs, "He seized the lamb and tore him to pieces," Latin says *Correptum lacerat.*

mēnsēs nōn nātus eram." Nōn dēstitit lupus: "Erat certē pater tuus
quī mihi maledīxit." Hōc dictō, agnum īnfēlīcem injūstē necāvit. Haec
fābula est scrīpta propter illōs quī falsīs causīs innocentēs laedunt.

Quō vēnērunt agnus et lupus?	faux, faucis, f: *jaws*;
Quid eōs compulerat?	*hunger*
Quis cum lupō ad flūmen vēnit?	jūrgium: līs
Quis cum agnō ad flūmen vēnit?	inquam (defective verb):
Ubi stābāt agnus? Ubi lupus?	*say*
Quantō īnferior stābat agnus?	lāniger -era -erum: *woolly*
Quō currēbat flūmen?	quī (adverbial): quō modō
Unde fluēbat?	quaesō, quaesere:
Quod animal dīcitur *latrō*?	*beg*
Quod animal dīcitur *lāniger*?	haustus -ūs, m: *drinking*
Cujus mēns innocēns erat?	equidem (intensifier)
Cujus nocēns?	herclē (mild interjection)
Nocuitne agnus lupō?	nex, necis, f: *slaughter*
Nocuitne agnō lupus?	expostulō (1): queror
Ut lupus dīxit, cui maledīxerat agnus?	dēsistō -ere -stitī -stitus
Ut lupus dīxit, sī nōn agnus ipse,	fingō -ere, fīnxī, fictus
quis eī maledīxerat?	tunc (adverbial): *then*
Quem corripuit lupus?	opprimō -ere, oppressī,
Quō auxiliō agnus lacerātus est?	oppressus
Ā quō lacerātus est?	ita (adverbial): sīc
Cūr haec fābula scrīpta erat?	

N24   Dē Vulpe et Ūvā
    Famē coācta vulpēs altā in vīneā
    ūvam appetēbat, summīs saliēns vīribus;
    quam² tangere ut nōn potuit, discēdēns ait,
    "Nōndum mātūra es; nōlō acerbam sūmere."
    Quī facere quae nōn possunt verbīs ēlevant,
    adscrībere hoc dēbēbunt exemplum sibi. Phaedrus 4.3

    Paraphrasis: Vulpēs ēsuriēns in hortō ūvam quaesīvit; omnibus
vīribus igitur saliēbat. At frūctum capere nōn potuit. Propter hoc
discessit. "Tū nōn es mātūra" inquit "et ego quidem ūvam immātūram
edere nōlō." Haec fābula scrīpta est propter eōs quī contemnunt id quod
habēre nōn possunt.

Quid vulpem in vīneam coēgit?	vīnea -ae, f: *vineyard*
Cujus famēs magna fuit?	ūva -ae, f: *bunch of grapes*
Ubi pendēbat ūva?	saliō -īre, saluī, saltus:
Quō modō vulpēs saliēbat?	*leap*
Quid tangere volēbat?	discēdō -ere -cessī -cessus

    ²In narratives *quī*, *quae*, *quod* at the beginning of a sentence is often equivalent
to *hic*, *haec*, *hoc*.

Quid agēbat summīs vīribus?

Quid ait discēdēns?

Eratne rē vērā ūva amāra?

Quam ob rem vulpēs ait, "Tū es acerba?"

Quī hoc exemplum sibi attribuere dēbēbunt?

ēlevō (1): *make light of*

ēsuriō -īre: *be hungry*

Readings 25-33 are again grave inscriptions.

N25   Hīc jacet Helvidius fātīs extīnctus inīquīs,
           ēgregius juvenis, causārum ōrātor honestus.

Quō auxiliō periit Helvidius?   ēgregius: *outstanding*
Cui fāta inīqua nocuērunt?
Cujus corpus in tumulō positum est?
Quālem juvenem tumulus continet?
Quō modō Helvidius causās agēbat?
Utrum paucōs an multōs annōs vīxerat?

The second line of this inscription is an adaptation of line 653 of Book
Four of the *Aeneid* in which Dido, abandoned by Aeneas and about to kill
herself, says "Vīxī, et quem dederat cursum Fortūna perēgī."

N26   Hīc sum positus quī semper sine crīmine vīxī,
           et quem mī dederat cursum Fortūna perēgī.
           Cujus ossa et cinerēs hic lapis intus habet.

Ubi est positus quī sine crīmine vīxit?
Quid sub lapide jacet?
Quālem vītam vīxerat dēfūnctus?
Cujus ossa in tumulō sunt?

N27   Hīc Clytius cārus cūnctīs jūstusque piusque
           est situs et subitō tempore raptus abit.[1]
           Quem flet āmissum aeternō tempore conjūnx.

Quī Clytium dīlēxerant?   cūnctus: omnis
Quis Clytium flet?   pius: this word has no Eng-
Quis āmissus est?   lish equivalent; it is used
Quantō tempore uxor dolet?   to describe a person who
Ubi jacet Clytius?   was the ideal Roman in
Quis sine dubiō tumulum fēcit?   fulfilling his duty to the
Quās virtūtēs habēbat dēfūnctus? gods, to his family, and
Quō modō meret mortuus?   to his country.
                           situs: positus

[1]*Abit* is a common variant for the present perfective (#5) *abiit*, "He went away
(i.e., died)."

422

Notice the changes which occur when *Clōdia* replaces *Clytius* as subject. The inscription has *quem* in the third line where we would expect *quam*; did the stonecutter forget that he was describing a woman?

N28   Hīc Clōdia cāra cūnctīs jūstīsque piīsque
         est sita et subitō tempore rapta abiit.
      Quem flet āmissam aeternō tempore conjūnx.

Quā muliere egent omnēs jūstī?
Ubi jacet Clōdia?

N29   Condita sum Nīcē, quae jam dulcissima patrī
         dūcēns aetātis tenera quattuor annōs
      abrepta ā superīs flentēs jam līquī parentēs.

Quis in tumulō conditus est?

Quam diū vīxerat Nīcē?

Ā quibus abrepta Nīcē est?

Ā quō lapis positus est?

Quī Nīcēn abripuērunt?

Quis Nīcēn flet?

Quis loquitur?

Quālī aetāte fuit puella?

Ā quō Nīcē dīlēcta est?

Nīcē, acc Nīcēn: Greek name

tener -era -erum: mollis

linquō -ere, līquī, lictus
(more commonly *relin-
quō*)

condō -ere, condidī, con-
ditus: *put away perma-
nently*, used with many different objects, see p. 356

N30   Sī quis forte legit titulum nōmenve requīrit,
         Dorchadis inveniet ossa sepulta locō.
      Dum vīxī, fuī cāra virō, nunc mortua quaeror;
         Sat fēlīx videor, sī modo fāma manet.
      Conjūnx Thymelicus conjugī fēcit suae.

Cui Dorchās cāra fuit?

Quem amat Thymelicus?

Quō nunc caret Thymelicus?

Cujus conjūnx erat Thymelicus?

Cujus conjūnx erat Dorchās?

Uter conjūnx uxor fuit? Uter vir?

fors (defective noun, having
only nom and the abl
forte): sors, fortūna

Dorchās, Dorchadis, f

N31   Fabiae Fūscīnillae clārissimae et omnium virtūtum
         fēcundissimae fēminae Clōdius Celsīnus marītus.

      Nōndum complētīs vīgintī annīs
         ā nātīs trīnīs et virō ēripior,
      nōmine Fūscīnilla, Petēlīnā domō orta,
         Celsīnō nūpta ūnivira ūnanimis.

Quem Celsīnus in mātrimōnium dūxerat?
Cui Fūscinilla nūpserat?
Cujus vir erat Clōdius?
Cujus uxor Fabia?
Quō modō cum virō vīvēbat dēfūncta?
Quot nātōs genuit Fabia?
Quot virīs nūpserat?
Eratne haec uxor fidēlis?

ūnivira -ae, f: *woman who
has had only one husband*
ūnanimis -e: *harmonious*
marītus -ī, m: vir, conjūnx
orior, orīrī, ortus: *rise, be
born*
fēcundus -a -um (with genitive)
compleō -ēre -ēvī -ētus

N32   Fīliolam āmīsit pater, heu! māterque secūta est
ipsa. Hujus nōmen Salviolae[2] fuerat.

Quis āmissa est?
Quis dolet?
Quōcum fīliola obiit?
Quōrum corpora in tumulō jacent?

fīliola: fīlia parva vel
cāra

N33   Virginis hīc cinerēs sunt prīmā aetāte sepultae
praestantis nātīs omnibus[3] in speciē;
et dolor īnsēdit cūnctīs commūnis amīcīs,
cum lūcem tenebrīs pressit acerba diēs.

Quis in tumulō jacet?
Quibus haec virgō praestat?
Quī propter virginem āmissam dolent?
Quandō omnēs maestī fīēbant?

praestō (1) (with dative):
excel
īnsedeō -ēre -sēdī -sessus
(with dative): *sit upon,
settle upon*

The activity of reading inscriptions from the original stones is called *epigraphy*. Inscriptions are seldom found in perfect condition. With a thorough knowledge of the language, an epigraphist makes his reconstructions. Further discoveries may sometimes substantiate or contradict these reconstructions. Here is one for you to play with. The dots represent the exact number of missing letters in the inscription. Space between words is not indicated, nor are periods or commas. Can you reconstruct the inscription?

N34   Sī quis forte leget titulum nōme. . . . .
Nardinis inveniēs ossa sepulta lo . .
. . . . cāra virō, nunc mortua quaeror.
Sa. . . . . manet.

[2]In A=B naming expressions we find not only *Hujus nōmen Salviola est* (*nōmen* and *Salviola* both in the nominative) but also *Hujus nōmen Salviolae fuerat* (*Salviolae* in genitive like *hujus*). The same thing is found in the dative: both *Mihi nōmen est Mārcus* and *Mihi nōmen est Mārcō* mean "My name is Marcus."

[3]"Every living person."

NARRATIVE READINGS
For Lessons 28-35

Readings 35-52 are all grave inscriptions.

N35   Temperā jam, genitor, lacrimīs, tūque, optima māter,
desine jam flēre. Poenam nōn sentio mortis.
Poena fuit vīta; requiēs mihi morte parāta est.

Quis flēre nōn dēbet?   temperō (1) (with ablative):
Quid tū nōn sentīs?   *refrain from*
Quid mors tibi parāvit?   desinō -ere, desiī (with infin-
Quid est perīre nisī poena?   itive): *desist from, stop*

N36   Vīvite fēlīcēs, quibus est fortūna beāta.

Quālibus hominibus dictum est?
Quālēs sunt eī quī vīvunt?
Utrum fēlīx an īnfēlīx est quī loquitur?
Quō modō vīvere dēbēmus?

N37   Tū quī lēgistī nōmina nostra, valē.[1]

Quis valēre dēbet?
Quid tū lēgistī?

N38   Discite: dum vīvō, mors inimīca venit.

Quandō mors vēnit?
Quis vēnit?
Cui mors inimīca fuit?
Quem rapuit mors?

N39   Invēnī portum. Spēs et Fortūna, valēte!
Sat mē lūsistis; lūdite nunc aliōs.

Quid tū invēnistī?   portus -ūs, m: *harbor*
Quid Fortūna agere dēbet?

[1]The imperative of *valeō* is a common expression of farewell.

425

Quem Spēs et Fortūna lūsēre?
Quem illae lūdere dēbent?

N40   Eximiā speciē jacet hīc Prīscilla puella,
sex et vīgintī sēcum quae pertulit annōs.
Hanc frātrēs pietāte parī maestīque sorōrem
sēdibus Ēlysiīs[2] condiderunt tumulō.

Quem condidērunt frātrēs?	eximius: praestāns
Quis in tumulō compositus est?	sēdēs -is, f: domus
Quālī speciē erat haec puella?	Ēlysius: pertaining to
Quot annōs vīxerat Prīscilla?	Elysium, abode of the
Cujus frātrēs tumulum fēcērunt?	blessed in the afterworld
Quā homine carent frātrēs?	condidērunt: condidērunt

N41   Flōrentēs annōs subitō nox abstulit ātra.
Vīvite fēlīcēs, moneō; mors omnibus īnstat.

Quō auxiliō flōrentēs annī ablātī sunt?	āter, ātra, ātrum: *black,*
Cujus colōris est nox?	*gloomy*
Quid flōrēbat?	
Quantō tempore ātra nox annōs florèntēs abstulit?	

N42   Ēvāsī, effūgī. Spēs et Fortūna, valēte!
Nīl mihi vōbīscum est: lūdificāte aliōs.

Quem Fortūna et Spēs lūdere dēbent?	ēvādō -ere, ēvāsī, *escape*
Quid tū, quī in tumulō jacēs, ēgistī?	
Quid tibi cum Fortūnā et Spē?	
Quid tū invēnistī?	

N43   Aspice, quam subitō marcet quod flōruit ante!
Aspice, quam subitō quod stetit ante cadit!
Nāscentēs morimur fīnisque ab orīgine pendet.

Quid est quod subitō marcet?	marceō -ēre: *wither*
Quid est quod subitō cadit?	
Quantō tempore marcet quod ante flōruit?	
Quantō tempore cadit id quod ante stetit?	
Unde pendet fīnis?	
Quandō nōs morī incipimus?	
Cui similis est homō?	

[2]Sēdibus Ēlysiīs: *for her Elysian home* (with nonpersonal nouns the dative as an expansion shows purpose).

N44   Dīs Mānibus Successī Prīmigenia soror fēcit frātrī bene
          merentī et piissimō.
       Iter septem annīs ego jam fātāle perēgī:
          nunc rapior tenebrīs et tegit ossa lapis.
       Dēsine, soror, mē jam flēre sepulchrō:
          Hocc[3] etiam multīs rēgibus hōra tulit.

Cui soror tumulum posuit?
Cujus mānibus posuit?
Quam diū vīxerat Successus?
Quis loquitur?
Quō auxiliō sunt tēcta ossa Successī?
Quid soror agere dēbet?
Quī aliī obiērunt?
Quis bene meruit?

N45   Dīs Mānibus Gargiliae Honōrātae Salditānae.
        Vīxit ter dēnōs annōs sine crīmine ūllō.
        Vīvite mortālēs, moneō: mors omnibus īnstat.
        Discite quī legitis.

Quis perierat?
Quantum tempus vīxit Honōrāta?
Quālem vītam vīxit ea?
Quōs mors sequitur?

N46   Implē'stī pia vōta; perāctō tempore vītae
        fēlīx Ēlysiīs meritō levis umbra morāris.
        Restituent nōmenque tuum fāmamque nepōtēs.

Quis loquitur, quī in tumulō jacet   moror (1): *delay, linger*
    an quī tumulum posuit?   (maneō)
Quis est levis umbra?   nepos -ōtis, m: *grandson;*
Ā quibus nōmen et fāma ejus restituētur?   *descendant*
Quō modō dēfūncta in Ēlysiīs morātur?   vōtum -ī, n: *promise, vow*
Ubi anima ejus nunc habitat?

N47   Invida sors fātī, rapuistī Vītālem, sānctam puellam,
        bis quīnōs annōs.

[3]The neuter *hoc* (and the masculine *hic*) is pronounced with a long *c* when the
next word begins with a vowel. We have therefore written it long (i.e., double) although it is not usually so spelled.

Nec patris ac mātris es miserāta precēs.
Accepta et cāra suīs. "Mortua hīc sita sum.
Cinis sum; cinis terra est; terra dea est;
  ergō ego mortua nōn sum."

Quālis puella fuit Vītālis?   miseror (1): *pity*
Quis Vītālem rapuit?   prex, precis, f
Cujus vītam sors rapuit?
Quot annōs vīxerat Vītālis?
Ā quō Vītālis rapta est?
Quibus fuit Vītālis cāra?
Quī Vītālem amāvērunt?
Ā quibus Vītālis amāta est?
Quis precēs parentum nōn audīvit?
Quōrum precēs nōn audītae sunt?
Quam ob rem Vītālis mortua nōn est?
Cui Fortūna invīdit?

N48   Dēsine jam, māter, lacrimīs renovāre querēlās,
        namque dolor tālis nōn tibi contigit ūnī.

Dēbetne māter querī?   querēla: *complaint*
Eratne māter sōla quae fīlium āmīserat?   contingō -ere -tigī -tāctus:
Quid saepe rēgēs patiuntur?   *touch, seize; happen*
Quid rēgibus saepe accidit?   (usually of good things,
Quis injūstē dolet?   while *accidere* usually
Cui dēfūnctus haec verba dīcit?   of bad things)

N49   Hīc sita sum, quae frūgiferās cum conjuge terrās
        hās coluī semper nostrō dīlēcta marītō.
        Myrsina mī nōmen fuerat. Quīnquennia quīnque
        vīxī et quem dederat cursum Fortūna perēgī.
        Cāre marīte mihi et dulcissima nāta, valēte,
        et memorēs nostrīs semper date jūsta sepulchrīs.

Quid agere dēbent vir et fīlia?   quīnquennium: *period of*
Quot nātōs genuit fēmina mortua?   *five years*
Cui erat vir cārus?   memor: *mindful*
Quot annōs mulier vīxerat?
Quōcum Myrsina agrōs coluerat?
Quibus vir fīliaque Myrsinae jūsta dare dēbent?

N50   Vīvite fēlīcēs, quibus est data longior aetās;
        nam fātum nōbīs omnibus īnstat idem.

Quibus est longior aetās data?
Quid fēlīcibus datum est?
Cui fātum īnstat?
Quī mox morientur?

N51   Heu! tumulō, Dōnāta, jacēs. Reddit tibi māter
         fīlia quod mātrī reddere dēbuerās.
         Vīta tibī brevis est. Annōs trēs nāta decemque
         clāra jacēs formā nec minus ingeniō.
         Quod sī qua ad Mānēs poterit dēscendere fāma,
         magnus honōs campīs tē manet Ēlysiīs.
         Tū fēlīx, miserī quī tē genuēre parentēs,
         et longum vītae tē sine tempus habent.

Cujus tumulus est?   ingenium: *intellect*
Cui brevis vīta fuit?   quod sī: *but if*
Quantō tempore vīxit Dōnāta?   honōs (nom sg): variant of
Quī dolent?   *honor -ōris*
Quis est fēlīx?   tē sine: sine tē
Quam ob rem est Dōnāta fēlīx?   campus -ī, m: *field*
Quam ob rem sunt parentēs īnfēlīcēs?
Quibus rēbus erat Dōnāta clāra?

N52   Tarquiniae Modestae, quae vīxit annōs quīndecim, mēnsēs sex,
         diēs sex, Modestus et Lāscīva parentēs et Lūcentius marītus
         cum quō vīxit mēnsēs sex, diēs septem.

             Nam fuit eximiā speciē mīrōque decōre;
             mēns inerat vērē corpore dīgna suō.
             Vāde, valē, dulcis.

Cujus uxor fuit Modesta?   mīrus: mīrandus, mīrābilis
Cujus vir fuit Modestus?   īnsum -esse -fuī
Cujus fīlia fuit Modesta?   vādō -ere, vāsī: *go*
Quam diū vīxerat?
Quam diū vīxerat quandō Lūcentiō nūpsit?
Quāle ingenium possidēbat?
Quālis speciēs eī fuit?

It might be of interest for you to see how inscriptions look in the
source book from which we took them, Buecheler's *Carmina Latina
Epigraphica*. Here is a copy of the inscription you have just worked on,
plus the explanatory material which accompanies it.

1303

        nam fuit eximia specie | miroque decore,
            mens | inerat uere corpo | re digna suo. |
            bade, uale dulcis.

CIL. IX 1983 ex Iucundo et antiquis, periit. AL. Burmanni IV
35, Meyeri 1200   Beneuenti. praescriptum *Tarquiniae Modes-*
te q(uae) u(ixit) a. XV m. VI d. VI Modestus et Lasciua paren-
(tes) et Lucentius mar(itus) c(um) q(uo) u(ixit) m. VI d. VII

Then follow notes in Latin explaining certain points in the reading,
recording the suggestions of other editors, making cross references to
other inscriptions, etc.

The following points need comment. Vertical lines show the division
into lines in the original inscription. This editor uses capital letters
only for proper names; he also uses *i* for *j* (Iucundus for Jucundus) and
u for *v (uixit* for *vixit).* As in the majority of texts intended for advanced
students, the length of vowels is not marked. The material in parentheses
fills out abbreviations which might not otherwise be easily understood.
CIL stands for *Corpus Inscriptionum Latinarum*, the great collection of
Latin inscriptions. Burmann and Meyer brought out collections of inscriptions previously. This inscription is now usually referred to either
as CIL IX 1983 or as Buecheler 1303. Towns of the first and second
declension have a special form to show place where: *Beneventī* means
"at Beneventum." Jucundus was the man who first published the inscription; since then the original inscription has disappeared. What tells you
this?

(Courtesy of the Francis W. Kelsey Museum of Archaeology,
University of Michigan)

When Martial pays a compliment, there is usually a catch in it.

N53   Nūbere vīs Prīscō. Nōn mīror, Paula; sapī'stī.
         Dūcere tē nōn vult Prīscus; et ille sapit.   Martial 9.10

Paraphrasis: Ō Paula, tū Prīscō, juvenī nōbilī et dīvitī, nūbere vīs.
Callida es, Ō Paula. Iste Prīscus tē in mātrimōnium dūcere nōn vult.
Is est nōn minus callidus.

In quem Mārtiālis hoc carmen scrīpsit?   callidus: multā rērum
Eratne Paula pulchra?   experientiā doctus
Quem Prīscus dūcere nōn vult?
Cūr Prīscus sapit? Cūr Paula?

Imitators of Martial are common. Here is one.

N54   Ūxōrem nōn vīs Pollam, nec Polla marītum
         tē vult. Bunne, sapis, nec minus illa sapit. John Parkhurst[4]

Quis quem vult?
Quis quem nōn vult?
Quam ob rem Bunnus sapit?
Quam ob rem Paula sapit?

N55   Lōtus nōbīscum est, hilaris cēnāvit, et īdem
         inventus māne est mortuus Andragorās.
         Tam subitae mortis causam, Faustīne, requīris?
         In somnīs medicum vīderat Hermocratēn.   Martial 6.53

Paraphrasis: Īnfēlīx Andragorās laetus nōbīscum in balneīs fuit
et post nōbīscum cēnāvit. Nūllō modō aeger fuit, sed māne repertus
est dēfūnctus. Ō Faustīne, rogās causam tam repentīnī interitūs? Illī
in somnīs appāruit medicus Hermocratēs.

Quandō obiit Andragorās?   lavō -āre, lāvī, lōtus
Quandō inventus est?   cēnō (1): dine
Periit per morbum? Per vim?   māne (adverbial): in the
     Per venēnum?   morning
Quam ob rem mortuus est?   Andragorās -ae, m: Greek
Quālis medicus erat Hermocratēs?   name
Ubi lōtus est Andragorās?   Hermocratēs -is, m: Greek
     Ubi cēnāvit?   name (Hermocratēn,
Quid quaerit Faustīnus?   acc sg)
Ad quem carmen scrīptum est?   appāreō -ēre -uī
Quālem mortem obiit Andragorās?   repentīnus: subitus
Ubi vīderat Andragorās Hermocratēn?   interitus -ūs, m: mors,
                                         obitus

[4]John Parkhurst, Bishop of Norwich, 1512-1575.

We all know this type: the girl who is very, very popular and doesn't mind telling us all about it.

N56   Bella es (nōvimus) et puella (vērum est)
        et dīves (quis enim potest negāre?).
        Sed cum tē nimium, Fabulla, laudās,
        nec dīves neque bella nec puella es. Martial 1.64

Cui scrīptum est hoc carmen?   nimius -a -um: *too much*
Quā condiciōne fit Fabulla foeda?   (*nimium* is adverbial
Quantum sē laudat Fabulla?   acc)
In quem scrīptī sunt hī versūs?

N57   Frūstrā ego tē laudō; frūstrā mē, Zōile, laedis:
        nēmo mihī crēdit, Zōile; nēmo tibi. Buchanan[5]

Quō modō noster auctor Zōilum laudat?   frūstrā (adv): *in vain*
Quālis homō est Zōilus sī nēmō nostrō auctōrī crēdit?.
Quālis vir est noster auctor, sī nēmō Zōilō crēdit?

To those who have shall be given.

N58   Semper pauper eris sī pauper es, Aemiliāne.
          Dantur opēs nūllīs nunc nisī dīvitibus. Martial 5.81

    Paraphrasis: Ō Aemiliāne, sī nunc carēs pecūniā, pecūniā semper carēbis. Hodiē nēmō pecūniam recipit nisī quī jam dīves est. Nam dīvitēs testāmentō pauperēs praetereunt. Quam ob rem? Quod pauperēs ipsīs nihil dare possunt.

Quā condiciōne erit Aemiliānus pauper?   testāmentum -ī, n: *will*
Cui nunc pecūnia datur?
Cui dīvitēs rem suam relinquunt?
Quantam pecūniam pauper accipere solet?

Like us, the Romans thought more of pigs when they were dead than when they were alive.

N59   Nōn cēnat sine aprō noster, Tite, Caeciliānus.
          Bellum convīvam Caeciliānus habet. Martial 7.59

    Paraphrasis: Ō Tite, noster amīcus numquam cēnat nisī cum aprō. Nūllus hospes aptior.

Quōcum cēnat Caeciliānus?   convīva -ae, m&f: *dinner
Cui hī versūs scrīptī sunt? In quem?   guest* (hospes)
    Ā quō?

[5]George Buchanan, 1506-1582.

Quam ob rem aper aptus Caeciliānō convīva?
Cui similis est Caeciliānus?

This is well known in English as "I do not love thee, Doctor Fell, etc."
N60   Nōn amo tē, Sabidī, nec possum dīcere quā rē.
            Hoc tantum possum dīcere: "Nōn amo tē." Martial 1.32

Paraphrasis: Ō Sabidī, tē nōn dīligō, nec ratiōnem odiī hujus
reddere possum. Hanc ūnam ratiōnem dare possum: "Nōn tē dīligō."

Cui scrīptum est hoc carmen?
Quem Mārtiālis nōn amat?
Quid est quod Mārtiālis eum nōn amat?
Cujus odiō Mārtiālis movētur?

Getting drunk is all right, says Martial; sobering up causes trouble.
N61   Omnia prōmittis, cum tōtā nocte bibistī.
            Māne nihil praestās. Pollio, māne bibe. Martial 12.12

Paraphrasis: Mihi cūncta pollicēris, Polliō, cum nōs tōtam noctem
pōtāvimus. Māne autem mihi nihil dās. Ergō, Polliō, māne pōtā; hōc
modō excipiam ex tē quod prōmīsistī.

Quōcum Mārtiālis bibit?	praestō (1): *fulfill an ob-*
Quam diū bibērunt Mārtiālis et Polliō?	*ligation*
Quid Polliō prōmittit? Cui?	Polliō -ōnis, m
Quantum Polliō dat?	pōtō (1)
Quid māne dat? Cui?	
Quid ergō vult Mārtiālis?	polliceor -ērī, pollicitus:
	promise

N62   Sunt bona; sunt quaedam mediocria; sunt mala plūra
            quae legis hīc; aliter nōn fit, Avīte, liber. Martial 1.16

Paraphrasis: In meīs librīs inveniēs quaedam carmina bona,
quaedam vērō modica, multa autem nūllīus pretiī. Aliō modō liber
compōnitur nūllus.

Quid est omnī in librō?   pretium -ī, n: *price, value*
Cui scrīptum est carmen?
Sī liber centum carmina continet, quot carmina mala sunt? Quot bona?
     Quot modica?

A valuable piece of real estate.
N63   Septima jam, Philerōs, tibi conditur uxor in agrō.
            Plūs nūllī, Philerōs, quam tibi reddit ager. Martial 10.43

Paraphrasis: Ō Philerōs, septem uxōrēs per venēnum necā'stī atque in agrō tuō sepelī'stī. Fuit numquam ager alius quī plūs dominō suō reddit.

Quot uxōrēs Philerōs dūxerat?	Philerōs -ōtis, m: Greek
Quō auxiliō mortuae sunt?	name
Cūr ager Philerōtī fēlīx erat?	locuplēs -itis: dīves
Erantne uxōrēs locuplētēs?	
An Philerōs nunc dīves?	
Quam ob rem dīves factus est?	

Whereas a modern author's work appears in book form, a Roman author introduced his efforts to the world by recitation.

N64   Quem recitās, meus est, Ō Fīdentīne, libellus;
          sed male cum recitās, incipit esse tuus. Martial 1.38

Paraphrasis: Meus libellus est, nōn tuus, quem tū recitās. Sed cum tū male recitās, vidētur esse vērē tuus libellus.

Cui est scrīptum hoc carmen?	incipiō -ere -cēpī -ceptus:
Cujus libellus rē vērā est quem	*begin*
Fīdentīnus recitat?	
Cujus libellus vidētur cum male recitātur?	
Quō modō Fīdentīnus recitat?	

N65   Nūper erat medicus; nunc est vespillo Diaulus:
          Quod vespillo facit, fēcerat et medicus. Martial 1.47

Paraphrasis: Diaulus paucīs ante diēbus fuit medicus; nunc est is quī corpora mortuōrum effert. Quid aluid solēbat medicus quam mortuōs in tumulō pōnere?

Quot aegrōs sānāverat Diaulus medicus?	nūper (adverbial): *recently*
Quot aegrōs sānāverat Diaulus vespillō?	vespillō -ōnis, m: *under-*
Quālis medicus fuit Diaulus?	*taker*
Cui similis fuit?	efferō, efferre, extulī,
	ēlātus

NARRATIVE READINGS
For Lessons 29-35

Grave inscriptions, N66 through N74.

N66   Fīdus vīxistī sine crīmine, Gāvī.
          Hoc tibi prō meritīs: sit tibi terra levis.

Quis sine crīmine vīxit?   Gāvius -ī, m
Cui dīcitur: "Sit tibi terra levis?"
Quam ob rem dīcitur "Sit tibi terra levis?"
Quis bene meruit?

N67   Dīc, rogo, quī trānsīs: "Sit tibi terra levis."

Quis haec verba dīcere dēbet?   rogō (1): *ask*
Cui terra levis esse dēbet?

N68   "Molliter ossa cubent," dīcat, rogo, quisque viātor:
          sīc tibi dēfūnctō dīcere dī jubeant.

Quid viātor quisque dīcere dēbet?   cubō -āre -uī: *lie*
Quid dī jubēre dēbent?   jubeō -ēre, jussī, jussus:
Quandō dī hoc jubēbunt?   *order*
Quis hoc rogat?

N69   Ossa sub hōc tumulō pia sunt sed acerba parentī.
          Amphio mī frāter hoc titulum[1] posuit.
      Parcite, Fāta, meīs; valeant frātrēsque sorōrēs.
          Sit tamen in vestrō pectore cūra meī.

Quis loquitur?   Amphiō -ōnis, m
Ā quō titulus positus est?   pectus -toris, n: *chest,*
Quid agere dēbent Fāta?   *heart*
Quālia ossa in tumulō jacent?
Cui sunt ossa acerba?
Quem frātrēs cūrāre dēbent?

---

[1]In this passage *titulum*, usually masculine, is neuter. What shows that it is neuter?

N70   Cerne, viātor, in hōc tumulō jacet optima conjūnx.
        Commūne hoc monumentum illius atque virī est.
        Quaeso, abī, nē violā.[2] Sīc fīant omnia quae vīs,
        et tibi, quīcumque es, molliter ossa cubent.

Quid praeteriēns agere dēbet?   illius: common variant in
Quid viātōrī continget sī sepulchrō   poetry for *illīus*
    pepercerit?

N71   Praeteriēns dīcās, "Sit tibi terra levis."

Quis quid dīcat?
Quis loquitur?
Cui dēfūnctus haec verba dīcit?
Quid viātor praeterit?

N72   Dīc, rogo, praeteriēns, "STTL."

Lege hunc versum altā vōce.

N73   Vīvite fēlīcēs quibus est data longior hōra.
        Vīxī ego dum licuit dulciter ad superōs.
        Dīcite sī meruī, "Sit tibi terra levis."

Quibus mortuus haec verba dīcit?   licet, licēre, licuit (imper-
Quō modō vīxit?   sonal verb): *it is per-*
                                                mitted

N74   PDSTTL.

Quis quid dīcat?
Quis quid dīcit?

An inscription, but not grave.
N75   Quisquis amat, valeat; pereat quī nescit amāre.
        Bis tantō pereat quisquis amāre vetat.

Quem scrīptor amat?   nesciō (4): *not know how*
Quem nōn amat?   vetō -āre -uī, vetitus:
Quem maximē ōdit?   *forbid*
Quotiēns trīstis perīre dēbeat?

[2]The negative imperative *nē violā* is poetical; the standard prose form would
be *nōlī violāre*.

The *Lex Papia Poppaea*, 9 AD, gave certain legal and social privileges
to the father of three sons. These same privileges were later given
honoris causa to those who were unmarried or childless; both Titus and
Domitian conferred this honor on Martial.

N76 Rumpitur invidiā quīdam, cārissime Jūlī,
    quod mē Rōma legit; rumpitur invidiā.
  Rumpitur invidiā quod turbā semper in omnī
    mōnstrāmur digitō; rumpitur invidiā.
  Rumpitur invidiā tribuit quod Caesar uterque
    jūs mihi nātōrum; rumpitur invidiā.
  Rumpitur invidiā quod rūs mihi dulce sub urbe est
    parvaque in urbe domus; rumpitur invidiā.
  Rumpitur invidiā quod sum jūcundus amīcīs,
    quod convīva frequēns; rumpitur invidiā.
  Rumpitur invidiā quod amāmur quodque probāmur.
  Rumpātur quisquis rumpitur invidiā. Martial 9.97

 Paraphrasis: Ō mī amīce, quīdam cruciātur quod Rōma meōs
versiculōs legit. Cruciātur quod ubicumque sum, ab omnibus cognitus
sum. Cruciātur quod duo Caesarēs mihi honōrem sub lēge Papiā
Poppaeā concessērunt. Cruciātur quod habeō pulchram vīllam
suburbānam et in urbe parvās aedēs. Cruciātur quod amīcī mē amant
et ad cēnam saepe invitant. Cruciātur quod dīligor et laudor. Sī
cruciārī vult, cruciētur!

Cui poēta scrībit? In quem?	turba -ae, f: *crowd*
Cui quīdam invidet?	uterque: *each of two*
Ubi Mārtiālis digitō indicātur?	rūs, rūris, n: *country*,
Ubi carmina Mārtiālis leguntur?	*country estate*
Quot nātōs habet Mārtiālis?	ubicumque (conjunction):
Quantum domicilium Rōmae possidet?	*wherever*
Quibus placet Mārtiālis?	aedēs -is, f: *temple*; in
Quālis vīlla Mārtiālī est?	plural, *house*

Post trēs saepe diēs piscis vīlēscit et hospes.

N77 Hospes erās nostrī semper Matho, Tīburtīnī.[3]
    Hocc emis. Imposuī; rūs tibi vendo tuum. Martial 4.79

 Paraphrasis: Tū persaepe, Mathō, erās hospes in vīllā meā. Tū
hanc nunc emis, sed ego tē decipiō: vendō tibi quod jam tuum erat per
ūsum.

Quis hospitiō Martiālis abūsus est?	vendō -ere, vendidī,
Quid Mathō nunc emit?	venditus: *rem alterī*,

---

[3]Ancient Tibur, modern Tivoli, was a beautiful spot about 15 miles from Rome.
The neuter adjective *Tīburtīnum* means *vīlla Tīburtīna*.

Quam ob rem Mārtiālis Mathōnem fefellit?   pretiō acceptō, trādō
Cui fuerat vīlla? Cui nunc est?

The following epigram requires explanation about an aspect of Roman
life which has no counterpart in our own, the relationship between *client*
and *patron*. The patron protected his client, and in turn the client sup-
ported his patron. For the client to have rich and powerful protectors
or for a patron to have numerous clients was both a social and a politi-
cal advantage. When the client paid his ceremonial call in the early
morning (an important part of the day's activities) he received food in
a basket *(sportula)*. Later in the Republic, an occasional dinner was
substituted for this daily gift. Then the emperor Nero decreed that
patrons should fulfill this obligation by a dole of money. Unhappily for
people like Martial, the emperor Domitian restored the institution of
the dinner, and Martial was obliged to accept an occasional meal in
place of the money he would have preferred.

N78   Rōmam petēbat ēsurītor Tuccius
           profectus ex Hispāniā.
        Occurrit illī sportulārum fābula:
           ā ponte rediit Mulviō. Martial 3.14

Paraphrasis: Tuccius, quī semper ēsuriēbat, ex Hispāniā Rōmam
profectus est quod famē in Hispāniā moriēbātur. Ad pontem Mulvium
audīvit dē sportulīs. Pontem (quī extrā urbem situs est) nōn trānsiit
sed statim ad Hispāniam rediit.

Dē quō scrīpsit Mārtiālis?   cliēns -ntis, m
In quem scrīpsit? An clientēs?   patrōnus
Quis sportulam dat? Quis accipit?   proficīscor -ī, profectus:
Temporibus Domitiānī erat sportula   *set out*
    cēna an pecūnia?   occurrō -ere, occurrī
Quid māvult Mārtiālis, nummōs an cibōs?   (with dative): *meet*
Quid erat patria Tucciī?   cēna -ae, f
Ubi nātus erat Mārtiālis?   ēsurītor -tōris, m
Cui occurrit fābula sportulārum?   Mulvius -a -um
Placetne eī haec fābula?

However strange self-praise may appear to us, it was common among
Roman poets. We assume therefore that it did not strike the Romans
as being in poor taste.

N79   Hicc est quem legis, ille quem requīris,
           tōtō nōtus in orbe Mārtiālis
        argūtīs epigrammatōn libellīs:
        cui, lēctor studiōse, quod dedistī
        vīventī decus atque sentientī,
        rārī post cinerēs habent poētae. Martial 1.1

Paraphrasis: Poēta cujus librum nunc, lēctor, ēvolvis est ille
Mārtiālis per tōtum orbem terrārum nōtus propter epigrammata
venusta. Paucī poētae post mortem cōnsequuntur eam fāmam quam
ipsī vīvō et audientī concessistī.

Quālis liber est, ut Mārtiālis dīcit?	argūtus: *witty*
Quam ob rem est Mārtiālis nōtus?	*epigrammatōn* is Greek
Ubi? Ā quō?	genitive plural
Quot poētae tālem fāmam obtinent?	cōnsequor: *achieve*
Quantam fāmam cōnsecūtus est Mārtiālis?	venustus -a -um: *charming*

Here is a famous student song of the 17th century.

N80   Gaudeāmus igitur,   Vīta nostra brevis est.

juvenēs dum sumus;	brevī fīniētur;
post jūcundam juventūtem,	venit mors vēlōciter,
post molestam senectūtem,	rapit nōs atrōciter:
nōs habēbit humus.	nēminī parcētur.[4]
Ubi sunt quī ante nōs	Vīvat acadēmia;
in mundō fuēre?	vīvant professōrēs;
Vādite ad superōs,	vīvat membrum quodlibet;
trānsite ad īnferōs,	vīvant membra quaelibet;
ubi jam fuēre.	semper sint in flōre.

Vīvat et rēs pūblica
et quī illam regit;
vīvat nostra cīvitās;
vīvat haec sodālitās
quae nōs hūc collēgit.

Paraphrasis: Ergō nōs omnēs laetī esse dēbēmus, dum tenerā
aetāte sumus. Post laetōs annōs juventūtis, post miserōs annōs
senectūtis veniet mors crūdēlis. Ubi sunt eī quī anteā vīxērunt? Omnēs
nunc mortuī sunt; sī bonī fuērunt, nunc in caelō sunt; sī malī, in
regiōnibus īnfernīs. Nōs brevī vīvimus; mox mortuī erimus. Veniet
interdum mors crūdēlis quae nōbīs nōn parcet. Amāmus nostrum lūdum
et magistrōs nostrōs et sodālēs omnēs; volumus eōs semper validōs
esse. Amāmus quoque patriam et rēgem et urbem et hanc sodālitātem
ubi nōs tam fēlīciter vīvimus.

Quandō vōs gaudeātis?	quīlibet, quaelibet,
Quandō vōs habēbit terra?	quodlibet: *whosoever*
Quālis aetās est juventūs? Senectūs?	sodālitās -tātis, f: *organi-*
Quis in terrā jacēbit?	*zation, club*

---

[4] Some intransitive verbs have a passive in the third singular called the impersonal use; there is never any nominative.

Cujus vīta brevis est?

Quandō vīta nostra fīniētur?

Cui mors parcet?

Quis nēminī parcet?

Cui parcētur? Ā quō?

Quō modō venit mors?

lūdus -ī, m: *school*

humus -ī, f: terra

sodālis -is, m

hūc (adverbial): ad hunc
locum

molestus -a -um:
troublesome

From now on the English meaning of most words will not be given, either in the margins or in the back of the book. Some words will be explained in Latin. If you have learned the technique of figuring out the unknown words you should have little trouble.

Even the best student, however, will occasionally be unable to figure out a word. In this case, make a note of it and, after you have done the reading, look it up in a dictionary. If there is no dictionary available, ask the teacher at the beginning of class.

N81 Hīc jacet Optātus pietātis nōbilis īnfāns,
    cui precor ut cinerēs sint ia sintque rosae,
   terraque quae māter nunc est, sibi sit levis ōrō.
    Namque gravis nūllī vīta fuit puerī.
   Ergō quod miserī possunt praestāre parentēs,
    hunc titulum nātō cōnstituēre suō.

Quālis īnfāns erat Optātus?	ia: flōrēs generis nōtī
Quem laeserat puerulus dum vīvit?	ōrō (1): rogō, precor
Quis nunc est māter ejus?	
Quid precābantur parentēs?	

N82 Rapta sinū mātris jacet hīc miserābilis īnfāns
   ante novem plēnōs lūnae quam vīveret orbēs.
   Hanc pater et māter maestī flēvēre jacentem,
   parvaque marmoreō clausērunt membra sepulchrō.

Unde ablāta fuit īnfāns?	antequam (conjunction):
Cujus sinū ea ablāta fuit?	*before*
Quam diū vīxit īnfāns?	marmor: lapis cujusdam
Quālī in tumulō nunc jacet?	generis, ex quō fīunt
Eratne īnfāns puer an puella?	aedificia pretiōsa,
Vīxitne īnfāns novem orbēs lūnae?	statuae, et cētera.
Cūr nōn vīxit novem orbēs lunae?	claudō -ere, clausī,
Quid īnfāns nōn complēvit?	clausus

N83 Tē rogo, praeteriēns, quisquis legis haec, mihi dīcās:
   "Āvōnī Jūste, sit tibi terra levis."

Cui Āvōnius Jūstus dīcit?
Quid Āvōnius viātōrem rogāvit?

N84   Fēcī quod voluī vīvus monumentum mihi
ubi ossa et cinerēs aeternum requiēscerent.[1]

Cui dēfūnctus monumentum posuit?
Quāle monumentum posuit?
Quō cōnsiliō hoc monumentum fēcit?
Quam diū cinerēs hōc in tumulō jacēbunt?

N85   Quisquis in hās partēs, quisquis percurris in illās,
tē precor ut dīcās: "STTL."

Quid dēfūnctus precātur?
Quid dīcī dēbet?
Quis rogātur ut dīcat "Sit tibi terra levis"?

N86   Opto meae castē contingat vīvere nātae
ut nostrō exemplō discat amāre virum.

Quālem vītam ēgerat sepulta?   optō (1) (with the sub-
Quō modō vīvat fīlia?   junctive, with or without
Cujus exempla sequātur fīlia?   *ut*): *wish*
Cui fīlia similis esse dēbet?

An inscription placed in the wall of a temple which was erected at the
request of the deceased by his heir.
N87   Hīc ego quī sine vōce loquor dē marmore caesō,
nātus in ēgregiīs Trallibus[2] ex Asiā,
omnia Bajārum[3] lūstrāvī moenia saepe
propter aquās calidās dēliciāsque maris.
Cujus honōrificae vītae nōn immemor hērēs
quīnquāginta meīs mīlibus,[4] ut voluī
hanc aedem posuit strūxitque novissima templa
mānibus et cinerī posteriīsque meīs.
Sed tē, quī legis haec, tantum precor ut mihi dīcās,
"Sit tibi terra levis, Sōcrates Astomachī."

[1] *requiēscerent* is past imperfective subjunctive (form #7); it was not a place
where bones *did* rest but a place for them *to* rest (when he died).

[2] Tralles was a city on the southwestern coast of Asia Minor.

[3] Bajae was a fashionable seashore resort near Naples, known for its sulphur-
springs and social life.

[4] The cost of the temple was "Fifty thousand (*sēstertiī*)" or about $2,500. Re-
member, however, that these money equivalents have little meaning; a better way
to look at it would be that 50,000 HS (abbreviation for *sēstertiī*) is the sum required
to build a temple.

Quis hunc titulum posuit?
Quantō pretiō erat aedēs strūcta?
Quō consiliō Sōcratēs Bajās vēnit?
Ubi nātus est?
Quā in regiōne sitae sunt Trallēs?
Quō modō loquitur Sōcratēs?
Unde loquitur?
Cūr sine vōce loquitur?
Quālem vītam vīxit dēfūnctus?
Quās urbēs dīlēxit?

lūstrō (1): pererrō, spectō
calidus: calōrem habēns
dēliciae: gaudia
immemor (with genitive):
  non memor
Sōcratēs -is, m: (vocative
  Sōcrates)
moenia -ium, n: mūrus
struō -ere, strūxī,
  strūctus: aedificō

Here is an invitation to dinner with a humorous twist.

N88   Cēnābis bene, mī Fabulle, apud mē
        paucīs, sī tibi dī favent, diēbus,
        sī tēcum attuleris bonam atque magnam
        cēnam, nōn sine candidā puellā
        et vīnō et sale[5] et omnibus cachinnīs.
        Haec sī, inquam, attuleris, venuste noster,
        cēnābis bene: nam tuī Catullī
        plēnus sacculus est arāneārum.
        Sed contrā accipiēs merōs amōrēs
        seu quid suāvius ēlegantiusve est:
        nam unguentum[6] dabo, quod meae puellae
        dōnā'runt Venerēs Cupīdinēsque,
        quod tū cum olfaciēs, deōs rogābis,
        tōtum ut tē faciant, Fabulle, nāsum. Catullus 13

Paraphrasis: Mī Fabulle, intrā aliquot diēs, sī dī tē amant, bene cēnābis domī meae. Bene cēnābis, inquam, sī tēcum apportāveris cibōs bonōs et multōs, cum merō et puellā pulchrā et rīsū et omnibus facētiīs. Sī ista tēcum apportāveris, mī jūcunde amīce, bene cēnābis mēcum. Nisī attuleris, nihil edēs, nam tuus Catullus pecūniam nōn habet. Tū autem vicissim ā mē referēs sincēram amīcitiam; et sī quid melius vel jūcundius amīcitiā est, hoc quoque accipiēs. Tibi enim cōnferam unguentum quod meae puellae ā Grātiīs atque Amōribus datum est. Quandō tū illud odōrāberis, deōs precāberis, Fabulle, ut tū fīās tōtus nāsus quō melius tālem odōrem sentiās.

Quandō Fabullus Catullum vidēbit? Ubi?
Quō cōnsiliō Fabullus domum Catullī
  veniet?
Quid sēcum portāre dēbet?
Quid Catullus dōnābit? Quid
  Fabullus?

candidus: formōsus
sacculus: *pocketbook* (sinus)
arānea: *spider web*
merus: pūrus; *merum*
  (neutrī generis)
  sīgnificat *merum vīnum*

---

[5] *sāl* means both "salt" and "wit." Which does it mean in this poem?
[6] The Romans made great use of ointments.

Quod unguentum aderit?

Quāle unguentum est? Unde receptum?

Quid in sacculō Catullī est?

Quid Fabullus deōs rogābit?

Quō cōnsiliō volet Fabullus tōtus nāsus fīerī?

Quid est suāvius amōre?

Quis cum Fabullō ad cēnam īre dēbet?

Quis rē vērā cēnam dabit, utrum Fabullus an Catullus?

seu (conjunction): sīve, vel

unguentum -ī, n

olfaciō: odōrem percipiō

apud (prep with accusative): *near, at the home of*

cachinnus -ī, m: *laughter*

aliquot (adjectival)

vicissim: *in turn*

rīsus -ūs, m

domī meae: *at my home*

Martial gives his opinion of the dinner described in the preceding passage.

N89   Unguentum, fateor, bonum dedistī

convīvīs here, sed nihil scīdistī.

Rēs salsa est bene olēre et ēsurīre.

Quī nōn cēnat et unguitur, Fabulle,

hic vērē mihi mortuus vidētur. Martial 3.12

Paraphrasis: Herī, Fabulle, bonum unguentum hospitibus dedistī, (quis enim potest negāre?) sed carnem nōn distribuēbās. Rēs rīdicula est bene olēre et ēsurīre. Ō Fabulle, quid est cui damus unguentum, nōn cibum? Nōnne corpus dēfūnctum?

Quandō erat cēna Fabullī?

Quid dōnat? Quid nōn dōnat?

Cui similis est quī unguitur atque ēsurit?

Quantum cibī accēpēre convīvae?

Erantne cibō satiātī?

here (variant, *herī*): *yesterday*

scindō -ere, scīdī, scissus: *cut, carve, serve up*

salsus: salis gustum habēns; aut jūcundus.

fateor -ērī, fassus

Safe at last!

N90   Sī meminī, fuerant tibi quattuor, Aelia, dentēs;

expulit ūna duōs tussis et ūna duōs.

Jam sēcūra potes tōtīs tussīre diēbus:

nīl istīc quod agat tertia tussis habet. Martial 1.19

Paraphrasis: Nisī fallor, ōlim habuerās, Aelia, dentēs quattuor. Prīmus et secundus dentēs ūnā tussī expulsī sunt, tertius et quārtus alterā tussī. Nōlī timēre, Aelia. Tussī quantum vīs: dēns nūllus est quem tussis tertia expellat.

Quot dentēs Aeliae fuerant?

Quot dentēs Aelia hōc tempore habet?

Quid tertia tussis expellere potest?

Quam diū potest Aelia jam tussīre?

istīc: ex istō locō

expellō -ere, expulī, expulsus

Then as now poets exchanged their work.

N91   Cūr nōn mitto meōs tibi, Pontiliāne, libellōs?
           Nē mihi tū mittās, Pontiliāne, tuōs.   Martial 7.3

Paraphrasis: Tū quereris, Pontiliāne, quod ad tē versūs meōs nōn mittam. Quaeris causam? Eō cōnsiliō, nē ego tua carmina vicissim accipiam.

Quālēs versūs Pontiliānus scrībere
     vidētur?
Quid quaesīvit Pontiliānus?
Quō cōnsiliō Mārtiālis nūgās nōn mīsit?
Mittitne Mārtiālis?
Mitteretne Mārtiālis sī Pontiliānus
     carmina sua dōnāret?
Cui scrīptum est poēma?

nūgae -ārum, f: *trifles*
(a favorite term for a
poet to apply to his own
works)

This poem Martial addresses to a close friend by the same name.
The philosophy set forth by the poet is the prevailing attitude of many
educated men of the time: keep out of trouble. Such emperors as
Caligula and Nero had convinced many Romans that it was foolish to
become involved in public affairs. Another prevailing attitude reflected
in Martial's poem is that inherited money is preferable to earned money.

N92   Vītam quae faciant beātiōrem,
        jūcundissime Mārtiālis, haec sunt:
        rēs nōn parta labōre sed relicta;
        nōn ingrātus ager; focus perennis;
        līs numquam; toga rāra; mēns quiēta;
        vīrēs ingenuae; salūbre corpus;
        prūdēns simplicitās; parēs amīcī;
        convīctus facilis; sine arte mēnsa;
        nox nōn ēbria sed solūta cūrīs;
        nōn trīstis torus et tamen pudīcus;
        somnus quī faciat brevēs tenebrās.
        Quod sīs esse velīs nihilque mālīs;
        summum nec metuās diem nec optēs. Martial 10.47

Paraphrasis: Ō cārissime Mārtiālis, haec sunt quae efficiant vītam
fēlīciōrem: rēs quam nōn labōre tuō acquīsīvistī sed testāmentō alterīus
accēpistī; ager frūctuōsus; focus quī semper igne calēscit; numquam
līs; rāra officia pūblica; tranquillus animus; vīrēs quae hominem
līberālem decent; corpus sānum; prūdēns simplicitās; amīcī quī neque
majōrēs neque minōrēs sunt; hospitēs benīgnī; cibus simplex; vīnum
satis at nōn nimium; uxor jūcunda, at tamen casta; somnus tam profundus
ut omnēs noctēs brevēs videantur. Sīs contentus tuā sorte; nōlī nimis
altē volāre. Dēnique sīc vīve ut neque timeās mortem neque optēs.

Cui Mārtiālis scrīpsit?	torus: *bed*, used here as
Quibus rēbus parcere dēbēmus?	symbol of marriage
Quās rēs spērāre dēbēmus?	trīstis: *prudish*
Quālēs amīcōs vult Mārtiālis?	forum
Quālem agrum?	focus -ī, m: *hearth*
Quotiēns ad Forum īre vult Mārtiālis?	ingenuus: *becoming a*
Quālī mēnsā ūtī vult Mārtiālis?	*free man*
Quantum vīnum bibere vult Mārtiālis?	convīctus -ūs, m: cibus
Quālem vītam vīvās sī haec omnia habeās?	pudīcus: castus
	officium

The verb *agō* is used with many different objects. Martial exploits
this for humorous effect.

N93   Semper agis causās, et rēs agis, Attale, semper;
                est, nōn est quod agās, Attale, semper agis.
             Sī rēs et causae dēsunt, agis, Attale, mūlās.
                Attale, nē quod agās dēsit, agās animam. Martial 1.79

     Paraphrasis: Attale, dīcis causās atque assiduē tractās negōtia.
Continuō agis, sīve sit sīve nōn sit quod agās. Sī negōtia et lītēs tibī
dēficiunt, dūcis mūlās. Attale, nē dēficiat quod gerās, ēmittās spīritum.

Quid Attalus agit?   mūla -ae, f
Sī cētera dēsunt, quid agit?   negōtium
Quid rogat Mārtiālis?
In quem est scrīptum carmen?

This poem has the same point as the one addressed to Pontilianus on
page 445.
N94   Nōn dōnem tibi cūr meōs libellōs
                ōrantī totiēns et exigentī
             mīrāris, Theodōre? Magna causa est:
                dōnēs tū mihi nē tuōs libellōs. Martial 5.73

     Paraphrasis: Ō Theodōre, mīrārisne cūr ego tibi nōn mīserim meōs
versūs? Saepe, fateor, eōs rogā'stī atque expostulā'stī. Nōn stultus
sum: nōlō tē mihi tuōs libellōs mittere.

Quis libellōs Mārtiālis cupit?   exigō -ere, exēgī, exāctus:
Quō cōnsiliō Mārtiālis carmina nōn mittit?   rogō, precor, ōrō
Quālēs versūs scrībit Theodōrus?
Dōnāret Mārtiālis sī vicissim dōnāret Theodōrus?

Martial didn't mind accepting gifts but he did object to being reminded
of it.
N95   Quae mihi praestiterīs meminī semperque tenēbō.
                Cūr igitur taceō? Postume, tū loqueris.
             Incipiō quotiēns alicui tua dōna referre,
                prōtinus exclāmat: "Dīxerat ipse mihī."
             Nōn bellē quaedam faciunt duo: sufficit ūnus
                huic operī. Sī vīs ut loquar, ipse tacē.
             Crēde mihī, quamvīs ingentia, Postume, dōna
                auctōris pereunt garrulitāte suī. Martial 5.52

     Paraphrasis: Ō Postume, tū mihi multa dōnā'stī, quae in memoriā
teneō et in aeternum tenēbō. Rogās, "Cur, Mārtiālis, haec dōna tacēs?"
Haec est causa: cum tū semper dē hīs dōnīs loquāris, nōn necesse est
mē ipsum loquī. Quotiēns ego alicui tua mūnera nārrāre exōrdior, statim
exclāmat, "Postumus ipse mihi haec omnia nārrāverat!" Quaedam nōn

fīunt decenter ā duōbus; ūnus hoc officium cōnficere potest sōlus. Sī
placet ut nārrem, nē locūtus sīs. Ō Postume, crēde mihī, dōna, etiam
sī magna sunt, intereunt per loquācitātem ejus quī dōnāvit.

In quem scrīpsit Mārtiālis?
Cūr Mārtiālis tacet dōna?
Cujus dōna Mārtiālis tacet?
Oblīvīscitur dōnōrum poēta?
Cui Postumus crēdere dēbet?
Sī Mārtiālis dōna referre cōnātur,
    quid dictum est?
Quanta dōna Postumus praestitit?
Quō modō duo eadem dōna laudant?
Quid Postumus agere dēbet?
Cujus loquācitāte pereunt dōna?
Loquerēturne Mārtiālis sī Postumus
    tacēret?

prōtinus (adverbial): statim
quamvīs (subordinating con-
    junction introducing the
    subjunctive): *although*
oblīvīscor -ī, oblītus (with
    genitive): *forget*
cōnor (1): temptō
exōrdior -īrī -ōrsus:
    incipiō

Martial seemed to think that an empty eye socket was amusing; the word
luscus occurs 11 times in his poems.

N96   Oculō Philaenis semper alterō plōrat.
          Quō fīat istud quaeritis modō? Lusca est. Martial 4.65

Paraphrasis: Philaenis, sī lacrimātur, nōn duōbus oculīs ūtitur sed
ūnō tantum. Quaeris, "Quō modō fit quod nārrās?" Habet tantum ūnum
oculum.

Quot oculīs plōrā'sset Philaenis sī sāna fuisset?   plōrō (1)
Quō membrō caret Philaenis?
Eratne Philaenis caeca?
Quid quaerunt lēctōrēs?
Quotiēns alterō oculō lacrimātur Philaenis?
Quot oculīs plōrat sāna?

If you don't invite Martial he will take a fiendish revenge.

N97   Quod convīvāris sine mē tam saepe, Luperce,
          invēnī noceam quā ratiōne tibī.
        Irāscor. Licet ūsque vocēs mittāsque rogēsque —
        "Quid faciēs?" inquis? Quid faciam? Veniam. Martial 6.51

Paraphrasis: Ō Luperce, excōgitāvī quō modō tē laedam, quod sine
mē tam crēbrō cēnās. Īrā commoveor. Quamvīs semper mē invītēs et
mittās atque ōrēs — Scīsne quid agam sī ad tuam cēnam invītābor?
Quid agam? Ad cēnam tuam veniam.

Cui Mārtiālis nocēre vult?   convīvor (1): cēnō

Cūr poëta īrātus est?
Ad quem scrībit carmen?
Quid Mārtiālis invēnit?
Recūsābitne Mārtiālis sī invītātus erit?
Īrāscerētūrne poëta sī invītātus esset?

licet plus the subjunctive
often equal *quamvīs* or
cum: *although*
crēber -bra -brum: dēnsus,
frequēns, multus
ūsque (intensifier)

N98   Rāna Rupta et Bōs
Inops, potentem dum vult imitārī, perit.
In prātō quondam rāna conspexit bovem,
et tacta invidiā tantae magnitūdinis
rūgōsam īnflāvit pellem. Tum nātōs suōs
interrogāvit an bove esset lātior.
Illī negā'runt. Rursus intendit cutem
majōre nīsū, et similī quaesīvit modō
quis major esset. Illī dīxērunt bovem.
Novissimē indīgnāta, dum vult validius
īnflāre sēsē, ruptō jacuit corpore. Phaedrus 1.24

Paraphrasis: Pauper, sī vult dīvitem imitārī, semper obit. Ōlim in agrō rāna bovem pāscentem aspexit, et magnitūdinī ejus invidēns suum corpus parvulum īnflāvit. Hōc factō, ē fīliīs suīs quaesīvit, "Nōnne ego grandior bove sum?" Illī "Nōn tam grandis es" inquunt. Iterum conātū majōre corpus īnflāvit et iterum quaesīvit, "Quis major est, utrum bōs an māter vestra?" Nātī ejus "Bōs major est" respondēre. Tandem īrāta tertiō sē īnflāre volēbat et hōc modō sē rūpit.

Quem imitārī volēbat rāna?
Estne rānā bōs major?
Estne rāna bove major?
Ubi nunc jacet corpus rānae?
Propter quōs hominēs est scrīpta
    haec fābella?
Rūpitne sē rāna?
Rūpissetne sē rāna sī bōs minor fuisset?
Tū es nātus rānae; nārrā hanc fābulam.

prātum: *meadow*
bōs, bovis, m
pellis -is, f: *skin*
rursus: rursum
cutis -is, f: pellis
nīsus -ūs, m: *effort*
novissimē: *finally*
ōlim (adverbial)
rūgōsus: *wrinkled*

N99   Vacca, Capella, Ovis, et Leō
Numquam est fidēlis cum potente societās:
testātur haec fābella prōpositum meum.
Vacca et capella et patiēns ovis injūriae[1]
sociī fuēre cum leōne in saltibus.
Hī cum cēpissent cervum vastī corporis,
sīc est locūtus, partibus factīs, leō:

[1]A limited number of adjectives pattern with the genitive; *patiēns* is one: "patient about injuries."

"Egō prīmam tollō, nōminor quoniam leō.
Secundam, quia sum fortis, tribuētis mihī.
Tum quia plūs valeō, mē sequētur tertia.
Malō afficiētur, sī quis quārtam tetigerit."
Sīc tōtam praedam sōla improbitās[2] abstulit. Phaedrus 1.5

Paraphrasis: Nē potentī crēdiderīs: hoc monet mea fābula. Tria
animālia — bōs, ovis, capra — societātem cum leōne fēcērunt ut cibum
suum in silvā peterent. Captus est autem cervus grandis, quem in
partēs quattuor dīvīsēre sociī. Deinde leō "Ego" inquit "prīmam partem
capiō quod mihi nōmen Leōnī est." Hōc dictō, ūnam partem abstulit.
"Nōn dubium est quīn mihi, quod fortis sum, secundam partem dētis."
Et secundam partem ad sē rapuit. "Tertiam quoque partem capiam
quod vōbīs validior sum." Prōtinus ēvānuit tertia pars. "Ā parte
quārtā abstinēte, moneō, nisī mortem obīre velītis." Et hōc modō
tōtum corpus leō improbus sibi sōlus cēpit.

Cujus sociī erant vacca, capella, ovis?
Quis erat fortissimus?
Quid erat captum?
Utrum cervus ā leōne sōlō an ab
    omnibus captus erat?
Quis sōlus praedam obtinuit?
Quis secundam partem cēpit?
Cūr leō prīmam partem cēpit? Cūr
    secundam? Tertiam? Quārtam?
Cujus improbitās magna erat?
Quī timēbant? Quem? Cui?
Cui datum est corpus cervī tōtum?
Quot in partēs praeda dīvīsa erat?
Quot animālia fuērunt?
Quot partēs bēstia quaeque obtinēre dēbuit?
Quot partēs accēpit capella?
Quis improbus fuit? Quis timidus?
Quōrum erat leō dominus?
Cujus corpus praeda factum est?
Propter quōs hominēs scrīpsit Phaedrus
    hanc fābellam?

saltus -ūs, m: silva
nōn dubium est quīn (with
    subj): *there is no doubt
    that*
vacca: bōs fēmina
capella: *female goat*
cervus: fera mīrae
    celeritātis, habēns
    cornua grandia
praeda: *booty*
obeō: pereō
pavor: timor

N100   Vulpēs et Caper
            Homō in perīc'lum simul ac vēnit callidus
            reperīre effugium quaerit alterius malō.
            Cum dēcidisset vulpēs in puteum īnscia

---

[2]This is a common stylistic feature of Phaedrus. Instead of saying *leō improbus*
("the wicked lion") he says *improbitās* ("the wickedness"). Watch for other examples of this.

et altiōre clauderētur margine,
dēvēnit hircus sitiēns in eundem locum.
Simul rogāvit esset an dulcis liquor
et cōpiōsus. Illa fraudem mōliēns:
"Descende, amīce. Tanta bonitās est aquae
voluptās ut satiārī nōn possit mea."
Immīsit sē barbātus. Tum vulpēcula
ēvāsit puteō, nīxa celsīs cornibus,
hircumque clausō līquit haerentem vadō. Phaedrus 4.9

Paraphrasis: Homō doctus, sapiēns, subdolus, sī in perīculum vēnit,
citō salūtem petit suam ex malō aliēnō: sīc ostendit haec fābula. Vulpēs
ōlim propter īnscientiam in puteum dēcidit. Puteus hic tam altus erat
ut vulpēs effugere nōn posset. Ad eundem puteum vēnit caper ut aquam
biberet. Cum vulpem vīdisset, rogāvit "Estne aqua bona? Quanta est?"
Quae, ut hircum falleret, ait, "Ad mē dēscendās, mī amīce. Tālis est
aqua ut ego quidem numquam satis bibere possim." Caper stultus
dēscendit. Suprā illum saluit vulpēs callida et hōc modō effūgit. Capellus
autem in puteō sine spē mānsit.

Quid agit homō callidus?
Propter quem est scrīpta haec fābula?
Cujus malō quaerit callidus salūtem?
Quis erat intus puteum? Quis extrā?
Quis inde ēvāsit? Quis relictus est?
Quam altus erat puteus?
Quō auxiliō claudēbātur vulpēcula?
Quem vulpēs in puteō relīquit?
Cujus stultitia mōnstrāta est?
Cujus calliditās?
Cui vulpēs nocuit?
Cujus margō altus erat?
Quid quaesīvit stultus?
Quid respondit callida?
Quanta bonitās aquae fuit, ut vulpēs
    dīxit?
Quis sē ēmīsit?
Quis sē immīsit?
Cujus cornua alta erant?
Cui vulpēs nōn amīca fuit?
Bibitne hircus aquam?
Bibissetne sī aqua nōn dēfēcisset?

simul ac (conjunction): *as
    soon as*
reperiō (4): inveniō
puteus: puteus est locus quī
    perpetuās habet aquās ex
    terrae vēnīs fluentēs.
    Differt ergō ā cisternā,
    quae aquam pluviam
    collēctam servat.
mōlior (4): vīribus agō
vulpēcula: vulpēs parva
nīxus: incumbēns, ūtēns
haereō -ere, haesī, haesus:
    quī haeret in eōdem locō
    manet contrā voluntātem,
    ut in līmō
vadum: locus in marī aut
    flūmine ubi aqua brevis
    est; ibi prō aquā
caper -prī, m: hircus,
    capellus
celsus: altus

N101   Rānae Rēgem Peti'ērunt
Rānae vagantēs līberīs palūdibus
clāmōre magnō rēgem peti'ēre ā Jove,
quī dissolūtōs mōrēs vī compesceret.

Pater deōrum rīsit atque illīs dedit
parvum tigillum, missum quod subitō vadī
mōtū sonōque terruit pavidum genus.
Hoc mersum līmō cum jacēret diūtius,
forte ūna tacitē prōfert ē stāgnō caput
et, explōrātō rēge, cūnctās ēvocat.
Illae, timōre positō, certātim adnatant,
lignumque suprā turba petulāns īnsilit.
Quod cum inquinā'ssent omnī contumēliā,
alium rogantēs rēgem mīsēre ad Jovem,
inūtilis quoniam esset quī fuerat datus.
Tum mīsit illīs hydrum, quī dente asperō
corripere coepit singulās. Frūstrā necem
fugitant inertēs; vōcem praeclūdit metus.
Fūrtim igitur dant Mercuriō mandāta ad Jovem,
afflictīs ut succurrat. Tunc contrā deus
"Quia nōluistis vestrum ferre" inquit "bonum,
malum perferte!"   Phaedrus 1.2

Paraphrasis: Rānae in palūdibus suīs sine lēgibus certīs laetae nōn erant, quod rēgem cupiēbant. Ergō magnō clāmōre rēgem ā Jove petīvērunt quī vītam prāvam regeret. Juppiter rīsit atque ad eōs mīsit parvum lignum, cujus sonus et mōtus aquārum rānās perterruit. Quod diū in aquā jacēbat; tandem quaedam ex rānīs caput suprā aquam prōtulit et rēgem novum explōrāvit. Hōc factō, aliae ēvocantur, quae timōrem posuēre et celeriter ad rēgem adnatābant. Suprā rēgem multīs cum querēlīs sedēbant. Posteā iterum ad Jovem mīsērunt, eō cōnsiliō ut alterum rēgem obtinērent. "Rēx" inquit "quem nōbīs dedistī inūtilis est." Īrātus Juppiter ad eās mīsit serpentem terribilem, quī dentibus crūdēlibus eās singulātim necābat. Nec mortem effugere nec vocāre poterant. Ergō sēcrētō nūntium Mercurium ad Jovem mīsēre: "Nōs quī perīmus servā!" Juppiter contrā ait, "Rēgem bonum (id est, tigillum) vōbīs datum nōn accēpistis; serpentem, igitur, sustinēte!"

Ubi habitābant rānae?	vagor (1): errō
Erantne līberae vel sub rēgnō crūdēlī?	palūs -ūdis, f: aqua
Quō cōnsiliō rēgem rogāvēre?	stāgnāns, quae interdum
Quibus erant mōrēs dissolūtī?	aestāte siccātur, in quō
Quō auxiliō rēx mōrēs corrigere dēbuit?	differt ā lacū, quī
Quis est pater deōrum?	perpetuam habet aquam
Quōrum est Juppiter pater?	compescō -ere -uī:
Quibus est datum tigillum?	contineō, opprimō
Quis lignum dedit?	tigillum: lignum
Quid erat prīmus rēx rānārum?	pavidus: timidus
Quōrum rēx erat tigillum?	līmus: terra cum aquā
Quibus tigillum nōn placuit?	mixta
Quid ex aquā prōlātum est?	stāgnum: aqua quiēta ac
Unde rāna quaedam caput prōtulit?	placida; lacus vel vadum

Quō modō caput prōtulit?

Quis caput prōtulit?

Quōs ēvocāvit rāna fortis?

Quī ā rānā ēvocātī sunt?

Quandō aliae rānae ad lignum adnatāvēre?

Quō modō adnatāvēre?

Quō adnatāvēre?

Quō nūntium mīsēre?

Cūr alium rēgem rogāvēre?

Quid ā Jove missum est?

Quid ēgit hydrus?

Quō auxiliō rānās capiēbat?

Quō modō rānae fugitābant mortem?

Quō auxiliō vōx praeclūsa est?

Quid Jovem rogant rānae?

Quid respondit tandem Juppiter?

Tū es rāna; nārrā hanc fābulam.

lignum suprā: prō *suprā lignum*

petulāns: improbus

inquinō (1): *befoul*

īnsiliō -ere -uī: in aliquid mē prōjiciō

contumēlia: injūria cum contemptū

hydrus: serpēns quī in aquā habitat

iners: dēbilis, sine vī, sine spē

fugitō (1): fugere soleō

metus -ūs, m: timor

fūrtim (adverb): mōre fūris

Mercurius: nūntius deōrum

praeclūdō -ere -clūdī -clūsus

afflīgō -ere, afflīxī, afflictus

Here's vivid imagery!
N102   Dīcis amōre tuī bellās ardēre puellās,
              quī faciem sub aquā, Sexte, natantis habēs. Martial 2.87

Paraphrasis: Dīcis puellās pulchrās tē ad īnsāniam amāre. Crēdere hoc difficile est: nam tū habēs tālem vultum quālem sub aquā natāns, id est, pallidum et turgidum.

Cui scrīptī sunt hī versūs?   ardeō -ēre, arsī
Estne Sextus pulcher an foedus?   natō (1)
Quid dīxit Sextus?
Quid dīcit poēta noster?

Martial was a master of the sly dig. Here is one on the same line as the old chestnut, "Someone said you weren't fit to eat with a pig. But I stuck up for you; I claimed you were."
N103   Mentītur quī tē vitiōsum, Zōile, dīcit.
                    Nōn vitiōsus homō es, Zōile, sed vitium. Martial 11.92

Paraphrasis: Mendāx est, Ō Zōile, quī tē corruptum esse dīcit. Crēde mihi, Zōile, tū nōn es corruptus; tū es corruptiō ipsa!

Quālis homō dīcitur Zōilus?
Quid est Zōilus, sī homō vitiōsus nōn est?
Mārtiālis Zōilum excūsāre vidētur; quid rē
    vērā facit?

N104   Scrībere mē quereris, Vēlōx, epigrammata longa.
               Ipse nihil scrībis: tū breviōra facis. Martial 1.110

Paraphrasis: Ō Vēlōx, expostulās ā mē compōnī epigrammata longa. Tū nihil compōnis: carmina mea igitur tibi longiōra videntur.

Quid queritur Vēlōx?
Cujus epigrammata longa sunt?
Quam ob rem carmina Vēlōcis breviōra sunt?
Quot carmina composuit Vēlōx, ut Mārtiālis dīcit?

Again the theme of suspicious demise. But a real twist on this one!

N105   Fūnera post septem nūpsit tibi Galla virōrum,
          Pīcentīne. Sequī vult, puto, Galla virōs. Martial 9.78

Paraphrasis: Ō Pīcentīne, Galla, postquam septem marītōs venēnō
sustulit, tibi nūpsit. Sed stulta est: nam tē venēnō nōn interficiet ut
aliōs, sed ipsa eōdem modō quam marītī moriētur.

Quot virīs Galla nūpserat?   interficiō -ere -fēcī
Cui nunc nūpsit?   -fectus: necō
Quid putat Mārtiālis?
Quandō Pīcentīnus Gallam in mātrimōnium dūxit?

N106   Dē Simōnide
          Homō doctus in sē semper dīvitiās habet.
          Simōnidēs, quī scrīpsit ēgregium melos,
          quō paupertātem sustinēret facilius,
          circum īre coepit urbēs Asiae nōbilēs,
          mercēde acceptā, laudem victōrum canēns.
          Hōc genere quaestūs postquam locuplēs factus est,
          redīre in patriam voluit cursū pelagiō;
          erat autem, ut ajunt, nātus in Ciā īnsulā.
          Ascendit nāvem, quam tempestās horrida
          simul et vetustās mediō dissolvit marī.
          Hī zōnās, illī rēs pretiōsās colligunt,
          subsidium vītae. Quīdam cūriōsior:
          "Simōnidē, tū ex opibus nīl sūmis tuīs?"
          "Mēcum" inquit "mea sunt cūncta." Tunc paucī ēnatant,
          quia plūrēs onere dēgravātī perierant.
          Praedōnēs adsunt, rapiunt quod quisque extulit,
          nūdōs relinquunt. Forte Clazomenae prope
          antīqua fuit urbs, quam peti'ērunt naufragī.
          Hīc litterārum quīdam studiō dēditus,
          Simōnidis quī saepe versūs lēgerat
          eratque absentis admīrātor maximus;
          sermōne ab ipsō cognitum cupidissimē
          ad sē recēpit; veste, nummīs, familiā
          hominem exōrnāvit. Cēterī tabulam[1] suam
          portant rogantēs vīctum. Quōs cāsū obviōs
          Simōnidēs ut vīdit, "Dīxī" inquit "mea
          mēcum esse cūncta; vōs quod rapuistis, perit."
                                        Phaedrus 4.22

[1]Cf. Juvenal 14.301-2: ... mersā rate naufragus assem
          dum rogat et pictā sē tempestāte tuētur.
     Cf. also Persius 1.89-90: Cantās, cum frāctā tē in trabe pictum
          ex humerō portēs.

Paraphrasis: Sapiēns numquam pauper est. Simōnidēs, quī carmina
nota scrībēbat ut pecūniam obtinēret, circum clārās Asiae urbēs iit.
Carminibus eōs quī in lūdīs Olympicīs vīcerant laudāvit; hōc modō
vīctum obtinuit. Postquam sīc dīves factus est, ad patriam suam
redīre voluit trāns mare, quod in īnsulā Ciā nātus erat, ut fāma est.
Nāvem igitur cōnscendit. Vēnit tempestās terribilis, quae nāvem
antīquam mediō in marī submersit. Aliī saccōs suōs, in quibus pecūnia
jacuit, aliī rēs pretiōsās corripiēbant, quō vītam sustinērent. Quīdam
cūriōsior ait, "Simōnidē, cūr tū nihil ex tuīs bonīs capis?" Ille "Habeō
omnia mea mēcum" inquit. Tum paucī effūgēre; cēterī autem periēre
quod onus eōs submerserat. Eōs quī ad lītus vēnerant praedōnēs
crūdēlēs aggressī sunt, id quod quisque servāverat rapuēre, et ipsōs
nūdōs in lītore relīquēre. Forte aderat urbs antīqua, Clazomenae
nōmine, quō miserī sē contulēre. In hāc urbe habitābat quīdam quī
litterīs studēbat et maximē carmina Simōnidis dīligēbat; poetam ipsum
autem nōn cognōverat. Illum agnōvit et domum suam recēpit; vestem,
pecūniam, servōs eī dedit. Aliī naufragī quasī mendīcī cibum rogābant.
Simonidēs cum forte eīs occurrit ait, "Ecce, omnia mea (id est, meam
artem) mēcum ex nāvī portāvī. Quod vōs servā'stis nunc āmīsistis."

Quid Simōnidēs scrīpsit?
Quid erat patria Simōnidis?
Quō cōnsiliō scrīpsit carmina?
Quem carminibus laudāvit?
Cujus laudem cecinit?
Quid voluit poēta postquam dīves
    factus est?
Quid nāvem frēgit?
Ubi nāvis submersa est?
Quae ā naufragīs collēcta sunt?
Quibus nocuēre praedōnēs?
Ubi habitābant praedōnēs?
Ubi erant opēs Simōnidis?
Quibus rēbus egēbant naufragī?
Quid ā pīrātīs raptum est?
Cui pīrātae pepercērunt?
Cujus carmina lēgerat vir studiō
    dēditus?
Ubi habitāvit? Quem maximē
    admīrātus est?
Cui Simōnidēs placēbat?
Quō auxiliō ille Simōnidem jūvit?
Quibus rēbus nunc caruit Simōnidēs?
Quem obvium vīdit Simōnidēs?
Quid dīxit Simōnidēs ut naufragōs
    vīdit?
Quid erant opēs Simōnidis?
Quid erant opēs aliōrum naufragōrum?
Quis sapientior fuit?

melos: verbum Graecum
    cāsūs nōminātīvī vel
    accūsātīvī, sīgnificāns
    carmen lyricum
quaestus -ūs, m: āctus quō
    pecūnia obtinētur
pelagius: marīnus
vetustās: antīquitās
zōna: saccus ubi nummī
    dēpōnuntur
Simōnidē: est cāsūs
    vocātīvī
praedō -ōnis, m: latrō
    marīnus
naufragus: naufragus est
    quī naufragium passus
    est. Naufragium autem
    est submersiō nāvis.
familia: servī
vīctus -ūs, m: cibus
obvius: quī alicui occurrit
    est eī obvius. Sī ego tibi
    occūrro, tibi obvius sum.
lītus -oris, n: margō maris
    ubi undae franguntur
pīrāta -ae, m
cupidus: *eager*
mendīcus: *beggar*

N107   Vulpēs et Corvus
Quī sē laudārī gaudet verbīs subdolīs,
sērā dat poenās turpēs paenitentiā.
Cum dē fenestrā corvus raptum cāseum
comēsse[2] vellet, celsā residēns arbore,
vulpēs hunc vīdit; deinde sīc coepit loquī:
"Ō quī tuārum, corve, pennārum est nitor!
Quantum decoris corpore et vultū geris!
Sī vōcem habērēs, nūlla prior ālēs foret!"
At ille stultus, dum vult vōcem ostendere,
ēmīsit ōre cāseum, quem celeriter
dolōsa vulpēs avidīs rapuit dentibus.
Tum dēmum ingemuit corvī́ dēceptus stupor.   Phaedrus 1.13

Paraphrasis: Sunt multī quī volunt laudārī; eī propter hoc vitium
jūstē pūniuntur. Corvus ōlim cāseum dē fenestrā raptum ad arborem
portāvit. Quem vulpēs ēsuriēns cōnspexit et "Ō corve" inquit "quam
splendent tuae pennae! Et quam pulchrum est tuum corpus, quam
pulcher tuus vultus! Vōcem pulchram tantum nōn habēs; sī habērēs,
pulcherrima avium essēs!" Hōc audītō, stultus corvus cantāre coepit
ita ut cāseum ex ōre ēmitteret. Quem vulpēs mendāx rapuit, et corvus
īnsipiēns lacrimābātur.

Quem haec fābula monet?
Unde corvus cāseum rapuit?
Quā ex māteriā fit cāseus?
Quid esse vult corvus?
Ubi resēdit corvus?
Quālī in arbore resēdit corvus?
Quis ā vulpe cōnspectus est?
Ut vulpēs dīxit, cujus nitor erat
    pulcher?
Ut vulpēs dīxit, quid splenduit?
Quāle corpus, ut vulpēs dīxit,
    gerēbat corvus?
Cujus corpus, ut vulpēs dīxit,
    pulchrum erat?
Cujus verba subdola erant?
Quid nitēbat, ut vulpēs dīxit?
Eratne corvus rē vērā pulcher?
Quid corvus ostendere cupīvit?
Quālis bēstia erat vulpēs?
Quis cāseum ēmīsit?
Quis cāseum ēmissum rapuit?

subdolus: fraudulentus,
    fallāx
dat poenās: is quī fūrtum
    facit, sī captus est,
    poenās dare solet;
    pūnītur
turpis: inhonestus. Poenae
    hīc sunt appellātae
    inhonestae vel *turpēs*
    quod crīmen ipsum turpe
    fuit.
fenestra: ea pars aedificiī
    quā lūx admittitur
cāseus: cibus ē lacte factus
penna: id quō avēs
    vestiuntur
nitor -ōris, m: clāritās,
    splendor
quantum decoris: quod decus
ālēs: avis
dolōsus: subdolus, fallāx

[2]The verb *edō*, in addition to regular forms like *edō, edis, edit*, has some irregular forms: *ēs, ēst, ēstis* (all #2), the infinitive *ēsse*, and a few others.

Cui vulpēs invīdit?
Quō auxiliō vulpēs cāseum rapuit?
Quid cāseum rapuit?
Quālēs dentēs gerēbat vulpēs?
Cui erat dentēs avidī?
Cui, ut vulpēs dīxit, erat pulchritūdō?
Quid dēceptum est?
Cujus stupor dēceptus est?
Quis dēcēpit?
Quis dēceptus est?
Quō auxiliō corvus dēceptus est?
Quō cōnsiliō vulpēs corvum laudāvit?
Tū es corvus: nārrā hanc fābulam.
Tū es vulpēs: nārrā hanc fābulam.

dēmum: tandem, dēnique,
    post omnia
ingemō -ere -uī: sonum
    miserābilem ēmittō
splendeō -ēre -uī
resideō -ēre -sēdī: *remain
    sitting*
tum: tunc

N108   Canis Per Fluvium Carnem Ferēns
        Āmittit meritō proprium quī aliēnum appetit.
        Canis per flūmen carnem cum ferret natāns,
        lymphārum in speculō vīdit simulācrum suum,
        aliamque praedam ab alterō ferrī putāns,
        ēripere voluit. Vērum dēcepta aviditās,
        et quem tenēbat ōre dīmīsit cibum,
        nec quem petēbat potuit adeō attingere.   Phaedrus 1.4

    Paraphrasis: Jūstē āmittit suum quī aliēnum cupit, ut haec fābula
bene ostendit. Ōlim canis quī per amnem cibum portābat in aquā suam
cōnspexit imāginem. "Ecce!" inquit "Alter canis cibum portat!" et
hunc ēripere cōnātus est. At avārus aviditāte suā dēcipitur: cibus
enim quem in ōre tenēbat in rīvum cecidit. Suum meritō āmīsit et quem
alius portābat capere nōn potuit.

An injūstē āmittit suum quī
    aliēnum cupit?
Quid ferēbat canis? Ubi?
    Quō auxiliō?
Quid in aquā aspexit? Quō
    auxiliō? Ubi?
Cui cibus cārus fuit?
Quō cōnsiliō carnem suum
    dēmīsit?
Quid, alterō cane vīsō, putābat canis?
Quis dēceptus est? Quid dēceptum est?
Quō auxiliō canis dēceptus est? Ā quō?
Unde cibus cecidit? Quō cecidit?
Potuitne alterum cibum capere?
Tenuisset suum nisī aliēnum petī'sset?
Tū es canis: nārrā fābulam.

lympha: aqua (nōmen
    poēticum)
speculum: īnstrūmentum ex
    vitrō, argentō, et
    similibus, in quō imāginem
    nostram vidēmus
praeda: id quod ab aliīs
    rapimus, ut cibum,
    pecūniam, bovēs, et
    cētera
simulācrum: imāgō
adeō: etiam

N109   Panthēra[1] et Pāstōrēs
Solet ā dēspectīs pār referrī grātia.
Panthēra imprūdēns ōlim in foveam dēcidit.
Vīdēre agrestēs. Aliī fūstēs congerunt,
aliī onerant saxīs. Quīdam contrā miseritī
peritūrae quippe, cum laesisset nēminem,
mīsēre pānem ut sustinēret spīritum.
Nox īnsecūta est. Abeunt sēcūrī domum,
quasī inventūrī mortuam postrīdiē.
At illa, vīrēs ut refēcit languidās,
vēlōcī saltū foveā sēsē līberat
et in cubīle concitō properat gradū.
Paucīs diēbus interpositīs, prōvolat.
Pecus trucīdat, ipsōs pāstōrēs necat,
et cūncta vāstāns saevit īrātō impetū.
Tum sibi timentēs, quī ferae pepercerant,
damnum haud recūsant, tantum prō vītā rogant.
At illa: "Meminī quis mē saxō peti'erit,
quis pānem dederit. Vōs timēre absistite;
illīs revertor hostis quī mē laesērunt."
                        Phaedrus 3.2

Paraphrasis: Saepe ā minōribus accipimus idem beneficium quod
ipsī īs dedimus. Quod fābula haec ostendit. Panthēra īnscia in foveam
cecidit. Agricolae cum vīdissent ligna in eam injecērunt, saxa dēmīsērunt.
Aliī autem bēstiae innocentis quae mox peritūra fuit miseritī sunt.
Mīsērunt igitur cibum quō vītam sustinēret. Vēnit nox; sine cūrā omnēs
domum abiērunt. Putābat quisque sēsē bēstiam mortuam māne inventūrum
esse. At illa, vīribus receptīs, summīs saliēns vīribus, ē foveā effūgit
et magnā celeritāte domum suam sē recēpit. Post paucōs diēs, ad
eundem locum reversa est. Animālia interfēcit ūnā cum pāstōribus
ipsīs, et tōtum agrum terruit. Tandem eī quī bēstiae miseritī erant nōn
rēs suās sed vītam ipsam rogābant. Illa "Nōlīte timēre" inquit. "Habeō
in memōriā quis mē saxō vulnerāre temptā'rit, quis mihi cibum dederit.
Eīs quī mē laesērunt inimīca sum, nōn vōbīs."

[1]Although we consider the panther a ferocious beast, the ancients had other
ideas, as this poem shows. Here is what Isidore of Seville, an immensely learned
Spaniard (AD 560-636), had to say regarding the origin of the name: "Panthēr
dictus, sīve quod omnium animālium sit amīcus, exceptō dracōne, sīve quia et suī
generis societāte gaudet. Πᾶν enim Graecē *omne* dīcitur."

Quō dēcidit panthēra?
Ā quibus vīsa est?
Quō auxiliō vulnerāta est?
Cujus miseritī sunt quīdam?
Quid in foveam mīsērunt
    agricolae benīgnī?
Quō cōnsiliō pānis missus est?
Quō abiērunt agricolae?
Quid putābant ubi domum
    discessērunt?
Quandō panthēra effūgit?
Quō auxiliō effūgit? Unde? Quō?
Quandō reversa est ad agricolās
    crūdēlēs?
Quōs petēbat?
Cui timēbant agricolae benīgnī?
    Quem timēbant?
Quid rogābant? Quid nōn rogābant?
Quibus panthēra inimīca fuit?
    Quibus amīca?
Quem laeserant agricolae crūdēlēs?
Quibus panthēra pepercit? Quibus
    nocuit?
Quandō bēstia ad foveam reversa est?
Quōs fugāvit panthēra?
Quī panthēram lapidāvērunt?
Cujus fātum dolēbant agricolae benīgnī?
Propter quōs est haec fābella scrīpta?
Pepercissetne bēstia aliīs agricōlīs
    nisī crūdēlēs fuissent?
Tū es panthēra haec; nārra fābellam.

dēspectus: contemptus
agrestis: quī agrōs colit;
    agricola
fūstēs congerunt: ligna
    mittunt
quippe: certē
misereor -ērī, miseritus
    (with genitive): *pity*
postrīdiē (adverbial):
    proximō diē
cubīle -is, n: locus ubi
    aliquis dormīre solet
concitus: maximē citus,
    celer
prōvolō (1): exeō magna vī
pecus, pecoris, n: grex,
    animālia collēcta
trucīdō (1): crūdēliter
    interficiō, necō
saeviō (4): īrāscor
damnum: damnum est id
    quod āmittitur
haud (strong negator)
saxum: lapis
absistō -ere -stitī: dēsinō
gradus -ūs, m: *step*

A soft answer, containing a thought like the poem on page 433.
N110   "Trīgintā tōtō mala sunt epigrammata librō."
        Sī totidem bona sunt, Lause, bonus liber est. Martial 7.81

Paraphrasis: Jūdicā'stī, Lause, in meō libellō esse trīgintā mala
carmina. Hoc mihi placet; contentus essem sī trīgintā bona carmina
ibi inessent.

Quot mala poēmata in Mārtiālis librō sunt, ut
    Lausus dīxit?
Quālis liber sit sī trīgintā bona carmina
    contineat?
Cui est carmen scrīptum?

Martial's lawyer didn't keep to the point as much as Martial might have wished.

N111   Nōn dē vī neque caede nec venēnō,
         sed līs est mihi dē tribus capellīs:
         vīcīnī queror hās abesse fūrtō.
         Hoc jūdex sibi postulat probārī.
         Tū Cannās Mithridāticumque bellum
         et perjūria Pūnicī furōris
         et Sullās Mariōsque Mūciōsque
         magnā vōce sonās manūque tōtā.
         Jam dīc, Postume, dē tribus capellīs. Martial 6.19

Paraphrasis: Lītigō cum vīcīnō nōn dē rēbus gravibus sed dē tribus hircīs parvīs quōs dīcō hunc abstulisse. Jūdex probātiōnem hujus fūrtī petit. Tū, Postume, meam causam agis. Magnā vōce et summīs vīribus clāmās rēs gestās Rōmānōrum: bella externa ac cīvīlia, et magnōs virōs Rōmae. Quandō ad fīnem hārum rērum pervēneris, dīc Postume, dē damnō meōrum caprōrum.

Dē quibus erat līs?
Dē quibus dīxit Postumus?
Quō auxiliō Postumus causam ēgit?
Apud quem est causa ācta?
Quis capellās Mārtiālis rapuerat?
Quid Mārtiālis Postumō imperāvit?
Quis Rōmānōs Cannīs vīcit?
Ubi Rōmānī ab Hannibale victī sunt?
Ubi sita est Carthāgō?
Quālem fidem Carthāginiēnsibus
    esse dīxērunt Rōmānī?
Quis postulāvit ut fūrtum probārētur?
Essetne Mārtiālis questus sī Postumus
    ad rem dīxisset?
Quem dīxit Mārtiālis suās caprās
    rapuisse?
Cujus operā in līte Mārtiālis ūsus
    est?
Quis erat vir clārus quī prō patriā
    manum suam āmīserat?
Cūr Postumus poētae nostrō nōn
    placuit?

Cannae: vīcus Apūliae ubi
    caesus est exercitus
    Rōmānus ab Hannibale
Mithridātēs: rēx Pontī,
    rēgnī Asiae Minōris,
    contrā quem bella
    gessērunt multī
    imperātorēs Rōmānī,
    inter quōs Lucullus,
    Sulla, et Pompejus
perjūria Pūnicī furōris:
    Rōmānī tria bella contrā
    Carthāginiēnsēs vel
    Pūnicōs gessērunt, quī
    semper malā fidē
    pūgnābant. Apud
    Rōmānōs *fidēs Pūnica* in
    prōverbium vēnit.
Inter Sullam et Marium
    ortum est bellum cīvīle
    quod Italiam vāstāvit.
Mūcius Scaevola in bellum
    contrā Porsenam, rēgem
    Etrūriae, captus est.
    Quī ut fortitūdinem
    Rōmānam ostenderet
    manum suam in ignem
    mīsit; quō factō glōriam
    immortālem cōnsecūtus
    est.

N112   Fortūnāta fuī, et vīxī tē dīgna marītō,
          sed nimium subitō fātālis mē abstulit hōra.
          Hīc ego sēcūrē jaceō cōnsūmpta per ignēs.
          Et tū mortālem tē sīc nātum esse mementō,[2]
          nam nūllī fās est vōtīs excēdere fāta.
          Nec mea plūs jūstō sit mors tibi causa dolōris.

Quō homine fuit Fortūnāta dīgna?
Ā quō Fortūnāta rapta est?
Quō modō nunc jacet Fortūnāta?
Cui fās est fāta vōtīs excēdere?
Cujus mors nōn dēbet nimiī causa dolōris esse?
Quid Fortūnātam abstulit?
Quantō tempore hōra eam rapuit?
Quālī hōrā fēmina ablāta est?
Quid corpus ejus cōnsūmpsit?

N113   Dīc, hospes Spartae, nōs tē hīc vīdisse jacentēs
              dum sānctīs patriae lēgibus obsequimur. Cicero[3]

Quibus obsecūtī sunt Spartānī?   obsequor (with dative):
Cūr eī periērunt?   obtemperō, pāreō,
Cui servīvērunt eī?   oboediō

N114   Hīc jam nunc situs est quondam praestantius ille
          omnibus in terrīs fāmā vītāque probātus.
          Hic fuit ad superōs fēlīx, quō nōn fēlīcior alter
          aut fuit aut vīxit, simplex, bonus atque beātus.
          Numquam trīstis erat, laetus gaudēbat ubīque,
          nec senibus similis mortem cupiēbat obīre,
          sed timuit mortem nec sē morī posse putābat.
          Hunc conjūnx posuit terrae et sua trīstia flēvit
          vulnera, quae sīc sit cārō viduāta marītō.

Cui hic senex nōn similis fuit?   ubīque (adverbial): omnī
Cupiēbatne obīre?   locō
Quid nōn putābat?   mortem obeō: pereō,
Quibus rēbus erat probātus?   morior
Quālem vītam ēgit?   viduātus: egēns, carēns
Ubi laetus erat?   terrae (locative case)
Ā quō tumulus positus est?

---

[2]*Mementō* is the second imperative, a form found in solemn documents like laws and prayers or in informal documents like letters. *Meminī*, however, lacks the regular imperative.

[3]Translation of an epitaph by Simonides in memory of the Spartans who died at Thermopylae.

Cui positus est?
Cujus vīta erat beāta?

Appropriately enough, this is the last inscription.
N115   Admīror, pariēs, tē nōn cecidisse ruīnā,
              quī tot scrīptōrum taedia sustineās.

Ubi scrīptae sunt multae nūgae?   taedium -ī, n: cōpia nimia
Cecideratne mūrus?   aliquārum rērum
Quid auctor admīrātus est?
Quid sustinēbat multa taedia scrīptōrum?

Throughout these poems you will be struck by the eternal similarities
of the human spirit — whether good or bad — and by the infinite number
of differences in the cultures within which these human beings must find
their earthly happiness. We all know greedy people; Rome had them too.
It was common for ambitious Romans to cultivate friendship with the
rich and decrepit in the hope of being included in their wills. Martial
makes no bones about *his* intentions:
N116   Nīl mihi dās vīvus; dīcis post fāta datūrum.
              Sī nōn es stultus, scīs, Maro, quid cupiam. Martial 11.67

    Paraphrasis: Tū dum vīvis mihi nihil dōnās, Marō; sed semper
dīcis mē hērēdem pecūniam post mortem tuam acceptūrum esse. Sī
nōn es dēmēns, tenēs quid expetam: cupiō tuam mortem ac pecūniam
quam tū vīvus mihi prōmittis.

Quid pollicētur Marō?   Marō -ōnis, m
Cui pecūniam prōmittit? Quandō?
Quid dīcit Marō?
Quid vult Mārtiālis?
Cujus mortem cupit Mārtiālis?

Some of the poems of Martial are serious; this is one of them. It is for
a young slave (of Martial's?) who was his master's barber. There is a
nice variation of the idea *Sit tibi terra levis*.
N117   Hōc jacet in tumulō raptus puerīlibus annīs
              Pantagathus, dominī cūra dolorque suī,
          vix tangente vagōs ferrō resecāre capillōs
              doctus et hirsūtās excoluisse genās.
          Sīs licet, ut dēbēs, Tellūs, plācāta levisque,
              artificis levior nōn potes esse manū. Martial 6.52

    Paraphrasis: Hōc in tumulō situs est juvenis Pantagathus, quem
dominus ōlim amābat et nunc dolet. Erat tōnsor, quī tam bene capillōs

secābat ut forfex comam tangere vix vidērētur. Sciēbat quoque barbam
recīdere. Ō Terra, quamvīs tū levis sīs, nōn potes levior esse manū
Pantagathī. Quae propria tōnsōris laus est.

Quis Pantagathum lūget?

Quō īnstrūmentō Pantagathus vīvus
    ūtēbātur?

Quid poēta Terram rogat?

Quis erat levior Terrā?

Quid erat levius Terrā?

Quō Terra nōn levior esse potest?

Quem dominus ante cūrāvit?

Quem dominus nunc dolet?

secō (1): caedō, scindō

hirsūtus: barbātus

tellūs -ūris, f: terra

licet: cf. nārrātiōnem
    nōnāgēsimam septimam

genae -ārum: *cheeks*

forfex -icis, f: īnstrū-
    mentum quō capillī
    secantur

This is perhaps the tenderest poem Martial ever wrote. It is about a
little slave girl who died just before her sixth birthday.

N118   Hanc tibi, Frontō pater, genetrīx Flaccilla, puellam
                ōscula commendō dēliciāsque meās,
            parvola nē nigrās horrēscat Erōtion umbrās
                ōraque Tartareī prōdigiōsa canis.
            Implētūra fuit sextae modo frīgora brūmae,
                vīxisset totidem nī minus illa diēs.
            Inter tam veterēs lūdat lascīva patrōnōs
                et nōmen blaesō garriat ōre meum.
            Mollia nōn rigidus caespes tegat ossa, nec illī,
                Terra, gravis fuerīs: nōn fuit illa tibī. Martial 5.34

    Paraphrasis: Ō Frontō mī genitor et Flaccilla māter, vōbīs commendō
hanc puellam vernulam, quam ego tamquam fīliolam amāvī. Eam tibi
commendō nē ātrās tenebrās īnferōrum timeat et tria ōra Cerebrī, canis
īnfernī. Fuisset nāta sex annōs sī vīxisset sex diēs plūs. Apud parentēs
meōs, patrōnōs seniōrēs prō puellā tam tenerā, cum gaudiō lūdat et
meum nōmen loquātur modō īnfantium. Sit illī terra levis nēve gravis
sit: illa terrae nōn gravis semper fuit.

Quis in tumulō condita est?

Cujus vernula fuit Erōtion?

Cujus pater erat Frontō?

Quō cōnsiliō Mārtiālis vernulam
    parentibus commendat?

Quid precātur Mārtiālis?

Hōc tempore erant parentēs Mārtialis
    vīvī an dēfūnctī?

Vīxitne Erōtion sex annōs?

Vīxissetne sex annōs sī sex plūrēs
    diēs eī fuissent?

ōsculum: *kiss*; *darling*

brūma: tempus hiemis

lascīvus: laetus

Tartareus canis: Cerberus,
    canis quī portās Orcī
    custōdiēbat et capita tria
    habēbat

blaesus: quī linguam im-
    pedītam habet, sic ut
    litteram *R* male
    prōnūntiet

garriō (4): ineptē loquor,
    plūra verba faciō

Dolēretne Mārtiālis sī vernula
   vīxisset?
Utrum levis an gravis fuit Erōtion?
Utrum levis an gravis sit terra?
Quid timeat Erōtion nisī bene
   custōdiātur ā patrōnīs?

caespes -itis, m: terra
   caesa cum herbā
vernula -ae, f: parva
   serva domī nostrae vel
   etiam in terrā nostrā
   nāta

A perfect match.
N119   Cum sītis similēs parēsque vītā,
        uxor pessima, pessimus marītus,
        mīror nōn bene convenīre vōbīs. Martial 8.35

Paraphrasis: Scīmus similēs similibus placēre. Cum sītis conjūgēs
parēs improbitāte, mīrum mihi vidētur vōs nōn concordāre.

Quālis uxor est?
Quālis vir?
Quid Mārtiālis mīrātur?
Cui mīrum est discordia conjugum hōrum?

N120   Saepe mihī dīcis, Lūcī cārissime Jūlī,
        "Scrībe aliquid magnum: dēsidiōsus homō es."
     Ōtia dā nōbīs sed quālia fēcerat ōlim
        Maecēnās Flaccō Vergiliōque suō:
     condere vīctūrās temptem per saecula cūrās
        et nōmen flammīs ēripuisse meum.
     In sterilēs nōlunt campōs juga ferre juvencī;
        pingue solum lassat, sed juvat ipse labor. Martial 1.107

Paraphrasis: Ō cārissime Lūcī Jūlī, saepe mihi "Scrībe" inquis
"aliquid magnum; es homō piger." Mihi fac, quaesō, tranquillitātem
vītae quālem Maecēnās ōlim dederat Hōrātiō et Vergiliō suīs. Sī hoc
ōtium cōnsequar, cōner compōnere versūs quī per saecula vīvant et
nōmen meum ā morte servent. Nam bovēs juga in agrōs ingrātōs ferre
nōlunt; ager fertilis autem dēfatīgat sed labor ipse placet.

Quid Lūcius Jūlius rogat?
Quid Mārtiālis?
Cujus patrōnus erat Maecēnās?
Cui Lūcius Jūlius cārus est?
Quālem hominem dīxit Lūcius
   Mārtiālem esse?
Quid Mārtiālis temptāre velit,
   sī ōtiōsus sit?
Quālēs agrōs amant juvencī?
Quālēs nōn amant?

dēsidiōsus: piger
ōtium: vacuum tempus,
   cessātio ab opere,
   remissiō labōris; cui
   contrārium est *negōtium*
jugum: ligneum īnstrū-
   mentum recurvum, quod
   duōrum boum collō
   trānsversum impositum
   eōs simul jungit ac colligat

Gaudeantne bovēs sī ager
    frūctuōsus sit?
Quō īnstrūmentō bovēs in agrō
    labōrant?
Labōretne Mārtiālis sī ōtiōsus sit?

juvencus: bōs juvenis
pinguis: fēcundus, frūctū
    dīves
solum, n: terra, humus
lassō (1): fatīgō (1)

N121   Numquam sē cēnā'sse domī Philo jūrat, et hocc est:
        nōn cēnat, quotiēns nēmo vocāvit eum. Martial 5.47

    Paraphrasis: Philō "Numquam domī cēnō" inquit, et hoc vērum est;
nam nōn cēnat sī nōn invītātus est, quod nōn habet domī unde cēnet.

Quid Philō dīxit?   domī (locative): *at home*
Quid faciet sī nōn invītātus erit?
Dē quō scrīptum est carmen?
Quantum cibī habet domī Philō?

The parvenu.
N122   Sum, fateor, semperque fuī, Callistrate, pauper
            sed nōn obscūrus nec male nōtus eques,
        sed tōtō legor orbe frequēns et dīcitur, "Hicc est,"
            quodque cinis paucīs hoc mihi vīta dedit.
        At tua centēnīs incumbunt tēcta columnīs
            et lībertīnās arca flagellat opēs,
        magnaque Nīliacae servit tibi glaeba Syēnēs
            tondet et innumerōs Gallica Parma gregēs.
        Hocc ego tūque sumus: sed quod sum nōn potes esse:
            tū quod es ē populō quīlibet esse potest. Martial 5.13

    Paraphrasis: Ō Callistrate, cōnfiteor mē inopem esse et semper
fuisse; at sum eques nōn īgnōbilis nec īgnōtus. Tōtō orbe multī meōs
librōs legunt et ajunt, "Hic est ille Mārtiālis clārissimus." Tālem
fāmam assecūtus sum quālem paucī post mortem. Sed tū habitās aedēs
centum columnīs īnstrūctās; et opēs tuae vix arcā vel sarcinīs tuīs
continērī possunt. Habēs fundōs amplōs in Aegyptō patentēs; in Galliā
pāstōrēs ovēs tuās tondent quō tū dīvitior fīās. Ego quidem inops sum;
tū vērō dīves. Tū ingeniō tuō numquam clārus sīs, sed quīlibet ex
plēbe rem facere potest, ut tū fēcistī.

Estne Mārtiālis dīvitior Callistratō?   eques, equitis, m: Mārtiālis,
Quālī in tēctō habitat Callistratus?   cum equestrem cēnsum
Cujus mūnere factus est Mārtiālis eques?   quādringentā sestertium
Quis Mārtiālem legit?   mīlia nōn possidēret, jūs
Unde Callistratus locuplēs fit?   sedendī tamen inter
Quā in regiōne sunt agrī Callistratī?   equitēs accēpit mūnere
Ubi poēta cūncta sua habet?   Caesaris Domitiānī.

Possitne Callistratus pār
  Mārtiālī esse?
Essetne Callistratus pār Mārtiālī
  sī dīvitior esset?
Quālis ōrdinis fuit Mārtiālis?
Quālis ōrdinis fuit Callistratus?
Quis pār Callistratō esse possit?
Quis pār Mārtiālī esse possit?
Quae animālia possidet Callistratus?
Ubi Callistratus nummōs servat?
Quālis ōrdinis fuerat Callistratus?
Quae animālia lānigera sunt?
Invidetne Mārtiālis opibus
  lībertīnīs?
Quō auxiliō Mārtiālis nōtus est?
Quō auxiliō Callistratus?

lībertīnus: quālem
  possēdērunt lībertī
  locuplētissimī Narcissus
  et Pallās, Claudiō
  rēgnante. Lībertīnus
  autem est quī ē servitūte
  in lībertātem sē
  vindicāvit.
Syēnē, Syēnēs, f: urbs
  Aegyptī quondam
  nōbilissima
Gallica Parma: Urbs
  Galliae Cisalpīnae ad
  Padum, flūmen nōtum,
  unde lāna optima
flagellō: coerceō, cōgō
glaeba: terra caesa sine
  herbā, hīc sūmitur prō
  agrō penguī
tondeō -ere, totondī,
  tōnsus: capillōs vel
  lānam caedō
fundus: ager grandis

I don't care what *he* says.
N123   Versiculōs in mē nārrātur scrībere Cinna.
          Nōn scrībit, cujus carmina nēmo legit. Martial 3.9

  Paraphrasis: Cinna dīcitur adversus mē carmina scrībere. At quō
modō scrībere dīcitur, sī nēmō legit?

In quem scrībere dīcitur Cinna?   adversus (prep with acc)
Quid scrībere dīcitur?
Cūr carmina nōn scrībit Cinna?
Sī nēmō carmina tua legat, sīsne poēta?

Martial knew how to handle a free-loader.
N124   Exigis ut dōnem nostrōs tibi, Quīnte, libellōs.
          Nōn habeō, sed habet bybliopōla Tryphōn.
          "Aes dabo prō nūgīs et emam tua carmina sānus?
          Nōn" inquis "faciam tam fatuē." Nec ego. Martial 4.72

  Paraphrasis: Ō Quīnte, rogās ut tibi meōs librōs dem. Apud mē hī
librī nōn sunt sed apud Tryphōnem, quī librōs vendit. Vidēris mihi sīc
loquī: "Nōn tam stultus sum quī carmina tua emam." Nec ego tam
stultus, Quīnte, quī tibi grātīs mea carmina dōnem.

Quid petīvit Quīntus?

aes, aeris, n: quaedam
     speciēs metallī;
     pōnitur saepe prō
     pecūniā

Quem dīxit Mārtiālis carmina
     habēre?
Quid recūsāvit Quīntus?
Quid Mārtiālis?

Fortune hunters were common in Martial's day; there are many references to young men who pursue old women. But *he* is not going to marry
this rich old woman. Why not?

N125   Nūbere Paula cupit nōbīs; ego dūcere Paulam
          nōlō: anus est. Vellem, sī magis esset anus. Martial 10.8

Paraphrasis: Paula optat mihi nūbere; ego illam in mātrimōnium
dūcere nōn cupiō, quod senex est. Sī multō senior esset, vellem. Citō
enim morerētur et mē hērēdem relinqueret.

Quid vult Paula? Quid Mārtiālis?

anus -ūs, f: senex fēmina

Quā condiciōne dūceret Mārtiālis?

NARRATIVE READINGS
For Lessons 34-35

Slow on the track, but ...

N126   Stāre putēs stadiō Eutychidēs cum curreret, at cum
          curreret ad cēnam, nempe volāre putēs. St. Thomas More

    Paraphrasis: Eutychidēs, cum stadium currere temptet, tam lentē
prōgreditur ut stāre videātur. At currendō ad cēnam omnēs superat.

Quō modō currit Eutychidēs cum stadium currit?	stadium: spatium passuum centum et vīgintī quīnque
Quō modō currit ad cēnam?	nempe (intensifier): certē

N127   Nē valeam sī nōn tōtīs, Deciāne, diēbus
          et tēcum tōtīs noctibus esse velim.
      Sed duo sunt quae nōs disjungunt mīlia passum:
          quattuor haec fīunt, cum reditūrus eam.
      Saepe domī nōn es; cum sīs quoque, saepe negāris:
          vel tantum causīs vel tibi saepe vacās.
      Tē tamen ut videam, duo mīlia nōn piget īre;
          ut tē nōn videam, quattuor īre piget. Martial 2.5

    Paraphrasis: Dispeream, Ō Deciāne, nisī tē ideō amō ut tēcum tōtōs
diēs tōtāsque noctēs manēre velim, sed intrā tēcta nostra est spatium
duōrum mīlium passuum. Tōtum iter igitur quattuor mīlia continet, cum
ego domum meam redeam. Saepe tū nōn es domī; etiam cum sīs, servus
solet dīcere tē abesse. Aut causīs tuīs operam dās aut frequenter tibi.
Nōn mihi molestum est duo mīlia passum īre ut tē videam; at est molestum
īre quattuor nē tē videam.

Amatne Mārtiālis Deciānum?	disjungō: *separate*
Quantum iter est sī Mārtiālis ad Deciānī aedēs it?	passūs -ūs, m: gressus, gradus in prōgrediendō;
Quantum sī it et revertitur?	sūmitur etiam prō
Cui saepe accidit ut amīcum saepe nōn videat?	mēnsūrā; cōnstat ex quīnque pedibus vel ex
Velitne Mārtiālis duo mīlia passuum īre sī amīcum videat?	duōbus gressibus. Mīlle passūs cōnstant igitur
Quid nōn vult Mārtiālis?	ex quīnque mīlia pedum,
Ubi rē vērā est Deciānus quandō servus dīcit eum abesse?	id est Anglicē, *mile.*
Quid Deciānus cūrat? Quem cūrat?	passum: cāsus genitīvus, prō *passuum*

A lovely poem (perhaps a trifle ironic) from the "tenderest of Roman poets nineteen hundred years ago."[1]

N128   Lūgēte, Ō Venerēs Cupīdinēsque,
            et quantum est hominum venustiōrum.
            Passer mortuus est meae puellae,
            passer, dēliciae meae puellae.
            Quem plūs illa oculīs suīs amābat:
            nam mellītus erat suamque nō'rat
            ipsam tam bene quam puella mātrem.
            Nec sēsē ā gremiō illius movēbat,
            sed circumsiliēns modo hūc modo illūc
            ad sōlam dominam ūsque pīpilābat.
            Quī nunc it per iter tenebricōsum
            illūc, unde negant redīre quemquam.
            At vōbīs male sit, malae tenebrae
            Orcī, quae omnia bella dēvorātis:
            tam bellum mihi passerem abstulistis.
            Vae factum male! Vae miselle passer!
            Tuā nunc operā meae puellae
            flendō turgidulī rubent ocellī. Catullus 3

Paraphrasis: Plōrāte, O Venerēs et Cupīdinēs et quīcumque hominēs ēlegantēs sunt. Passer meae puellae mortuus est, passer quī erat ōscula et dēliciae amīcae meae, quem ipsa ocellīs suīs cāriōrem habēbat; erat enim dulcis et aequē agnōscēbat dominam suam quam puella mātrem; neque recēdēbat ab ejus sinū, sed circumvolitāns, nunc eō, modo illō, ad ūnam heram semper pīpiēbat. Quī jam fertur per viam obscūram eō unde dīcunt nēminem revertī. Ī in malam rem, Ō improba nox īnferōrum, quae omnēs rēs venustās raptās! Ēripuistī mihi passerem adeō ēlegantem! Ō cāsum gravem! Ō passerem īnfēlīcem! Jam tuī causā oculī meae puellae lacrimandō fīunt tumidī et rubrī.

Quem interisse dīcit Catullus?	passer -eris: avis parva
Cujus passer fuit?	cujusdam generis
Cui mors accidit?	mellītus: melle conditus;
Cūr puella dolet?	ergo, suāvis, jūcundus,
Cūr Catullus dolet?	dulcis
Quālēs oculōs ob passeris mortem puella gerit?	ūsque (intensifier): *as far as, up to*
Quantum amābat puella passerem?	pīpilō (1): verbum
Quam bene agnōscit puellam passer?	exprimēns vōcem avium parvārum

[1] From a poem by Tennyson about Catullus and his country home on Lake Garda, Italy. First printed in 1883, the poem was entitled "Frater Ave Atque Vale."

Ubi manēbat passer?
Quō it pīpiēns?
Quō passer nunc prōgressus est?
Quis ab Orcō redit?
Quō auxiliō rubēscunt oculī puellae?
Flēvissetne puella sī passer salvus
    fuisset?

Orcus: deus Inferōrum,
    īdem ac Plūtō
hera: domina
vae: heu
illūc: ad illum locum

Prayer of Mary, Queen of Scots.
N129   Ō Domine Deus, spērāvī in tē.
              Ō cāre mī Jēsū, nunc līberā mē.
              In dūrā catēnā, in miserā poenā
              dēsīderō tē.
              Languendō, gemendō, et genūflectendō
              adōrō, implōrō ut līberēs mē.

Quid rogat Māria Rēgīna?   catēna: vinculum
Quō auxiliō rogat?

There is little mention of pets in Latin literature. Publius however
seems to have been fond of his puppy Issa.
N130   Issa est passere nēquior Catullī,
              Issa est pūrior ōsculō columbae,
              Issa est blandior omnibus puellīs,
              Issa est cārior Indicīs lapillīs,
              Issa est dēliciae catella Pūblī.
              Hanc tū, sī queritur, loquī putābis;
              sentit trīstitiamque gaudiumque.
              Collō nīxa cubat capitque somnōs,
              ut suspīria nūlla sentiantur;
              et dēsīderiō coācta ventris
              guttā pallia nōn fefellit ūllā,
              sed blandō pede suscitat torōque
              dēpōnī monet et rogat levārī.
              Castae tantus inest pudor catellae,
              īgnōrat Venerem; nec invenīmus
              dīgnum tam tenerā virum puellā.
              Hanc nē lūx rapiat suprēma tōtam,
              pictā Pūblius exprimit tabellā
              in quā tam similem vidēbis Issam
              ut sit tam similis sibī nec ipsa.
              Issam dēnique pōne cum tabellā:
              aut utramque putābis esse vēram
              aut utramque putābis esse pictam. Martial 1.109

Paraphrasis: Pūblius habet canem, cui nōmen est Issae. Haec

catella est lascīvior passere Catullī. Issa est pūrior suāviō columbae,
suāvior omnibus puellīs, pretiōsior gemmīs Indiae. Catella Issa ā
Pūbliō maximē amāta est. Crēdēs Issam loquī, sī querēlam tollit;
habet sēnsum et dolōris et trīstitiae. Collō dominī sīc innīxa recumbit
et dormit ut suspīria sua nōn sentiās. Sī ūrīnam facere vult, vestem
torī nōn polluit, sed tenerō pede dominum suum excitat atque rogat ut
ē lectō dēpōnātur. Tam pudīca est haec catella ut numquam amōrem
nōverit; conjugem hāc catellā dīgnum reperīre nōn possumus. Nē
mors eam auferat tōtam, Pūblius hanc tabellā pictā effingit, in quā
imitātiō vēritātem vincit. Nam Issa picta est tam similis Issae vīventī
quam Issa ipsa. Immō vērō, sī cōnferās Issam ipsam cum tabellā,
nūllum discrīmen inveniās: aut utraque vīvit aut utraque picta est.

Quō est Issa lascīvior?	columba: avis domestica
Quō pūrior? Quō suāvior?	nōta
Quō pretiōsior?	suspīrium: spīritus
Cujus bāsiō pūrior?	gutta: minima pars aquae
Quem superat Issa pūritāte?	vel alterīus māteriae
Quem cāritāte?	liquidae
Cujus catella est Issa?	suāvium: ōsculum, bāsium
Quid putēs sī querēlam tollat?	immō (connective showing
Ubi recumbit? Quid facit in	a contradiction): *on the*
collō Pūblī?	*contrary, further than*
Quō auxiliō Pūblium excitat?	*that*
Quid rogat Issa?	nēquam (adjectival): *naughty*
Cui Issa nūpserat?	pudor: *modesty*
Quī marītus erat dīgnus Issā?	
Quō cōnsiliō Pūblius pictūram pīnxit?	
Quam similis Issae ipsī est pictūra?	

Not all the poems of Martial are funny. Here is a thought common
among Roman poets: live today, for tomorrow may be too late.
N131   Crās tē vīctūrum, crās dīcis, Postume, semper.
     Dīc mihi, *crās* istud, Postume, quando venit?
     Quam longē *crās* istud; ubi est? Aut unde petendum?
     Numquid apud Parthōs Armeniōsque latet?
     Jam *crās* istud habet Priamī vel Nestoris annōs.
     Crās istud quantī, dīc mihi, posset emī?[2]
     Crās vīvēs? Hodiē jam vīvere, Postume, sērum est:
     ille sapit quisquis, Postume, vīxit herī. Martial 5.58

Paraphrasis: Ō Postume, perpetuō praedicās tē crās vītā fruitūrum
esse. Ō Postume, quandō venit id *crās* quod tū dīcis? Quam procul ā
nōbīs est istud *crās*, ubi situm est, aut unde id petere possumus? Nōn
crēdō id in Parthiā vel Armeniā latēre. Istud *crās* est tam senex quam

---

[2]With verbs of buying like *emō*, the genitive shows the price.

Priamus Trojānus vel Graecus Nestor. Sī istud *crās* emere vellēs, quō
pretiō id comparāre possēs? Cūr tū "Crās vīvam" inquis? Tardus sīs,
sī hodiē vīvere incipiās. Sapiēns quī herī vīxit: nam sī hodiē moriātur,
laetam vītam ēgerit.

Quandō dīcit Postumus sē
    vīctūrum esse?
Quid dīcit Postumus?
Cūr stultum est quod Postumus
    prōpōnit?
Quid fēcit sapiēns?
Eratne Priamus juvenis an
    senex? Nestor?
Saperétne Postumus sī vīxisset?
Sapitne quī crās vīvere vult?
Quid monet Mārtiālis?

numquid (interrogative
    adverbial expecting a
    negative answer)
Priamus -ī, m: maximus
    nātū apud Trojānōs
Nestor -oris, m: maximus
    nātū apud Graecōs
fruor, fruī, frūctus
    (fruitus) (with ablative):
    frūctum percipiō
procul (adverbial): longē

Faustus enjoys a large correspondence — all one way.
N132   Nescio tam multīs quid scrības, Fauste, puellīs.
        Hoc scio: quod scrībit nūlla puella tibī. Martial 11.64

Paraphrasis: Multīs puellīs, Ō Fauste, litterās scrībis. Sed sciō
nūllam puellam tibi litterās scrībere, quod tū malus es.

Cui scrībit Faustus?
Quis Faustō scrībit?
Quid Mārtiālis scit? Quid nescit?
Quis Faustum amat?
Quem Faustus amat?

In the following poem we may take it that the gifted Atticus was fond of
using the word *bellus* to describe anything which met with his approval.
The last word in the poem is a rare one, meaning "busybody." Since
this is the climax of the poem, we suspect that the word itself was
humorous to a Roman.
N133   Dēclāmās bellē; causās agis, Attice, bellē;
        historiās bellās, carmina bella facis;
      compōnis bellē mīmōs, epigrammata bellē;
        bellus grammaticus; bellus es astrologus;
      et bellē cantās et saltās, Attice, bellē;
        bellus es arte lyrae; bellus es arte pilae.
      Nīl bene cum faciās, faciās tamen omnia bellē.
      Vīs dīcam quid sīs? Magnus es ardaliō. Martial 2.7

Paraphrasis: Ō Attice, bene recitās; bene dīcis causās. Ēgregiās
scrībis historiās et versūs ēlegantēs. Bene facis mīmōs et epigrammata.

Es bonus grammaticus, bonus astrologus. Bene cantās et bene, Ō
Attice, membra movēs in choreīs. Perītus es arte lyrae et arte
sphaerae jaciendae. Cum nihil agās optimē, concēdendum est ut tū
omnia bene faciās. Placet tibi ut prōferam quid sīs? Magnus es
ardaliō.

Quid Mārtiālis dīxit Atticum facere posse?	dēclāmātiō: domestica exercitātiō, quō in
Eratne Atticus perītus arte cantandī?	genere puerī apud
Quibus aliīs artibus erat perītus? (Ūtere gerundiō.)	magistrōs exercentur mīmus: poēma rīdiculum
Admīrātur Mārtiālis Atticum?	in quō rīsus sōlus
Quem hominem dīxit Mārtiālis esse Atticum?	quaerēbātur perītus: *experienced*

In the month of December, during the feast of the Saturnalia, the Romans
exchanged gifts.

N134   Trīstis Athēnagorās nōn mīsit mūnera nōbīs
         quae mediō brūmae mittere mēnse solet.
         An sit Athēnagorās trīstis, Faustīne, vidēbō;
         mē certē trīstem fēcit Athēnagorās. Martial 8.41

Paraphrasis: Maestus mihi vidētur Athēnagorās, Ō Faustīne, quod
nihil ad mē Sāturnālium tempore mīsit. Ego nesciō an rē vērā doleat
Athēnagorās sed hoc sciō: quod nihil accēperim ego quidem doleō.

Quandō Athēnagorās Mārtiālem dōnāre solet?	trīstis: *in mourning*
Quid inveniet Mārtiālis?	
Quis est rē vērā trīstis?	
Cui scrīptum est? In quem? Ā quō?	

Bohemians like Martial depended heavily on invitations to dinner to keep
body and soul together. They resented the amateur who solicited invitations to dinner just because he was stingy.

N135   Quod fronte Selium nūbilā vidēs, Rūfe,
         quod ambulātor porticum terit sēram,
         lūgubre quiddam quod tacet piger vultus,
         quod paene terram nāsus indecēns tangit,
         quod dextra pectus pulsat et comam vellit —
         Nōn ille amīcī fāta lūget aut frātris;
         uterque nātus vīvit et precor vīvat;
         salva est et uxor sarcinaeque servīque;
         nihil colōnus vīlicusque dēcoxit.
         Maerōris igitur causa quae? Domī cēnat. Martial 2.11

Paraphrasis: Mīrāris, Rūfe, quid agat Selius? Ecce, faciem
maestam gerit; vespere hūc illūc per porticum ambulat; in pectore
tacitō cēlat miseriam suam; tam curvus est ut nāsus dēformis paene
ad terram dēmittātur; manus pectus percutit; capillōs rapit. Quaeris,
Rūfe, causa quae sit? Nec amīcus periit nec frāter; uterque fīlius vītā
fruitur et optō ut fruātur. Incolumis est uxor et pecūnia et familia.
Neque servus rūsticus neque custōs agrī eum fefellit. Ergō dolōris
causa est quod ad cēnam nōn vocātus est.

Cui poēta carmen scrībit?
Dē quō est scrīptum poēma?
Quid frātrī Seliī nōn accidit?
Cūr Selius maestus est?
Quot fīliōs habet Selius?
Quālem vultum gerit Selius?
    Quālem nāsum?
Ambulatne Selius ērēctus?
Ubi ambulat? Quō tempore?
    Quālī vultū?
Quō membrō pectus pulsat?
Suntne servī ejus fidēlēs?

porticus -ūs, f: locus
    amplus ac longus,
    columnīs mūnītus, cētera
    apertus; dēambulātiōnis,
    umbraeque et imbrium
    vitandōrum causā
dēcoquō -ere -coxī -coctus:
    cibum parō ignī
    adhibendō; deinde
    trānslātē, rem dīminuō
    vel meam vel aliēnam
paene (adverbial): *almost*

Here is a 16th-century imitation of the previous poem.
N136   Quod fronte obductā, pullōque incēdit amictū
       Maevius et crēbrōs excutiat gemitūs,
    nōn cāram uxōrem, frātrēs, aut dulcia nātōs
       pignora, nec mātrem, nec gemit ille patrem.
    Librōrum exsequiīs interfuit ipse suōrum:
       hinc illae lacrimae Maeviō et hinc gemitūs.
                        Joachim du Bellay

Paraphrasis: Quaeris cūr Maevius trīstis sit? Nōn āmīsit
mulierem, frātrēs, nātōs, patrem. Sed librī nūper scrīptī nōn jam
vīvunt; ob quōs lacrimātur Maevius.

Quid āmīsit Maevius?
Quālem faciem gerit?
Quālem vestītum?
Quī incolumēs sunt?
Quālēs librōs scrīpserat?
Sī bonōs scrīpsisset, gemeretne
    Maevius?
Unde veniunt lacrimae ejus?
Vīvitne uxor?
Sī periisset uxor, plōrāretne plūs
    Maevius?

obdūcō: tegō, cēlō
pullus: āter
amictus -ūs, m: vestītus
gemō -ere -uī: *groan*
pignus -oris, n: id quod
    alterī datur ut sit
    sēcūrus. Nātī saepe
    dīcuntur pignora
    Fortūnae, quod per eōs
    nōs servī Fortūnae fīmus.
intersum: adsum
exsequiae: fūnus
hinc: ex hōc locō, ex hāc
    causā

N137 Here follow short bits of advice from "Dionysius Cato," the supposed author of a work dating probably from the third century AD, which enjoyed a great popularity in the Middle Ages and Renaissance. Schoolboys frequently learned it by heart. If you find your character suddenly improved, this will be one of the customary by-products of learning Latin. Some of these commands contain the Second Imperative, easily identified by the -*tō* morpheme.

Parentēs amā.
Cum bonīs ambulā.
Salūtā libenter.
Rem tuam custōdī.
Dīligentiam adhibē.
Cui dēs vidētō.
Quod satis est dormī.
Vīnō temperā.
Nihil temere
  crēdiderīs.
Librōs lege.
Līberōs ērudī.

Nēminem rīserīs.
Litterās disce.
Exīstimātiōnem
  retinē.
Nihil mentīre.
Parentem patientiā
  vince.
Miserum nōlī
  inrīdēre.
Fōrō parce.
Majōrī concēde.
Magistrātum metue.
Familiam cūrā.
Convīvāre rārō.

Conjugem amā.
Pūgnā prō patriā.
Meretrīcem fuge.
Quae lēgeris, mementō.
Blandus estō.
Virtūte ūtere.
Bonō benefacitō.
Aequum jūdicā.
Īracundiam rege.
Pauca in convīviō
  loquere.
Minimē jūdicā.

Transform each command into one of the following structures:

Positive	Negative
1) Īnfirmōs cūrāte.	1) Nōlī nimis altē volāre.
2) Īnfirmōs cūrābitis.	2) Nē nimis altē volēs.
3) Īnfirmōs cūrētis.	3) Nē nimis altē volāverīs.
4) Volō vōs īnfirmōs cūrāre.	4) Nōlō tē nimis altē volāre.
5) Īnfirmī vōbīs cūrandī sunt.	5) Tibi nimis nōn volandum est.

Books in Roman times were copied by hand and were expensive.
N138   Exigis ut nostrōs dōnem tibi, Tucca, libellōs.
          Nōn faciam. Nam vīs vendere, nōn legere. Martial 7.77

Paraphrasis: Ō Tucca, mē rogās ut tibi meōs librōs dem. Nōn eōs dabō; nam sciō tē eōs venditūrum.

Quid postulat Tucca?
Quid Tucca vult sibi darī?
Quid Tucca acceptūrus est?
Dabitne Mārtiālis?
Quid Tucca rē vērā vult?

Ancient literature is full of references to poison. It seems possible
that death by poisoning was more common in those early days before
chemistry discovered techniques for detecting poison in the body. But
if it was hard to prove the charge of poisoning, it was also hard to dis-
prove it. In the event of sudden death without other apparent cause,
those who stood to profit by this death fell under immediate suspicion.
In the grave inscriptions you will recall that it was common to give
the name of the person who erected the monument. We find such inscriptions as this: Nūmeniō Zōē fēcit amāns tumulum. The expression
fēcit was so common that it was often abbreviated to *F*. Bearing in
mind these two facts (prevalence of poisoning; use of *fēcit* on tombs),
read the following.

N139   Īnscrīpsit tumulīs septem scelerāta virōrum
              sē fēcisse Chloē. Quid pote simplicius? Martial 9.15

Paraphrasis: Improba Chloē sepulchrō septem marītōrum dīxit sē
fēcisse. Sed quid fēcit? Utrum tumulum fēcit an fēcit ut conjugēs
venēnō tollerentur? Quid potest apertius?

Ubi scrīptum est, "Chloē fēcit?"   Zōē -ēs, f: Greek name
Quid Chloē fēcit?   Chloē -ēs, f: Greek name
Quot virī Chloēn in mātrimōnium   scelerātus: improbus,
     dūxerant?   nēfārius, scelere
Quotiēns Chloē nūpserat?   adstrictus, contaminātus
Quālis fēmina erat Chloē?   pote: potest

Perhaps this is an appropriate close to this book.
N140   Jactat inaequālem Matho mē fēcisse libellum.
              Sī vērum est, laudat carmina nostra Mathō.
         Aequālēs scrībit librōs Calvīnus et Umber:
              aequālis liber est, Crētice, quī malus est. Martial 7.90

Paraphrasis: Mathō praedicat mē librum inaequālem scrīpsisse.
Hoc, sī vērum est, commendātiō carminum meōrum. Calvīnus et Umber
scrībunt versūs aequālēs; nam sunt omnēs malī versūs.

Quid dīxit Mathō?   jactō (1): saepe jaciō;
Ut Mathō dīxit, erantne omnia   accūsō
     carmina mala?   Calvīnus et Umber: poetae
Quis scrībit librum aequālem?   quōrum nōmina omnīnō
Cui scrīptum est hoc carmen?   īgnōta sunt. Solet
An laudat Mathō carmina Mārtiālis?   Mārtiālis autem
Cujus librī rē vērā aequālēs sunt?   vīventēs persōnās nōn
                                         nōmināre nisī cum
                                         laude. Ergō suspicāmur
                                         multa nōmina, ut
                                         Chloēn, esse ficta.

BASIC SENTENCES

S1 **Vestis virum facit.**
ERASMUS

S2 **Fūrem fūr cognōscit et lupum lupus.**
ANON.

S3 **In pulchrā veste sapiēns nōn vīvit honestē.**
WERNER

S4 **Fortiter, fidēliter, fēliciter.**
MOTTO

S5 **Rem, nōn spem, . . . quaerit amīcus.**
CARMEN DE FIGŪRĪS

S6 **Nēmō in amōre videt.**
PROPERTIUS

S7 **Prūdēns cum cūrā vīvit, stultus sine cūrā.**
WERNER

S8 **Manus manum lavat.**
PETRONIUS

S9 **Injūria solvit amōrem.**
ANON.

S10 **Vēritās numquam perit.**
SENECA

S11 **Vulpēs vult fraudem, lupus agnum, fēmina laudem.**
WERNER

S12 **Līs lītem generat.**
BURTON

S13 **Virtūte fidēque.**
MOTTO

S14 **Occāsiō facit fūrem.**
BINDER

S15 **Vītam regit fortūna, nōn sapientia.**
CICERO

S16 **Lupus nōn mordet lupum.**
BINDER

S17 **Philosophum nōn facit barba.**
PLUTARCH (translation)

S18 **Cōnstantiā et virtūte.**
MOTTO

S19 Fidē et fortitūdine.
MOTTO

S20 Concordiā, integritāte, industriā.
MOTTO

S21 Ā cane nōn magnō saepe tenētur aper.
OVID

S22 Amphora sub veste numquam portātur honestē.
WERNER

S23 Antīquā veste pauper vestītur honestē.
WERNER

S24 Vincit vēritās.
MOTTO

S25 Virtūte et labōre.
MOTTO

S26 Fidē et amōre.
MOTTO

S27 Amor gignit amōrem.
ANON.

S28 Labōre et honōre.
MOTTO

S29 Virtūte et operā.
MOTTO

S30 Occāsiō aegrē offertur, facile āmittitur.
PUBLILIUS SYRUS

S31 Ā fonte pūrō pūra dēfluit aqua.
ANON.

S32 Dē sapientī virō facit īra virum citō stultum.
WERNER

S33 Nūlla ... avāritia sine poenā est.
SENECA

S34 Lēx videt īrātum, īrātus lēgem nōn videt.
PUBLILIUS SYRUS

S35 In omnī rē vincit imitātiōnem vēritās.
CICERO

S36 Deus vult!
BATTLE CRY OF FIRST CRUSADE

S37 Necessitās nōn habet lēgem.
ST. BERNARD (?)

S38 Spēs mea in Deō.
MOTTO

S39 Lūx et vēritās.
MOTTO OF YALE

S40 Numquam ex malō patre bonus fīlius.
ANON.

S41 Saepe malum petitur, saepe bonum fugitur.
ANON.

S42 Mēns sāna in corpore sānō.
JUVENAL

S43 In marī aquam quaerit.
BINDER

S44 Ex vitiō sapiēns aliēnō ēmendat suum.
PUBLILIUS SYRUS

S45 In vīnō, in īrā, in puerō semper est vēritās.
ANON.

S46 Fīnis corōnat opus.
BINDER

S47 Gladiātor in harēnā capit cōnsilium.
SENECA (adapted)

S48 Vīnō forma perit, vīnō corrumpitur aetās.
ANON.

S49 Nēmō sine vitiō est.
SENECA THE ELDER

S50 Numquam perīc'lum sine perīc'lō vincitur.
PUBLILIUS SYRUS

S51 Etiam capillus ūnus habet umbram suam.
PUBLILIUS SYRUS

S52 Nōbilitat stultum vestis honesta virum.
MEDIEVAL

S53 Habet suum venēnum blanda ōrātiō.
PUBLILIUS SYRUS

S54 Virum bonum nātūra, nōn ōrdō, facit.
PUBLILIUS SYRUS

S55 Nōn semper aurem facilem habet fēlīcitās.
PUBLILIUS SYRUS

S56 Sapientia vīnō obumbrātur.
PLINY THE ELDER (adapted)

S57 Exitus in dubiō est.
OVID

S58 Diēs dolōrem minuit.
BURTON

S59 Nōn in sōlō pāne vīvit homō.
ST. MATTHEW

S60 In vīlī veste nēmō tractātur honestē.
MEDIEVAL

S61 Bēstia quaeque suōs nātōs cum laude corōnat.
WERNER

S62 Magna dī cūrant, parva neglegunt.
CICERO

S63 Paucī sed bonī.
COMMONPLACE

S64 Ācta deōs numquam mortālia fallunt.
OVID

S65 Verba movent, exempla trahunt.
ANON.

S66 In Venere semper certant dolor et gaudium.
PUBLILIUS SYRUS

S67 Malō in cōnsiliō fēminae vincunt virōs.
PUBLILIUS SYRUS

S68 Sub omnī lapide scorpiō dormit.
ANON.

S69 Crūdēlis lacrimīs pāscitur, nōn frangitur.
PUBLILIUS SYRUS

S70 Religiō deōs colit, superstitiō violat.
SENECA

S71 Fortēs Fortūna adjuvat.
TERENCE

S72 Tempore fēlīcī multī numerantur amīcī.
WERNER

S73 Nēmō sine crīmine vīvit.
DIONYSIUS CATO

S74 Amīcus certus in rē incertā cernitur.
ENNIUS

S75 In marī magnō piscēs capiuntur.
ANON.

S76 Vulpēs nōn capitur mūneribus.
MEDIEVAL

S77 Necessitūdō ... etiam timidōs fortēs facit.
SALLUST

S78 Stultī timent fortūnam, sapientēs ferunt.
PUBLILIUS SYRUS

S79 Laus alit artēs.
SENECA

S80 Vincit omnia vēritās.
MOTTO

S81 Parva levēs capiunt animōs.
OVID

S82 Labor omnia vincit.
VERGIL

S83 Numquam aliud nātūra, aliud sapientia dīcit.
JUVENAL

S84 Juppiter in caelīs, Caesar regit omnia terrīs.
ANON.

S85 Fortēs creantur fortibus et bonīs.
HORACE

S86 Fāta regunt orbem; certā stant omnia lēge.
MANILIUS

S87 Homō locum ōrnat, nōn hominem locus.
MEDIEVAL

S88 Virtūs nōbilitat hominēs, sapientia dītat.
WERNER

S89 Astra regunt hominēs, sed regit astra Deus.
ANON.

S90 Homō semper aliud, Fortūna aliud cōgitat.
PUBLILIUS SYRUS

S91 Mulier, cum sōla cōgitat, male cōgitat.
PUBLILIUS SYRUS

S92 Aspiciunt oculīs superī mortālia jūstīs.
OVID

S93 Hominēs, dum docent, discunt.
SENECA

S94 Litterae nōn dant pānem.
MEDIEVAL

S95 Vīta vīnum est.
PETRONIUS

S96 Ibi semper est victōria ubi concordia est.
PUBLILIUS SYRUS

S97 Oculī sunt in amōre ducēs.
PROPERTIUS

S98 Ut vēr dat flōrem, studium sīc reddit honōrem.
MEDIEVAL

S99 Nōbilitāte caret sī quis virtūte caret.
WERNER (adapted)

S100 Ars longa, vīta brevis.
HIPPOCRATES (translation)

S101 Citō fit, quod dī volunt.
PETRONIUS

S102 Semper inops quicumque cupit.
CLAUDIAN

S103   **Quī prō innocente dīcit, satis est ēloquēns.**
PUBLILIUS SYRUS

S104   **Nāvis, quae in flūmine magna est, in marī parvula est.**
SENECA

S105   **Fēlīx, quem faciunt aliēna perīcula cautum.**
BINDER

S106   **Quem amat, amat; quem nōn amat, nōn amat.**
PETRONIUS

S107   **Nēmō ... patriam quia magna est amat, sed quia sua.**
SENECA

S108   **Piscis captīvus vīnum vult; flūmina vīvus.**
WERNER

S109   **Quī invenit amīcum, invenit thēsaurum.**
ECCLESIASTES (adapted)

S110   **Nōn est vir fortis ac strēnuus quī labōrem fugit.**
SENECA

S111   **Nōn lupus ad studium sed mentem vertit ad agnum.**
WERNER

S112   **Post cinerēs est vērus honor, est glōria vēra.**
MEDIEVAL

S113   **Cōgitur ad lacrimās oculus, dum cor dolet intus.**
WERNER

S114   **Caelum, nōn animum, mūtant quī trāns mare currunt.**
HORACE

S115   **Post trēs saepe diēs vīlēscit piscis et hospes.**
WERNER

S116   **Longum iter est per praecepta, breve et efficāx per exempla.**
SENECA

S117   **Nōn est ad astra mollis ē terrīs via.**
SENECA

S118   **Post tenebrās lūx.**
ANON.

S119   **Extrā Ecclēsiam nūlla salūs.**
ST. CYPRIAN (?)

S120   **Inter caecōs rēgnat luscus.**
ANON.

S121   **Saepe tacēns vōcem verbaque vultus habet.**
OVID

S122   **Deō volente.**
COMMONPLACE

S123   **Lātrante ūnō, lātrat statim et alter canis.**
ANON.

S124 Nōn redit unda fluēns; nōn redit hōra ruēns.
WERNER

S125 Perpetuō lignīs crēscit crēscentibus ignis.
WERNER

S126 Saepe, premente deō, fert deus alter opem.
OVID

S127 Omnēs ūna manet nox.
HORACE

S128 Mulier rēctē olet ubi nihil olet.
PLAUTUS

S129 Quis ... bene cēlat amōrem?
OVID

S130 In magnō grandēs capiuntur flūmine piscēs.
WERNER

S131 Vōx audīta perit, littera scrīpta manet.
ANON.

S132 Simul et dictum et factum.
ANON.

S133 In virtūte posita est vēra fēlicitās.
SENECA

S134 Parātae lacrimae īnsidiās, nōn flētum, indicant.
PUBLILIUS SYRUS

S135 Nihil est... simul et inventum et perfectum.
CICERO

S136 Jūcundī āctī labōrēs.
CICERO

S137 Absentem laedit, cum ēbriō quī lītigat.
PUBLILIUS SYRUS

S138 Īra furor brevis est.
HORACE

S139 Nihil rēctē sine exemplō docētur aut discitur.
COLUMELLA

S140 Inter dominum et servum nūlla amīcitia est.
CURTIUS

S141 Melior est canis vīvus leōne mortuō.
ECCLESIASTES

S142 Fontibus ex modicīs concrēscit maximus amnis.
WERNER

S143 Perdit majōra quī spernit dōna minōra.
WERNER

S144 Rēs mala vir malus est; mala fēmina pessima rēs est.
WERNER

S145 **Mōbilior ventīs ... fēmina.**
CALPURNIUS

S146 **Nihil aliud est ēbrietās quam voluntāria īnsānia.**
SENECA (adapted)

S147 **Famēs est optimus coquus.**
ANON.

S148 **Intolerābilius nihil est quam fēmina dīves.**
JUVENAL

S149 **Quī multum habet, plūs cupit.**
SENECA

S150 **Dē minimīs nōn cūrat lēx.**
LEGAL

S151 **Quī majōra cupit saepe minōra capit.**
WERNER

S152 **Quod vult quī dīcit, quod nōn vult saepius audit.**
WERNER

S153 **Exemplō melius quam verbō quidque docētur.**
WERNER

S154 **In mundō melius nōn est quam fidus amīcus.**
WERNER

S155 **Longius aut propius mors sua quemque manet.**
PROPERTIUS

S156 **Canis timidus vehementius lātrat quam mordet.**
CURTIUS (adapted)

S157 **Optimus est post malum prīncipem diēs prīmus.**
TACITUS

S158 **Firmissima est inter parēs amīcitia.**
CURTIUS

S159 **Multō ... grātius venit quod facilī quam quod plēnā manū datur.**
SENECA

S160 **Tantō brevius omne quantō fēlīcius tempus.**
PLINY THE YOUNGER (?)

S161 **Inopī beneficium bis dat quī dat celeriter.**
PUBLILIUS SYRUS

S162 **Nēmō liber est quī corporī servit.**
SENECA

S163 **Suum cuique placet.**
PLINY THE ELDER

S164 **Cui Fortūna favet multōs amīcōs habet.**
ANON.

S165 **Deō, Rēgī, Patriae.**
MOTTO

S166   Lupus est homō hominī, nōn homō.
PLAUTUS

S167   Suum cuique pulchrum est.
CICERO

S168   Gaudēns gaudentī, flēns flentī, pauper egentī,
S169   prūdēns prūdentī, stultus placet īnsipientī.
WERNER

S170   Quis... amīcior quam frāter frātrī?
SALLUST

S171   Deus superbīs resistit; humilibus autem dat grātiam.
I PETER

S172   Ingrātus ūnus omnibus miserīs nocet.
PUBLILIUS SYRUS

S173   Mulier quae multīs nūbit multīs nōn placet.
PUBLILIUS SYRUS

S174   Immodicīs brevis est aetās et rāra senectūs.
MARTIAL

S175   Sōlitūdō placet Mūsīs, urbs est inimīca poētīs.
PETRARCH (?)

S176   Bonus vir nēmō est nisi quī bonus est omnibus.
PUBLILIUS SYRUS

S177   Impōnit fīnem sapiēns et rēbus honestīs.
JUVENAL

S178   Hominēs amplius oculīs quam auribus crēdunt.
SENECA

S179   Sōl omnibus lūcet.
PETRONIUS

S180   Mors omnibus īnstat.
COMMON GRAVE INSCRIPTION

S181   Religiō vēra est firmāmentum reī pūblicae.
PLATO (translation)

S182   Timor Dominī fōns vītae.
MOTTO

S183   Rōma caput mundi.
LUCAN (adapted)

S184   Quī pingit flōrem, flōris nōn pingit odōrem.
WERNER

S185   Contrā vim mortis nōn est medicāmen in hortīs.
WERNER

S186   Calamitās virtūtis occāsiō est.
SENECA

S187 Nihil est ... vēritātis lūce dulcius.
CICERO

S188 Imāgō animī vultus; indicēs oculī.
CICERO

S189 Hominis tōta vīta nihil aliud quam ad mortem iter est.
SENECA (adapted)

S190 Crūdēlitātis māter est avāritia.
QUINTILIAN

S191 Jūstitia omnium est domina et rēgina virtūtum.
CICERO (adapted)

S192 Bona opīniō hominum tūtior pecūniā est.
PUBLILIUS SYRUS

S193 Tōtus mundus deōrum est immortālium templum.
SENECA (adapted)

S194 Sēcūrus jūdicat orbis terrārum.
ST. AUGUSTINE (?)

S195 Crux stat dum volvitur orbis.
MOTTO OF CARTHUSIANS

S196 Vīta ... mortuōrum in memoriā vīvōrum est posita.
CICERO

S197 Gravis īra rēgum est semper.
SENECA

S198 Bonus animus in malā rē dīmidium est malī.
PLAUTUS

S199 Rērum hūmānārum domina Fortūna.
CICERO

S200 Jūcunda memoria est praeteritōrum malōrum.
CICERO

S201 Hoc faciunt vīna quod nōn facit unda marīna.
WERNER

S202 Dīs proximus ille est quem ratiō, nōn īra, movet.
CLAUDIAN

S203 Brevis ipsa vīta est, sed malīs fit longior.
PUBLILIUS SYRUS

S204 Quī terret, plūs ipse timet.
CLAUDIAN

S205 Vērus amīcus ... est ... is quī est tamquam alter īdem.
CICERO

S206 Hominēs, quō plūra habent, eō ampliōra cupiunt.
JUSTINIAN (?)

S207 In hōc sīgnō spēs mea.
MOTTO

S208 Post hoc, propter hoc.
COMMONPLACE

S209 Quī timet Deum, omnia timent eum; quī vērō nōn timet Deum, timet omnia.
PETRUS ALPHONSUS

S210 Cui dēest pecūnia, huic dēsunt omnia.
ANON.

S211 Glōria ... virtūtem tamquam umbra sequitur.
CICERO

S212 Poēta nāscitur, ōrātor fit.
ANON.

S213 Nōn omnēs eadem mīrantur amantque.
HORACE

S214 Vir sapit quī pauca loquitur.
ANON.

S215 Homō totiēns moritur quotiēns āmittit suōs.
PUBLILIUS SYRUS

S216 Multī fāmam, cōnscientiam paucī verentur.
PLINY

S217 Quī dat beneficia deōs imitātur.
SENECA

S218 Frōns, oculi, vultus persaepe mentiuntur; ōrātiō ... saepissimē.
CICERO

S219 Homō extrā corpus est suum cum īrāscitur.
PUBLILIUS SYRUS

S220 Fortiter malum quī patitur īdem post patitur bonum.
PLAUTUS

S221 Nēmō ... regere potest nisī quī et regī.
SENECA

S222 Et monēre et monērī proprium est vērae amīcitiae.
CICERO

S223 Ōre plēnō vel bibere vel loquī nec honestum est nec tūtum.
PETRUS ALPHONSUS (?)

S224 Et facere et patī fortia Rōmānum est.
LIVY

S225 Dulce et decōrum est prō patriā morī.
HORACE

S226 Sōlem ... ē mundō tollere videntur quī amīcitiam ē vītā tollunt.
CICERO

S227 Multōs timēre dēbet quem multī timent.
PUBLILIUS SYRUS

S228 Stultum facit Fortūna quem vult perdere.
PUBLILIUS SYRUS

S229 In malīs spērāre bene, nisī innocēns, nēmō solet.
PUBLILIUS SYRUS

S230 Stultum est querī dē adversīs ubi culpa est tua.
PUBLILIUS SYRUS

S231 Videō ... barbam et pallium; philosophum nōndum videō.
AULUS GELLIUS

S232 Certa mittimus dum incerta petimus.
PLAUTUS

S233 Nōn potestis Deō servīre et Mamōnae.
ST. MATTHEW

S234 Animum dēbēs mūtāre, nōn caelum.
SENECA

S235 Effugere nōn potes necessitātēs; potes vincere.
SENECA

S236 Hōrās nōn numerō, nisī serēnās.
SUNDIAL

S237 Nōs ... beātam vītam in animī sēcūritāte pōnimus.
CICERO

S238 Saepius opīniōne quam rē labōrāmus.
SENECA

S239 Mālō quam bene olēre nīl olēre.
MARTIAL

S240 Cōgitō, ergō sum.
DESCARTES (?)

S241 Prīmus in orbe deōs fēcit timor.
STATIUS

S242 Quod nōn dedit Fortūna, nōn ēripit.
SENECA

S243 Ubi libertās cecidit, audet liberē nēmō loquī.
PUBLILIUS SYRUS

S244 Ēripuit caelō fulmen scēptrumque tyrannīs.
TURGOT (?)

S245 Dīmidium factī quī coepit habet.
HORACE

S246 Nīl sine magnō vīta labōre dedit mortālibus.
HORACE

S247 Dīvīna nātūra dedit agrōs; ars hūmāna aedificāvit urbēs.
VARRO

S248   Aut amat aut ōdit mulier: nīl est tertium.
PUBLILIUS SYRUS

S249   Lūsistī satis, ēdistī satis atque bibistī;
tempus abīre tibi est.
HORACE

S250   Bonum certāmen certāvī, cursum cōnsummāvī, fidem servāvī.
II TIMOTHY

S251   Sed quis custōdiet ipsōs custōdēs?
JUVENAL

S252   In hōc sīgnō vincēs.
MOTTO

S253   Aut inveniam viam aut faciam.
MOTTO

S254   In lūmine tuō vidēbimus lūmen.
MOTTO OF COLUMBIA

S255   Trīstis eris sī sōlus eris.
OVID

S256   Hoc fuit, est, et erit: similis similem sibi quaerit.
WERNER

S257   Jamque quiēscēbant vōcēs hominumque canumque
S258   lūnaque nocturnōs alta regēbat equōs.
OVID

S259   Nox erat, et caelō fulgēbat lūna serēnō
inter minora sīdera.
HORACE

S260   Orbem jam tōtum victor Rōmānus habēbat.
PETRONIUS

S261   Quī prior strīnxerit ferrum, ejus victōria erit.
LIVY

S262   Āctiō rēcta nōn erit, nisī rēcta fuerit voluntās.
SENECA

S263   Īgnōscent, sī quid peccā'rō stultus, amīcī.
HORACE

S264   Citō rumpēs arcum, semper sī tēnsum habueris;
S265   at sī laxā'ris, cum volēs, erit ūtilis.
PHAEDRUS

S266   Extrā Fortūnam est quidquid dōnātur amīcis;
S267   quās dederis, sōlās semper habēbis opēs.
MARTIAL

S268   Quae fuerant vitia, mōrēs sunt.
SENECA

S269   Nōn sum ego quod fueram.
OVID

S270 Nōn facit hoc aeger quod sānus suāserat aegrō.
WERNER

S271 Nāscentēs morimur, fīnisque ab orīgine pendet.
MANILIUS

S272 Videō meliōra probōque,
dēteriōra sequor.
OVID

S273 Dum loquor, hōra fugit.
OVID

S274 Omnia mūtantur, nōs et mūtāmur in illīs.
BORBONIUS (?)

S275 Nōn sum ūnī angulō nātus; patria mea tōtus hic mundus est.
SENECA

S276 Frangar, nōn flectar.
MOTTO

S277 Trahimur omnēs studiō laudis.
CICERO

S278 Prōgredimur quō dūcit quemque voluntās.
LUCRETIUS

S279 In quō...jūdiciō jūdicāveritis, jūdicābiminī.
ST. MATTHEW

S280 Rōma locūta est; causa fīnīta est.
ANON.

S281 Audī, vidē, tacē, sī vīs vīvere in pāce.
MEDIEVAL

S282 Īnfirmōs cūrāte, mortuōs suscitāte, leprōsōs mundāte,
daemonēs ējicite: grātīs accēpistis, grātīs date.
ST. MATTHEW

S283 Contrā verbōsōs nōlī contendere verbīs.
DIONYSIUS CATO

S284 "Accipe! Sūme! Cape!" sunt verba placentia cuique.
WERNER

S285 Bene ferre magnam disce fortūnam.
HORACE

S286 Medice, cūrā tē ipsum.
ST. LUKE

S287 Ō fīlī cāre, nōlī nimis altē volāre.
WERNER

S288 Vītae sequere nātūram ducem.
SENECA

S289 Ūtere quaesītis opibus; fuge nōmen avārī.
DIONYSIUS CATO

S290 Patere lēgem quam ipse tuleris.
DIONYSIUS CATO

S291 Fīat jūstitia, ruat caelum.
LEGAL

S292 Amēs parentem, sī aequus est; sī aliter, ferās.
PUBLILIUS SYRUS

S293 Sī quid agis, prūdenter agās et respice fīnem.
AESOP (translation)

S294 Dum vīvimus, vīvāmus.
ANON.

S295 Quī dēsiderat pācem, praeparet bellum.
VEGETIUS

S296 Edāmus, bibāmus, gaudeāmus; post mortem nūlla voluptās.
ANON.

S297 Ferās, nōn culpēs, quod mūtārī nōn potest.
PUBLILIUS SYRUS

S298 Aut bibat aut abeat.
CICERO

S299 Quod sentīmus, loquāmur; quod loquimur, sentiāmus: concordet sermō cum vītā.
SENECA

S300 Rapiāmus, amīcī, occāsiōnem dē diē.
HORACE

S301 Sī foret in terrīs, rīdēret Dēmocritus.
HORACE

S302 Ante senectūtem cūrāvī ut bene vīverem, in senectūte
S303 ut bene moriar. Bene autem morī est libenter morī.
SENECA

S304 Ēn ego Fortūna! Sī stārem sorte sub ūnā
S305 et nōn mūtārer, numquam Fortūna vocārer.
WERNER

S306 Sī quem barbātum faceret sua barba beātum,
S307 in mundī circō nōn esset sānctior hircō.
WERNER

S308 Rūsticus expectat dum dēfluat amnis.
HORACE

S309 Dummodo sit dīves, barbarus ipse placet.
OVID

S310 Amīcum an nōmen habeās, aperit calamitās.
PUBLILIUS SYRUS

S311 Sī tacuissēs, philosophus mānsissēs.
BOETHIUS (adapted)

S312 **Hectora quis nō'sset, sī fēlix Troja fuisset?**
OVID

S313 **Inventa sunt specula ut homō ipse sē nō'sset.**
SENECA

S314 **Ōderint, dum metuant.**
ACCIUS

S315 **Quod tibi fīerī nōn vīs, alterī nē fēceris.**
LAMPRIDIUS

S316 **Antequam vocēris, nē accesseris.**
DIONYSIUS CATO

S317 **Minōrem nē contempseris.**
DIONYSIUS CATO

S318 **Nihil arbitriō vīrium fēceris.**
DIONYSIUS CATO

S319 **Nihil temere crēdideris.**
DIONYSIUS CATO

S320 **Inde lupī spērēs caudam, cum vīderis aurēs.**
WERNER

S321 **Quod tegitur, majus crēditur esse malum.**
MARTIAL

S322 **Ēventus docuit fortēs Fortūnam juvāre.**
LIVY

S323 **Īnsānus omnis furere crēdit cēterōs.**
ANON.

S324 **Victōrem ā victō superārī saepe vidēmus.**
DIONYSIUS CATO

S325 **Vidēmus ... suam cuique rem esse cārissimam.**
PETRONIUS

S326 **Decet verēcundum esse adulēscentem.**
PLAUTUS

S327 **Nēmō doctus umquam ... mūtātiōnem cōnsiliī incōnstantiam dīxit esse.**
CICERO

S328 **Dīcere ... solēbat nūllum esse librum tam malum ut nōn aliquā parte prōdesset.**
PLINY

S329 **Nēmō umquam neque poēta neque ōrātor fuit quī quemquam meliōrem quam sē arbitrārētur.**
CICERO

S330 **Catō dīxit litterārum rādīcēs amārās esse, frūctūs jūcundiōrēs.**
DIOMEDES

S331   Incipe: dīmidium factī est coepisse.
       AUSONIUS

S332   Quae fuit dūrum patī, meminisse dulce est.
       SENECA

S333   Forsan et haec ōlim meminisse juvābit.
       VERGIL

S334   Perdidisse ad assem māllem quam accēpisse turpiter.
       PUBLILIUS SYRUS

S335   Nō'sse volunt omnēs, mercēdem solvere nēmō.
       JUVENAL

S336   Nūllī tacuisse nocet; nocet esse locūtum.
       DIONYSIUS CATO

S337   Omnem crēde diem tibi dīlūxisse suprēmum.
       HORACE

S338   Crēdula vītam
       spēs fovet et fore crās semper ait melius.
       TIBULLUS

S339   Tempus erit, quō vōs speculum vīdisse pigēbit.
       OVID

S340   Disce quasī semper vīctūrus; vīve quasī crās moritūrus.
       ANON.

S341   Cēde repūgnantī: cēdendō victor abibis.
       OVID

S342   Vigilandō, agendō, bene cōnsulendō prospera omnia cēdunt.
       SALLUST

S343   Gutta cavat lapidem nōn vī sed saepe cadendō.
       BINDER

S344   Dēlīberandō saepe perit occāsiō.
       PUBLILIUS SYRUS

S345   Trīste ... est nōmen ipsum carendī.
       CICERO

S346   Ūnus homō nōbīs cūnctandō restituit rem.
       ENNIUS

S347   Nūlla causa jūsta cuiquam esse potest contrā
       patriam arma capiendī.
       CICERO (adapted)

S348   Hominis ... mēns discendō alitur et cōgitandō.
       CICERO

S349   Audendō virtūs crēscit, tardandō timor.
       PUBLILIUS SYRUS

S350   Negandī causa avārō numquam dēficit.
       PUBLILIUS SYRUS

S351 Nihil...sine ratiōne faciendum est.
SENECA

S352 Vitium uxōris aut tollendum aut ferendum est.
VARRO

S353 Sapientia...ars vīvendī putanda est.
CICERO

S354 Diū apparandum est bellum, ut vincās celerius.
PUBLILIUS SYRUS

S355 Heu! Quam est timendus quī morī tūtum putat!
PUBLILIUS SYRUS

S356 Sine dolōre est vulnus quod ferendum est cum victōriā.
PUBLILIUS SYRUS

S357 Quaerenda pecūnia prīmum est; virtūs post nummōs.
HORACE

S358 Mīranda canunt sed nōn crēdenda poētae.
DIONYSIUS CATO

S359 In voluptāte spernendā et repudiandā virtūs vel maximē cernitur.
CICERO (adapted)

S360 Virtūs...cōnstat ex hominibus tuendīs.
CICERO

LIST OF READINGS

CHAPTERS 8 THROUGH 35

SUMMARY OF THE INTERROGATIVE WORDS

The interrogative pronoun expects as an answer a noun in the same case and same environment. In the nominative and accusative there is a distinction between personal and nonpersonal nouns: *Quid est?* expects an answer like *Lapis est,* while *Quis est?* expects an answer like *Vir est.*

m&f	n		m	f	n
quis	quid		quī	quae	quae
quem	quid		quōs	quās	quae
quō	quō		quibus	quibus	quibus
cui	cui		quibus	quibus	quibus
cujus	cujus		quōrum	quārum	quōrum

A noun with an interrogative adjective permits much more specific questions; Instead of *who?* or *what?* it is now possible to ask *How many men? What kind of stone?* etc.

The general interrogative adjective has the forms of the relative pronoun: *Quī homō est?* means "What man is it?"

m	f	n		m	f	n
quī	quae	quod		quī	quae	quae
quem	quam	quod		quōs	quās	quae
quō	quā	quō		quibus	quibus	quibus
cui	cui	cui		quibus	quibus	quibus
cujus	cujus	cujus		quōrum	quārum	quōrum

The interrogative *quālis-e* (p63) expects as answer an adjective describing quality: *Quālis vir est? Bonus vir est.*

The interrogative adjective *quantus-a-um* (p63) expects as answer an adjective describing size: *Quantus lapis est? Magnus lapis est.*

The interrogative adjectival *quot* (p88) expects as answer a count adjective, either a numeral or a word such as *multī.*

The interrogative adjective *uter, utra, utrum* (p111) expects as an answer a choice between two entities, "Which of two?"

The interrogative adjective *quotus-a-um* (p131) asks for the sequence and expects as answer an ordinal numeral. *Quota pictūra est? Tertia pictūra est.*

There are special combinations of interrogative adjective and noun, among which we should notice the following.

Quō modō (p41) expects as an answer either an adverb *(honestē)* or
cum with an abstract noun in the ablative *(cum honōre).* The ablative
alone is found a) in a series *(cōnstantiā et virtūte),* or b) when the noun
is modified by an adjective *(magnā virtūte).*

Quā sub condiciōne, quā condiciōne (p118) expects as an answer a *sī*
clause.

Quō auxiliō (p49) expects as an answer a nonpersonal noun in the
ablative: *manū, vīnō, amōre.*

Quō cōnsiliō (p355) expects as an answer a purpose clause.

Quam ob rem (p431) or *quā rē* expects as answer the reason why,
which may occur either in a clause *(quod timet)* or in a noun phrase
(propter timōrem, timōre).

There are special interrogative adverbials. The enclitic *-ne* (p41)
on the first important word asks a question and expects as an answer
repetition of that word if the answer is positive, repetition with a negator if the answer is negative.

Utrum . . . an (p162) asks a double question: *Utrum malus an bonus
est?* *An* (p92) asks a question that implies an alternative: *An bonus
est?* ("Is he good or not?")

Quotiēns, "How often?" (p49) expects as an answer an expression of
time frequency: *numquam, saepe, interdum.*

Quō (p246) is equivalent to *quem ad locum* and expects as an answer
an accusative showing the goal: *ad urbem, post arborem, domum suam.*

Ubi (p73) is equivalent to *quō locō* and expects as an answer an expression of place where: *sub lapide, post arborem, in marī.*

Unde (p126) is equivalent to *quō ex locō* and expects as an answer a
noun in the ablative, usually with a preposition expressing separation:
ā fonte, dē monte.

Quandō (p104) is equivalent to *quō tempore* and expects as an answer
an expression of time, either as a clause *(ubi, ut,* etc.) or a noun phrase
(aestāte, ante lūcem, sub nocte).

Quam diū, "How long?" (p442) expects as an answer a time word in
the accusative *(multōs annōs),* although when a qualifying adjective
makes clear that duration of time and not point of time is intended, the
ablative is also common *(tōtā nocte).*

Cūr is equivalent to *quā rē* and *quam ob rem.*

VOCABULARY

ā/ab (prep w abl): with personal nouns
& passive verbs, *by the agency of,
by*; with verbs of separation, *away
from, from* p49

abeō: *go away* p292

abhorreō-ēre-uī p261

ablūtiō-ōnis, f: *washing away* p406

absēns (one ending adj) p101

absolvō-ere-solvī-solūtus: *free*
someone *from* something p250

absurdus-a-um p375

abūtor p399

abyssus-ī,f: *pit, abyss, hell* p266

ac: variant of *atque*

accēdō-ere-cessī: *come toward* p183

accidō-ere, accidī p191

accipiō-ere-cēpī-ceptus p415

accūsō (1) p270

acerbus-a-um p297

āctiō-ōnis, f: *deed* p308

āctum-ī,n p77

ad (prep w acc) p127

adductiō-ōnis, f: *conductor* p403

adeō (adverbial): *even* p412

adferō p443

adhūc (adverbial) p383

adjuvō (1): *help* p85

adnatō (1): *swim toward* p452

adscrībō-ere-scrīpsī-scrīptus: *assign* p420

adsum-esse-fuī: *be present* p348

adulēscēns (one ending adj): describing man or woman between ages of
15-17 and 30-40; roughly our *young
person* p250

adversus-a-um: *unfavorable* p220

adversus (prep w acc): *against* p467

aedēs-is, f p437

aedificō (1): *build, construct* p292

aeger-gra-grum p48

aegrōtō (1): *be sick* p227

aequālis-e: *equal* p176

aequālitās-tātis, f p407

aequō (1): *make equal* p119

aequus-a-um: *even, equal; fair, just*
p342

āēr,āeris,m: *air* p401

aes,aeris,n: *bronze; money* p468

aestās-tātis: *summer* p405,406

aestimō (1): *evaluate* p313

aetās-tātis, f: *period of life, youth;
old age* p59

aeternitās-tātis, f p379

aeternus-a-um: *everlasting* p52

afflīgō: *injure* p453

ager,agrī, m: *country district; farm;
field* p292

agitō: *set in motion* p408

agna-ae, f: *female lamb* p63

agnus-ī, m: *male lamb* p29

agō-ere, ēgī, āctus (verb with wide
area of meaning): as colorless substitute for many verbs, *do*; with specific objects, *set* something *in
motion, drive* horses, *do* business,
give thanks, etc., etc. p41

agricola-ae, m: *farmer* p459

ajō (defective verb): *say* p370,380

āles (one ending adj, gen *ālitis*):
winged p457

aliēnus-a-um: *belonging to another*
p59

alimentum-ī, n: *food* p404

aliquandō (adverbial) p260

aliquī, aliquae, aliquod: *some, any*
p372

aliquis, aliquid p220

aliquot (adjectival): *a few* p444

alius (special dat & gen): *other* p96,
235

alloquium-ī, n p178

alloquor-loquī-locūtus p242

alō-ere, aluī, alitus (altus): *feed,
nourish* p74

alter (special dat & gen): *other of two*
p141,235

altus-a-um p146

amārus-a-um p199

amātor-tōris, m p125

ambitiō-ōnis, f p356

ambō, ambae, ambō: *both* p348

ambulō (1): *walk* p161

amīcitia-ae, f: *friendship* p149

amīcus-a-um: *friendly* p32

āmittō-ere, āmīsī, āmissus: *let go*
from oneself, *lose* p48

amnis-is, m: *stream* p157

amō (1): *love* p115

amor-ōris, m: *love* p31

amphora-ae, f: *vase, jug, pitcher,
bottle,* etc., with two handles p29

amplus-a-um: *large; generous; ready*
p195

an (subord conj) p92

angulus-ī, m: *corner* p327

anima-ae, f p207

animal-ālis, n p92

animus-ī, m: *mind, spirit, attention, enthusiasm* p96

annus-ī, m: *year* p191

ante (prep w acc) p127; also used as adverbial p415

antequam (subord conj) p361

antīquus-a-um: *ancient* p48

anus-ūs, f: *old woman* p468

aper, aprī, m: *wild boar* p48

aperiō p331

appāreō: *appear* p431

apparō (1): *prepare* p395

appellō (1): *name* p308

aptus-a-um: *fitting* p432

apud (prep w acc) p444

aqua-ae, f: *water* p53

arbitrium-ī: *decision; authority* p361

arbitror (1): *make a decision; think* p372

arbor-oris, f p110

arca-ae, f: *chest, money chest* p466

arcus-ūs, m: *bow* p308

ardeō: *be on fire* p454

argūtus-a-um p439

arma, armōrum, n: *weapons* p91

arō (1) p391

ars, artis, f: *art, skill; education* p85, 338

as, assis, m p379

ascendō-ere, ascendī p179

ascēnsus-ūs, m p179

aspectus-ūs, m: *sight* p278

asper-era-erum p136

aspiciō-ere, aspexī, aspectus: *see, behold* p107

assīgnō (1) p313

astrum-ī, n p80

at (coord conj) p161

āter-tra-trum p426

atque p115

atrōx (one ending adj): *ferocious* p439

attingō: *touch* p375

auctor-tōris, m: *author* p91

audācia-ae, f: *boldness* p406

audāx (one ending adj): *bold* p225

audeō-ēre, ausus (deponent in perfective system) p146,292

audiō (4): *hear* p150

auferō: *carry away* p297

auris-is, f: *ear* p70

aurum-ī, n p250

aut (coord conj): p150,254

autem (conj) p195

auxilium-ī, n: *aid, instrument* p49

avāritia-ae, f: *greed, avarice* p53

avārus-a-um: *greedy, avaricious* p145

baculus-ī, m p190

balnea-ōrum, n: *bath* p416

barba-ae, f: *beard*, often symbol of wisdom p39

barbarus-a-um: describing any person *not Greek or Roman* p351

barbātus-a-um: *bearded* p351

beātus-a-um p217

bellicus-a-um: *pertaining to war* p268

bellum-ī, n p220

bellus-a-um: *pretty, neat* p473

bene (irregular adverb of *bonus*) p53

beneficium-ī, n: *act of kindness* p186

bēstia-ae, f: *wild animal* p62

bibliothēca-ae, f: *library* p273

bibō, bibere, bibī: *drink* p92

bis (adverbial): *twice* p186

blandus-a-um: *smooth, pleasant; flattering* p71

bonus-a-um: high on Roman scale of values, *good, honest*, etc. p53

bōs, bovis, m&f (irregular noun) p391

brevis-e: *short, brief* p52

brūma-ae, f: *shortest day of year; winter* p464

bybliopōla-ae, m: *bookseller* p467

cachinnus-ī, m p444

cadō: *fall down* p292

caecus-a-um: *blind* p130

caelum-ī, n: *heaven, sky; climate* p96

Caesar-aris, m: common name of Roman emperors p96

calamitās-tātis, f: *disaster* p203

calēsco-ere: *be warm* p446

calidus-a-um: *hot* p443

callidus-a-um: *shrewd* p431

calor-ōris, m: *heat* p402

campus-ī, m: *field* p429

candidus-a-um: *white, gleaming; pretty* p411

canis-is, m&f: *dog* p48

canō: *sing* p395

cantō (1) p418

capella-ae, f p450

caper-prī, m: *male goat* p451

capillus-ī, m: individual *hair* p70

capiō-ere, cēpī, captus: *seize* something physically or mentally p59

capra-ae, f: *female goat* p450

captīvus-a-um: *captured* p115

captor-tōris, m p116

caput,capitis, n: *head* p62

careō-ēre-uī: w abl, *lack, need* p107

carmen-minis, n p117

carō, carnis, f p404

cārus-a-um: *dear* p183, 334

cāseus-ī, m: *cheese* p457

castus-a-um p177

cāsus-ūs, m: *accident* p313

cattus-ī, m 261

cauda-ae, f: *tail* p403,408

causa-ae, f: *reason, cause* p253

cautus-a-um: *cautious* p115

cavō (1): *hollow out* p387

cēdō-ere, cessī p183

celebrō (1): *make famous* p418

celer, celeris, celere: *swift* p186

celeritās-tātis, f: *speed* p221

cēlō (1): *hide* something p141

celsus-a-um p451

cēna-ae, f: *dinner* p438

cēnō (1): *dine* p431

cēnseō p398

cēnsus-ūs, m: *rating* of citizens and property p466

cerebrum-ī, n: *brain* p403,405

cernō-ere, crēvī, crētus: *discover* p85

certāmen-minis, n: *contest* p292

certātim (adverb): *eagerly* p452

certitūdō-tūdīnis, f: *certainty* p407

certō (1): *fight* p78

certus-a-um: *sure, fixed, certain* p74

cervus-ī, m: *deer* p450

cēterī-ae-a p92

chorus-ī, m p230

cibus-ī, m p347

cinis, cineris, m p119

circum (prep w acc): *around* p301

circumeō-īre-iī: *go around* p455

circus-ī, m: *circle; circular stadium* p351

citus-a-um: *swift* p52

cīvis, cīvis, m&f p326

cīvitās-tātis, f p224

clārus-a-um p198

claudō: *shut up* p441

claudus-a-um: *lame* p161

cliēns-entis, m p438

coepī (perfective system only): *have begun* p292

cōgitō (1): *think* p96

cognōscō-ere, cognōvī, cognitus: *learn, recognize* p32

cōgō-ere, coēgī, coāctus: *compel, collect* p130

collātor-tōris, m: *gatherer* p403

colligō-ere-lēgī-lēctus: *gather* p439

colloquium-ī, n: *conversation* p101

collum-ī, n: *neck* p471

colō-ere, coluī, cultus: *take care of; worship* gods; *cultivate* fields p78

colōnus-ī, m: *tenant farmer* p474

color-ōris, m p117

columna-ae, f p403,404

coma-ae, f: *head of hair* p223

committō p356

commodus-a-um p399

commūnis-e: *common* p179

comparō (1): *compare* p95

compescō: *hold in check* p452

compleō: *fill up* p424

compōnō-ere-posuī-positus: *put down; construct; bury* a body p161

concēdō: *yield, grant* p297

concordia-ae, f: *harmony* p39

concordō (1): *be in agreement* p342

concrēscō-ere-crēvī-crētus: *grow together, grow strong* p157

condemnō (1) p286

condiciō-ōnis, f: *condition* p118

condō p356

cōnfer (imperative form of *cōnferō*): *look at, see, compare* p168

cōnferō-ferre, contulī, collātus: *bring together, compare* p168; with personal pronoun, *sē confert* means *he goes* p456

cōnfundō-fundere-fūdī-fūsus p199

congregō (1): *gather* something together p364

conjugium-ī, n: *marriage* p416

conjūnx, conjugis, m&f: *husband or wife* p415

cōnor (1): *try* p448

cōnscientia-ae, f p225

cōnsequor p439

cōnsilium-ī, n: *advice, plan* p58

cōnspiciō p449

cōnstāns (participle of *cōnstō*) p226

cōnstantia-ae, f: *steadfastness* p39

cōnstō: *agree; be evident; exist* p395

cōnsul-is, m p375

cōnsulō: *take thought* p386

cōnsummō (1): *finish* p292

cōnsūmō-ere-sūmpsī-sūmptus: *use up, eat away* p418

contemnō-ere-tempsī-temptus: *despise* p156

contendō p334

contentus-a-um p172

conticēscō p383

contineō-ēre-uī, contentus: *hold in* p120

contingō p428

contrā (prep w acc) p127,203

contrārius-a-um p412

contumēlia-ae, f: *abuse* p453

convalēscō-ere-valuī: *get well* p118

conveniō-īre-vēnī-ventus p161

convīctus-ūs, m: *food* p446

convīva-ae, m&f p432

convīvor (1): *dine* p448

coquus-ī, m: *cook* p157

cor, cordis, n: *heart* p130

cōram (prep w abl) p399

cornū-ūs, n: *horn, antler* p450

corōnō (1): *crown* p59

corpus, corporis, n: *body* p58

corrumpō-ere-rūpī-ruptus: *destroy, corrupt* p59

corvus-ī, m: *crow* p332

crās (adverbial) p417

crātēra-ae, f p177

crēber-bra-brum p449

crēdō-ere, crēdidī, crēditus p110

crēdulus-a-um: *trusting* p111

creō (1): *create* p96

crēscō-ere, crēvī, crētus: *grow, arise* p102

crīmen, crīminis, n: *accusation* of crime; *crime, fault, offense* p85

cruciō (1): *torture* p418

crūdēlis-e: *cruel* p78

crūdēlitās-tātis, f p119

crūs, crūris, n: *leg* p222

crux, crucis, f: *cross*, to Romans, symbol of disgraceful death; to Christians, symbol of glory p214

cubō p435

culmen-minis, n: *peak* p402,407

culpa-ae, f p250

culpō (1): *blame* p342

cultus-ūs, m: *cultivation, decoration* p220

cum (prep w abl): *with*, in sense of accompaniment p33

cum (subord conj) with indic p104; with subj p359

cūnctor (1): *delay action* p387

cūnctus-a-um: *all* p422

cupiditās-tātis, f p259

cupidus-a-um p456

cupiō-ere-īvī-ītus: *desire* p115

cūr (interrogative adverbial) p114

cūra-ae, f: *care, thought, worry* p31

cūrō (1): *take care of* p78

currō-ere, cucurrī, cursus: *run* p130

cursus-ūs, m: *journey, course* p292

custōdia-ae, f p161

custōdiō (4) p185

custōs-ōdis, m&f p161

cutis-is, f: *skin* p449

daemōn-onis, m: *devil* p334

damnō (1): *condemn* p250

damnum-ī, n: *loss* p460

dē (prep w abl): of position, *down from*; in other situations, *about* p53

dea-ae, f: *goddess* p63

dēbeō-ēre-uī-itus: *owe* something; *ought* to do something p251

dēceptiō-ōnis, f p102

decet-ēre-uit (impersonal verb having only third singular and never a personal noun as subject): *be fitting* p372

dēcidō-ere, dēcidī: *fall down* p450

dēcipiō-ere-cēpī-ceptus: *deceive* p102

decor-ōris, m: *adornment* p405

decōrus-a-um: *becoming, proper* p253

dēcrēscō-ere-crēvī-crētus: *grow smaller* p221

dēfendō-ere, dēfendī, dēfēnsus p114

dēficiō-ere-fēcī-fectus p126

dēfluō-ere-flūxī-flūctus: *flow down* or *out of* p53

dēfūnctus-a-um: *dead* p240

deinde (adverbial) p418

dēlectō (1) p187

dēleō p398

dēlīberō (1) p356

dēliciae-ārum, f: *delight; sweetheart* p443

dēmentia-ae, f: *madness* p92

dēmentō (1): *make insane* p272

dēmum (adverbial): *finally* p458

dēnī-ae-a p164

dēnique (adverbial) p365

dēns, dentis, m: *tooth* p152

dēpōnō-ere-posuī-positus p258

dēscendō-ere, descendī p179

dēscēnsus-ūs, m p179

dēserō: *abandon* p339

dēsīderō (1): *desire* p342

dēsinō p425

dēsistō: *give up* p420

dēsum, dēesse, dēfuī: *be lacking* p106

dēterior, dēterius (comparative): *worse* p327

dēterreō-ēre-uī-itus: *frighten away* p152

dētrahō-ere-trāxī-tractus: *drag off* p267

deus-ī, m: *god* p53

dexter-tra-trum: *right-hand* p402

dīcō-ere, dīxī, dictus: *say, tell* p96

diēs, diēī, m&f: *time;* specific periods of time, *day* (vs night), *day* of 24 hours, *final day* of one's life, etc. p70

difficilis-e: *difficult* p111

difficultās-tātis, f p198

digitus-ī, m: *finger, toe* p205

dīgnus-a-um p177

dīligō-ere, dīlēxī, dīlēctus p250

dīlūceō: *give light* p380

dīmidium-ī, n p207

discēdō: *go away* p346

discipulus-ī, m: *pupil* p117

discō-ere, didicī p92

discrētiō-ōnis, f: *distinction* p403

discrīmen-minis, n: *distinction* p472

dispereō-īre-iī (stronger form of *pereō*) p469

dispōnō-ere-posuī-positus: *put aside* p123

dītō (1): *make rich* p96

diū (adverbial) p395

dīves (one ending adj, gen *dīvitis*): *rich* p105

dīvidō p345

dīvīnus-a-um p292

dīvīsor-ōris, m: *divider* p406

dīvitiae-ārum, f p314

dō, dare, dedī, datus (irregular, having short -*a*- in most forms): *give* p107

doceō-ēre-uī, doctus (with two acc): *teach* someone something p92

doctor-ōris, m: *teacher* p117

doctrīna-ae, f p271

doleō-ēre-uī: *grieve* p82

dolor-ōris, m: *distress* of body or mind; *pain, grief* p70

dolōsus-a-um: *crafty* p457

domicilium-ī, n p402,403

domina-ae, f: *mistress* p156

dominus-ī, m p117

domus-ūs (-ī), f p179

dōnec (subord conj) p313

dōnō (1): *give* p309

dōnum-ī, n: *gift* p62

dormiō (4): *sleep* p78

dubius-a-um: *doubtful* p71

dūcō-ere, dūxī, ductus: *lead* p106

dulcis-e p92

dum (subord conj) with indic p104; with subj p347

dummodo (subord conj): p347

duo, duae, duo p163

dūrus-a-um: *hard, rough, stern, difficult* p179

dux, ducis, m: *leader, guide* p106

ē: variant of *ex*

ēbrietās-tātis, f: *drunkenness* p157

ēbrius-a-um: *intoxicated* p150

ecce (interj) p418

ecclēsia-ae, f: *church* p130

edō, edere (ēsse), ēdī, ēsus: *eat* p292, 457

efferō: *carry out* p434

efficāx (one ending adj): *effective* p130

efficiō-ere-fēcī-fectus: *make* p240

effugiō-ere-fūgī p259

effugium-ī, n: *escape* p450

egeō-ēre-uī: with abl, *lack, need* p186

egestās-tātis, f: *need, want, lack* p271

ēgregius-a-um p422

ējiciō-ere, ējēcī, ējectus: *throw out* p334

ēlevō (1) p421

ēligō-ere, ēlēgī, ēlēctus p220

ēloquēns (one ending adj) p115

ēloquentia-ae, f p152

ēmendō (1): *correct* p59

ēmittō-ere, ēmīsī, ēmissus: *let go* p175

emō-ere, ēmī, ēmptus: *buy* p411

ēn (interj) p352

enim (coord conj introducing an explanation): *for* p285

eō, īre, iī: *go* p278

epigramma-atos, n (Greek word): *short poem* p439

equidem (intensifier) p420

eques-itis, m: *horseman;* member of a Roman social order above the commoners and below patricians, *"knight"* p466

equus-ī, m: *horse* p301

ergō (coord conj) p281

ēripiō: *snatch away* p292

errāticus-a-um: *wandering* p406

error-ōris, m p117

ēsuriēs-ēī, f: *hunger* p402

ēsuriō p421

ēsurītor-tōris, m: *one who is always hungry, starveling* p438

et: coord conj p33; intensifier p117

etiam (intensifier) p71

ēvādō p426

ēvangelizō (1): *preach the gospel to* p161

ēvertō-ere-tī-sus: *turn out; turn over* p376

ēvolvō-ere, ēvolvī, ēvolūtus: *unroll* p439

ex (prep w abl) p53

exceptiō-ōnis, f p92

excipiō-ere-cēpī-ceptus: *get* p433

excitō (1) p364

excōgitō (1): *think up* p448

exemplar-āris, n: *example; Basic Sentence* p168

exemplum-ī, n: *example* p77

exeō-īre, exiī: *go out* p101

exhilarō (1) p102

exigō: *demand* p447

exiguus-a-um: *small, trifling* p375

exilium-ī, n p172

eximius-a-um: *outstanding* p426

exitus-ūs, m: *exit* of a place; *outcome* of an event p70

exōrdior p448

expectō (1) p250

expellō p444

experientia-ae, f p118

explānō (1) p399

expostulō (1): *complain* p420

exterior, exterius (comparative adj) p177

extinguō-ere-stīnxī-stīnctus p151

extrā (prep w acc) p127,245

exul-ulis, m&f p406

fābella-ae, f (diminutive of *fābula*) p449

fābula-ae, f: *story, play, fable* p419

facētiae-ārum, f: *jokes* p443

faciēs-ēī, f: *face* p62

facilis-e: *easy* p48, *accessible* p70

faciō-ere, fēcī, factus: *create* something, *make*; also used as colorless substitute for many verbs, *do*; with two acc, *make* one thing into another p32,85

facultās-tātis, f: *ability* p389

fallō-ere, fefellī, falsus: *deceive, fool* p78

falsus-a-um p101

fāma-ae, f p179

famēs, famis, f (irregular abl, *famē*): *hunger* p157

familia-ae, f: *slaves of a household* p456

famulus-ī, m p177

fātālis-e p427

fateor: *admit* p444

fātum-ī, n: *fate, fortune* p96

fatuus-a-um: *stupid* p198

faux, faucis, f p420

faveō-ēre, fāvī, fautus (w dat) p182

febris-is, f (acc usually *febrim*; abl usually *febrī*) p339

fēcundus-a-um: *fertile* p424

fēlēs-is, f: *cat* p268

fēlīcitās-tātis, f: *happiness, prosperity* p70

fēlīx (one ending adj): *fortunate, happy* p32

fēmina-ae, f: *woman* p29

fenestra-ae, f: *window* p457

ferō, ferre, tulī, lātus: *carry; endure* p85

ferreus-a-um p408

ferrum-ī, n: *iron; sword* p308

fertilis-e p110

ferus-a-um p176

fervor-ōris, m p339

fidēlis-e: *faithful* p32

fidēlitās-tātis, f: *fidelity* p72

fidēs-ēī, f: *fidelity* p39

fīdus-a-um: *faithful* p170

fīlia-ae, f: *daughter* p63

fīliola-ae, f p424

fīlius-ī, m: *son* p53

fingō: *invent* p420

fīniō (4): *finish* p327

fīnis-is, m: *end, limit* p59

fīō, fīerī: *come into being* p56

firmāmentum-ī, n: *strengthening, support* p203

firmus-a-um p125

flagellum-ī, n p401,407

flamma-ae, f p162

flectō: *bend* something p327

fleō-ēre-ēvī-ētus: *weep* p186

flētus-ūs, m: *act of weeping* p149

flōreō-ēre-uī: *be in flower* p191

flōs, flōris, m: *flower* p106

flūmen, flūminis, n: *river* p115

fluō-ere, flūxī, flūctus p138

fluvius-ī, m: *river* p406

focus-ī, m p446

foedus-a-um: *disgusting* p229

folium-ī, n: *leaf* p406,407

fōns, fontis, m: natural *spring*, artificial *fountain* p53

forfex-icis, f: *scissors* p464

forma-ae, f: *appearance, shape; beauty* p59

formīca-ae, f p364

formōsus-a-um p413

fors (defective noun, abl *forte*) p423

forsan (adverbial) p380

fortasse (adverbial): *perhaps* p348,356

fortis-e: *brave; strong* p32
fortitūdō-tūdinis, f: *bravery* p39
fortūna-ae, f: *fortune,* often personified p39
forum-ī, n: *market place,* symbol of Roman public life p446
fovea-ae, f p331
foveō: *keep warm; cherish, love* p380
fragilis-e: *breakable* p110
frangō-ere, frēgī, frāctus: *break something* p78
frāter, frātris, m: *brother* p186
fraus, fraudis, f: *trickery, deceit* p39
frequēns (one ending adj): *repeated; numerous* p437
frīgiditās-tātis, f p339
frīgidus-a-um: *cold* p339
frīgus, frīgoris, n: *cold* p402
frōns, frontis, f: *forehead* p205
frūctus-ūs, m: *profit, increase* p110
frūgiferus-a-um: *fruitful* p428
fruor: w abl, *enjoy* p473
frūstrā (adverbial) p365
frūx, frūgis, f: *crop* p406,407
fuga-ae, f: *flight* p229
fugāx (one ending adj): *fleeing, fleeting* p110
fugiō-ere, fūgī: intransitive, *flee;* transitive, *flee from* p59
fugitīvus-a-um p229
fugitō (1): *flee* p453
fulgeō: *shine* p301
fulmen-minis, n p179
fundāmentum-ī, n: *foundation* p219
funditus (adverbial) p376
fūnus, fūneris, n: *funeral; death* p135
fūr-is, m: *thief* p31
furō-ere: *be insane* p149
furor-ōris, m: *madness* p149
fūrtim (adverb): *by stealth* p453
fūrtum-ī, n: *theft* p461
fūstis-is, m: *club, stick* p460
futūrus-a-um p110
garrulitās-tātis, f: *excessive talking* p447
gaudeō-ēre, gāvīsus: *rejoice* p82
gaudium-ī, n: *joy* p77
gelus-ūs, m: *frost* p406
gemitus-ūs, m: *groan* p475
genae-ārum, f p464
generō (1): *create* p39
genus-eris, n: *kind, type* p470
gerō-ere, gessī, gestus: *always have about one* p120; see p18 for objects this verb may take

gignō-ere, genuī, genitus: *bring into being, create, give birth to, beget* p48
gladiātor-ōris, m p59
glōria-ae, f p130
glōriōsus-a-um: *full of glory, glorious; full of vainglory, boastful* p229
gradus-ūs, m p460
grammatica-ae, f: *grammar* p286
grandis-e: *large* p141
grātia-ae, f: *grace, favor; thanks* p195
grātus-a-um: often w dat, *pleasing* p170
gravis-e: *heavy* in weight; *important* p178
gremium-ī, n p418
grex, gregis, m: *flock* p460
gubernātor-tōris, m: *one who steers a boat* p405
gula-ae, f p404,405
gustus-ūs, m: *taste* p444
gutta-ae, f: *drop* of a liquid p387
habeō-ēre-uī-itus: *have* something physically; *have* something in one's mind, *consider* p53
habitō (1): *live* in a place, *dwell* p120
haereō: *be stuck* p451
harēna-ae, f: *sand; arena* (so-called from sand floors) p59
haud (negator): *not at all* p460
haustus-ūs, m p420
herba-ae, f: *vegetation; grass; medicinal herb* p109
herclē: a mild oath used by men p420
here (adverbial) p444
hērēs, hērēdis, m&f: *one who inherits, heir, heiress* p260
herī: variant of *here*
heu (interj) p395
hīc (adverbial) p414
hic, haec, hoc p100,232
hiems, hiemis, f p271
hilaris-e: *cheerful* p431
hilaritās-tātis, f: *merriment* p177
hinc (adverbial): *from this place; for this reason* p475
hircus-ī, m: *male goat* p351
hirundō-dinis, f p152
historia-ae, f p401
hodiē (adverbial) p417
holus, holeris, n: *vegetable* p403,407
homō, hominis, m&f p51
honestus-a-um p32
honor-ōris, m p48
honōrificus-a-um: *honorable* p442
hōra-ae, f: *hour; fatal hour* p119

hŏrologium-ī, n: *sundial, water clock* p280

horreum-ī, n: *barn* p406,407

hortus-ī, m: *garden* p124

hospes, hospitis, m&f: one who participates in a guest-host relationship, *guest, host* p130

hospitium-ī, n: *hospitality; inn* p406

hostis-is, m&f p118

hūmānus-a-um p268

humerus-ī, m: *shoulder* p455

humilis-e: *low* in space or social rank p195

hūmor-ōris, m: *wetness* p402

humus-ī, f: *earth, soil* p440

ibi (adverbial): *there, then* p107

īdem, eadem, idem p234

igitur (conj) p412

ignis-is, m: *fire* p141

īgnōrantia-ae, f p391

īgnōrō (1): *not know* p471

īgnōscō: w dat, *overlook, excuse* p309

īgnōtus-a-um p407

ille, illa, illud p101,232

imāgō-inis, f: *reflection* p203

imber, imbris, m p273

imitātiō-ōnis, f p53

imitor (1): *imitate* p245

immemor (one ending adj): *forgetful* p285

immō (particle): showing contradiction of what precedes, *on the contrary,* p412; showing qualification of what precedes, *further than that* p472

immodicus-a-um: *uncontrolled* p176

immortālis-e p140

impediō (4): *hinder* p365

imperātor-ōris, m p375

imperium-ī, n: *authority; empire* p408

imperō (1): w dat and acc, *command* something of someone p345

impleō: *fulfill* p427

impōnō-ere-posuī-positus: *place* something *on* something (acc and dat) p183

improbitās-tātis, f p450

improbus-a-um: *wicked* p450

in: as prep w abl shows place where, *in;* as prep w acc and verbs of motion shows place into which, *in, into;* with personal nouns shows hostile action, *against* p32

inānis-e p161

incertus-a-um: *uncertain, dangerous* p74

incipiō: *begin* p379

incitāmentum-ī, n: *incentive* p404

incitō (1): *drive on* p409

incolumis-e: *safe, unharmed* p475

incommodus-a-um p176

incōnstantia-ae, f p230

incrēmentum-ī, n: *increase, yield* p111

incurrō-ere-currī-cursus p284

indāgō (1) p391

inde (adverbial) p361

index-dicis, m&f: *one who points out, informer* p203

indicō (1) p150

industria-ae, f p39

ineptus-a-um p415

inermis-e p383

iners (one ending adj): *without strength* p453

īnfāns (one ending adj): *not speaking;* as noun, *baby, child* p119

īnfēlīx (one ending adj): *unhappy* p169

īnferior, īnferius (comparative) p155

īnfernus-a-um: *lower; belonging to the Lower Regions, infernal* p178

īnferō-ferre-tulī, illātus: *bring against* p419

īnfirmus-a-um: *weak* p334

ingemō p458

ingenium-ī, n p429

ingrātus-a-um: *ungrateful* p195

inhonestus-a-um p229

inimīcitia-ae, f: *hostility* p208

inimīcus-a-um: often w dat, *unfriendly* p185

injūria-ae, f p31

injūstus-a-um p158

innocēns (one ending adj) p115

innocentia-ae, f p161

inopia-ae, f p231

inops (one ending adj): *poor, helpless* p115

inquam (defective verb) p420

īnsānābilis-e: *incurable* p226

īnsānia-ae, f: *madness* p157

īnsānus-a-um p126

īnscius-a-um: *unaware* p450

īnsedeō p424

īnsidiae-ārum, f: *ambush* p149

īnsiliō: *jump on* p453

īnsipiēns (one ending adj): *stupid, foolish* p186

īnsipientia-ae, f: *stupidity* p330

īnspiciō p365

īnstō-āre, īnstitī, īnstātus: w dat, *stand over, threaten* p183
īnstrūmentum-ī, n p410
īnsum: *be on hand* p429
integritās-tātis, f p39
intellegō-ere, intellēxī, intellēctus: *know* p260
intemperāns (one ending adj): *immoderate, unable to discipline oneself* p191
intendō-ere-endī-entus p356
inter (prep w acc) p127
interdum (adverbial) p240
interficiō: *kill* p455
interior, interius (comparative adj) p177
interitus-ūs, m: *death* p431
intolerābilis-e: *unbearable* p157
intrā (prep w acc) p127
intrō (1): *enter* p101
intus (adverbial) p130
inūtilis-e: *useless* p171
inveniō-īre-vēnī-ventus: *find* p115
invictus-a-um: *unconquered* p152
invideō: w dat or acc, *envy* p418
invidia-ae, f p418
invidus-a-um p330
ipse, ipsa, ipsum p203,234
īra-ae, f: *anger* p53
īrāscor, īrāscī, īrātus: *become angry* p245
īrātus-a-um: *angry* p53
irrigō (1) p111
irritō (1) p272
is, ea, id p233,234
iste, ista, istud p233
ita (adverbial) p370
iter, itineris, n: *journey* p130
jaceō p414
jaciō-ere, jēcī, jactus: *throw* p474
jactūra-ae, f: *loss* p222
jam (adverbial).p221
jecur, jecoris, n: *liver* p404,405
jubeō p435
jūcundus-a-um: *pleasant* p150
jūdex-icis, m&f: *judge* p213
jūdicium-ī, n: *judgment* p327
jūdicō (1): *pass judgment* p214
Juppiter, Jovis, m: chief god in Roman pantheon p96
jūrgium-ī, n: *quarrel* p420
jūs, jūris, n p225
jūstitia-ae, f: *justice* p158,214
jūstus-a-um p107
juvenis (one ending adj): *young* p223

juventūs-tūtis, f: *youth* p439
juvō: *help* p146,269
labium-ī, n: *lip* p404
labor-ōris, m: *hard work* p48
labōrō (1): *work hard* p117
lacerō (1): *tear to pieces* p419
lacrima-ae, f: *tear* p77
lacrimō (1); lacrimor (1): *weep* p128
lacus-ūs, m p204
laedō-ere, laesī, laesus: *harm* p150
laetificō (1) p228
laetitia-ae, f: *happiness* p402
laetus-a-um: *glad* p228
laevus-a-um: *left-hand* p402
lāna-ae, f: *wool* p467
lapis, lapidis, m: *stone* p77
lārgus-a-um p241
lascīvia-ae, f p339
lascīvus-a-um: *playful* p464
lassō (1): *exhaust* p466
lateō p338
latitō (1): *habitually hide* p102
latrō-ōnis, m p402
lātrō (1): *bark* p141
lātus-a-um: *wide* p261
laudō (1): *praise* p81
laus, laudis, f: *praise* p39
lavō-āre, lāvī, lōtus: *wash* p32
laxō (1): *untie* p309
lēctiō-ōnis, f: *reading* p135
lēctor-tōris, m: *reader* p439
lectus-ī, m: *bed* p472
legō-ere, lēxī, lēctus p207
lentus-a-um: *slow* p469
leō-ōnis, m: *lion* p157
lepidus-a-um p305
leprōsus-a-um: *afflicted with leprosy* p161
levis-e: *light, fickle, uncertain* p96
levitās-tātis, f: *lightness, fickleness* p156
lēx, lēgis, f: *law* p53
libellus-ī, m p418
liber, librī, m: *book* p273
līber-era-erum: *free* p186
līberō (1): *set free* p266
lībertās-tātis, f p152
lībertīnus-a-um: *pertaining to a freedman* p467
libet (impersonal verb having only third singular and never a personal noun as subject): *be pleasing* p351
libīdō-inis, f p356
licet p436
ligneus-a-um: *made of wood* p408

lignum-ī, n: *wood* p141

līmes, līmitis, m: *boundary, boundary-wall* p406,407

līmus-ī, m: *mud* p451

lingua-ae, f: *tongue; language* p244

linquō: *abandon* p423

liquor-ōris, m: *fluid* p419

līs, lītis, f: *strife, quarrel, lawsuit* p39

lītigō (1): *quarrel* p150

littera-ae, f: *letter* of alphabet; in plural, *letter, literature* p106

lītus-oris, n: *seashore* p456

locuplēs (one ending adj) p434

locus-ī, m: *place, location;* plural usually neuter, *loca* p55

longus-a-um p107

loquācitās-tātis, f: *talkativeness* p228

loquāx (one ending adj): *talkative* p208

loquor, loquī, locūtus: *talk* p245

lūceō-ēre, lūxī: *give light, shine* p195

lucerna-ae, f p402,403

lūdificō (1) p230

lūdō: intransitive, *play;* transitive, *fool, ridicule* p292

lūdus-ī, m p440

lūgeō-ēre, lūxī, lūctus: *grieve* p470

lūgubris-e: *sad* p474

lūmen-minis, n: source of light, *lamp;* receiver of light, *eye* p301

lūna-ae, f: *moon* p146

lupa-ae, f: *female wolf* p63

lupus-ī, m: *male wolf* p31

luscus-a-um: *one-eyed* p130

lūstrō (1): *purify; walk* in a solemn manner as if in ritual of purification; *look around at* while walking; *visit* p443

lūx, lūcis, f: *light* p53

maeror-ōris, m: *grief* p474

maestitia-ae, f: *sorrow* p402

maestus-a-um p225

magis (adverbial) p154

magister-trī, m: *teacher* p227

magnus-a-um: of size, *large;* of position, *important;* of degree, *great* p48

major, majus p155

malefīdus-a-um: *faithless* p199

malitia-ae, f p226

mālō, mālle, māluī: *prefer* p278,281

malus-a-um: possessing undesirable qualities; *wicked, bad, dishonest,* etc. p53

Mamōna-ae, m: *god of riches* p281

mancipium-ī, n p402,403

mandātum-ī, n: *command* p452

māne (adverbial) p431

maneō-ēre, mānsī: intransitive, *remain;* transitival, *wait for* p141

mānēs-ium, f: *deified souls of the dead* p414

manus-ūs, f: *hand; handful* p31

marceō p426

mare, maris, n: *sea* p58

margō-inis, m&f: *rim* p451

marīnus-a-um: *pertaining to ocean* p237

marītus-ī, m: *husband* p424

marmor-oris, n p441

marmoreus-a-um p441

māter, mātris, f: *mother* p117

mātrimōnium-ī, n p412

mātūritiō-ōnis, f: *ripening* p406

mātūrō (1): *ripen* p410

mātūrus-a-um: *ripe* p420

maximus-a-um p155

medicāmen-inis, n: *remedy* p203

medicāmentum-ī, n p270

medicīna-ae, f p109

medicus-a-um: *pertaining to medicine* p106

mediocris-e p433

medius-a-um p126

mel, mellis, n: *honey* p470

melior, melius p155

membrum-ī, n: *part of body; member of organization* p62

meminī (perfective system only): w acc or gen, *remember* p379

memor (one ending adj) p428

memoria-ae, f p101

mēns, mentis, f: *mind, judgment, intention, attention* p59

mēnsa-ae, f: *table* p446

mēnsis-is, m: *month* p415

mentior (4): *tell falsehood* p245

mercēs-ēdis, f: *price* p379

mereō p417

meretrīx-īcis, f: *prostitute* p476

merus-a-um p443

metuō p330

metus-ūs, m p453

meus-a-um: *my, mine* p53

mīles-itis, m: *soldier* p408

mīmus-ī, m: *slapstick comedy* p474

minimus-a-um p155

minor, minus p155

minuō-ere, minuī, minūtus: *reduce* p71

mīrābilis-e: *wonderful* p161
mīrāculum-ī, n p161
mīrandus-a-um p407
mīror (1): *wonder at* p245
mīrus-a-um: *wonderful* p429
misellus-a-um (diminutive of *miser*): *poor, little* p470
miser-era-erum: *unhappy* p195
misereor (w gen) p460
miseria-ae, f: *unhappiness* p270
miseror (1) p428
mittō: *let go, send* p347
mōbilis-e: *movable, changeable* p157
mōbilitās-tātis, f: *movement* p405
modicus-a-um: *moderate, medium* p157 p157
modo (intensifier) p413
modus-ī, m: *way, method* p41
moenia-ium, n: *walls; fortifications* p443
mola-ae, f: *millstone* p403
molestus-a-um: *troublesome* p440
mōlior (4): *do with effort* p451
mollis-e: *soft, gentle, kind; easy* p130
moneō-ēre-uī-itus: *give advice, warn* p253
monoculus-ī, m: *person with one eye* p217
mōnstrō (1): *show* p437
monumentum-ī, n p436
morbidus-a-um: *sick* p285
morbus-ī, m p175
mordeō-ēre, momordī, morsus: *bite* p39
morior, morī, mortuus: *die* p245
moror (1): p427
mors, mortis, f: *death* p135
mortālis-e: *human* p78
mortuus-a-um: *dead* p157
mōs, mōris, m: *custom, habit*; in plural, *character, morals* p101
mōtus-ūs, m: *movement* p418
moveō-ēre, mōvī, mōtus: *move* something p78
mox (adverbial) p315
mūla-ae, f p447
mulier-eris, f: *woman, wife* p106
multus-a-um: with plural noun, *many*; with singular noun, *much* p79
mundō (1): *cleanse* p161
mundus-ī, m: *world, universe, this world* compared with after-life p170
mūnus-eris, n: *gift* p85
mūrus-ī, m p407
Mūsa-ae, f p195

mūtābilis-e: *changeable* p178
mūtātiō-ōnis, f: *change* p372
mūtō (1): *change* something p130
nam (coord conj) p338
nāris-is, f: *nostril* p403
nārrō (1) p346
nāscor, nāscī, nātus: *be born* p245
nāsus-ī, m: *nose* p223
natō (1): *swim* p390
nātūra-ae, f p70
nātus-a-um: *born*; often used as masculine noun, *son* p77, or feminine noun, *daughter* p117
naufragium-ī, n p339
naufragus-ī, m p456
nauta-ae, f p405
nāvis-is, f: *ship* p115
-ne (particle added to first word of sentence, asking for a yes-or-no answer) p41
nebula-ae, f: *fog, cloud* p405
nec: variant of *neque*
necessārius-a-um p111
necessitās-tātis, f: *need* p53
necessitūdō-tūdinis, f: *need* p85
necō (1) p119
neglegō-ere, neglēxī, neglēctus: *overlook* p78
negō (1): *say no* p387
negōtium-ī, n: *business* p447
nēmō, m&f (acc *nēminem*; other forms rare): *nobody* p31
nempe (intensifier): *surely* p469
nemus, nemoris, n p229
nepōs-ōtis, m p427
neque (negative coord conj) p220
nesciō (4) p391
neuter-tra-trum (special dat & gen) p235
nex, necis, f p420
nī: variant of *nisī*
niger-gra-grum p411
nihil, n (only form in common use) p136
nīl: variant of *nihil*
nimis (adverbial) p335
nimius-a-um p432
nisī (subord conj) p195
nīsus-ūs, m p449
niteō p415
nitor-ōris, m: *brightness* p457
niveus-a-um p411
nix, nivis, f: *snow* p405,406
nīxus-a-um: *resting on* p451
nōbilis-e p120

nōbilitās-tātis, f p106
nōbilitō (1): *ennoble* p71
nocēns (participle of *noceō*): *guilty*
p114
noceō-ēre-uī: w dat, *harm* p150,182
nocturnus-a-um: *belonging to night*
p301
nōlō, nōlle, nōluī: *not wish* p265,278
nōmen-inis, n p162
nōn (negator affecting single words,
phrases, clauses): *not* p33
nōndum (adverbial) p281
nōscō p361
noster-tra-trum p144
novus-a-um: *new* p64
nox, noctis, f: *night* p91
nūbilus-a-um p280
nūbō-ere, nūpsī, nūptus: *veil* oneself;
of a woman, *be married* (w dat) p182
nūdus-a-um: *bare, unclothed* p245
nūgae-ārum, f p445
nūllus-a-um (negating adj; special dat
& gen) p53,235
numerō (1): *number* p85
nummus-ī, m: *coin* p62
numquam (adverbial): *never* p33
numquid (interrogative particle) p473
nunc (adverbial) p293
nūper (adverbial) p434
nūptiae-ārum, f: *marriage* p412
nūtriō (4): *nourish* p119
nūtrītor-tōris, m: *one who nourishes*
p403
nūtrīx-īcis, f: *nurse* p405
ob (prep w acc) p415
obeō p450
obitus-ūs, m: *death* p415
objiciō p398
oblīquus-a-um p387
oblīviō-ōnis, f: *forgetfulness* p263
oblīvīscor p448
obsequor-sequī-secūtus: w dat, *obey*
p462
obumbrō (1): *cover with a shadow* p71
obvius-a-um: *face to face* p456
occāsiō-ōnis, f: *opportunity* p39
occurrō p438
oculus-ī, m: *eye* p29
ōdī (perfective system only) p292
odium-ī, n p119
odor-ōris, m: *smell, fragrance* p203
odoror (1): *smell* something p443
offerrō-ferre, obtulī, oblātus: *offer*
something to someone p48
officium-ī, n: *duty* p446

oleō-ēre-uī: *give off an odor*, either
pleasant or unpleasant p141
olfaciō p444
ōlim (adverbial) p380
omnis-e: w sg nouns, *each, every*; w
pl nouns, *all* p53
opera-ae, f: *work, service, attention*
p48
opīniō-ōnis, f: *reputation* p214
oppōnō-ere-posuī-positus p229
opprimō-ere-pressī-pressus p420
ops, opis, f (no nominative): *power,
wealth, assistance* p141
optimus-a-um p155
optō (1) p442
opus, operis, n: *work, labor*; as result of work, *building, book*, etc. p58
ōrātiō-ōnis, f: *speech* p70
ōrātor-ōris, m: *one who excels at
public speaking*, an art much valued
by the Romans p244
orbis-is, m: *circle; world* (with or
without *terrārum*) p96
ōrdō-inis, m: *rank, order* p70,218
orīgō-inis, f: *beginning* p266, 327
orior p424
ōrnō (1): *decorate* p96
ōrō (1) p441
ōs, ōris, n: *mouth* p223
os, ossis, n p404,405
ōscitō (1) p418
ōsculum-ī, n p464
ostendō-ere, ostendī, ostēnsus p228
ovis-is, f p230
ōvum-ī, n p191
paene (adverbial): *almost* p475
palleō-ēre-uī: *be pale* p418
pallidus-a-um: *pale* p418
palliolum-ī, n p224
pallium-ī, n: a Greek *cloak*, often the
distinctive mark of Greek philosophers p281
palūs-ūdis, f p452
pānis-is, m: *bread, loaf of bread* p70
panthēra-ae, f p459
pār (one ending adj): *equal* p170
Paradīsus-ī, m p178
parcō-ere, pepercī (special intransitive w dat) p306
parēns-ntis, m&f: *father* or *mother*
p218
pariēs-etis, m: *wall* p402,407
pariō-īre, peperī, partus: *bear, produce* p125
parō (1): *prepare* p150

pars, partis, f: *part* p201

parvulus-a-um: *little, tiny* p115

parvus-a-um: *small* p78

pāscō-ere, pāvī, pāstus: *feed* some-one p78

passer-eris, m: *sparrow* p470

passus-ūs, m: *double step; five feet* p469

pāstor-tōris, m: *shepherd* p459

pateō-ēre-uī: *stretch, lie* p466.

pater, patris, m: *father* p53

patior, patī, passus: *permit, allow, suffer, undergo* an experience p49

patrius-a-um p115

paucī-ae-a: *few* p78

pauper (one ending adj): *poor* p48

paupertās-tātis, f: *poverty* p208

pavidus-a-um p452

pavor-ōris, m p450

pāx, pācis, f: *peace* p220

peccō (1) p171

pectus-oris, n p435

pecūnia-ae, f: *money* p62

pecus, pecoris, n: *flock* p460

pejor, pejus p155

pellis-is, f p449

pendeō-ēre, pependī p145

penna-ae, f: *feather* p403

pennātus-a-um: *equipped with feathers* p408

per (prep w acc) p127

percipiō-ere-cēpī-ceptus: *seize hold of,* often with the mind p260

percutiō: *strike hard* p357

perditiō-ōnis, f: *destruction* p178

perditor-tōris, m: *destroyer* p406

perdō-ere, perdidī, perditus: *destroy, lose* p157

peregrīnātiō-ōnis, f: *pilgrimage* p402

pereō-īre-iī: *die* p32

pererrō (1): *wander through* p443

perficiō-ere-fēcī, fectus: *complete* p150

pergō p292

perīculōsus-a-um: *dangerous* p152

perīculum-ī, n (variant, *perīc'lum*): *trial, experiment; risk, danger* p58

perītus-a-um (w gen or abl) p474

perōdī: *hate thoroughly* p418

perpetuus-a-um: *everlasting* p52

perquīro: *inquire thoroughly* p356

persaepe (adverbial) p245

pertineō-ēre-tinuī: *pertain to* p177

perturbātiō-ōnis, f: *disturbance* p405

pēs, pedis, m: *foot* p222

pessimus-a-um p155

petō-ere, petīvī, petītus: *seek, beg; attack, aim at* p59

petulāns (one ending adj): *saucy* p453

philosophia-ae, f p175

philosophus-ī, m: *philosopher* p39

pictūra-ae, f p131

pietās-tātis, f: quality of ideal Roman, applied to son, citizen, or soldier, showing respect for institutions of Rome by performing duty to country, family, gods p219

piger-gra-grum p286

piget (impersonal verb having only third singular and never a personal noun as subject): *cause sorrow* p380

pila-ae, f: *ball* p473

pingō-ere, pīnxī, pictus: *paint* p203

pinguis-e: *fat; rich; fertile* p466

pirum-ī, n: *pear* p375

piscātor-ōris, m: *fisherman* p140

piscis-is, m: *fish* p85

piscor (1) p199

pius-a-um p422

placeō-ēre-uī-itus: w dat, *please* p182

planta-ae, f: *sprout, twig; tree; sole of foot* p118

plantō (1) p111

plēctrum-ī, n: *pick for striking strings of lyre* p403,404

plēnus-a-um: w gen or abl, *full* p170

plērusque, plēraque, plērumque p249

plōrō (1): *weep* p448

plūrimus-a-um p155

plūs, plūris, n p155

pluvia-ae, f: *rain* p403,405

poena-ae, f: *punishment* p53

poēta-ae, m: *poet* p105

pōmum-ī, n: *fruit* p375

pōnō-ere, posuī, positus: *put down* p150

pōns, pontis, m p405,406

populus-ī, m p207

porta-ae, f p261

portō (1): *carry* p48

portus-ūs, m p425

poscō-ere, poposcī p258

possideō-ēre-sēdī-sessus: *own, possess* p116

possum, posse, potuī (compound of *sum*): *can, be able* p251

post (prep w acc and adverbial) p127, 245

postquam (subord conj) p359

postrīdiē (adverbial): *next day* p460

postulō (1): *demand* p461

potēns (one ending adj): *powerful* p268

potestās-tātis, f: *power* p262

pōtō (1): *drink* p433

praeceptum-ī, n: *advice* p130

praeclūdō: *shut off* p453

praeda-ae, f: *booty* p450

praedō-dōnis, m: *robber* p456

praeferō-ferre-tulī-lātus p199

praeparō (1): *prepare* p342

praesēns (one ending adj) p110

praestō-stāre-stitī-stātus: *excel* p424; *fulfill an obligation* p433; *make someone into something* p399

praeter (prep w acc) p127

praetereā (adverbial) p398

praetereō-īre-iī-itus: *pass by* p214

prāvus-a-um: *evil* p452

precor (1): *pray to; beg* p412

premō-ere, pressī, pressus p91

pretium-ī, n p433

prex, precis, f p428

prīmus-a-um: *first* p131

prīnceps (one ending adj) p170

prior, prius (comparative) p176

prō (prep w abl): of place, *in front of*; with persons, *in behalf of* p115

probō (1): *test; approve* p327

prōcreō (1): *bring forth* p178

prōditor-tōris, m: *betrayer* p401

prōdō-ere-didī-ditus: *betray* p408

proficīscor p438

prōgredior: *move forward* p327

prōmittō-ere-mīsī-missus: *promise* p433

prope (prep w acc) p127

properō (1): *hasten* p459

prōpōnō-ere-posuī-positus: *put forward* p123

proprius-a-um: *one's own* p253

propter (prep w acc) p127

prosperus-a-um: *according to one's wishes* p387

prōsum: *be of advantage* p372

prōtinus (adverbial) p448

prōverbium-ī, n p375

proximus-a-um: usually w dat, *near* p187

prūdēns (one ending adj) p32

prūdentia-ae, f: *prudence* p72

pūblicus-a-um p124

pudīcus-a-um: *chaste* p446

pudor-ōris, m p472

puella-ae, f: *girl* p75

puer-ī, m&f: *child*; most commonly a male child, *boy* p59

pūgnō (1): *fight* p185

pulcher-chra-chrum: *handsome, pretty* p32

pulchritūdō-tūdinis, f: *beauty* p404

pulmō-ōnis, m: *lungs* p404,405

pūrus-a-um: *clean* in physical or spiritual sense p53

puteus-ī, m p451

putō (1): *think* p395

quadrīga-ae, f: *chariot* drawn by four horses p406,407

quaerō-ere, quaesīvī, quaesītus: *seek, ask* p32

quaesō p420

quālis-e(interrogative adjective expecting adjective of quality as answer): *what kind of* p72; also used as relative p113

quam (adverbial patterning with adj and adv) p231

quam (conj used in comparisons): *than* p154

quamvīs (subord conj) p448

quandō (subord conj) p104

quantus-a-um (interrogative adjective expecting an adjective of size as answer): *how great* p63

quārtus-a-um: *fourth* p131

quasī (subord conj) p271

-que (enclitic coord conj) p39

querēla-ae, f p428

queror, querī, questus: *complain* p253

quī, quae, quod p112

quī (adverbial) p420

quī, quae, quod (interrogative adj): *which*; forms are identical with relative pronoun p41

quī, quae, quod (relative pronoun): *who, what, that*; forms are identical with interrogative adjective p112

quia (subord conj) p115

quīcumque, quaecumque, quodcumque (relative pronoun) p113

quīdam, quaedam, quoddam p178

quidem (intensifier) p314

quiēs, quiētis, f: *peace, rest* p241

quiēscō-ere, quiēvī, quiētus: *be at rest, be peaceful* p241

quīlibet, quaelibet, quodlibet (relative pronoun) p439

quīn (subord conj) p450

quīnī-ae-a p164

quīnquennium-ī, n p428

quippe (intensifier): *surely* p460

quis, quid (interrogative pronoun): *who, what* p41

quis, quid (found chiefly in *sī* clauses) p106

quisquam, quaequam, quicquam (indefinite pronoun) p220

quisque, quaeque, quodque (indefinite pronoun) p78

quisquis, quaeque, quidquid (indefinite relative pronoun): *whosoever* p125

quō (adverbial): *to what place* p246

quod (adverbial acc of *quī, quae, quod*): *because* p143

quondam (adverbial) p293

quoque (intensifier) p91

quot (adjectival): asking for a number, *how many* p88

quotiēns (adverb): *how often* p49

quotus-a-um: *in what number* p131

rādīx-īcis, f: *root*, often in figurative sense p372

rādō: *scrape, shave* p390

rāna-ae, f p297

rapiō: *seize, snatch* p342

rārus-a-um p125

ratiō-ōnis, f p225

ratis-is, f: *raft; ship* p455

recēdō: *go back* p339

recipiō-ere-cēpī-cēptus: *receive* p432

recitō (1) p418

rēctus-a-um: *correct, right* p141

recūsō (1) p270

reddō-ere, reddidī, redditus: *give back* p107

redeō-īre-iī: *go back* p141

rēgīna-ae, f: *queen* p62

regiō-ōnis, f p217

rēgnō (1): *hold power, rule* p116

rēgnum-ī, n: *rule, power* p116

regō-ere, rēxī, rēctus: *guide, rule, direct* p39

rēgula-ae, f: *rule* p92

rejiciō-ere-jēcī-jectus: *cast aside* p220

religiō-ōnis, f p77

relinquō-ere, relīquī, relictus: *leave* p432

remaneō p339

remedium-ī, n p109

renovō (1): *renew* p428

repellō-ere, reppulī, repulsus: *drive away* p225

repentīnus-a-um: *sudden* p431

reperiō p451

reposcō: *demand back* p297

repudiō (1): *divorce; refuse* p395

repūgnō (1): w dat, *fight against* p230

requiēs-ēī, f p402

requiēscō: *rest* p364

requīrō-ere-sīvī-sītus: *ask* p431

rēs, reī, f: a word of wide area of meaning used of all material objects, *thing, object*; also used of actions, *deed, affair, condition, situation*; *rēs pūblica* is the State p31

resideō p458

resistō-ere, restitī: w dat, *stand against* p183

respiciō: *look at* p342

respondeō-ēre, respondī, respōnsus p419

restituō: *set up again* p387

resurgō-ere, resurrēxī, resurrēctus: *rise again* p161

retineō-ēre-uī-tentus: *hold back, retain* p117

retrō (adverbial): *back* p402

revēlō (1): *uncover* p91

reverentia-ae, f p236

revestiō-ōnis, f: *act of dressing again* p406

rēx, rēgis, m: *king* p62

rhētor-oris, m p375

rīdeō: *laugh, laugh at* p351

rīdiculus-a-um p339

rīsus-ūs, m p444

rīvus-ī, m p419

rogō (1): may take two acc, *ask* p348

rosa-ae, f p136

rōstrum-ī, n: *beak* p403,408

rubeō-ēre-uī: *be red* p418

rubidus-a-um: *red* p418

rumpō: *break* p309

ruō-ere, ruī, rūtus: *tumble down* p141

rursum (adverbial; variant, *rursus*) p262

rūs, rūris, n p437

rūsticus-a-um: *pertaining to the country* p351

sacculus-ī, m p443

sacer, sacra, sacrum: *sacred* p415

saeculum-ī, n: period of time; average lifetime (33 years), *generation*; longest lifetime (100 years), *century* p465

saepe (adverbial) p49

sagitta-ae, f p408

sāl, salis, m: *salt; humor* p356

saliō p420

salsus-a-um: *salty; witty* p444

saltō (1): *dance* p473

saltus-ūs, m: *jump* p305

saltus-ūs, m: *woods* p450

salūs-ūtis, f: *health, safety; salvation* p130

sānābilis-e: *curable* p109

sanciō-īre, sānxī, sānctus p356

sānctus-a-um p292

sanguis-is, m: *blood* p404,405

sānō (1): *heal* p339

sānus-a-um: *sound, healthy* p59

sapiēns (one ending adj; imperfective participle of *sapiō*): *wise* p32

sapientia-ae, f: *wisdom* p39

sapiō-ere, sapīvī: *be wise* p137

sarcina-ae, f: *bundle; money bags* p466

sat (variant of *satis*) p191

satiō (1): *satisfy* p135

satis (adverbial & adjectival): *enough* p115

saturitās-tātis, f: *fullness* p402

saxum-ī, n: *rock* p460

scēptrum-ī, n: *royal staff, scepter* p292

scholāris-e: *pertaining to school*; as noun, *student* p305

scientia-ae, f: *knowledge*, not restricted to science p106

scindō p444

sciō (4) p330

scorpiō-ōnis, m p77

scrībō-ere, scrīpsī, scrīptus: *write* p117

scrīptor-tōris, m p229

secō (1): *cut* p464

sēcrētus-a-um p177

secundus-a-um: *second* p131

sēcūritās-tātis, f: *freedom from care* p281

sēcūrus-a-um: *free from care* p214

sed (coord conj) p60

sedeō-ēre, sēdī: *sit* p466

sēdēs-is, f: *residence* p426

semel (adverbial) p285

sēmen-minis, n p297

semper (adverbial) p60

senectūs-tūtis, f: *old age* p195

senex (one ending adj; gen *senis*): frequently used as a noun p194

sēnsus-ūs, m p389

sententia-ae, f: *opinion; saying; sentence* p100

sentiō-īre, sēnsī, sēnsus: *feel* p82

sepeliō (4) p414

sepulchrum-ī, n: *tomb* p260

sequor, sequī, secūtus: *follow* p245

serēnus-a-um: *bright, fair* p281

sermō-ōnis, m p228

sērus-a-um: *late* p52

serva-ae, f: *female slave* p215

serviō (4); w dat, *serve* p182

servō (1): *preserve, save* p292

servus-ī, m p117

sexus-ūs, m p403

sī (subord conj): indic p104; subjunc p348

sīc (adverbial) p107

siccitās-tātis, f: *drying up* p402

siccō (1): *dry up* p409

siccus-a-um p161

sīcut (subord conj, *sīc* plus *ut*) p267

sīdus-eris, n: *star; constellation* p301

sīgnificō (1): *have meaning* p364

sīgnum-ī, n p228

silentium-ī, n: *silence* p218

sileō-ēre-uī: *be silent* p220

silva-ae, f p176

similis-e: usually w dat, *like, similar* p94

simul (adverbial) p150

simulācrum-ī, n: *likeness* p458

simulō (1): *imitate* p245

sincērus-a-um p443

sine (prep w abl): *without* p33

singulus-a-um p166,167

sinus-ūs, m p383

sistō-ere, stitī: *stand* p183

sitiō (4): *be thirsty*; w acc, *thirst for* p177

sitis-is, f p177

situs-a-um p422

socius-a-um p177

sodālis-is, m p440

sodālitās-tātis, f p439

sōl, sōlis, m: *sun* p146

soleō-ēre, solitus: usually with infinitive, *be accustomed* to do something p251

sōlitārius-a-um p151

sōlitūdō-tūdinis, f p195

solum-ī, n p466

sōlus-a-um (special dat & gen): *alone* p71,235

solvō-ere, soluī, solūtus: *loosen, untie; destroy; pay* money p32

somnus-ī, m: *sleep* p402

sonō (1): *make a noise* p461

sonus-ī, m: *noise* p403

sordidus-a-um p224

soror-ōris, f p208

sors, sortis, f p177

spatiōsus-a-um: *roomy* p261

speciālis-e p357

speciēs-ēī, f: *appearance* p102

spectō (1): *look at* p272

speculum-ī, n p227

spernō-ere, sprēvī, sprētus: *despise* p157

spērō (1): *hope*; w acc, *put hope in* p111

spēs-ēī, f: *hope*, often used of foolish hope; *expectation* of good or evil p31

sphaera-ae, f: *ball, sphere* p403,404

spīna-ae, f: *thorn* p136

spīritus-ūs, m p313

splendeō p458

splendor-ōris, m p404

stabilis-e p226

stadium-ī, n: *race* of about 200 yards p469

stāgnum-ī, n: *pool* p452

statim (adverb) p141

statuō-ere-uī-ūtus p356

status-ūs, m: *situation* p350

stēlla-ae, f p198

stō, stāre, stetī: *stand* p96

strēnuus-a-um: *vigorous* p115

stringō: *bind tight*; *strip off*; of a sword, *unsheathe* p309

struō-ere, strūxī, strūctus p443

studiōsus-a-um p124

studium-ī, n: *enthusiasm, study* p106

stultitia-ae, f: *stupidity* p158

stultus-a-um: *stupid* p32

stupeō-ēre-uī p249

suādeō: *persuade* p309

suāvis-e p101

suāvitās-tātis, f: *sweetness* p101

sub: as prep w acc, *to a position under, under*; as prep w abl, *in a position under, under* p49

subdolus-a-um: *crafty* p451

subitus-a-um: *sudden* p52

submergō-ere-mersī-mersus: *sink something* p161

subsidium-ī, n: *aid, assistance* p406

subtus (adverbial): *underneath* p402

succēdō-ere-cessī: *come up under*; *take the place of* p183

sum, esse, fuī: intransitive, *exist*; copulative in A=B construction, *is* p53

summus-a-um p226

sūmō-ere, sūmpsī, sūmptus p261

super (prep w acc) p127

superbus-a-um: *haughty, proud* p195

superior, superius (comparative) p155

superō (1) p155

superstitiō-ōnis, f p77

superus-a-um: *upper*; as plural noun, *gods* p107

suprā (prep w acc) p127

suprēmus-a-um p135

surdus-a-um: *deaf* p161

surripiō p339

suscitō (1): *arouse* p334

suus-a-um: used when verb is third person to show that modified noun belongs to subject, *his, her, its, their* p59,135

taceō-ēre-uī-itus: *be silent* p141

tālis-e p113

tam (adverbial indicating degree) p191

tamen (conj) p399

tamquam (conj) p237

tangō-ere, tetigī, tāctus: *touch* p409

tantus-a-um: *so great,* answer to *quantus*; adverbial acc *tantum* means *only* p117

tardō (1): *delay* p387

tardus-a-um p346

tegō: *cover* p372

tellūs-ūris, f: *earth* p464

temere (adverbial): *rashly* p361

temperantia-ae, f p175

temperō (1): *divide properly*; *be moderate* p177

tempestās-tātis, f: *weather, bad weather* p405

templum-ī, n: *consecrated spot*; *building* in such a spot p214

temptō (1): *try* p286

tempus, temporis, n: *time* p85

tendō: *stretch* p309

tenebrae-ārum, f: *shadows* p130

teneō-ēre-uī, tentus: *hold* something physically; *hold* something in the mind, *consider* p48

tener-era-erum: *tender* p423

ternī-ae-a p164

terō-ere, trīvī, trītus: *wear out* p474

terra-ae, f: *land, earth* p96

terreō-ēre-uī-itus: *frighten* p89

tertius-a-um: *third* p131

testāmentum-ī, n p432

testimōnium-ī, n p399

thēsaurus-ī, m: *treasure* p115

tigillum-ī, n: *small piece of wood* p452

timeō-ēre-uī: *fear* p85

timiditās-tātis, f: *timidity* p158

timidus-a-um p85

timor-ōris, m: *fear* p203

titulus-ī, m: *inscription* p417

tollō-ere, sustulī, sublātus: *take away* p253,293

tonō-āre-uī p391

torus-ī, m p446

tot (adjectival) p113

totiēns (adverb): *as often as,* answer to *quotiēns* p245

tōtus-a-um (special dat & gen) p177, 235

trabs, trabis, f: *beam; ship* p455

tractō (1): *handle; treat* p71

trādō-ere, trādidī, trāditus p339

trahō-ere, trāxī, tractus: *draw, drag* p78

trāns (prep w acc) p127

trānseō-īre-iī: *pass through* p402

trānsferō-ferre-tulī-lātus: *move across* or *around;* of language, *translate* p118

trānsmittō-ere-mīsī-missus: *carry* or *send* from one place to another p284

tribuō p391

trīstis-e: *sad; prudish* p301

triumphus-ī, m: formal *celebration* of outstanding military victory p346

tueor-ērī, tuitus: *protect* p395

tum (adverbial): *then* p458

tumulus-ī, m p414

tunc (adverbial) p420

turba-ae, f p437

turbulentus-a-um: *disturbed; dirty* p64

turgidus-a-um: *swollen* p454

turpis-e: low in the Roman scale of values, *ugly, dishonorable,* etc. p412

tussiō (4) p412

tussis-is, f p145

tūtus-a-um: *safe* p214

tuus-a-um: *belonging to you* (sg), *your, yours* p253

tyrannus-ī, m: *cruel ruler* p292

ubi: as interrogative adverbial p73; as relative conj p104

ubicumque (subord conj) p437

ubīque (adverbial): *everywhere* p462

ūllus-a-um (special dat & gen) p235

umbra-ae, f: *shade, shadow* p70

umquam (adverbial) p339

ūnanimis-e p424

unda-ae, f: *wave* p141

unde (interrogative adverbial): *from what place* p126

unguentum-ī, n: *ointment* p444

unguō-ere, ūnxī, unctus: *cover with ointment* p444

ūnivira-ae, f p424

ūnus-a-um (special dat & gen) p71,235

urbs, urbis, f: *city* p195

urgeō-ēre: *push, impel* p262

ūsque (intensifier): with verbs, *without stopping* p449; with *ad* means *as far as* p470

ūsus-ūs, m p199

ut (subord conj) p104; with subjunc p347

uter, utra, utrum (special dat & gen) p111,235; adverbial accusative *utrum* means *whether* p162

uterque, utraque, utrumque p437

ūtilis-e p171

utinam (adverbial) p341,349

ūtor, ūtī, ūsus: w abl, *make use of* p334

uxor-ōris, f p199

vacca-ae, f p450

vacō (1): *be at leisure* p469

vādō p429

vadum-ī, n p451

vagor (1): *roam* p452

vagus-a-um p226

valeō-ēre-uī p126,425

validus-a-um p126

valvae-ārum, f: *folding doors* p404,407

vānēscō-ere: *disappear* p101

vānus-a-um: *empty, vain, useless* p126

varius-a-um: *changeable* p178

vās, vāsis, n p403

vāstō (1): *lay waste* p459

-ve (coord conj): *or* p375

vehemēns (one ending adj): *strong, violent* p170

vel: coord conj p253 or intensifier p395

vellō-ere, vulsī, vulsus: *pull out* p474

vēlōx (one ending adj): *swift* p439

vendō: *sell* p437

venēnum-ī, n: *poison* p70

veniō-īre, vēnī: *come* p170

venter, ventris, m p135

ventus-ī, m: *wind* p157

Venus, Veneris, f p77

venustus-a-um p439

vēr, vēris, n: *springtime* p106

verbōsus-a-um: *wordy* p334

verbum-ī, n: *word* p77

verēcundus-a-um: *modest, bashful* p372

vereor, verērī, veritus: *fear*; in good sense, *respect* p245

vēritās-tātis, f: *truth* p31

vernus-a-um p117

versiculus-ī, m: *unimportant verses* p418

versus-ūs, m: *verse of poetry* p432

vertō-ere, vertī, versus: *turn something* p130

vērus-a-um: *true* p101

vester-tra-trum p297

vestīgium-ī, n: *footprint* p406,407

vestīmentum-ī, n: *clothing* p267

vestiō (4): *clothe* p48

vestis-is, f: *clothing* in general p31

vestītus-ūs, m: *article of clothing* p29

vetō p436

vetustās-tātis, f: *old age* p456

via-ae, f: *road* p130

viātor-tōris, m p402,407

vīcīnus-a-um p406

vicissim (adverb) p444

victor-ōris, m p229

victōria-ae, f p106

vīcus-ī, m: *village* p461

videō-ēre, vīdī, vīsus: *see*; the passive usually means *seem* and patterns in an A=B construction; also patterns with an infinitive, *seem to do something* p32

vigilia-ae, f: *state of being awake* p402

vigilō (1) p407

vīlēscō-ere: *become worthless* p130

vīlicus-a-um: as noun, *foreman of a farm* p474

vīlis-e: *cheap, worthless* p64

vīlla-ae, f: *country estate* p437

vincō-ere, vīcī, victus: *conquer* p48

vinculum-ī, n p406

vindicō (1) p415

vīnea-ae, f p420

vīnum-ī, n: *wine* p58

violō (1): *violate* p78

vīpera-ae, f: a kind of *snake* p262

vir, virī, m: *man; husband; hero* p31

virgō-inis, f: *unmarried girl* p406

virtūs-tūtis, f: *desirable quality; bravery, virtue* p39

vīs, f (irreg noun): *force, violence, assault*; plural, *strength* p203

vīta-ae, f: *life* p39

vitiōsus-a-um: *full of faults, corrupt* p454

vitium-ī, n: *blemish, imperfection; moral fault, crime, vice* p58

vīvō-ere, vīxī, vīctus: *live* p32

vīvus-a-um: *alive* p115

vix (adverbial) p297

vocō (1): *call* p207

volō (1): *fly* p175

volō, velle, voluī: *wish, desire, want* p39; often with infinitive as object p251

volūbilis-e: *whirling* p404

voluntārius-a-um p157

voluntās-tātis, f p226

voluptās-tātis, f p177

volvō-ere, volvī, volūtus: *turn something*; in passive, *turn oneself, get turned* p214

vōtum-ī, p427

vōx, vōcis, f: *voice* p141

vulgus-ī, n (note that gender is neuter) p305

vulnus, vulneris, n: *wound* p395

vulpēcula-ae, f p451

vulpēs-is, f: *fox*, often used as symbol of shrewdness p39

vultus-ūs, m: *face, expression* p62

INDEX